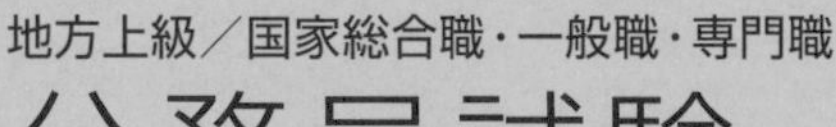

公務員試験

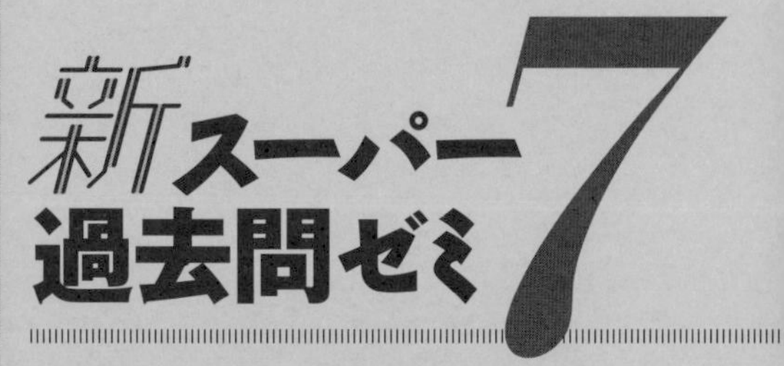

社会科学

政治 経済 社会

［増補版］

資格試験研究会編

実務教育出版

特集

国家公務員試験の新出題（時事・情報）を徹底解説！

令和 6 年度大卒程度国家公務員試験の基礎能力試験で出題された自然・人文・社会に関する時事および情報に関する出題から，学習効果の高い科目を選んで掲載した。時事は自然・人文・社会科学の知識が総合的に問われる問題であるため，『新スーパー過去問ゼミ 7 社会科学［増補版］』『同人文科学［増補版］』では一部に同一の問題を掲載している。

国家公務員試験の新出題(時事・情報)を徹底解説!

変更点の確認

国家公務員試験の基礎能力試験（いわゆる教養試験）の出題分野が，令和6年度試験から変更された。

具体的には，これまで，「時事」「社会科学」「人文科学」「自然科学」という分野だったものが，「自然・人文・社会に関する時事，情報」となった。

国家一般職・国家専門職の変更点

	5年度	6年度
知能分野	27問 ▷文章理解：11問 ▷判断推理：８問 ▷数的推理：５問 ▷資料解釈：３問	24問 ▷文章理解：10問 ▷判断推理：７問 ▷数的推理：４問 ▷資料解釈：３問
知識分野	13問 ▷自然・人文・社会〈時事を含む〉	6問 ▷自然・人文・社会に関する時事 ▷情報
合　計	40問	30問
解答時間	140分	110分

これにより，知能分野のウエートが従来にも増して大きくなり，知識分野の存在感が薄れている。人事院からは事前に，「自然・人文・社会に関する時事，情報」は「時事問題を中心とし，普段から社会情勢等に関心を持っていれば対応できるような内容」だと告知されていたため，特別な準備がいるのか，いらないのか迷った受験生も多かっただろう。

さて，実際はどうだったのか。今後の受験対策として，やるべきことを知るためにも，この［増補版］の特集を活用してほしい。

出題内容を深掘り

令和６年度の国家総合職（春試験）の出題内訳は次ページに，国家一般職，国家専門職はp.⑯に掲載した。まずはざっと見てほしい。選択肢ごとに，自然科学，人文科学，社会科学に分類している。こうして見ると，１問の中に，いろいろな知識が盛り込まれていることがわかる。しかも，１つの選択肢の中にも，日本史や生物といった複数科目のキーワードが混在していることがあるため，非常に複雑に感じるだろう。

しかし，見方を変えれば，これらは，「時事」でありながら，従来の知識分野（つまり，自然科学，人文科学，社会科学）で正誤の判断ができるということを表している。

これまでの「時事」は時事対策を徹底しなくては解けないことが多かったが，今回の新出題では，「高校時代までに学習した知識分野の内容」を使って誤りの選択肢を消していく，という手法を活かすことができる。このことは，「地方上級」や「市役所」を併願する受験者にとっては朗報だろう。地方上級や市役所対策として学習したことが，国家公務員試験でも使えるからだ。

実際の出題に挑戦

次ページからは，令和６年度大卒程度国家公務員試験の基礎能力試験で出題された「自然・人文・社会に関する時事」「情報」に関する出題から，学習効果の高い科目を選んで掲載した。新出題の過去問を使って，受験対策に役立ててほしい。

教養試験【基礎能力試験】出題内訳表

令和６年度　国家総合職（基礎能力試験）一般知識分野

No.	出題内容	選択肢	キーワード	自然科学	人文科学	社会科学
25	近年の科学技術	1	デュアルユース技術，ハーバー・ボッシュ法，R4経済安全保障推進法	化学		
		2	自動運転車，LiDAR，ドップラー効果	物理		
		3	パーソナルデータ，R4改正個人情報保護法，Emonotet	生物		法律
		4	量子暗号通信，量子力学の応用，光子による盗聴の検出	物理		
		5	衛星コンステレーション，静止衛星，米国「スターリンク」(R4)	地学		
26	**国際情勢**	1	2023年スーダン		地理	
		2	2023年ロシアのウクライナ侵攻		世界史	
		3	2023年日韓通貨交換（スワップ）協定再開			経済
		4	2023年米国ユネスコへの復帰			政治
		5	2023年サッカー女子ワールドカップ（オーストラリア・ニュージーランド）		地理	
27	新日本銀行券	1	新一万円札（渋沢栄一，赤レンガ駅舎）		日本史	
		2	新五千円札（津田梅子，藤）	生物	日本史	
		3	新千円札（北里柴三郎，富嶽三十六景）		日本史	
		4	偽造防止策，3Dホログラム，ホログラフィー原理	物理		
		5	「高精細すき入れ」，キャッシュレス決済，旧紙幣の使用期限			経済
28	生物などを巡る最近の動向	1	R5ジャイアントパンダの中国返還		日本史	政治
		2	オオサンショウウオ，「特定外来生物」	生物		
		3	世界人口の増加とタンパク質	生物		社会
		4	WHO感染症拡大の警告（マラリア，豚熱）		地理	
		5	医療品の供給不足，ウイルスの性質	生物		
29	**近年の法改正**	1	R3自然公園法	生物		
		2	R5改正食品表示基準	生物		
		3	R5改正活動火山対策特別措置法	地学		
		4	R4法人等による寄附の不当な勧誘の防止等に関する法律，R4改正消費者契約法			法律
		5	R5インボイス導入			経済
30	情報	1	商品バーコード作成のフローチャートの空欄補充形式	情報		

※出題内訳表の「出題内容」の欄が**太字**になっている問題は，本書p.❹～⓯で詳しく解説している（p.⓰も同様）。

自然・人文・社会に関する時事

国際情勢などに関する記述として最も妥当なのはどれか。

【国家総合職・令和６年度】

1　2023年，国軍と準軍事組織の戦闘により情勢悪化が続くスーダンから近隣国へ退避し，帰国を希望する日本人とその家族がチャーター機で帰国した。アフリカ北東部に位置するスーダンは，1950年代に植民地支配から独立した。その後，アラブ系イスラム教徒が多数を占める北部とアフリカ系キリスト教徒などが多数を占める南部が対立し，内戦状態であったが，2011年に南部が**南スーダン共和国**として分離独立した。

2　2023年，ロシアの**ウクライナ侵攻**が続く中，ロシアが占拠するキーウ近郊にある水力発電所のダムが破壊され，決壊した。ロシアが2014年に侵攻したウクライナ領クリミアは，ロシアにとって戦略上重要な拠点であり，18世紀にムガル帝国からロシア帝国に併合された後，1850年代には，ロシアが英国やオランダなどと戦ったクリミア戦争の戦場となった。

3　日韓両政府は，2023年，日本の輸出管理厳格化措置に関するIMFへの提訴を韓国側が取り下げることを条件に，金融危機の際に通貨を融通する**通貨交換（スワップ）協定**を再開することで合意した。同協定は，1990年代後半に香港における通貨暴落を機に発生したアジア通貨危機を受けて運用が始まったが，日韓関係の悪化により2010年代に失効していた。

4　米国は，2023年，クリントン政権時代に脱退していた**ユネスコ（国際連合教育科学文化機関）**に復帰した。ユネスコは，ウィーンに本部を置く国連の専門機関で，経済的発展と国際間の理解に寄与するため，持続可能な，普遍的に受け入れられる観光を促進することを目的とし，アフターコロナを見据えた観光振興として，**ベネチアや京都**など世界的な観光地への観光客の誘致を提言した。

5　2023年，ニュージーランドとトンガが共催するサッカー女子ワールドカップが開催され，日本代表は１次リーグで３連勝し，決勝トーナメントへ進んだ。開催国のニュージーランドでは，先住民マサイの伝統的な文化や言語などを保存するための取組みが行われており，ラグビーワールドカップ2023などのラグビーの国際試合において，ニュージーランドの選手がマサイの民族舞踊であるハカを踊っている。

難易度　＊＊

解説

どの選択肢も2023年の国際情勢に絡んだ内容となっているが，詳細な知識が問われているわけではなく，一般常識的な知識で正誤判断できる選択肢が多い。

1 ◎ スーダンは現在も不安定な情勢にある。
正しい。スーダンでは，南部が南スーダンとして独立した後も，中央政府内でクーデターが起こるなど，紛争が絶えない。西部の**ダルフール地方**では，同じイスラム教徒のアラブ系と非アラブ系の紛争が20年以上続いている。

2 × ロシアはウクライナの首都キーウを占拠していない。
2022年から続くロシアのウクライナ侵攻で破壊されたカホフカ水力発電所のダムは南部ヘルソン州にあるので，キーウ近郊ではない。**クリミア半島**は，1792年にオスマン帝国からロシアに併合された。クリミア戦争でロシアと戦ったのは，オスマン帝国・英国・フランス・サルデーニャの連合軍である。

3 × 1997年のアジア通貨危機の震源地はタイであった。
日本は，貿易管理の審査体制が十分でないとして，2019年に韓国への特定品目の輸出管理を厳格化し，輸出管理の優遇国（グループＡ：いわゆるホワイト国）から韓国を除外した。これに反発して，韓国は**WTO（世界貿易機関）に提訴**した。アジア通貨危機は，1997年にタイ通貨の暴落をきっかけに起こった経済危機で，タイ，インドネシア，韓国の経済が一時**IMF（国際通貨基金）**の管理下に置かれるなどした。日韓通貨交換（スワップ）協定は，アジア通貨危機の教訓から結ばれたが，日韓関係の悪化もあって2015年に失効した。しかし，2022年に尹錫悦（ユンソンニョル）が韓国大統領に就任すると日韓に関係改善の機運が生まれ，その流れの中で2023年３月には日本側の輸出管理厳格化措置の緩和と韓国側の提訴取り下げがほぼ同時に行われ，７月には韓国がグループＡに復帰，12月には通貨交換協定が再開した。

4 × 米国がユネスコから脱退したのはトランプ政権時代である。
米国のトランプ政権下では**アメリカ第一主義**がとられ，ユネスコ（国連教育科学文化機関：本部はフランスのパリ）だけでなく，WHO（世界保健機関），国連人権理事会，パリ協定等さまざまな国際的枠組みから脱退・離脱したものの，バイデン政権下でほぼ復帰している。なお，観光についての国連専門機関としては**世界観光機関**（UN Tourism）がある。近年，観光地では，**オーバーツーリズム**（観光過剰・観光公害）が問題となっており，世界的に持続可能な観光（サステナブル・ツーリズム）への意識が高まっている。

5 × FIFA女子ワールドカップ2023はニュージーランドとオーストラリアの共催。
ニュージーランドの先住民は**マオリ**であり，マサイはアフリカのケニア南部からタンザニア北部一帯の先住民である。

正答 1

近年の法改正

自然・人文・社会に関する時事

近年の法令改正などに関する記述として最も妥当なのはどれか。

【国家総合職・令和６年度】

1　令和３（2021）年，観光客による自然破壊を防止し生物多様性を確保するため，**自然公園法**が改正され，自然体験活動などの自然公園の利用の抑制を強化する仕組みの整備が定められた。生物多様性を確保するためには，**ニッチ**（生態的地位）の似た同一の資源を利用する生物種が，同じ生活空間かつ同じ活動時間に多数存在することが必要であり，公園内に広葉樹を植栽したり隣接する海岸に干潟を造成したりして，ニッチの分割を抑えることが求められている。

2　令和５（2023）年に施行された**改正食品表示基準**では，TPP協定の発効による規格変更に伴い，「遺伝子組換えでない」という表示が認められる条件については，遺伝子組換え農産物の意図せざる混入率が「５％以下」から「10％以下」へと緩和された。遺伝子の本体はDNAであり，**DNAの塩基**には，アデニン（A），チミン（T），グルタミン（G），ウラシル（U）の４種類があり，この塩基配列をPCR法などを用いて調べることで遺伝子組換え農産物の検出を行っている。

3　令和５（2023）年，活動火山対策特別措置法が改正され，火山地帯の地熱を利用した地熱発電の拡大を目的として，火山に関する調査などを一元的に推進する火山調査研究推進本部が設置されることとなった。**地熱発電**は，マグマの粘性が高く，火山ガス成分が豊富で穏やかな噴火をする火山の麓で行われることが多い。わが国では，世界の火山の中でも特にマグマの粘性が高い浅間山や南アルプスの山麓などで，地熱発電が行われている。

4　令和４（2022）年，法人等による寄附の不当な勧誘の防止等に関する法律が成立し，この法律では，寄附の勧誘に際し霊感等による知見を用いた告知などを行って困惑させることを禁止し，法人等がとるべき措置に関する命令に違反した場合には，刑事罰を科すこととした。また，同年に成立した**改正消費者契約法**では，霊感商法などの悪質商法により締結された契約の取消しができる期間が延長された。これに対して，特定商取引法では，連鎖販売取引（いわゆる「マルチ商法」）について，一定期間内であれば理由を問わず契約を解除できる**クーリング・オフ制度**が導入されている。

5　令和５（2023）年，消費税の仕入税額控除の方式として**インボイス制度**が導入された。インボイス制度とは，年間売上げが1,000万円以下の事業者について，売上げにかかる消費税のうち，一律で５割の金額を納税額とする制度である。**消費税**は，担税者と納税者が異なる**間接税**の一種であり，他の間接税として，法人税や住民税が挙げられる。また，租税は国に納める国税と地方公共団体に納める地方税に分かれ，法人税は国税，消費税と住民税は地方税である。

難易度　＊＊＊

解説

1 ×　自然公園法は，国立公園等の「保護と利用の好循環」をめざしている。
自然公園法は，優れた自然の風景地の保護や生物の多様性の確保を目的としている。令和３年改正では，自然を保護し活用することで地域の資源としての価値の向上をめざしている。なお，同一資源を利用する生物種が多数いると資源の競合になって**ニッチ**を確保できなくなるので，広葉樹の植栽や干潟の造成は生物が棲み分け（ニッチの分割）を可能にする。

2 ×　食品表示基準は消費者の食の安全を守るためのルールである。
食品表示基準は食品を消費者が安全に摂取し，合理的に選択できるような食品表示をするためのルールである。遺伝子組み換え表示については混入率は５％のまま，不検出の場合のみ「遺伝子組換えでない」等と表示できることになった。DNAの塩基は**アデニン（A），チミン（T），グアニン（G），シトシン（C）**である。グルタミンはアミノ酸，ウラシルはRNAの塩基である。

3 ×　日本の地熱発電は火山や地熱地域の分布から東北と九州で行われている。
活火山対策特別措置法は火山の災害被害に対する対策強化を目的としており，**地熱発電**の拡大は目的ではない。マグマは粘性が高いと爆発が大きくなる。日本の地熱発電は火山や地熱地域の分布から東北と九州に集中しており，浅間山や南アルプスでは行われていない。

4 ◎　マルチ商法について20日以内ならクーリング・オフが可能（特定商取引法）。
正しい。法人等による寄附の不当な勧誘の防止等に関する法律は，法人等からの寄附の勧誘を受ける者を保護するための法律で，令和４（2022）年に旧統一教会の問題を契機に成立された。法人が命令に違反した場合には刑事罰が課される。改正消費者契約法では，霊感商法による契約に対する取消権を行使可能な期間が契約締結時から10年（改正前５年）と伸長された。特定商取引法では，「マルチ商法」について**20日以内であればクーリング・オフ**ができる。

5 ×　税の負担者と納税者が異なれば間接税，負担者と納税者が同じなら直接税。
インボイス（適格請求書）を交付することができるのは，登録を受けたインボイス発行事業者（適格請求書発行事業者）に限られる。売手が課税事業者の場合は，インボイスを発行し，買手は仕入税額控除が可能になった。消費税は消費者が負担し，事業者が納税する**間接税**で，法人税と住民税は負担者と納税者が同じ**直接税**である。法人税と消費税は国税で地方消費税は地方税である。消費税7.8％，地方消費税2.2％，合わせて10％の税率になる。

正答 4

労働をめぐる動向

自然・人文・社会に関する時事

労働をめぐる動向などに関する記述として最も妥当なのはどれか。

【国家一般職・令和６年度】

1 2020年に施行された**改正労働基準法**では，すべての民間企業において，従業員の時間外労働の上限は「原則月90時間，年1,000時間」とされた。わが国の労働をめぐる歴史を見ると，昭和初期に，**富岡製糸場**での過酷な労働環境を受けて，田中正造らの呼び掛けにより，女性の就業時間を制限する工場法を制定するための動きが見られた。しかし，資本家の反対があり，**工場法**が成立したのは第二次世界大戦後であった。

2 医師や教師などの公共的な性格を有する職業は，労働基準法の適用対象外となっており，これらの職業の労働条件は，医療法などの個別の法律によって定められている。2023年に施行された**改正医療法**では，すべての医師について，時間外労働の上限を年2,000時間とすることが定められた。わが国の医学の歴史を見ると，18世紀に蘭学が発達し，**平賀源内**は西洋医学の解剖書を翻訳した**『解体新書』**を著した。

3 近年，女性の就業率が出産期に下がり，育児が落ち着いた時期に再び上昇する「**M字カーブ**」の解消が進む一方，女性の正規雇用比率が20代後半をピークとして低下する「**Ｌ字カーブ**」が見られ，出産を機に女性が正規雇用として職場に戻れていないとの指摘がある。なお，わが国の女性運動をめぐる歴史を見ると，明治時代に，**平塚らいてう**らが青鞜社を結成し，雑誌『青鞜』の創刊号には，「元始，女性は実に太陽であった」と記された。

4 2023年に施行された**改正障害者雇用促進法**において，民間企業の障害者の法定雇用率は，算定対象に新たに知的障害者や精神障害者を含めるとしたうえで，5.0%へと引き上げられた。わが国の社会保障制度のうち，障害のある人に対して支援を提供する仕組みを**リージョナリズム**といい，1960年代には，支援促進のために**障害者差別解消法**が制定された。

5 **児童労働の排除**など，人権尊重の取組を求める動きが民間企業に対して拡大したことや，新型コロナウイルス感染症の感染拡大の影響により，世界全体で労働に従事する17歳以下の子どもの数は，2020年に推計5,000万人と，国連の調査開始以降最少となった。世界の児童労働をめぐる歴史を見ると，17世紀のフランスでは，アナーキズムの思想に基づいて会社法が制定され，年少者の労働時間が制限された。

難易度　＊＊

解説

1 ×　時間外労働の上限は原則として，月45時間，年360時間である。

改正労働基準法では，働き方改革の一環として，**時間外労働**の上限が原則として，**月45時間，年360時間**となり，特別の事情がなければ，これを超えることはできない（労働基準法36条４項）。工場法は，わが国初の労働者保護を目的とした法律で1911年に制定され，工場労働者の保護を図るため，年少者，女子の労働時間制限などを定めた。田中正造は1901年，足尾銅山の鉱毒事件について明治天皇に直訴した人物である。

2 ×　医師の時間外労働は原則，年960時間，月100時間未満である。

適用対象外ではなく，一部に特例法が適用される。改正医療法では医師の時間外労働は原則，**年960時間，月100時間未満**である。ただし，地域医療の確保の必要があったり研修などの一定の場合には年1,860時間，月100時間未満となる。公立学校の教師には「公立の義務教育諸学校等の教育職員の給与等に関する特別措置法」（給特法）が適用される。『**解体新書**』を著したのは前野良沢と杉田玄白である。平賀源内は静電気発生装置のエレキテルを製作した。

3 ◎　M字カーブは女性の就業率，Ｌ字カーブは女性の正規雇用率を表す。

正しい。**M字カーブ**は女性が結婚や出産を機に離職することで，就業率が下がり育児が落ち着いた時期に再就職すること多かったが，出産後も働き続ける女性が増えたことで解消されつつある。一方，女性の正規雇用では20代後半をピークに下がり続ける**Ｌ字カーブ**が問題とされている。「Ｌ字」は直角部分を頂点に右に90度回転させるイメージ。**平塚らいてう（雷鳥）**は明治期の女性運動家である。

4 ×　障害者雇用促進法における民間企業の法定雇用率は2.5%である。

改正障害者雇用促進法では民間企業の法定雇用率を2.5%としている。障害のある人に対して職業訓練，職業紹介などにより職業生活における自立を図る職業リハビリテーションとして支援する。リージョナリズムは地方主義の意味。**障害者差別解消法**（障害を理由とする差別の解消の推進に関する法律）は，2015年に施行された。1960年は知的障害者福祉法が施行された年である。

5 ×　世界の児童労働者数は１億6,000万人となり増加傾向にある。

国際労働機関（ILO）と国連児童基金（UNICEF）の報告書によれば，世界の児童労働者数は１億6,000万人となり2000年の推計以来，減少していた**児童労働が増加**に転じている（「児童労働：2020年の世界推計～傾向と今後の課題～」）。19世紀のイギリスでは，工場法により子どもの労働時間を制限した。アナーキズムは無政府主義の意味で会社法とも関係はない。

正答 3

わが国の社会情勢

自然・人文・社会に関する時事

わが国の社会情勢などに関する記述として最も妥当なのはどれか。

【国家一般職・令和６年度】

1　令和５（2023）年，マイナンバーの公金受取口座に別人の口座が誤登録された問題で，政府の第三者機関である個人情報保護委員会は，厚生労働省に行政指導を行った。**マイナンバー**は，2000年代前半に成立したマイナンバー法により，18歳以上の国民一人ひとりに個人番号を指定するもので，公平な税負担やきめ細かい社会保障の給付などを目的としている。

2　わが国の**最低賃金**は，労働関係調整法によって定められている。令和５（2023）年度の最低賃金は全国平均で時給1,000円を超えており，これは，新型コロナウイルス感染症の感染拡大前の令和元（2019）年度に続き２度目である。令和５（2023）年７月時点で，ドイツ，英国，オーストラリアなどのＧ７各国の最低賃金は，日本円で時給2,000円を超えており，これら先進諸国と比べると，日本の最低賃金は低い。

3　国内の主要食品メーカー約200社が令和５（2023）年に値上げした飲食料品は30万品目を超えた。全食品分野に及ぶ年30万品目超の値上げはバブル経済崩壊後例がない。いわゆる**バブル経済**は，1980年代の**ブレトン・ウッズ協定**締結後の急激な円高に対応するためにとられた金融緩和政策により発生した余剰資金が，土地や株式に流れて発生した。

4　令和５（2023）年，将棋界で史上初の八大タイトル独占を達成した**藤井聡太氏**に，総理大臣顕彰が授与された。将棋は日本の伝統文化の一つであり，「成金」や「高飛車」など将棋から生まれた言葉もある。第一次世界大戦時に世界的な船舶不足が生じた際，わが国では，造船・海運業は空前の好況となり，ここから巨利を得て蓄財した**「船成金」**が続々と生まれた。

5　令和５（2023）年，車いすテニスの第一人者として活躍した**国枝慎吾氏**に国民栄誉賞が授与された。国枝氏は，パラリンピックでの金メダル獲得やフランスのウィンブルドン選手権を含めた**四大大会**を制し，「生涯ゴールデンスラム」を達成した。障害者基本法に基づき，障害者がスポーツに参画する環境を整備することを**ナショナルミニマム**という。

難易度　＊＊

解説

すべての選択肢が試験前年である令和５（2023）年の出来事と関連した内容になっているが，どの選択肢も社会科学または人文科学の知識を用いて，正誤の判断ができる。

1 × **デジタル庁が個人情報保護委員会から行政指導を受けた。**
個人情報保護委員会が行政指導を行ったのは厚生労働省ではなく，**デジタル庁**である。加えて，マイナンバー法（行政手続における特定の個人を識別するための番号の利用等に関する法律）が成立したのは2013年のため，2000年代前半ではない。また，個人番号は年齢に関係なく，**すべての国民**に付与される。

2 × **最低賃金は，最低賃金法によって定められている。**
最低賃金が定められているのは**最低賃金法**であり，令和５（2023）年度に初めて全国平均で時給1,000円を超えた。また，Ｇ７の構成国はドイツ，英国に加え，米国，カナダ，フランス，イタリア，日本であり，オーストラリアは含まれていない。さらに，令和５（2023）年７月時点でのＧ７各国の最低賃金は日本円にして1,800円台である。

3 × **令和５（2023）年に３万品目超の飲食料品が値上げされた。**
値上げされた飲食料品は３万品目超である。また，ブレトン・ウッズ協定ではなく，1985年の**プラザ合意**がもととなり，日本のバブル経済が発生した。ブレトン・ウッズ協定が締結されたのは1944年であり，これは国際通貨体制に関する条約である。

4 ◎ **日本の地理的条件が造船・海運業の好況につながった。**
正しい。第一次世界大戦に日本は連合国側で参戦したが，戦場になるなどの直接の影響を受けなかったため，造船業は造船所の新設や拡張ができ，海運業は戦争による物資輸送需要の急増に対応することができたため，好況につながった。

5 × **フランスでは全仏オープン，英国でウィンブルドン選手権が開催。**
テニスの四大大会のうち，フランスで開催されるのは全仏オープンであり，ウィンブルドン選手権は英国で開催される。これに加えて，オーストラリアで開催される全豪オープン，アメリカで開催される全米オープンのことをさして四大大会といい，さらにオリンピック（パラリンピック）を制覇することを「生涯ゴールデンスラム」という。ナショナルミニマムとは，**最低限の生活水準や基礎的な社会保障**のことであり，障害者のスポーツ参画に関する環境整備についての用語ではない。

正答 4

わが国の経済や財政の最近の動向

自然・人文・社会に関する時事

わが国の経済や財政をめぐる最近の動向などに関する記述として最も妥当なのはどれか。

【国家専門職・令和６年度】

1 国際通貨基金（IMF）によると，令和４（2022）年のわが国の名目**GDP**は，ドルベースで同年にインドに抜かれ，中国，米国，ドイツ，インドに次ぐ第５位となった。わが国では，1950年代から1970年代にかけての高度経済成長期には，名目GDP成長率が年平均５％前後となったが，**第１次石油危機**以降は，令和４（2022）年度に至るまで，名目GDP成長率はすべての年度において３％を下回っている。

2 国際情勢の複雑化，社会経済構造の変化等により安全保障の裾野が経済分野に急速に拡大する中，令和４（2022）年，**経済安全保障推進法**が成立し，安全保障の確保に関する経済施策として，重要物資の安定的な供給の確保に関する制度，特許出願の非公開制度等が措置された。なお，**特許権**は，特許法に基づき，特許登録を受けた発明に係る物や方法の生産・使用・譲渡等を排他的・独占的に成しうる権利で，わが国では，特許権の存続期間は，原則，出願から20年である。

3 令和４年度一般会計当初予算のうち，**社会保障関係費**は，当初予算の約４割を占める国債費に次いで高い割合となっている。わが国の社会保障制度のうち，社会保険制度の一つとして整備されている**年金保険**は，自営業者に対して国民年金と厚生年金を支給し，民間企業雇用者に対しては厚生年金のみを支給する制度となっている。

4 令和５（2023）年７月分の全国消費者物価指数のうち，「生鮮食品を除く食料」の指数は，異常気象の影響で米国などでの農産物の不作により輸入農産物価格が上昇したことを受けて，前年同月比で30％を超える上昇率となった。一方，わが国の**食料自給**率は，農産物の輸入自由化，農業人口の減少などによって，近年減少傾向にあり，令和２（2020）年のカロリーベースの総合食料自給率は約70％で，フランス，ドイツと同水準となっている。

5 **ふるさと納税制度**は，納税者が税制を通じてふるさとへ貢献する仕組みとして2000年代に導入された。令和４（2022）年４月，地方自治体の返礼品の調達費用に関する条件が緩和されたことを受けて，同年度のふるさと納税受入額の全国合計は過去最大の約1,000億円となった。地方税制については，2010年代に，地方財政の改善のために**三位一体の改革**が行われ，国税から地方税への税源移譲，地方交付税交付金や補助金の増額が行われた。

難易度 ＊＊

解説

経済や財政など統計の数字が正誤判断の鍵を握っている。しかし，誤りの部分は比較的わかりやすいところが多いので，仮に経済安全保障推進法のことをよく知らなくても，消去法で正答を導くことは可能である。

1 × **2022年の日本の名目GDPは世界第３位であった。**
日本の名目GDP（国内総生産）は，2022年の統計では米国，中国に次ぐ世界第３位であったが，2023年にはドイツに抜かれて世界第４位となり，2025年にはインドにも抜かれて世界第５位となる見通しとなっている。なお，日本の名目**GDP成長率**の推移を見ると，**高度経済成長期**は10～20％であったものが，**第１次石油危機**以降は10％を下回るようになり，1990年代以降は３％を下回ることが多くなった。

2 ◎ **経済安全保障推進法は４つの柱から成り立っている。**
正しい。経済面から国家や国民の安全を確保するために制定された**経済安全保障推進法**の要点は，①サプライチェーン（供給網）を強化し半導体や医薬品などの重要物資の安定的な供給を確保する，②電気・ガス・水道・鉄道・通信・金融などの基幹インフラへのサイバー攻撃を防ぎ安全性を確保する，③宇宙・海洋・量子・AI等といった先端的な重要技術の開発を支援する，④安全保障にとって重要な発明の特許出願を非公開化し流出防止を図ることである。

3 × **一般会計当初予算の構成比は，社会保障関係費が約３割，国債費が約２割。**
令和４（2022）年度の一般会計当初予算に占める割合は，社会保障関係費が最も多く33.7％，次いで国債費が22.6％となっている。なお，**年金保険**は，基本的に自営業者には国民年金のみが支給され，民間企業雇用者には国民年金と厚生年金が併せて支給されている。

4 × **日本の食料自給率はカロリーベースで37％である（2020年）。**
日本の食料自給率は長期的に減少傾向だったが，2000年代以降はほぼ横ばいとなっている。世界と比べると，アメリカ115％，フランス117％，ドイツ84％と，日本は先進国の中でも低水準である。なお，2023年７月の生鮮食品を除く食料の**全国消費者物価指数**は，前年同月比で3.1％の上昇であった。

5 × **ふるさと納税受入額の全国合計は約１兆円である。**
ふるさと納税制度は年々受入額（寄附額）が増えており，2022年度の受入額は約9,654億円であった。2023年には地方自治体の返礼品の調達費用に関する条件が厳格化されたものの，2023年度の受入額は１兆円を超える見通しである。なお，2000年代初頭の小泉内閣で行われた**三位一体（さんみいったい）の改革**は，地方分権推進のため，国から地方への税源移譲，地方交付税の見直し，国庫補助負担金の廃止・削減という３つの改革を一体的に行うものであった。

正答 2

自然・人文・社会に関する時事

最近の社会情勢などに関する記述として最も妥当なのはどれか。

【国家専門職・令和６年度】

1　わが国は，1950年代に採択された「**難民の地位に関する条約**」に加盟しており，加盟国は難民を保護して社会福祉などの面で自国民と同等の待遇を与える義務がある。また，2023年，わが国は，同条約上の難民に該当しない紛争避難民などを「補完的保護対象者」（いわゆる「準難民」）として認定し受け入れる制度を施行し，ウクライナなどからの避難民を想定して安定的な支援を行うこととした。

2　2023年９月の訪日外国人客数は400万人を超え，新型コロナウイルス感染症の感染拡大前の2019年９月の訪日外国人客数の約２倍となった。一方，人気観光地では**エコツーリズム**の急増による地元住民の生活への影響が懸念されている。エコツーリズムとは，農山村に出掛け，その自然，文化，現地の人との交流を楽しむ滞在型の余暇活動のことをいう。

3　2023年９月，モロッコ南部の沿岸部で大規模な津波が発生し，10万人を超える死傷者が出たほか，住宅などの多くの建物が倒壊した。モロッコは，地中海沿岸に位置するイスラム教国で，10世紀頃には**ササン朝**がおこった。**モロッコ**の首都グラナダには，イスラム文化に特有のアラベスク文様の装飾が施されたアルハンブラ宮殿がある。

4　2023年10月，**パレスチナ暫定自治区**のヨルダン川西岸地区を実効支配するイスラム過激派組織「IS（イスラム国）」がイスラエルを攻撃した。これに対してイスラエル側も空爆などで応酬し，双方に多数の犠牲者が出た。なお，1990年代の**バルフォア宣言**では，イスラエルとパレスチナ解放機構（PLO）がお互いの存在を承認し，パレスチナ暫定自治政府が発足した。

5　わが国では，低賃金など待遇への不満から失踪する外国人技能実習生が相次いだことから，2023年11月，外務省および経済産業省は，2021年のベトナムに続き，失踪者が多い**カンボジア**からの新たな実習生の受入れを停止した。なお，カンボジアでは，12世紀に**マラッカ王国**が建国され，世界最大のヒンドゥー教建築の**ボロブドゥール寺院**が建設された。

難易度　＊＊

解説

ニュースで頻繁に取り上げられる時事性の要素が多い問題を軸にして，地理や歴史の周辺知識が問われている。広く浅い知識が問われているが，正確に知識を紐付けながら押さえていく必要がある。

1 ◎ 難民の地位に関する条約（難民条約）について日本は1981年に批准。

正しい。難民の地位に関する条約（**難民条約**）についてわが国は1981年に批准した。翌年には「難民の地位に関する議定書」に順次加入し，難民認定手続に必要な体制を整えている。ウクライナなどの紛争避難民は難民条約上の難民ではないが，難民に準じて保護すべき外国人を補完的保護対象者として認定され，難民と同様に安定した在留資格（定住者）で在留できる。

2 × オーバーツーリズムは観光地の住民の生活に影響があること。

2023年９月の訪日外国人客数は約218万人となり，新型コロナウイルス感染症の感染拡大前の2019年９月の227万人の９割を超える水準に戻った。人気観光地で地元住民の生活が影響されるのは**オーバーツーリズム**である。**エコツーリズム**の後半の説明は正しい。エコツーリズムは，地域ぐるみで自然環境や歴史文化など，地域固有の魅力を観光客に伝え，保全につなげていく取り組みである。

3 × モロッコの首都はラバト。スペインのグラナダはアルハンブラ宮殿が有名。

2023年９月，モロッコ地震は内陸の山間部で発生し，約5,000人の死傷者が出た。11世紀にモロッコにおこったのはムラービト朝で，ササン朝は３世紀のイラン高原の王朝である。モロッコの首都は**ラバト**で，**グラナダ**はスペイン南部の都市で**アルハンブラ宮殿**が有名である。

4 × 1917年，バルフォア宣言でユダヤ人のパレスチナ復帰運動を支持した。

2023年10月にイスラエルを攻撃したのは**ハマス**であり，ガザ地区を実効支配している。また，バルフォア宣言ではなく**オスロ合意**である。1917年にイギリス外相バルフォアがユダヤ人のパレスチナ復帰運動を支持したのが**バルフォア宣言**で，現在まで続くパレスチナ紛争の原因にもなっている。

5 × ボロブドゥール寺院は，ジャワ島にある世界最大級の仏教遺跡である。

技能実習制度は，外国人を日本で一定期間（最長５年）受け入れ，技能を移転する制度である。問題文のとおりベトナム，カンボジアからの新規の実習生の受入れは停止されている。また，カンボジアで建国されたのは，マラッカ王国ではなく**クメール王朝**である。マラッカ王国は，15世紀から16世紀初頭にかけてマレー半島南岸に栄えたマレー系イスラム港市国家。**ボロブドゥール寺院**は，インドネシアのジャワ島にある世界最大級の仏教遺跡である。

正答 1

令和６年度　国家一般職（基礎能力試験）一般知識分野

No.	出題内容	選択肢	キーワード	自然科学	人文科学	社会科学
25	気象や災害を巡る最近の動き	1	気団・気圧，熱中症警戒アラート，クーリングシェルター	地学		
		2	国連「地球沸騰化の時代が来た」，水没国のおそれ	地学	地理	
		3	気団・気圧，線状降水帯と気象庁の対応	地学		法律
		4	震度とマグニチュード，2023年トルコ地震，耐震基準	地学		
		5	山火事の原因と被害	生物	地理	
26	**労働を巡る動向**	1	改正労働基準法			法律
		2	改正医療法		日本史	法律
		3	女性の就業率		日本史	社会
		4	改正障害者雇用促進法			法律
		5	児童労働の排除			社会
27	各種会議やイベント	1	広島サミット，厳島神社		日本史	
		2	クールジャパン，コミックマーケット，ジャパン・エキスポ		日本史	
		3	沖縄の歴史，復帰50周年記念式典		日本史	
		4	関東大震災100年		日本史，地理	
		5	大阪・関西万博		日本史	
28	原子力を巡る動き	1	中国の核融合実験	物理，化学		
		2	北朝鮮の原子力潜水艦進水式		世界史	社会
		3	チョルノービリ原子力発電所		世界史	社会
		4	広島・長崎原爆投下		日本史	
		5	福島原子力発電所の処理水海洋放出	化学		
29	**わが国の社会情勢**	1	マイナンバー制度			法律
		2	最低賃金と諸外国の賃金格差			経済
		3	飲食料品値上げ，バブル経済，ブレトン・ウッズ協定			経済
		4	将棋の藤井聡太氏に総理大臣顕彰，将棋から生まれた言葉		日本史	社会
		5	車椅子テニスの国枝慎吾氏に国民栄誉賞，障害者スポーツ			社会
30	情報	5	誤り検出	情報		

令和６年度　国家専門職（基礎能力試験）一般知識分野

No.	出題内容	選択肢	キーワード	自然科学	人文科学	社会科学
25	近年の宇宙開発	1	アメリカのアルテミス計画，わが国の参加，発射場の地誌		地理	
		2	中国の宇宙ステーション，ロケット発射場の地誌		地理	
		3	スペースデブリの除去状況，成層圏の気温	地学		
		4	わが国のH3ロケット，種子島の地誌		地理，日本史	
		5	ロシアのロケット，カザフスタンの地誌，シルクロード		地理	
26	**わが国の経済や財政の最近の動向**	1	2022年の名目GDP，世界順位，高度経済成長期			経済
		2	2022年経済安全保障推進法，特許権の存続期間			経済
		3	令和４年度一般会計予算			経済
		4	2023年７月分の全国消費者物価指数			経済
		5	ふるさと納税制度，地方税制改革			経済
27	宗教とそれを取り巻く最近の動き	1	仏教，チベットの分離独立運動		地理，世界史	政治
		2	キリスト教，ウクライナ侵攻への対応		地理，世界史	
		3	イスラム教，アフガニスタン紛争		地理，世界史	
		4	インドの宗教，モディ政権の対応		地理，世界史	政治
		5	わが国の宗教，アニミズム，文化庁移転		日本史	
28	資源・エネルギーを巡る最近の動き	1	中国のレアメタル輸出規制，ガリウム，ヨウ素の性質	化学		
		2	リチウムイオン電池の性質	化学		
		3	金の小売価格，外国為替市場への影響，金閣寺		日本史	経済
		4	2023年のガソリン価格，トリガー条項，留出温度	化学		経済
		5	エネルギー基本計画，温室効果ガスの削減，ウクライナ関連			経済，社会
29	**最近の社会情勢**	1	難民の地位に関する条約，ウクライナからの難民支援			政治
		2	2023年９月の訪日外国人客数，エコツーリズム			社会
		3	2023年９月のモロッコ大地震，同地誌		地理，世界史	社会
		4	2023年10月パレスチナ紛争，バルフォア宣言等		世界史	社会
		5	わが国の外国人技能実習生制度，東南アジアの地誌		地理，世界史	社会
30	情報	2	表計算	情報		

新スーパー過去問ゼミ7

刊行に当たって

公務員試験の過去問を使った定番問題集として，公務員受験生から圧倒的な信頼を寄せられている「スー過去」シリーズ。その「スー過去」が，令和3年度以降の問題を収録して最新の出題傾向に沿った内容に見直しを図るとともに，より効率よく学習を進められるよう細部までブラッシュアップして，このたび**「新スーパー過去問ゼミ７」**に生まれ変わりました。

本シリーズは，**大学卒業程度の公務員採用試験攻略にスポットを当てた過去問ベスト・セレクション**です。**「地方上級」「国家一般職［大卒］」**試験を中心に**「国家総合職」「国家専門職」「市役所上級」**試験などに幅広く対応できる内容になっています。

公務員試験は難関といわれていますが，良問の演習を繰り返すことで，合格への道筋はおのずと開けてくるはずです。本書を開いた今この瞬間から，目標突破へ向けての着実な準備を始めてください。

あなたがこれからの公務を担う一員となれるよう，私たちも応援し続けます。

資格試験研究会

●国家公務員試験の新試験制度への対応について

令和６年度（2024年度）の大卒程度試験から，出題数の削減などの制度変更がありました。基礎能力試験の知能分野においては大幅な変更はなく，知識分野においては「時事問題を中心とし，普段から社会情勢等に関心を持っていれば対応できるような内容」への変更と，「情報に関する問題の出題」が追加されています。

各科目の知識も正誤判断の重要な要素となりえますので，令和５年度（2023年度）以前の過去問演習でポイントを押さえておくことが必要だと考えています。

制度変更の詳細や試験内容等で新しいことが判明した場合には，実務教育出版のウェブサイト，実務教育出版第二編集部X（旧Twitter）等でお知らせしますので，随時ご確認ください。

本書の構成と過去問について

本書の構成

❶学習方法・問題リスト：巻頭には，本書を使った効率的な科目の攻略のしかたをアドバイスする「**社会科学の学習方法**」と，本書に収録した全過去問を一覧できる「**掲載問題リスト**」を掲載している。過去問を選別して自分なりの学習計画を練ったり，学習の進捗状況を確認する際などに活用してほしい。

❷試験別出題傾向と対策：各章冒頭にある出題箇所表では，平成21年度以降の国家総合職，国家一般職，国家専門職，地方上級（全国型・東京都・特別区），市役所（C日程）の出題状況が一目でわかるようになっている。具体的な出題傾向は，試験別に解説を付してある。

※市役所C日程については，令和5年度の情報は反映されていない。

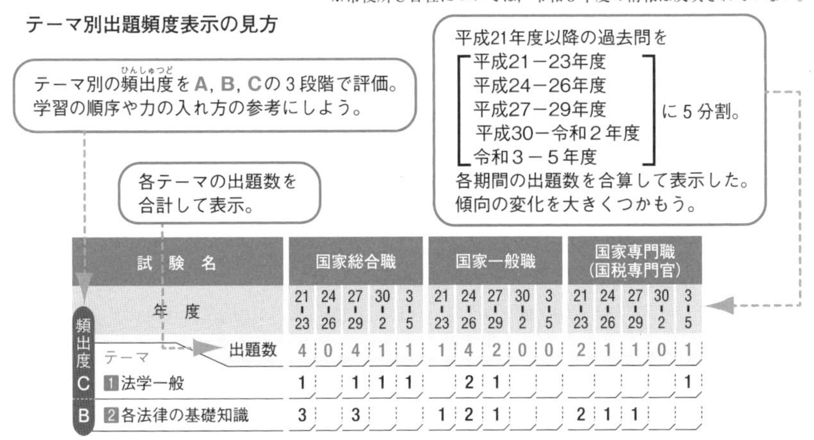

❸必修問題：各テーマのトップを飾るにふさわしい，合格のためには必ずマスターしたい良問をピックアップ。解説は，各選択肢の正誤ポイントをズバリと示す「**1行解説**」，解答のプロセスを示す「**STEP解説**」など，効率的に学習が進むように配慮した。また，正答を導くための指針となるよう，問題文中に以下のポイントを示している。

（アンダーライン部分）：正誤判断の決め手となる記述

（色が敷いてある部分）：覚えておきたいキーワード

「**FOCUS**」には，そのテーマで問われるポイントや注意点，補足説明などを掲載している。

必修問題のページ上部に掲載した「**頻出度**」は，各テーマをA，B，Cの3段階で評価し，さらに試験別の出題頻度を「★」の数で示している（★★★：最頻出，★★：頻出，★：過去15年間に出題実績あり，―：過去15年間に出題なし）。

❹POINT：これだけは覚えておきたい最重要知識を，図表などを駆使してコンパクトにまとめた。問題を解く前の知識整理に，試験直前の確認に活用してほしい。

❺**実戦問題**：各テーマの内容をスムーズに理解できるよう，バランスよく問題を選び，詳しく解説している。問題ナンバー上部の「＊」は，その問題の「**難易度**」を表しており（＊＊＊が最難），また，学習効果の高い重要な問題には💎マークを付している。

💎 ＊＊ **No.2** 必修問題と💎マークのついた問題を解いていけば，スピーディーに本書をひととおりこなせるようになっている。

なお，収録問題数が多いテーマについては，「**実戦問題1**」「**実戦問題2**」のように問題をレベル別またはジャンル別に分割し，解説を参照しやすくしている。

❻**索引**：巻末には，POINT等に掲載している重要語句を集めた用語索引がついている。用語の意味や定義の確認，理解度のチェックなどに使ってほしい。

本書で取り扱う試験の名称表記について

本書に掲載した問題の末尾には，試験名の略称および出題年度を記載している。

①**国家総合職**：国家公務員採用総合職試験，
国家公務員採用Ｉ種試験（平成23年度まで）

②**国家一般職**：国家公務員採用一般職試験［大卒程度試験］，
国家公務員採用Ⅱ種試験（平成23年度まで）

③**国家専門職**：国家公務員採用専門職試験［大卒程度試験］，
国税専門官採用試験

④**地方上級**：地方公務員採用上級試験（都道府県・政令指定都市）

（全国型）：広く全国的に分布し，地方上級試験のベースとなっている出題型

（東京都）：東京都職員Ｉ類Ｂ採用試験

（特別区）：特別区（東京23区）職員Ｉ類採用試験

※地方上級試験については，実務教育出版が独自に分析し，「全国型」「関東型」「中部・北陸型」「法律・経済専門タイプ」「その他の出題タイプ」「独自の出題タイプ（東京都，特別区など）」の６つに大別している。

⑤**市役所**：市役所職員採用上級試験（政令指定都市以外の市役所）

※市役所上級試験については，試験日程によって「Ａ日程」「Ｂ日程」「Ｃ日程」の３つに大別している。また，「Standard」「Logical「Light」という出題タイプがあるが，本書では大卒程度の試験で最も標準的な「Standard-Ｉ」を原則として使用している。

本書に収録されている「過去問」について

①平成９年度以降の国家公務員試験の問題は，人事院により公表された問題を掲載している。地方上級の一部（東京都，特別区）も自治体により公表された問題を掲載している。それ以外の問題は，受験生から得た情報をもとに実務教育出版が独自に編集し，復元したものである。

②問題の論点を保ちつつ問い方を変えた，年度の経過により変化した実状に適合させた，などの理由で，問題を一部改題している場合がある。また，人事院などにより公表された問題も，用字用語の統一を行っている。

CONTENTS

公務員試験　新スーパー過去問ゼミ７

社会科学［増補版］

特集　**国家公務員試験の新出題（時事・情報）を徹底解説！**

政治

経 済

社 会

カバー・本文デザイン／小谷野まさを　書名ロゴ／早瀬芳文

社会科学（政治・経済・社会）の学習方法

「政治」の学習方法

❶「政治」とは

近年になって「政治」に関する出題数も減っているが，公務員という仕事の性質上，政治に関する知識および現在の国内／国外で起きている問題について理解することは大前提であるといえる。後者については，今の問題を自身の知識と結びつけること，そしてそれについての自分の意見まで持てることが望ましい（面接対策にもなる）。公務員になればこれらの問題につき，何らかの対処・解決をしていくことになるからである。

日本国憲法は日本の最高法規であり，憲法以外の下位規範は憲法を補充・補足する関係にある。そこで，政治分野の中心となる日本国憲法についての知識をまず固めて，それと各制度などをつなげること，さらにはそれらの共通項に着目し，「これは何と関連するか？」などと知識を横断的につなげられるようにしたい。時事的なものも含めて，「取りこぼせない」科目である。

❷効果的な学習方法

まずは全体を理解することが必要となる。基本書を一通り読んでから問題を解く方法もあるが，時間も限られている。結果重視の試験に臨むには，本書で問題を解きながら，さらに解説やPOINTを活用して自分が弱いと感じたところを確実に押さえていく方法をすすめる。一冊やり終えたところで，一通りの知識がついているだろう。

本書はこのような学習方法にも十分対応できるようになっている。前述の通り政治の分野では，日本国憲法が中心である。前文＋103条しかないが，出題される条文は絞り込まれてくる。条文を手許に置いてその都度確認する。本書の１題１題を理解していくことが意味を持つ。「一回ですべてを完璧に」と思わず，何回も「回す」ことにより，穴のない全体の確実な理解を目指してほしい。

政治分野は単独ではなく，経済や社会にも密接に関連する。現在のニュースを，たとえば毎日，一つノートに書きだし，それについての自分の意見(何でもいい！)を書いていくことは，試験直前の時事問題対策にも使える。

「経済」の学習方法

❶「経済」とは

教養試験の経済は，現実の経済現象を扱う「経済事情」，政府の活動に焦点を当てた「財政学」，それらを科学的に分析して政策提言するための道具を扱う「経済原論」の３分野からなる。さらに，「経済事情」は「経済史」，「日本経済事情」そして「世界経済事情」に，「経済原論」は「ミクロ経済学」と「マクロ経済学」に，「財政学」は政府活動全体を網羅する「財政」と政府の収入源「租税」に分類できる。この細分類は，試験対策を効率的に進めるためのものだ。近年の出題内容を職種横断的に見ると，全体的に事情色が薄れるとともに基礎知識を問う出題が増し，平易化している印象を受ける。ただし，令和６年度国家総合職から新試験制度が始まる。他の職種への影響は未知だが，試験前年あたりの話題にちなんだ周辺知識，たとえば経済史などから，各試験の難易度を変えずに出題される可能性が高まっているといえよう。本書では，３分野を４章14テーマに再分類した。各章冒頭の「試験別出題傾向と対策」を活用して，各分野・テーマの学習にメリハリをつけて欲しい。

❷効果的な学習方法

まずは，専門択一式試験で経済系科目を選択するか否かを決めよう。選択する読者は，本書で経済系科目ならびに各科目の全体像を押さえたら，早期に専門試験対策に移ろう。選択しない読者は，本書に軸足を置き，年末には専門試験対策本に一通り目を通す時間を設ける学習計画を立てよう。出題数が少ないので，出題範囲が広く，毎年内容が変わる「経済事情」は後回しにして，本書の第３章までの理論・制度について，誤答の解説まで読み込んで基本問題での得点力を高めたい。とはいえ，一つずつ完全にマスターして読み進める必要はない。理想は「理解している」レベルに到達することだが，繰り返し回すことで「知っている，問題を解ける」レベルに到達できればよいのが試験だからだ。第３章の事情と第４章については，本書で大枠，頻出内容や頻出形式などを押さえ，受験年度対応の時事対策本を使って短期に暗記したい。

「社会」の学習法

❶「社会」とは

「社会」は現実の世界の動きを確認する科目である。細分すれば政治や経済に分類される事項も多く含まれ，日々変化するデータを素材としている。社会事情や時事という区分と広く重なり合っているので出題数も多く，現実の世界を映す科目だ。科目分類や事項分類の枠を越えて，複数領域を横断する広い視野の思考が必要である。言い換えると，学校などで学んだ知識の応用実践編というわけだ。しっかりと向きあえば，論文や面接への対応策となるだけでなく，合格して公務員として働く場でも役立つ情報処理能力も身につけることができる。

❷効果的な学習方法

日々膨大な情報が飛び交う毎日のなかで「効率」を優先させると既存のダイジェストに頼りたくなる。それでは他人の分析・判断に乗っかるだけとなり，いつの間にか情報操作されてしまうだろう。常に複数のメディアを利用し，固定観念にとらわれないよう心がけてほしい。どのようなニュースやデータに目を向けるべきかは過去問から学ぶ。古くて役立たないと決めつけないこと。どういう事件・データに注目しているのかというモノサシをみつけるのが問題演習の狙いなのだ。そのモノサシで最新データを確認する。数値を暗記するのではなく，全体の流れ（増えているのか下降線をたどっているのか）を把握することが大事である。身につけるべきは情報リテラシー（読解・分析）能力だ。

合格者に学ぶ「スー過去」活用術

公務員受験生の定番問題集となっている「スー過去」シリーズであるが，先輩たちは本シリーズをどのように使って，合格を勝ち得てきたのだろうか。弊社刊行の『公務員試験受験ジャーナル』に寄せられた「合格体験記」などから，傾向を探ってみた。

自分なりの「戦略」を持って学習に取り組もう！

テーマ１から順番に一つ一つじっくりと問題を解いて，わからないところを入念に調べ，納得してから次に進む……という一見まっとうな学習法は，すでに時代遅れになっている。

合格者は，初期段階でおおまかな学習計画を立てて，戦略を練っている。まずは各章冒頭にある「試験別出題傾向と対策」を見て，自分が受験する試験で各テーマがどの程度出題されているのかを把握し，「掲載問題リスト」を利用するなどして，**いつまでにどの程度まで学習を進めればよいか，学習全体の流れをイメージ**しておきたい。

完璧をめざさない！ザックリ進めながら復習を繰り返せ！

本番の試験では，６～７割の問題に正答できればボーダーラインを突破できる。裏を返せば**３～４割の問題は解けなくてもよい**わけで，完璧をめざす必要はまったくない。

受験生の間では，**「問題集を何周したか」**がしばしば話題に上る。問題集は，１回で理解しようとジックリ取り組むよりも，初めはザックリ理解できた程度で先に進んでいき，何回も繰り返し取り組むことで徐々に理解を深めていくやり方のほうが，学習効率は高いとされている。**合格者は「スー過去」を繰り返しやって，得点力を高めている。**

すぐに解説を読んでもOK！考え込むのは時間のムダ！

合格者の声を聞くと**「スー過去を参考書代わりに読み込んだ」**というものが多く見受けられる。科目の攻略スピードを上げようと思ったら「ウンウンと考え込む時間」は一番のムダだ。過去問演習は，解けた解けなかったと一喜一憂するのではなく，**問題文と解説を読みながら正誤のポイントとなる知識を把握して記憶することの繰り返し**なのである。

分量が多すぎる！という人は，自分なりに過去問をチョイス！

広い出題範囲の中から頻出のテーマ・過去問を選んで掲載している「スー過去」ではあるが，この分量をこなすのは無理だ！と敬遠している受験生もいる。しかし，**合格者もすべての問題に取り組んでいるわけではない。**必要な部分を自ら取捨選択することが，最短合格のカギといえる（次ページに問題の選択例を示したので参考にしてほしい）。

書き込んでバラして……「スー過去」を使い倒せ！

補足知識や注意点などは本書に直接書き込んでいこう。**書き込みを続けて情報を集約していくと本書が自分オリジナルの参考書になっていく**ので，インプットの効率が格段に上がる。それを繰り返し「何周も回して」いくうちに，反射的に解答できるようになるはずだ。

また，分厚い「スー過去」をカッターで切って，章ごとにバラして使っている合格者も多い。**自分が使いやすいようにカスタマイズ**して，「スー過去」をしゃぶり尽くそう！

学習する過去問の選び方

●具体的な「カスタマイズ」のやり方例

本書は全200問の過去問を収録している。分量が多すぎる！と思うかもしれないが，合格者の多くは，過去問を上手に取捨選択して，自分に合った分量と範囲を決めて学習を進めている。

以下，お勧めの例をご紹介しよう。

❶必修問題と💎のついた問題に優先的に取り組む！

当面取り組む過去問を，各テーマの「**必修問題**」と💎マークのついている「**実戦問題**」に絞ると，およそ全体の４割の分量となる。これにプラスして各テーマの「**POINT**」をチェックしていけば，この科目の典型問題と正誤判断の決め手となる知識の主だったところは押さえられる。

本試験まで時間がある人もそうでない人も，ここから取り組むのが定石である。まずはこれで１周（問題集をひととおり最後までやり切ること）してみてほしい。

❶を何周かしたら次のステップへ移ろう。

❷取り組む過去問の量を増やしていく

❶で基本は押さえられても，❶だけでは演習量が心もとないので，取り組む過去問の数を増やしていく必要がある。増やし方としてはいくつかあるが，このあたりが一般的であろう。

◎基本レベルの過去問を追加（難易度「＊」の問題を追加）
◎受験する試験種の過去問を追加
◎頻出度Ａのテーマの過去問を追加

これをひととおり終えたら，前回やったところを復習しつつ，まだ手をつけていない過去問をさらに追加していくことでレベルアップを図っていく。

もちろん，あまり手を広げずに，ある程度のところで折り合いをつけて，その分復習に時間を割く戦略もある。

●掲載問題リストを活用しよう！

「**掲載問題リスト**」では，本書に掲載された過去問を一覧表示している。

受験する試験や難易度・出題年度等を基準に，学習する過去問を選別する際の目安としたり，チェックボックスを使って学習の進捗状況を確認したりできるようになっている。

効率よくスピーディーに学習を進めるためにも，積極的に利用してほしい。

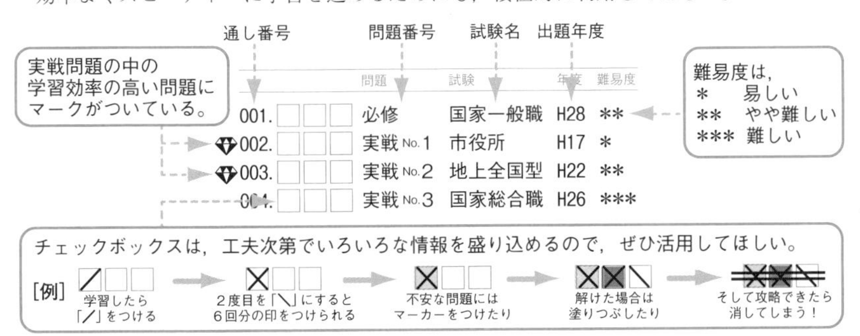

掲載問題リスト

本書に掲載した全200問を一覧表にした。□に正答できたかどうかをチェックするなどして，本書を上手に活用してほしい。

政 治

第1章 法 学

テーマ1 法学一般

		問題	試験	年度	難易度
001.	□□□	必修	地上全国型	R4	**
002.	□□□	実戦 No.1	地上特別区	R元	**
003.	□□□	実戦 No.2	国家専門職	R2	*
◆ 004.	□□□	実戦 No.3	地上特別区	H24	**

テーマ2 各法律の基礎知識

		問題	試験	年度	難易度
005.	□□□	必修	国家総合職	H30	***
◆ 006.	□□□	実戦 No.1	地上特別区	R2	*
007.	□□□	実戦 No.2	国家総合職	H19	**
◆ 008.	□□□	実戦 No.3	地上特別区	R4	*
009.	□□□	実戦 No.4	国家一般職	H28	**
010.	□□□	実戦 No.5	市役所	H15	**
◆ 011.	□□□	実戦 No.6	地上東京都	H22	**
012.	□□□	実戦 No.7	市役所	H15	*

第2章 日本国憲法

テーマ3 日本国憲法（総論）

		問題	試験	年度	難易度
013.	□□□	必修	国家専門職	H29	**
014.	□□□	実戦 No.1	国家専門職	H26	***
015.	□□□	実戦 No.2	国家一般職	H24	**
◆ 016.	□□□	実戦 No.3	地上全国型	R3	*

テーマ4 基本的人権（総論）

		問題	試験	年度	難易度
017.	□□□	必修	国家専門職	H30	**
018.	□□□	実戦 No.1	地上全国型	H27	**
019.	□□□	実戦 No.2	国家一般職	R4	*
020.	□□□	実戦 No.3	国家専門職	H23	**

テーマ5 基本的人権（各論）

		問題	試験	年度	難易度
021.	□□□	必修	市役所	R3	**
022.	□□□	実戦 No.1	地上東京都	H28	**
◆ 023.	□□□	実戦 No.2	地上全国型	H27	*
024.	□□□	実戦 No.3	国家一般職	H18	**
025.	□□□	実戦 No.4	市役所	H18	**
026.	□□□	実戦 No.5	国家総合職	R3	*

テーマ6 国会

		問題	試験	年度	難易度
027.	□□□	必修	国家総合職	R4	**
028.	□□□	実戦 No.1	地上特別区	R元	**
029.	□□□	実戦 No.2	市役所	H26	**
030.	□□□	実戦 No.3	国家一般職	H23	**
031.	□□□	実戦 No.4	国家一般職	R2	**
032.	□□□	実戦 No.5	地方上級	H16	**
033.	□□□	実戦 No.6	国家専門職	H19	**

テーマ7 内閣

		問題	試験	年度	難易度
034.	□□□	必修	国家専門職	R3	**
035.	□□□	実戦 No.1	国家専門職	H29	**
036.	□□□	実戦 No.2	市役所	H28	**
◆ 037.	□□□	実戦 No.3	国家一般職	H6	*
◆ 038.	□□□	実戦 No.4	国家一般職	H21	***

テーマ8 裁判所

		問題	試験	年度	難易度
039.	□□□	必修	国家総合職	R5	**
040.	□□□	実戦 No.1	国家専門職	H27	***
◆ 041.	□□□	実戦 No.2	地上特別区	H26	***
042.	□□□	実戦 No.3	地上東京都	H21	*
043.	□□□	実戦 No.4	地上特別区	R3	**

テーマ9 地方自治

		問題	試験	年度	難易度
044.	□□□	必修	国家一般職	R2	**
045.	□□□	実戦 No.1	地上全国型	H28	**
046.	□□□	実戦 No.2	国家専門職	H23	**
◆ 047.	□□□	実戦 No.3	国家一般職	H21	**
◆ 048.	□□□	実戦 No.4	地上特別区	H26	**
◆ 049.	□□□	実戦 No.5	地上特別区	R5	**

第3章 政治学

テーマ10 選挙

		問題	試験	年度	難易度
050.	□□□	必修	地上全国型	R3	**
051.	□□□	実戦 No.1	国家一般職	H28	**
◆ 052.	□□□	実戦 No.2	国家専門職	H6	*
053.	□□□	実戦 No.3	地上全国型	R4	**
◆ 054.	□□□	実戦 No.4	国家総合職	H9	**

テーマ 11 行政に関する諸問題

		問題	試験	年度	難易度
	055. □□□	必修	国家一般職	H30	**
	056. □□□	実戦 No.1	地上特別区	H16	**
◆	057. □□□	実戦 No.2	国家一般職	H19	**
	058. □□□	実戦 No.3	国家専門職	H18	**

第4章 国際関係

テーマ 12 各国の政治制度

		問題	試験	年度	難易度
	059. □□□	必修	地上特別区	R4	**
	060. □□□	実戦 No.1	市役所	H29	**
	061. □□□	実戦 No.2	地上東京都	H27	**
	062. □□□	実戦 No.3	国家総合職	R2	***
◆	063. □□□	実戦 No.4	国家一般職	H20	**

テーマ 13 国際連合

		問題	試験	年度	難易度
	064. □□□	必修	国家専門職	R3	**
	065. □□□	実戦 No.1	地上特別区	H21	*
	066. □□□	実戦 No.2	地上特別区	H23	*
◆	067. □□□	実戦 No.3	国家専門職	H10	*

テーマ 14 国際政治

		問題	試験	年度	難易度
	068. □□□	必修	地上特別区	R2	**
	069. □□□	実戦 No.1	国家一般職	R元	**
	070. □□□	実戦 No.2	国家総合職	H29	***
	071. □□□	実戦 No.3	国家専門職	H18	**
◆	072. □□□	実戦 No.4	国家総合職	H16	**
	073. □□□	実戦 No.5	市役所	H16	**
◆	074. □□□	実戦 No.6	国家総合職	H22	***
	075. □□□	実戦 No.7	地上全国型	H27	**

経済

第1章 ミクロ経済学

テーマ 1 需要曲線と供給曲線

		問題	試験	年度	難易度
	076. □□□	必修	地上特別区	R3	*
	077. □□□	実戦 No.1	国家一般職	H20	**
◆	078. □□□	実戦 No.2	国家専門職	R5	*
	079. □□□	実戦 No.3	市役所	H21	***
	080. □□□	実戦 No.4	市役所	H24	*
◆	081. □□□	実戦 No.5	地方上級	H20	***
	082. □□□	実戦 No.6	地上全国型	H16	**
	083. □□□	実戦 No.7	市役所	H27	**

テーマ 2 消費者と生産者の行動

		問題	試験	年度	難易度
	084. □□□	必修	地上全国型	H30	**
	085. □□□	実戦 No.1	地方上級	H11	*
	086. □□□	実戦 No.2	地上全国型	H24	**
◆	087. □□□	実戦 No.3	市役所	H15	***
	088. □□□	実戦 No.4	国家専門職	H17	***

テーマ 3 市場と経済厚生

		問題	試験	年度	難易度
	089. □□□	必修	地上全国型	R3	**
◆	090. □□□	実戦 No.1	地上全国型	H21	*
◆	091. □□□	実戦 No.2	国家専門職	H20	**
◆	092. □□□	実戦 No.3	国家総合職	H27	**

第2章 マクロ経済学

テーマ 4 国民所得の概念とその決定

		問題	試験	年度	難易度
	093. □□□	必修	国家専門職	R3	**
◆	094. □□□	実戦 No.1	国家一般職	H26	*
◆	095. □□□	実戦 No.2	地方上級	H21	**
◆	096. □□□	実戦 No.3	国家総合職	H16	**
	097. □□□	実戦 No.4	地上全国型	H10	*

テーマ5 経済政策論

		問題	試験	年度	難易度
098.	□□□	必修	地上全国型	H23	*
◆099.	□□□	実戦 No.1	国家一般職	H6	**
100.	□□□	実戦 No.2	国家専門職	H21	***
101.	□□□	実戦 No.3	国家総合職	H17	**
102.	□□□	実戦 No.4	国家総合職	H18	***

テーマ6 金融政策と制度・事情

		問題	試験	年度	難易度
103.	□□□	必修	国家一般職	R4	*
104.	□□□	実戦 No.1	地上全国型	H29	**
105.	□□□	実戦 No.2	国家専門職	H26	**
◆106.	□□□	実戦 No.3	地上特別区	H25	*
107.	□□□	実戦 No.4	地上東京都	R5	*
108.	□□□	実戦 No.5	地上特別区	H22	***
109.	□□□	実戦 No.6	地上全国型	H28	***
110.	□□□	実戦 No.7	国家総合職	R元	***

テーマ7 インフレーション

		問題	試験	年度	難易度
111.	□□□	必修	地上全国型	R3	**
◆112.	□□□	実戦 No.1	市役所	H29	**
113.	□□□	実戦 No.2	国家総合職	H8	*
114.	□□□	実戦 No.3	地上東京都	H24	*

第3章 財政学

テーマ8 財政の機能と財政制度・事情

		問題	試験	年度	難易度
115.	□□□	必修	地上全国型	R4	**
116.	□□□	実戦 No.1	国家専門職	H28	**
117.	□□□	実戦 No.2	地上全国型	H30	**
◆118.	□□□	実戦 No.3	市役所	H21	*
119.	□□□	実戦 No.4	市役所	R2	**
◆120.	□□□	実戦 No.5	国家一般職	H29	**
121.	□□□	実戦 No.6	市役所	H17	*
122.	□□□	実戦 No.7	国家総合職	H20	***
123.	□□□	実戦 No.8	国家一般職	H15	***

テーマ9 租税制度

		問題	試験	年度	難易度
124.	□□□	必修	地上全国型	H29	**
◆125.	□□□	実戦 No.1	国家総合職	H17	*
126.	□□□	実戦 No.2	国家総合職	H14	***
◆127.	□□□	実戦 No.3	地上東京都	H14	*
128.	□□□	実戦 No.4	国家総合職	H11	***
129.	□□□	実戦 No.5	国家一般職	H18	**
130.	□□□	実戦 No.6	国家総合職	R2	**

第4章 経済事情

テーマ10 経済史

		問題	試験	年度	難易度
131.	□□□	必修	国家一般職	H30	**
◆132.	□□□	実戦 No.1	国家専門職	H14	**
◆133.	□□□	実戦 No.2	地上特別区	H19	*
134.	□□□	実戦 No.3	国家総合職	H26	**
135.	□□□	実戦 No.4	地上特別区	H29	**

テーマ11 世界の通貨・貿易体制

		問題	試験	年度	難易度
136.	□□□	必修	国家一般職	R2	**
137.	□□□	実戦 No.1	国家専門職	H27	**
◆138.	□□□	実戦 No.2	地上特別区	R2	*
◆139.	□□□	実戦 No.3	国家総合職	H22	**
140.	□□□	実戦 No.4	地方上級	H20	*
◆141.	□□□	実戦 No.5	国家総合職	H20	***

テーマ12 日本の経済事情

		問題	試験	年度	難易度
142.	□□□	必修	国家一般職	R3	**
143.	□□□	実戦 No.1	国家総合職	H28	*
144.	□□□	実戦 No.2	国家一般職	R元	**
145.	□□□	実戦 No.3	地上全国型	H30	**
◆146.	□□□	実戦 No.4	市役所	R3	*
147.	□□□	実戦 No.5	地上全国型	H27	*
148.	□□□	実戦 No.6	国家総合職	H22	*

テーマ13 世界の経済事情

		問題	試験	年度	難易度
149.	□□□	必修	国家総合職	H30	**
150.	□□□	実戦 No.1	地上特別区	H28	**
151.	□□□	実戦 No.2	市役所	H21	*
152.	□□□	実戦 No.3	国家専門職	H23	**

14 経済・経営用語

		問題	試験	年度	難易度
	153.	必修	地上特別区	R2	*
	154.	実戦 No.1	国家専門職	H30	*
	155.	実戦 No.2	地上特別区	H16	*
	156.	実戦 No.3	市役所	H30	*
	157.	実戦 No.4	地上特別区	R元	*

社会

第1章 社会事情

テーマ 1 労働事情

		問題	試験	年度	難易度
	158.	必修	国家専門職	H28	***
◆	159.	実戦 No.1	国家専門職	H21	**
◆	160.	実戦 No.2	地上東京都	H27	*
	161.	実戦 No.3	市役所	H30	*
◆	162.	実戦 No.4	地上東京都	H28	**

テーマ 2 少子高齢化・社会保障

		問題	試験	年度	難易度
	163.	必修	国家総合職	H28	***
	164.	実戦 No.1	地上全国型	H29	*
◆	165.	実戦 No.2	地上全国型	R3	*
	166.	実戦 No.3	地上東京都	H27	**

テーマ 3 政治・経済・国際事情

		問題	試験	年度	難易度
	167.	必修	国家一般職	H25	***
◆	168.	実戦 No.1	地上全国型	R4	**
◆	169.	実戦 No.2	地上全国型	H29	**
	170.	実戦 No.3	地上東京都	H28	**
◆	171.	実戦 No.4	市役所	R3	**
◆	172.	実戦 No.5	地上全国型	H28	**
◆	173.	実戦 No.6	地方上級	R4	**
◆	174.	実戦 No.7	国家一般職	H28	***
	175.	実戦 No.8	地方上級	H30	***
◆	176.	実戦 No.9	国家総合職	H30	***

テーマ 4 消費者問題・食料事情

		問題	試験	年度	難易度
	177.	必修	地上特別区	H27	**
◆	178.	実戦 No.1	国家専門職	H26	**
	179.	実戦 No.2	市役所	R2	*
◆	180.	実戦 No.3	国家専門職	R2	**
	181.	実戦 No.4	国家一般職	H25	*

テーマ 5 環境・資源問題

		問題	試験	年度	難易度
	182.	必修	国家総合職	R元	***
◆	183.	実戦 No.1	地上全国型	R4	*
◆	184.	実戦 No.2	地上東京都	H28	*
	185.	実戦 No.3	地上全国型	H30	*
◆	186.	実戦 No.4	地上全国型	R4	***
	187.	実戦 No.5	地上全国型	H28	**

テーマ 6 科学技術・医療

		問題	試験	年度	難易度
	188.	必修	国家一般職	H30	***
◆	189.	実戦 No.1	国家総合職	H27	***
	190.	実戦 No.2	地上全国型	H30	**
◆	191.	実戦 No.3	地方上級	R4	**
	192.	実戦 No.4	国家一般職	H28	***
	193.	実戦 No.5	国家専門職	H27	***

テーマ 7 その他の社会問題

		問題	試験	年度	難易度
	194.	必修	国家専門職	H28	**
◆	195.	実戦 No.1	地上全国型	R3	*
	196.	実戦 No.2	地上全国型	H30	**
	197.	実戦 No.3	国家総合職	H27	**
	198.	実戦 No.4	国家一般職	H27	*
◆	199.	実戦 No.5	地方上級	R3	*
◆	200.	実戦 No.6	市役所	R3	**

政　治

第１章　法学

第２章　日本国憲法

第３章　政治学

第４章　国際関係

試験別出題傾向と対策

試験名		国家総合職					国家一般職					国家専門職（国税専門官）				
頻出度	年度	21-23	24-26	27-29	30-2	3-5	21-23	24-26	27-29	30-2	3-5	21-23	24-26	27-29	30-2	3-5
	テーマ　出題数	4	0	4	1	1	1	4	2	0	0	2	1	1	0	1
C	1 法学一般	1		1	1	1		2	1							1
B	2 各法律の基礎知識	3		3			1	2	1			2	1	1		

本章では，社会の中の基礎となる種々の制度や法の基礎概念を扱う。一つの社会問題に関して中心となるものはあるが，それ「単独で動く」わけではなく，社会のいろいろな分野が関係している。行政の一翼を担う公務員として，広い視野を持つことが必要とされている。確かに政治分野では憲法が中心となっているが，それ以外の法律・制度にも柔軟に対応できなくてはならず，そのためには周辺の基礎的な知識まで持たないといけないのである。社会の動きに対して，新しい制度や法律が作られており，ニュースなどでの知識のアップデートする必要がある。出題形式は，扱う内容が広がりを持つのに伴い，単純な知識問題から，ある考え方を前提とする理論問題まで多岐に分かれている。

● 国家総合職

これまでは国が重点政策として取り上げているものについての出題がみられた。難度は高くはないまでも，正確な知識が必要とされる。基礎となる知識をしっかり押さえた上で，きちんと「現代」まで目を向けられているか，が問われている。いつ出題されてもおかしくない分野であり，出題数にとらわれず，しっかり基礎から現代まで追いかけておきたいテーマである。

● 国家一般職

直近では，この分野からの出題はないが，法学の基礎概念，新しい法律であれば，時事的な要素も入ってくるテーマであり，準備を入念にしておく必要がある。出題形式は正誤問題がほとんどであり，難易度も年度によってばらつきがあるものの，基礎から地道に知識を積み重ねておけば臆するに値しない。特に，最近の法律改正については，その経緯も含めて内容を押さえておきたい。

● 国家専門職（国税専門官）

他の試験と同様，出題数の減少を受けて，このテーマからの出題は減ってきてはいるが，それぞれの問題を解く前提となっていることを考えると，本章の知識も確

地方上級（全国型）					地方上級（東京都）					地方上級（特別区）					市役所（C日程）					
21-23	24-26	27-29	30-2	3-5	21-23	24-26	27-29	30-2	3-5	21-23	24-26	27-29	30-2	3-5	21-23	24-26	27-29	30-2	3-4	
1	1	4	1	3	4	1	2	2	2	3	6	3	2	1	1	2	1	0	1	
1	1	2		3	1					2	3	1	2	1	1	1	1		1	テーマ1
		2	1		3	1	2	2	2	1	3	2				1				テーマ2

実にしておくことが望ましい。問題を解く際に，基礎に戻って考える習慣をつけると，このテーマの復習・確認になる。

● 地方上級

全国型では，出題数は減ってはいるなかで，コンスタントに出題されている。新しい法律の知識などの時事的な要素が入ってくる点で，要注意テーマである。過去の出題形式は正誤問題や組合せ問題，立場の違うものを選ばせるなど各種のバリエーションがあり，難易度はやや高めであった。

東京都では，出題対象は広く，年度によっては刑法や商法などに関する出題がなされることもあり，本番で慌てないためにも，それぞれの基本的な知識については余裕のある限り学習しておくべきである。難易度はやや高い。

特別区では，法学一般に関する問題が相変わらず出されている。社会の変化に対応した法，法改正に注意をしておきたい。過去問を学習する際に，それを素材として知識を押さえていくようにすればいいだろう。

● 市役所

出題数が減ったが，毎年出題される憲法や他の法律の基礎や現代のテーマにつながる知識については確実に理解しておくことが必要となる。難易度はそれほど高くはないが，逆にいうと，基礎となる知識については確実に得点する必要がある。

法学一般

必修問題

民主主義に関する次の文中の下線部ア～エのうち，妥当なもののみをすべて挙げているのはどれか。 【地方上級（全国型）・令和４年度】

古代ギリシャでは直接民主政が行われていたが，当時にも民主主義に対する否定的な見解はあり，たとえばア**プラトン**は善のイデアを知る哲人王による政治を理想とした。また，近代の市民革命期にも，たとえばイ**モンテスキュー**は司法，立法，行政の三権分立論を唱えた一方で，民主主義は絶対王政と同様に危険としている。それにもかかわらず，ウ19世紀にはイギリス，アメリカ，フランスで男女普通選挙が実現し，民主主義は最善の政治体制として認識されていった。だが，エ**ナチス**が国会に議席を持っていなかったがゆえに既成政党に失望した大衆の支持を受け，武装蜂起による政権奪取に成功したように，民主主義が衆愚政治に陥り，独裁政治に転落する危険は，現代もなお存在する。

1 ア，イ
2 ア，ウ
3 ア，エ
4 イ，ウ
5 ウ，エ

難易度 ＊＊

必修問題の解説

現在の世界諸国で導入されている民主政治だが，これまでには紆余曲折の歴史がある。主たる民主政治思想についての内容を，その背景とともに押さえておきたい。倫理や世界史についても横断的に学習をし，知識を確認しておきたい。

ア○ プラトン＝普遍概念・イデア＝「哲人王」による政治。
プラトンは，古代ギリシャの哲学者。**ソクラテス**の弟子にして，アリストテレスの師。当時の三十人政権などの現実の民主政に辟易し哲学を志し，普遍概念としてのイデア論を展開し「正義の実現」が政治であるとして，国民を導くためには善のイデアを知る統治者＝「哲人王」が必要であると説く。『ソクラテスの弁明』や『国家』等の著作がある。

イ○ モンテスキューは「法の精神」の中で三権分立を唱えた。
モンテスキューは，1748年に匿名で出版した『**法の精神**』の中で，政治的自由を保障するために，政治権力を立法・行政・司法の三権に分割し，それぞれを別の機関に帰属させ，相互に「均衡と抑制」の関係をもたせるべきだとした。フランス絶対王政を批判するもので社会的には厚遇されたが，一方でカトリック教会から禁書目録指定を受けている。

ウ× **世界の主たる国での男女普通選挙実現は，20世紀に入ってからのことである。**
「民主主義＝すべての個人の尊重」であり，当然の帰結の１つとして「男女普通選挙」が導かれる。歴史的には，欧米社会でも，男性が社会参加し，その男性を女性が支えるという意識が強く，その実現までには紆余曲折があり，問題文中の３か国では20世紀に入ってからであった。

エ× **ナチスによる政権掌握には，ナチ党が第1党になったことが基礎となっている。**
1933年から1945年までの国家社会主義ドイツ労働者党（＝ナチ党）による政権＝**ナチス**（・ドイツ）の権力掌握は，1932年７月の国会議員選挙でナチ党が第１党となり，翌年１月に**アドルフ・ヒトラー**が首相となったところから始まっている。

よって妥当なものは**ア**と**イ**であり，正答は**1**である

正答 1

FOCUS

各国の男女普通総選挙

イギリスでは，1918年の第４回選挙法改正で「戸主又は戸主の妻である30歳以上の女性」に選挙権が与えられた（21歳以上の男性に選挙権）。1928年の第５回選挙法改正で男女平等の普通選挙が実現した。

アメリカで全国的に確立されたのは，1920年に可決された憲法修正第19条による。大戦後の1919年には下院で女性参政権を認める同法が可決されたものの，上院の議決や各州での批准が遅れた結果，1920年に発効した。

フランス革命（1789年～）後に実現した普通選挙では男性のみが参政権を認められ，**フランス**で女性参政権が認められたのは1944年の臨時政府の措置令による。

第一次世界大戦で敗北した**ドイツ**では，1919年に憲法制定議会の選挙で男女平等の普通選挙が実施され，その後にワイマール憲法が制定された。

ロシアでは，1936年制定の憲法（いわゆるスターリン憲法）で，社会主義化が達成されたとして，選挙権剥奪規定が廃止されている。教育や労働などにおいても女性は男性と同等の権利が認められた。

21世紀に入ってからは，ほぼすべての国で女性参政権が認められるようになり，現在でも女性参政権を認めていない国は，バチカン市国等ごく一部の国に限られている。

POINT

重要ポイント 1 法の種類

法については，その内容や存在形式などにより，いろいろな分類方法がある。

(1) 公法と私法

公法：国・地方公共団体と私人との関係を規律するもの。
憲法，刑法，民事訴訟法，刑事訴訟法，行政法など。

私法：私人間の関係を規律するもの。民法，商法など。

現代になって社会が高度化し複雑に発展してきて，国や地方公共団体とは別に権力を持つものが出現してきた。→従来の二分論では不十分→社会法

社会法：公法・私法の中間領域の法として認められるようになった。
労働法（労働基準法，労働組合法など），経済法（独占禁止法など）など。

▶裁判では，公法と私法の境界を厳格に考える傾向にある（二分論維持）。
→憲法の私人間効力（判例［最判昭56・3・24］は間接適用説をとる）

(2) 成文法と不文法

成文法：立法機関によって制定された法規で，文章形式で表現されたもの。法的安定性がある反面，一度制定されると固定化する傾向がある。制定法。

不文法：文章形式で表現されていないものでイギリス憲法がその典型例である。

(3) 自然法と実定法

自然法：時代や場所を問わずに適用される永久普遍の法。
実定法の上位にあり，実定法の補充・指針となるものである。

実定法：時代や民族・社会など限定した範囲で効力を有する法。
現実に社会で定立され適用されている法であれば，その制定の経緯は不問。

(4) その他

慣習法：慣習に基づいて成立する法。要件としては，慣習の存在，法として認知されること，国家が法と認めること。
商法では，商慣習法に制定法である民法よりも優先する効力が認められている（商法1条）。しかし，罪刑法定主義から刑法での適用はありえない。

判例法：裁判所の判例が法としての効力を持つに至ったもの。
英米法系の国々では，判例法主義がとられている。

法と道徳の関係

以前は「法が最小限の道徳である」といわれ，法は道徳の一部につき強制力を持たせてまで護らせようとした。しかし，社会が複雑化・多様化し，法律の射程範囲が広がってきた現在では，その（包含）関係が変化してきた。たとえば「左側通行」は道徳とは無関係。右図でA：「年長者を敬う」，B：「人を殺してはいけない」，C：「左側通行」となる。

重要ポイント 2 法の解釈

(1) 意義

一般的・抽象的に規定されている法の意味内容を，具体的事実に適用するために確定すること。

(2) 法解釈の必要性

たとえ制定法であっても，法が一般的・抽象的であるがゆえに，解釈の方法でその対象も効果も変化する場合がある。事案に即した解釈が要求される。

(3) 法解釈の分類

文理解釈	法文の字句や文言を中心とする解釈。文言解釈。
論理解釈	法の文言以外の道理や論理に主眼をおく解釈。目的論的解釈。
拡張解釈	通常の意味よりも拡張する解釈。
縮小解釈	法の真に意図するもの以上が含まれる場合に行う解釈。
反対解釈	法の規定していることの反対面からの解釈。これにより別の規範を読み取ることが可能となる。
勿論解釈	規定に明記されていなくても，趣旨に鑑み含まれるのが勿論(もちろん)であるとされる場合に，そのものも含めてする解釈。
補正（変更）解釈	法文の用語が明らかに誤りであることが明白であるとき，そのまま文理解釈をするとその法令の真意と反する結果になる場合，その限度において法文の字句を補正・変更してする解釈。変更解釈。
類推解釈	類似の規定をもとに必要な修正を加えて，別の対象に向けてなす解釈。その意味では新しい法の創造である点に注意。刑法の罪刑法定主義の要請からは，類推解釈は禁止される。
立法解釈	立法手段により定める。たとえば，民法85条，刑法７条など。
学理解釈	学理的思考による法の意味内容の解釈。立法解釈が実質的には法の定立であるのに対し，真の法の解釈といえる。

重要ポイント 3 法体系の変遷

法体系の変遷を考えるには，当時の社会の変化・人権に対する考え方などと関連づけて考えなければならない。大きくは，次のように考える。

市民法
人権が獲得された当初の法
形式的な自由・平等が最優先
夜警国家（消極的国家）観
自由放任主義。18世紀以降。

社会法
市民法での不具合の修正
実質的な自由・平等
福祉国家（積極的国家）観
弱者保護のため，国家によるある程度の干渉を認める。20世紀以降。

実戦問題

＊＊
No.1 モンテスキューの思想に関する記述として，妥当なのはどれか。

【地方上級（特別区）・令和元年度】

1 モンテスキューは，「リバイアサン」の中で，人間は自然状態のもとでは「万人の万人に対する闘争」を生み出すので，各人は，契約により主権者に自然権を譲渡して，その権力に従うべきだとした。

2 モンテスキューは，「統治二論」の中で，政府とは国民が自然権を守るために，代表者に政治権力を信託したものであるから，政府が自然権を侵害した場合，国民には抵抗権が生じるとした。

3 モンテスキューは，「法の精神」の中で，国家の権力を立法・行政・司法の3つに分け，それぞれを異なる機関で運用させ，相互の抑制と均衡を図る三権分立制を唱えた。

4 モンテスキューは，「社会契約論」の中で，個々人の間での契約によって1つの共同体をつくり，公共の利益の実現をめざす一般意志を人民が担うことによって，本当の自由と平等が実現できるとする人民主権論を唱えた。

5 モンテスキューは，「諸国民の富」の中で，国家は国民が自由に活動するための条件を整備すればよく，国家の任務は国防や治安の維持など，必要最小限のものに限るという自由放任主義の国家を夜警国家と呼んで批判した。

＊
No.2 法の支配や人権に関する記述として最も妥当なのはどれか。

【国家専門職・令和２年度】

1 17世紀には，クック（コーク）が，「国王といえども神と法の下にある」という言葉を引用して，法の支配の必要性を説いた。法の支配の考え方では，法による政治という形式面だけでなく，法の内容の正当性も重視される。

2 人の支配とは，法の支配に対する概念として生まれたもので，国家の主権は君主ではなく全人民に平等にあるとする考え方である。ロックは，人の支配の考え方に基づいて，全人民共通の一般意志によって公共の利益の実現が図られるべきであると説いた。

3 17世紀以降，英国，米国，フランスなどで起こった産業革命によって，自由権が確立された。ただし，確立された当初の自由権は，個人が生まれながらにして持っている絶対的なものではなく，国王や国家元首によって与えられるものとされていた。

4 20世紀には，社会的・経済的弱者の生存や福祉の必要性が唱えられるようになり，プロイセン憲法において初めて社会権が保障された。一方，ラッサールは，社会権を保障する国家を夜警国家と呼び，国家が経済や市民生活に介入し過ぎているとして批判した。

5 わが国では，法の支配の実効性を保障するため，違憲審査権を与えられた憲法裁判所が，通常の裁判所とは別に設けられている。この憲法裁判所では，審査の対象が高度に政治的な国の行為であっても，憲法判断を回避することは認められていない。

No.3（＊＊） **法の解釈に関する記述として，最も妥当なのはどれか。**

【地方上級（特別区）・平成24年度】

1 論理解釈とは，法令の規定を，その文字や文章の意味するところに従って忠実に解釈していこうとするもので，法の解釈を法規的解釈と学理的解釈に大別した場合には，前者に位置付けられる。

2 反対解釈とは，法の解釈に際し，ある法文につき，その規定の定める趣旨は法文の規定外の事柄には及ばないとし，その規定に挙げられていないものは，それとは反対の扱いを受ける，と解釈することをいう。

3 拡張解釈とは，類似の二つの事柄のうち，一方についてだけ規定があり，他方には明文の規定がない場合に，その規定と同じ趣旨の規定が他方にもあるものと考えて解釈することをいい，刑罰法規においては拡張解釈は許されない。

4 縮小解釈とは，法文の用語が明白に誤用されていて，その解釈の結果が，その法の趣旨に反する場合，その限度において法文の字句を変更して，法の趣旨に合うように解釈することをいう。

5 文理解釈とは，ある法の規定の趣旨，目的からみて，他の場合にもそれと同じ趣旨の規定があるものとすることが条理上当然だと考えられる場合に，その旨の規定を解釈によって読み取ることをいう。

実戦問題の解説

No.1 の解説　法の思想

→問題はP.22 正答3

1 ×　「リバイアサン」－ホッブズ－万人の万人に対する闘争

ホッブズ（哲学者・英）は，その著作「**リバイアサン**」の中で，人間の自然状態を，決定的な能力差の無い個人同士が互いに自然権を行使し合った結果としての「**万人の万人に対する闘争**」として，この状況を避け，社会の構成員の共生，それをもたらす社会の平和のために，各人は，契約により主権者に自然権を譲渡して，その権力に従うべきだとし，**絶対王政を合理化**した。

2 ×　「統治二論」－ロック－「抵抗権」→国家へ信託

1690年にイギリスの政治学者**ジョン・ロック**の「**統治二論**」（「市民政府論」・「市民政府二論」）の中で，人間は，自然状態では，自然法に従った範囲内において完全に自由な状態にあり，原則的に平等で，**所有権**が認められると述べた。また，ある人物の権利が侵害されれば，当事者は抵抗できるが（**抵抗権**），社会には「公知の法」「公平な裁判官」などがない。そこで，国民は政府に自然権を守るため，代表者に政治権力を信託したとする。

3 ◎　「法の精神」－モンテスキュー－三権分立

フランスの啓蒙思想家**モンテスキュー**は，法とは「事物の本性に由来する必然的な関係」と定義し，権力が集中した統治形態による法によっては，政治的自由が保障されないと考え，1748年の著作「**法の精神**」の中で「**三権分立**」（「**権力分立**」）を唱えた。

4 ×　「社会契約論」－ルソー－「一般意志」

「**社会契約論**」は，仏の思想家**ルソー**が1762年に著した。**自由意志**を持つ人間が各人の身体と財産を保護するため，全ての構成員が全ての権利を共同体に譲渡する。それにより国家が出現し（その公共の利益の実現をめざす意思＝「**一般意志**」），直接民主制により主権が行使されるべきであるとした。

5 ×　「諸国民の富」－アダム・スミス－（神の）見えざる手

「諸国民の富」（「国富論」）は，イギリスの哲学・倫理学・経済学者であるアダム・スミスの著書。市場原理である「**見えざる手**」について述べ，自由放任主義（レッセフェール）により国家による規制の排除を主張。肢の「**夜警国家**」は，ドイツの社会主義者ラッサールが『労働者綱領』の中で主張したもの。

No.2 の解説　人権の拡大・内容

→問題はP.22 正答1

1 ◎　「法の支配」の「法」は，内容においても「正しさ」が求められる。

17世紀の初め，英国のコーク（Edward Coke）は，国王主権を主張するジェームズ1世に対して，**ブラクトン**の法諺を引用し「法の支配」を主張。国の統治者は，恣意的な立法をすることは許されず，普遍的な「法」に拘束されるのである。マグナ・カルタをコモン・ローの確認・再生と位置づけた。

2 ×　人の支配＝独裁＝上から下への政治。

権力者や国王による独裁，いわゆる「上から下への政治」で具現化される人の支配の対義概念が「法の支配」である。また，名誉革命を理論的に正当化するロックの政治思想は，生命・自由などの権利をすべての人が公平に有する自然状態を前提に，それを貫くことで生じる問題を「社会契約説」による政治で解決しようとするもので，政府の権力は国民の「**信託**」に基づき，それに反する場合に国民に「**抵抗権**」を認める。同じ社会契約説を採る**ルソー**は，公益実現のために人民が共有する意志を「**一般意志**」と呼んだ。

3 × **人民は，「市民革命」により人権を獲得した。**
17世紀以降に世界で起きた市民革命の成功の結果，自由権や平等権を勝ち取った。そこでの基本的人権は，**前国家的権利**であり，**永久不可侵性を持つ**。なお，18世紀後半にイギリスから始まった産業革命は，技術革新による産業構造の変化・経済発展のことであり，19世紀にかけて世界へと拡大した。

4 × **社会権は1919年のワイマール憲法ではじめて保障された。**
自由権・平等権などでの弊害から認識されることになった社会権は，1919年のワイマール憲法ではじめて憲法により保障された。ラッサールの「**夜警国家**」とは，国防と治安維持などの必要最小限の事業だけが国の機能であるとする国家観であり，国家の積極的役割を認める福祉国家の対極にある。

5 × **日本国憲法は，憲法裁判所などの特別裁判所の設置を認めない。**
日本には特別裁判所は存在しない（憲法76条２項）。また，事件が「国家統治の基本に関する**高度の政治性**」を持つ場合には，「**統治行為論**」により憲法判断を回避する場合がある（砂川事件，苫米地事件など）。

No.3 の解説　法の解釈

→問題はP.23 **正答２**

1 × **法文の字句に忠実な解釈は文理解釈。**
文理解釈の説明である。**論理解釈**とは，他の条文や法秩序との関連性など，法文の論理的意義に着目してなされる解釈であり，反対が**文理解釈**である。

2 ◎ **一方が敢えて規定されていることを重視する→他方なら反対解釈。**
正しい。たとえば「車馬通行禁止」という規定を，人は通行してもよいと解釈する場合である。反対が**類推解釈**である。

3 × **趣旨の類似性を考慮するのは類推解釈。**
類推解釈の説明である。**拡張解釈**とは，法の解釈において，ある用語につき，一般の意味以上に拡張して解釈することであり，反対が**縮小解釈**である。

4 × **誤用されている場合は，立法趣旨に鑑みて補正解釈。**
補正解釈（変更解釈ともいう）の説明である。**縮小解釈**とは，文字や文章の通常の意味より狭く解釈することであり，反対が**拡張解釈**である。

5 × **条文の字句などの文理を超えた条理に鑑みるのは，条理解釈。**
条理解釈の説明である。**文理解釈**とは，その法文の字句や文章の意味を文法的に明らかにしてなされる解釈であり，反対が**論理解釈**である。

各法律の基礎知識

必修問題

わが国における消費者保護のための法律等に関する記述として最も妥当なのはどれか。 【国家総合職・平成30年度】

1 製品の事故による被害者の救済を促進するため，企業の責任を定めた**製造物責任（PL）法**が制定されている。一般に製品の欠陥を証明することは技術的に難しいが，同法により**被害を証明するだけ**で製品に欠陥が存在し，企業に過失があったものとみなされるため，被害者は製造企業に対して被害を証明するだけで損害賠償を請求することができる。

2 **消費者契約法**により，消費者は，事業者が契約に当たって重要事項について事実と異なることを告げた場合等には，誤認に基づき行われた契約を**取り消すことができる**。また，同法は，被害にあった消費者に代わり，内閣総理大臣が認定した消費者団体が，被害を発生させた事業者に対して不当な行為を差し止めるための訴訟を起こせる**消費者団体訴訟制度**について定めている。

3 **特定商取引法**の制定により，一定期間内であれば違約金や取消料を支払うことなく契約を解消できる**クーリング・オフ**の制度が新設された。また，近年，通信販売や電子商取引の増加に対応するために**割賦販売法**，**電子契約法**が改正され，これらの法律によって通信販売や電子商取引にもクーリング・オフの制度が導入されている。

4 消費者保護の強化を目的として，消費者を権利の主体から保護する対象へと位置付ける形で**消費者基本法が改正**され，消費者保護基本法が成立した。また，消費者行政を統一的・一元的に推進するため，消費者保護基本法に基づき，各府省の関係部局を統合して消費者庁や消費者委員会，国民生活センターが設置された。

5 返済計画を持たず安易にカードローンなどから借金をすると，その返済のために借金を繰り返す多重債務に陥り，ついには自己破産に至ることもある。この問題には，いわゆるグレーゾーン金利や借入総額を年収の３分の１までとする総量規制に原因があると考えられたことから，そのような金利や規制を見直し，**新たに利息制限法が制定**された。

難易度 ＊＊＊

必修問題の解説

近年，消費者についての出題が散見される。社会の中での「弱者」である消費者を救済するための法制度が整備されてきており，状況に応じた更なる改正も行われている。今回の民法改正同様，消費者保護についての法制度についての知識は自分なりに整理をして押さえておきたい知識である。

1 × 製造物責任＝無過失責任

製造物責任法（1995年施行）では，製造又は加工された動産＝「製造物」の「欠陥」が原因で，他人の生命・身体・財産に損害が生じた場合，製造業者等に責任を負わせる法律である。これは一般的に**無過失責任主義**といわれ，被害者保護の観点から認められている。すなわち，損害賠償のためには被害者が企業の過失を証明しなければならないのだが，被害者による過失の立証が困難である場合が多いことから，①**製造物の欠陥の存在**，②**それによる損害の発生**を主張，③企業側から免責事由の証明がされない場合には，**企業側の過失を証明しなくても損害賠償責任を認めるもの**である。

2 ◎ 消費者契約法により，消費者団体訴訟制度を導入。

2001年に施行された消費者契約法は，**契約における消費者と事業者との間にある情報（質・量）や交渉力の格差を考慮**し，消費者の利益保護のために制定された。不当な勧誘による契約の取消し，不当な契約条項の無効等を規定する。2006年改正では**消費者団体訴訟制度**が導入され，内閣総理大臣が認定した**消費者団体が，被害にあった消費者に代わり事業者に対して訴訟等をすることが認められた**。その後，2016，2018年にも消費者保護のための法改正が行われている。

3 × ネット販売などにはクーリング・オフは認められない。

特定商取引法は，事業者の不適正な「行為規制」やトラブル防止・解決のための「民事ルール」を定める。後者には，一定期間，説明不要で無条件で申込の撤回または契約解除可能とする，いわゆる「**クーリング・オフ**」が含まれる（法律には「クーリング・オフ」という表現はない）。また，ネットショッピング（電子商取引），カタログ通販等の通信販売や店頭販売では，消費者が広告や画面等で商品を確認し自発的に申込みをする取引のために，原則として同制度は認められてはない。

4 × 消費者保護基本法→消費者基本法（2004年）→消費者庁（2009年）

高度経済成長下で発生した消費者問題に対応するため，消費者を支援し自立を促す「**消費者保護基本法**」が1968年に制定され，1970年には特殊法人として「**国民生活センター**」が設立された。2004年には，規制緩和，高度情報通信社会化などを背景に，消費者の一層の自立支援を目的に**改正され「消費者基本法」となった**。基本理念に消費者の権利が明記され（同法２条），消費者団体に関する規定（８条），消費者契約の適正化に関する条文が新設され

(12条)，国民生活センターの役割が明記された（25条)。**消費者庁**は，消費者行政を統一的・一元的に推進するための強い権限を持つ行政機関である。また**消費者委員会**は消費者庁など消費者行政に関連する各中央省庁を監視・チェックする組織で，2009年に消費者庁及び消費者委員会設置法に基づき，内閣府に設置された。これを受けて，同年に**消費者安全法**が施行され，全国の都道府県市町村が**「消費生活センター」**が設置されている。

5 × グレーゾーン金利の存在→多重債務者の発生→出資法などの改正

2010年の貸金業法及び出資法改正施行前には，利息制限法（1954年施行）の定める上限金利を超えるが，出資法の規定する上限金利を超えない範囲の金利（**グレーゾーン金利**）が存在した。そして生活のためにこの高金利で借金をし，その返済のために他の会社から借り入れることを繰り返し，**多重債務**に陥ってしまう問題があった。その解決のため2006年に出資法や貸金業法などが改正され，その結果，①本来無効であるはずの利息制限法を超えた利息でも，借主が任意に支払った場合には一定要件の下で有効になる**「みなし弁済」の規定を廃止**，②**出資法の上限金利の引下げ**，③借り過ぎ・貸し過ぎを防ぐために設けられた新しい規制（＝**総量規制**）などが段階的に施行され，**2010年までにすべての規定が施行**された。

正答 2

FOCUS

各法律の制定の経緯を社会の経済状況とリンクさせて押さえておくとよい。社会の中での問題を解決するべく法制度の改正が実施されている。ネット社会が普及し，その中で消費者の行動も自ずと変化し，それに伴い消費者保護のあり方も変化することが求められるはずである。刻々と変化する社会情勢を把握する必要がある。

POINT

重要ポイント 1 私的自治の原則

民法は，私人間の関係を規定する法である。そこでは個人の自由・平等が尊重される結果，個人の自由意思が最優先され，自らのことは自己の責任においてなされる＝他人や国家からの影響・干渉を受けないとする私的自治の原則を基礎とする。

重要ポイント 2 民法の指導原理

私的自治の原則からさらに，以下の指導原理を導くことができる。

←これらすべての原理は**個人の自由意思の尊重**という観点から導ける。

契約自由の原則：契約の内容は当事者の自由意思に基づき，その相手方，契約の内容などを自由に決定することができる。

過失責任の原則：自己に過失のある場合にのみ責任を負う。

所有権絶対の原則：自己の所有権は絶対的なもので，他人から不当な侵害を受けることはない。→物権的請求権

重要ポイント 3 近代民法での修正原理

純粋に自由・平等を追求するばかりではなく，社会の発展・成熟に関連して，実質的な自由・平等を実現するために国家の国民生活に対する関与・干渉を認めるように修正されるようになった。

←国家観が夜警国家から福祉国家へと移行したことが背景にある。

(1) 信義誠実の原則（民法１条２項）

人は，社会生活の中で，その具体的事情の下で一般に期待されるとおりに誠実に行動しなければならない。

→派生原則として「事情変更」の原則＝基礎となる事情が変化した場合に対応。

(2) 権利濫用禁止の原則（同条３項）

権利の正当な範囲を逸脱して行使されることを禁止する。

権利は，一般に永久不可侵性を持つが，そのすべてが保障されるものではない＝内在的制約。思想・良心の自由（憲法19条）などのうち内心にとどまる自由は絶対に保障されるが，それ以外は**すべて**この制約が及ぶ。

(3) 公共の福祉の原則（同条１項）

公共の福祉とは，社会全体の向上・発展を意味する。

＝各個人の生活の充実発展は，社会全体の向上発展とともにのみ可能。

→私権の内容および行使は，社会全体の利益と調和を保つべきとするもの。

重要ポイント 4 民法の構造

総則：民法全体にわたる基礎となるルール。特に，**行為能力**，**意思表示**，**代理**，**時効**について注意。専門用語（善意・悪意・取消・無効など）も頻出である。静的安全の保護か動的安全の保護かという視点で考えるのも一つの方法。

物権：物に対する権利関係を定める。物権の本質は，権利者の**物に対する直接的・排他的支配**である。それゆえ，物権は「強力」な権利であり，物権的請求権

が当然に認められる。

債権：人と人との権利関係を定めるもの。当事者双方が「自由意思」を持つことから，その内容は相対的である。よって，原則として「物権は債権を破る」（ただし，登記された賃借権などに注意）。

親族：親族関係を定める。親族の範囲，婚姻や養子などが重要。

相続：被相続人の死亡により開始される相続について定める。
法定相続，相続の放棄や遺言などが重要。

重要ポイント5 最近の重要な法改正

（1）民法改正

・約120年ぶりの債権法を中心とした大改正（2017〈平成29〉年成立，2020年４月１日施行）。改正の中心は，取引社会を支える最も基本的な法的基礎である契約に関する規定。**法定利率**は**一律に年3%**（改正前：民事＝年５%，商事＝年６%）に統一し，また３年を１期とし１期ごとに利率を見直す変動制を採用（同404条）。総則の範囲でも，**成人年齢＝18歳**（同４条・2022年４月１日施行）・時効の「中断」→「更新」，「停止」→「完成猶予」となり再構成・消滅時効につき，一律に①権利が行使できることを知ったときから５年間，②権利行使ができるときから10年間，行使しないときとした（同166条）。なお，生命・身体の侵害による損害賠償請求権は①は同じ５年，②については20年（同724条の２，167条）。

・近年，問題である所有者不明土地（所有者が不明な土地・所有者が判明していてもその所在が不明な土地）の問題の解決などを目的。2023年４月施行。

①**相隣関係規定の見直し**：隣地使用権の範囲拡大・竹木剪除権の見直し。

②**共有制度の見直し**：軽微な共有物の変更は，共有持分の過半数で決定できるように等の共有者間における意思決定，共有物の管理や使用についての制度の変更・整備。共有関係を解消する手続きや制度が整備（裁判による共有物分割手続／所在がわからない共有者の不動産共有持分を取得，処分する制度など）。

③**所有者不明土地管理制度などの創設**

④**相続制度の見直し**：早期の遺産分割の促進のため，相続開始から10年経過後は，具体的相続分（介護など個別事情を考慮した遺産の取り分）による遺産分割が原則として適用されないようになった。遺産共有持分が含まれる共有物の分割手続きの見直し，相続人が不明な場合等における公告手続が合理化され，短期間で手続完了が可能になる等。

※関連して，形骸化した不動産登記の抹消手続きが簡略化される等不動産登記法も改正された。相続登記の義務化に関する改正は，2024年４月１日施行予定。

（2）労働基準法改正（2023年4月1日施行）

①月60時間超の時間外労働の割増賃金率の引き上げ

②デジタルマネーによる賃金の支払いが解禁…労働者の同意を得た上で，一定の要件を満たした場合に限る。

（3）育児・介護休業法（2023年4月1日施行）

育児休業の取得状況の公表が義務付けられる企業の範囲が拡大。

(4) 相続土地国庫帰属法（2023年4月27日施行）

相続等で土地を取得した相続人が，その土地を国に引き継ぐことができる制度（相続土地国庫帰属制度）を定める。

(5) 個人情報保護法（2023年4月1日施行）

これまでは，民間と行政機関等で異なる法律等が制定され，適用されていた個人情報の保護に関して，地方公共団体等を含めて，全国的な共通ルールが定められた。

※国の行政機関と独立行政法人等については，2022年４月１日施行の改正で３つの法律が個人情報保護法に統合され，今回の改正で2023年４月１日以降），地方公共団体や地方独立行政法人についても個人情報保護法が適用されることとなった。

(6) 道路交通法（2023年4月1日施行）

いわゆる「レベル４」の自動運転が一定の条件下で解禁された。

【レベル4】過疎地域や高速道路などの特定条件下で，システムによる完全自動運転がなされる（運転者の介入不要）。

【レベル5】あらゆる条件下で，システムによる完全自動運転がなされる。

(7) 消費者契約法（2023年6月1日施行）：消費者保護を強化するための改正

契約の取消事由を追加：勧誘する旨を告げずに退去困難な場所へ同行して勧誘した場合や第三者に相談しようとする消費者を脅して妨害した場合などが，新たに契約の取消事由に追加された，など。

(8) 消費者裁判手続特例法（2023年6月1日までに施行）

内閣総理大臣の認定を受けた特定適格消費者団体による，消費者団体訴訟制度が改善。消費者団体訴訟制度＝内閣総理大臣が認定した消費者団体が，消費者のために事業者に対して訴訟できる制度。「差止請求」と「被害回復」の２つが可能。

(9) 消費税法（2023年10月1日施行）

いわゆる「**インボイス制度**」が新たに導入される。インボイス制度とは，商品などに課されている消費税率や消費税額など，法令が定めた内容を明記した書面（適格請求書＝インボイス）を交付する制度をいう。2019年10月の消費税率の引き上げで，10％と８％の２つの税率が混在することになったことで，商品毎に，どちらの税率が適用されているかを明確にする目的。

(10) こども家庭庁の創設

2023年４月１日，「**こども家庭庁設置法**」，およびあらゆる子ども施策の基盤となる基本理念を定めた「**こども基本法**」が施行され，こども家庭庁が発足した。背景としては，1994年の「子どもの権利条約（児童の権利に関する条約）」を批准するも，これまでに条約に対応した包括的な基本法，および子どもの権利擁護に対する横断的な行政機関がおかれていなかった。今回，日本国憲法および児童の権利に関する条約の精神にのっとり，すべてのこどもが，将来にわたって幸福な生活を送ることができる社会の実現を目指し，こども政策を総合的に推進することを目的として「こども基本法」が制定され，「こども家庭庁」が創設された。

実戦問題❶　基本レベル

◆ **No.1**＊ **労働法に関する記述として，妥当なのはどれか。**

【地方上級（特別区）・令和２年度】

1 労働基本権とは，団結権，団体交渉権，団体行動権（争議権）の三つをいい，労働基準法において定められている。

2 労働法とは，個別的労働関係，団体的労働関係を規律する法の総称であり，労働三法とは労働基準法，労働契約法，労働関係調整法をいう。

3 国家公務員や地方公務員は労働三権に制限が加えられ，最高裁では全農林警職法事件において公務員の争議行為の一律禁止は合憲であるとの判断を示し，今日に至っている。

4 労働関係調整法は，労働争議が発生し，当事者間の自主的な解決が不調の場合に労働基準監督署が，あっせん・調停・勧告の三つの方法によって，争議の収拾にあたることなどを定めている。

5 労働組合法は，労働組合が争議行為を行った場合，労働者は正当な行為である限り刑罰を科されることはないが，使用者は当該争議行為によって受けた損害について，労働組合に賠償請求できるとしている。

No.2＊＊ **次は民法の基本原則等に関する記述であるが，下線部が最も妥当なのはどれか。**

【国家総合職・平成19年度】

1 いわゆる契約自由の原則は，契約をするか否か，誰とどのような内容の契約をするか等について，公の秩序や善良の風俗等に反しない限り当事者間で自由に定めることができるとする原則である。しかし，<u>経済社会の発展に伴い，契約の当事者に立場の優劣が生じやすい現代においては，それら当事者間の実質的な平等を確保するため，労働基準法や借地借家法等が施行されている</u>。

2 いわゆる所有権絶対の原則は，物を全面的に支配する権利を所有権とし，所有者以外の他人は国家権力といえどもその自由を侵害してはならないとする原則である。過去においては，公共の必要が生じた場合において比較的容易に所有権が奪われ，制限されていた経緯を踏まえ，<u>現代では，所有権は絶対かつ無制約な権利として憲法上認められるに至っている</u>。

3 いわゆる過失責任の原則は，他人に損害を与えた場合に加害行為と損害との間に因果関係があることに加え，加害者本人に故意や過失等がなければ損害の賠償を負担させられることはないとする原則である。しかし，<u>契約等の取引が頻繁に行われる現代においては，過失責任の原則を適用することはできず，私法全般につき故意又は過失がなくても加害者に賠償義務を負わせようとする無過失責任に基づいた立法や解釈が採られている</u>。

4 いわゆる物権法定主義は，原則として民法その他の法律に定める場合のほかに物権を創設することができないとして民法にもその旨規定されてるが，これはあくまで任意規定であり，契約自由の原則及び私的自治の観点から，民法その他の法律に定められたものとは異なる種類の物権を契約当事者間の合意等によって自由に作り出すことも可能である。

5 いわゆる公示の原則は，物権の変動については常に登記や登録など外界から認識できる何らかの表象を伴うことを必要とする原則である。わが国の民法は公示の原則を肯定しつつ，当事者間においても移転登記や引渡し等のような公示方法の変動がない限り，物権変動は効力を生じないとしており，移転登記や引渡し等は物権変動の成立要件又は効力要件と位置づけられている。

* No.3 債務不履行による損害賠償に関する記述として，妥当なのはどれか。

【地方上級（特別区）・令和４年度】

1 債務不履行により債権者が損害を被った場合には，損害賠償の範囲は債務不履行がなければ生じなかった損害すべてに及び，特別な事情による損害も，通常生ずべき損害と同様に損害賠償の対象となる。

2 債権者と債務者の間であらかじめ違約金を定めておいた場合には，その違約金は原則として債務不履行に対する制裁と推定されるため，債務者は，債権者に対し，現実に発生した損害賠償額に加えて違約金を支払わなければならない。

3 金銭賠償とは，損害を金銭に算定して賠償するものであり，原状回復とは，債務不履行がなかったのと同じ状態に戻すものであるが，債務不履行による損害賠償の方法としては金銭賠償が原則とされる。

4 昭和48年に最高裁は，金銭を目的とする債務の履行遅滞による損害賠償については，法律に別段の定めがなくとも，債権者は，約定または法定の利率以上の損害が生じたことを立証すれば，その賠償を請求することができるとした。

5 平成23年に最高裁は，売買契約の締結に先立ち，信義則上の説明義務に違反して，契約締結の判断に影響を及ぼす情報を買主に提供しなかった場合，売主は契約締結により買主が被った損害に対し，契約上の債務不履行による賠償責任を負うとした。

＊＊
No.4 わが国における情報の管理・保護に関する記述として最も妥当なのはどれか。

【国家一般職・平成28年度】

1 個人情報保護法は，個人情報取扱事業者が個人情報を取り扱う場合は，その利用の目的をできる限り特定することを義務付けている。また，法令に基づく場合などを除き，あらかじめ本人の同意を得ないで，個人データを第三者に提供することを禁じている。

2 情報公開法は，国民主権の理念に基づいて，中央省庁の行政文書の開示を請求する権利と，政府の説明責任（アカウンタビリティ）を規定している。同法に基づき，行政文書の開示が認められるためには，請求者が我が国の国籍を有し，かつ18歳以上であることが必要である。

3 特定秘密保護法は，機密情報を保護し，その漏えい防止を図るための法律である。機密情報は，公務員が職務上知り得た情報のうち，国家安全保障会議が指定したものであり，この機密情報を漏えいした公務員に対する罰則が規定されている。

4 著作権法は，知的財産権を保護するための法律の一つである。著作権は，新しい発明や考案，デザインやロゴマークなどの著作者が，それらを一定期間独占的に利用できる権利であり，同法による保護を受けるためには，特許庁に申請する必要がある。

5 商標法は，知的財産権を保護するための法律の一つである。同法は，許可なしに顔写真などの肖像を撮影されたり，利用されたりしないように主張できる肖像権や，有名人の名前や肖像が無断で商品化されたり，宣伝などに利用されたりできないようにするパブリシティ権を規定している。

実戦問題1の解説

No.1 の解説 日本の労働についての法

→問題はP.32 正答3

1 × 労働基本権については，日本国憲法28条が規定する。
日本国憲法28条は「勤労者の団結する権利及び団体交渉その他の団体行動をする権利は，これを保障する。」と規定し，労働者に使用者と対等な立場に立たせる手段としてこれらの権利を認めている。

2 × 労働三法とは，労働基準法，労働組合法，労働関係調整法である。
労働法とは，労働者に関する法，すなわち肢にある個別的労働関係，団体的労働関係を規律する法の総称である。またいわゆる「**労働三法**」とは，労働基準法，労働組合法，労働関係調整法を指す。

3 ◎ 現在のところ，公務員の争議権は，一律全面禁止されている。
正しい。憲法15条の通り「**全体の奉仕者**」である公務員については，その職務の中立性・不可買収性等を根拠として，法律により公務員の労働三権は制限されている（国家公務員法98条２項・３項，地方公務員法37条)。公務員の争議行為については，**全農林警職法事件**での判断（最大判昭48・４・25)が現在まで維持されている。

4 × 労使間の関係をまとめるために，労働委員会があっせん，調停，仲裁を行う。
当事者間での労働争議の自主的な解決が不調の場合に，争議の収拾にあたるのは**労働委員会**であり，労働関係調整法で規定するその方法は，強制力の弱い順に，あっせん・調停・仲裁である。

5 × 争議権は労働者の権利であり，それによる不利益は認められない。
争議権の意義が，労働者の地位の強化にあることに鑑みれば，争議行為を認める一方で，使用者からの損害賠償を認めるとすれば，その可能性から労働者や労働組合の争議権行使を萎縮させることになってしまう。そこで労働組合法は，労組が争議行為を行った場合に，正当な行為である限り刑罰を科されることはなく，使用者は損害賠償請求ができないとしている（同１条１項，８条)。

No.2 の解説 民法上の概念

→問題はP.32 正答1

1 ◎ 正しい。労働基準法や借地借家法などはいわゆる「社会法」に属し，**弱者の救済を目的**とする法律である。

2 × **所有権絶対の原則**は，生産手段の私的所有より成り立つ資本主義経済の根幹を形成する原則を意味する。しかしこの原則も絶対のものではなく，たとえば「**権利濫用の禁止**」という制限がある（権利の濫用の禁止の例として，宇奈月温泉事件，信玄公旗掛け松事件などを参照しておくとよい)。

3 × 何も落ち度がない人に責任を負わせることはできないのであり，現代においても**原則として適用**される。ただ，たとえば動的安全の保護と静的安全の保護とが対立する場合，いわゆる弱者を救済しようとする場面などにおいては，過失責任の原則を貫こうとすると，かえって**正義に反する**ことがあり，そのような場合にはこの**原則が修正**されている。例：無権代理人の責任，瑕疵担保責任，ＰＬ法（製造物責任法）での製造者の責任など。

4 × **物権法定主義**は，民法175条に規定されている。これは，物権は債権に優先する効力**（直接的排他的支配，絶対性）**を有し，また制度上**債権以上の保護**を与えられているため，各人が自由に物権を創出しえないとして法制度の混乱を防ごうとするものである。なお，法律に規定のない物権を設定する契約が結ばれても，物権法定主義により，そのような物権は発生しないが，当事者間における契約としては原則として有効である。

5 × **物権変動は意思表示のみで生じる**とするのが民法の規定である（民法176条）。そして登記や登録などは対抗要件とされている（同法177条）。

No.3 の解説　物権と債権の相違

→問題はP.33　**正答3**

1 × **損害賠償は，契約当事者間の公平の見地から認められ，無制限ではない。**
債務不履行により債務者は損害賠償の責任を負うが（民法415条），これは契約上果たすべき義務を守らなかった場合に**公平の見地から認められるもの**である。その範囲は，①当該不履行により通常生ずべき損害（通常損害），②当事者が予見すべきであった特別の事情によって生じた損害（特別損害）であり（同416条），さらに債務不履行と発生した損害との間に**相当因果関係のあるものに限定**されている。

2 × **契約上の違約金は，賠償額の予定と推定する。**
民法は紛争を避けるため，契約当事者間であらかじめ定められた**違約金は，賠償額の予定と推定**する（民法420条３項）。そこで原則としては，債務不履行があれば，損害の有無・多少を問わず，また債務者の帰責事由に基づくかどうかを**問題とすることなく**，債務者は予定の賠償額を支払うことになる。

3 ◎ **日本での損害賠償は，金銭による賠償を原則とする。**
正しい。損害賠償の方法に関しては，原状回復を原則とする主義と金銭による賠償を原則とする主義とがあるが，一般的に便宜かつ有効と考えられる後者を日本の民法は採用した（民法417条）。因みにドイツ民法は原状回復を原則としている。

4 × **金銭債務不履行の損害賠償の額は，法定（定まっていれば約定）利率による。**
金銭債務の履行遅滞の場合には，**利息だけの損害は常に必ず生じ**，またこれより多くの損害生じないとみなすことが公平に適すると考え，法律に別段の定めがある場合を除き，約定または法定の利率により，**債権者はその損害の証明をする必要がない**とする（民法419条）。その趣旨から，債権者がそれ以上の損害が生じたことを立証しても，その賠償を請求することはできないとした（最判昭48・10・11）。

5 × **契約締結前の説明義務は，その後に締結された契約とは無関係である（判例）。**

この設例において，締結された当該契約は，この説明義務違反によって生じた結果（＝本来であれば締結しなかったであろう契約を締結した）と位置づけられ，この説明義務違反を当該契約に基づいて生じた義務ということはできない，と最高裁判所は時系列に基づいた捉え方を示した（最判平23・4・22）。

No.4 の解説　情報に係る法律

→問題はP.34　正答 1

1 ◎ 正しい。前半につき，個人情報保護法15条1項，後半につき同23条1項。

2 × 1999年制定，2001年施行の**情報公開法**は，行政文書の開示を請求する，国民の権利について定め，行政機関が保有する情報の原則公開を義務づけている。同3条で，**請求権者は「何人も」**とされ，日本国民のみならず外国人も含まれる。年齢制限もされていない。ただし，個人情報や，法人等の事業に関する情報，開示することで国や公共の安全・秩序に支障を及ぼすおそれのある情報などは同法の対象外とする留保事項がある。

3 × 2013年制定，翌2014年に施行した**特定秘密保護法**は，日本の安全保障に関する事項のうち特に秘匿を要するものについての行政機関における**「特定秘密の指定」**，特定秘密の取扱いの業務を行う者に対する**「適性評価の実施」**，**「特定秘密の提供」**が可能な場合の規定，**「特定秘密の漏えい等に対する罰則」**等について定めている。

4 × **著作権法**は，書物，言語，音楽，絵画，建築，図形，映画，コンピュータプログラムなどの表現形式によって**自らの思想・感情を創作的に表現**した著作物を排他的に支配する，**知的財産権**の一つである著作権を保護する。発明（特許・実用新案），デザイン・ロゴマーク（意匠・商標）についてはそれぞれの法律で保護される。なお，特許権，意匠権，商標権などは登録が権利発生の要件であるが，著作権の発生要件について，日本は，加盟国に**無方式主義**を義務づけるベルヌ条約の加盟国であり，第三者対抗要件と解されている。

5 × **商標**には商品の出所＝**トレードマーク**と，役務（サービス）の出所＝**サービスマーク**を表示する2種類がある。この商標を保護することで，商標使用者の業務上の信用の維持を図り，需要者の利益を保護することを目的とするのが**商標法**である。容姿やその画像などに帰属される**肖像権**，人に備わる顧客吸引力を中核とする経済的な価値を保護する権利を**パブリシティ権**といい，商標法の**射程範囲外**である。

実戦問題2　応用レベル

＊＊ No.5　9月1日の午前9時に，自動車を3日間借りる契約をした場合，いつまでに返せばよいか。　【市役所・平成15年度】

1　9月3日午前9時
2　9月3日午後9時
3　9月3日終了時
4　9月4日午前9時
5　9月4日終了時

＊＊ No.6　法律における年齢要件に関する記述として，妥当なのはどれか。
【地方上級（東京都）・平成22年度】

1　日本国憲法の改正手続に関する法律によれば，満18歳以上の日本国民は，国政選挙に参加できない者でも憲法改正のための投票権を有するとされている。
2　民法によれば，満15歳以上の者は遺言を行うことができるが，成年に達するまでの間に遺言を行う場合，親権者の同意を得ることが必要である。
3　刑法によれば，満14歳未満の者は，刑法上の罪に当たる行為をした場合でも，刑法に基づいて罰せられることはない。
4　労働基準法によれば，満15歳未満の者は，坑内労働など危険を伴うと認められる事業に限り，業務に就くことはできない。
5　国民年金法によれば，日本国内に居住している満18歳以上の者は国民年金の被保険者となり，学生であっても保険料の納付を猶予されることはない。

＊ No.7　労働基準法の賃金に関する次の記述のうち，妥当なものはどれか。
【市役所・平成15年度】

1　使用者から労働者に支払われるものは，すべて賃金である。
2　小切手で賃金を支払ってもよい。
3　臨時手当を支払う場合には，一定期日払いの原則は適用されない。
4　使用者は労働者に対する損害賠償請求権と賃金とを相殺することができる。
5　労働者が未成年者の場合は，親権者に賃金を支払ってもよい。

実戦問題2の解説

No.5 の解説 期間の計算方法 →問題はP.38 正答5

期間の計算方法については，法令もしくは裁判上の命令に特別の定めがある場合または法律行為に別段の定めがある場合を除き，適用される基準を民法が規定する（同138条以下）。それによると，日（週，月または年）を単位とする場合，**起算点については，初日を算入しない**（**初日不算入の原則**，同140条本文）。また，期間の満了については，その末日の終了をもって満了する（同141条）。

したがって，9月1日の午前9時に自動車を3日間借りる契約をした本問にこれらを当てはめると，9月2日（午前0時）が起算点になり，9月4日の終了時（9月4日午後12時）に満了となる。

よって，**5**が正答である。

No.6 の解説 法律における年齢要件 →問題はP.38 正答3

1 ×　2017年6月の公職選挙法改正で，18歳に引き下げられた。

平成22年5月から施行された「日本国憲法の改正手続に関する法律（**国民投票法**）」では，**投票権**は，成年被後見人を除く，年齢満18歳以上の日本国民が有する（同3条）とし，成年であっても，成年被後見人には投票権を認めていない（同4条）。国政選挙，自治体の首長や議員の選挙，最高裁裁判官の国民審査，自治体の首長解職などの際の住民投票の投票資格も18歳以上になった。

2 ×　遺言は満15歳以上で可能。

民法で，**遺言能力**は満15歳以上に認められる（同961条）。遺言は，遺言者の意思を尊重するものであり，遺言能力があるときには，制限行為能力者であっても，単独で有効にすることができる（同962条）。

3 ◎　刑法では，満14歳未満の者は不可罰。

正しい（刑法41条）。満14歳未満の者は**責任無能力**とし，不可罰とされる。

4 ×　原則はあるが，子役などの例外もある。

労働基準法において，使用することができる者の最低年齢が規定されている（同56条1項）。ただし，たとえば芸能活動などのような職業については一部例外を認めている（同56条2項）。

5 ×　国民年金には学生納付特定制度がある。

国民年金法では，日本国内に住む**20歳以上**のすべての人が被保険者となり，保険料の納付が義務づけられるが，学生については，所得の低い学生に代わり親が保険料を負担する場合が多く，親の負担が過大にならないよう，「学生納付特例制度」により保険料の納付猶予が可能となっている。ただし，本人の所得が一定以下でなければならない（家族の所得の多寡は問わない）。

No.7 の解説　労働基準法上の賃金

→問題はP.38 **正答3**

1 × **賃金**とは，賃金，給料，手当，賞与その他名称のいかんを問わないが，使用者が労働者に「**労働の対価**」として支払う金銭その他のものに限られる（労働基準法11条参照）。

2 × 賃金の支払い方法の原則の一つに「**通貨払いの原則**」があり，賃金は，金銭で支払わなければならない（同24条1項）。小切手だと，不渡りになるおそれもあるために，原則として，小切手により支払うことはできない。

3 ◎ 正しい（同24条2項）。賃金の支払い方法の原則の一つに，労働者の生活の安定のための「**月1回以上定期払いの原則**」がある。すなわち，賃金は月1回以上，一定の期日を定めて支払わなくてはならない。しかし，臨時手当，賞与その他これに準ずるもので命令で定めるものはこの限りではない。

4 × 賃金の支払い方法の原則の一つに，「**全額払いの原則**」があり，賃金は全額支払われなければならない（同24条1項）。ただし，法令に定めがあったり，労使間の合意がある場合には本人の合意の下に賃金の一部を控除してもよいとされている。よって，使用者は全額支払いの後に，改めて労働者に対して当該損害賠償を請求することになる。

5 × 賃金の支払い方法の原則の一つに，「**直接払いの原則**」があり，賃金は直接労働者に支払われなければならない（同24条1項）。これは，親方や職業仲介人による中間搾取や年少者の親が賃金を奪い去ることを防止することを目的とする。同法59条2文でも，「親権者又は後見人は，未成年者の賃金を代つて受け取つてはならない」と規定している。

◆賃金

賃金，給料，手当，賞与その他名称を問わず，労働の対償として使用者が労働者に支払うすべてのもの（労基法11条）。退職金・見舞金等でも労働協約・就業規則等であらかじめ支給条件が明確ならば賃金となる。賃金は，「企業活動の費用」「社員の生活費」「労働の対価」としての3つの性格を有する。

特に，賃金は労働者にとって重要な生活の糧であり，確実な支払いを保障する必要から，労基法24条は「賃金支払いの5原則」を規定する。

●賃金支払いの5原則

①**通貨支払いの原則**：賃金は，現金で支払う。
②**直接払いの原則**：賃金は，労働者本人に直接支払う。
③**全額払いの原則**：賃金は，全額を支払う。
　ただし，税金や社会保険料等法令に別段の定めのあるものの控除は可能。
④**毎月支払いの原則**：賃金は，少なくとも毎月1回支払う。
⑤**一定期日支払いの原則**：賃金は，一定の期日を定めて支払う。

・**デジタルマネーによる賃金の支払いが解禁**：2023年，労働者の同意を得た上で，一定の要件を満たした場合に限り，賃金の支払いが可能となった。

●同一労働・同一賃金

同一の仕事（職種）に従事する労働者は皆，同一水準の賃金が支払われるべきだという考え方。性別，雇用形態（正規雇用，非正規雇用）などに関係なく，**労働の種類と量に基づいて賃金を支払う賃金政策**のことである。国際労働機関（ILO）では，同原則を**ILO憲章の前文**に挙げており，基本的人権の一つとしている。また**世界人権宣言**の第23条「すべての人は，いかなる差別をも受けることなく，同等の勤労に対し，同等の報酬を受ける権利を有する」と規定し，さらに，**経済的，社会的及び文化的権利に関する国際規約**の第７条と，人及び人民の権利に関するアフリカ憲章の第15条では，勤労権に関して「同一労働同一賃金」が明記されている。

日本では，**労働基準法**で「使用者は，労働者が女性であることを理由として，賃金について…」（４条），性別以外は，「使用者は，労働者の国籍，信条又は社会的身分を理由として，賃金，労働時間その他の労働条件について…（３条）」差別的取扱をしてはならないとしている。

2016年に正規雇用と非正規雇用者（パートタイム労働者・有期雇用労働者・派遣労働者）との格差是正のために，「短時間・有期雇用労働者及び派遣労働者に対する不合理な待遇の禁止等に関する指針」（＝同一労働同一賃金ガイドライン）を制定。具体例（教育訓練や福利厚生等）も示された。

◆労働関連

「女性の職業生活における活躍」を背景に「**女性活躍推進法**」が制定され（2015年施行，10年間の時限立法），必要な環境の整備等につき，地方公共団体及び事業主の責務を規定した。

2018年の「**働き方改革関連法**」では，時間外労働時間の上限規制が設けられ，時間外労働（休日労働は含まず）の上限を原則として，①月45時間かつ年360時間，②月45時間を超えることができるのは年６か月まで，さらに年５日の年次有給休暇取得を義務化した。

2019年の「**改正労働施策総合推進法**」では，職場でのハラスメント対策の強化を企業に義務付け（パワハラ対策の法制化）。2022年施行。

2023年４月施行の**改正労働基準法**で，①月60時間超の時間外労働（法定労働時間＝１日８時間・週40時間＝を超える労働）の割増賃金率の引上げと②**デジタルマネーによる賃金の支払いが解禁**された。さらに育児・介護休業法も改正され，育児休業の取得状況の公表が義務付けられる企業の範囲が拡大され，さらに同月には「異次元の少子化対策」の具体的な３つの柱＝経済的支援強化（児童手当の見直し）・保育サービスの充実・制度面改革（出産一時金の増額・民間企業の男性育休取得率の上昇など）が示された。

第2章 日本国憲法

試験別出題傾向と対策

頻出度	試験名	国家総合職					国家一般職					国家専門職（国税専門官）				
	年度	21-23	24-26	27-29	30-2	3-5	21-23	24-26	27-29	30-2	3-5	21-23	24-26	27-29	30-2	3-5
	テーマ　出題数	10	3	2	1	5	8	2	2	4	6	8	2	5	4	4
C	3 日本国憲法（総論）	1					1	2					1	1		1
C	4 基本的人権（総論）			1	1	1			1		1					
A	5 基本的人権（各論）	1	1	1		2	2					2	1	1	2	1
B	6 国　会	3				1	2			1	2	1		2	1	
B	7 内　閣	3					1			1	1	1				1
B	8 裁判所	1	1			1	1			1		2		1	1	1
C	9 地方自治	1	1				1		1	1	2	2				

本章では，政治分野の中心テーマである日本国憲法を扱う。日本国の最高法規である憲法については，その重要性ゆえに統治機構・人権分野それぞれにつき，単純な知識問題から組合せ問題，ある考え方を前提にした論理問題と最新判例についての知識など，出題内容は広範にわたっており，出題形式もバリエーションに富んでいる。一方で，正確な条文の知識・解釈も求められている。試験ごとに特徴はあるが，政治の基礎として憲法に関しては全体像をつかんだうえで，やや深い知識まで押さえて準備をしておきたい。

憲法改正の問題，社会での問題と関わる各種人権（自由・権利）の問題などについては，日頃から情報をアップデートしていきたい。

● 国家総合職

憲法については知識を持っていることが前提とされており，問題では，憲法についてのある程度深い知識を聞いてきている。従来の出題形式もさまざまであり，単一のテーマの時もあれば，横断的な知識を聞いてくるものもある。基礎知識から，その延長上にある現代の問題まで，憲法に関しては特に弱点を作らない，すべての分野での対応が要求されている。

● 国家一般職

問題は，憲法の中での特定のテーマに偏ることなく，いろいろなテーマを扱っている。憲法については，いつ，どういう聞かれ方をしても対応できる確実な知識を持っていることが要求されている，と思って準備する必要がある。難易度はさほど高くないが，逆に落とせない問題ともいえる。

地方上級（全国型）					地方上級（東京都）					地方上級（特別区）					市役所（C日程）					
21-23	24-26	27-29	30-2	3-5	21-23	24-26	27-29	30-2	3-5	21-23	24-26	27-29	30-2	3-5	21-23	24-26	27-29	30-2	3-4	
9	7	14	8	7	4	5	2	3	2	3	4	4	6	5	6	3	9	8	7	
	1	2	1	1	1	1					2	2	1				1			テーマ3
1		2	2					1				1	1					1		テーマ4
4	2	5	2	3	1	2			1	2		1	1	2	4	2	2	3	3	テーマ5
1	2	1	1	1		1	1	1			1		1	1	1		2	1	1	テーマ6
1	1	2		1							1					1	1		1	テーマ7
1	1	1	1		2	1		1	1	1			2	1	1		1	1		テーマ8
1		1	1	1			1							1			2	2	2	テーマ9

● 国家専門職（国税専門官）

憲法から再び出題されるようになってきた。憲法については，どこが出題されてもおかしくないテーマばかりである。条文を踏まえた基礎的な学習をしておくべきである。

● 地方上級

全国型では，時事問題と関連する出題もみられる。直近では，人権，統治機構が出されている。難易度はやや高いといえ，基礎から一歩進んだ学習が望まれる。

東京都では，時事的な問題に関連した，標準的難易度の出題が多い。独自の出題が見られることもあり，時事的なものには注意をしておく必要がある。

特別区では，条文の空欄補充など，条文に忠実な内容のものが多く，難易度はそれほど高くない。基本的な知識で十分に答えられる問題であるが，確実な知識が要求されている。

● 市役所

直近でも，基本的人権についての出題と統治機構（特に地方自治）についての出題があると考えてよい。日本国憲法についての知識は基礎的なものからやや深いところまで確実に身につけておく必要があるだろう。難易度は標準といえるが，憲法全体についての幅広い学習が望まれる。

日本国憲法（総論）

必修問題

大日本帝国憲法や日本国憲法に関する記述として最も妥当なのはどれか。

【国家専門職・平成29年度】

1 大日本帝国憲法は，社会権を確立したドイツの**ワイマール憲法をモデル**とし，社会権の一つである**生存権を保障**していたが，日本国憲法は，生存権のほかに**労働基本権**や**教育を受ける権利**といった社会権についても保障している。

2 大日本帝国憲法においては，憲法上の諸権利には，**法律の認める範囲内**で保障されるにすぎないという**法律の留保**があった。それに対して，日本国憲法においては，経済的自由及び財産権についてのみ，明文で法律の留保が付されている一方で，その他の基本的人権についてはいかなる制約にも服さないとされている。

3 第二次世界大戦前には**男女の選挙権**が憲法上認められていたが，有権者の範囲は**一定額以上の納税者**に限られていた。日本国憲法には選挙権に関する明文の規定はないものの，**公職選挙法**において選挙権の平等が定められており，納税額による選挙権の制限は法律上禁止されている。

4 大日本帝国憲法の下では，内閣総理大臣は内閣における**同輩中の首席**にすぎず，他の国務大臣と対等の地位にあり，他の国務大臣を任命・罷免する権限を有していなかったが，日本国憲法においては，内閣総理大臣は内閣における**首長**とされ，他の国務大臣を**任命・罷免する権限**を有している。

5 日本国憲法は**地方自治の本旨**として，地方自治の基本的な考え方を示しており，それは，地域の住民が中央政府に対して自立した地方公共団体をつくり，地方政治を行うという**住民自治**と地方公共団体の運営に住民が参加し，自治を行うという**団体自治**の二つの側面から成っている。

難易度 ＊＊

必修問題の解説

近年このテーマから，日本国憲法と大日本帝国憲法の双方についての知識を問う出題が見られる。日本国憲法の改正問題，平成天皇の生前退位など憲法関連の問題が注目されている。国の基本法である憲法については，万全な準備をしておきたい。

1 × **大日本帝国憲法の手本はプロイセン憲法。**

1889年に明治政府は，**君主権が強大だったプロイセン憲法を手本**にして，天皇を主権者とし，天皇に強大な権限を持たせた大日本帝国憲法を発布した

（1890年施行）。そこで規定された臣民の権利は，**自由権が中心**で，社会権についての規定はなかった。「人間らしさ」を重んじるための**社会権は，ワイマール憲法（1919年）で規定**されたのが初めてとされ，日本国憲法になって生存権（憲法25条）などの社会権が規定された。

2 × **国民の権利は永久不可侵性を持つが，憲法上の唯一の制限が「公共の福祉」**
天皇に強大な権限を認めた大日本帝国憲法では，**臣民の権利について「法律の留保」**が認められており，天皇が臣民の権利を**制限したり，場合によっては剥奪**することも可能であった。一方，日本国憲法においては，主権者である国民の有する権利は，**前国家的権利であり，永久不可侵性を持つ**とされた。ただ，後者については**「公共の福祉」による制限**が，経済的自由権を含め，憲法12，13，22，29条で認められている。

3 × **男女の普通選挙は，日本国憲法になってから実施された。**
第二次世界大戦前（1889年）には，「直接国税15円以上納める25歳以上の男子」に選挙権が認められ，その後**納税額の要件**が10円，３円と緩められ，1925年には納税額の要件は撤廃された（＝**戦前の普通選挙**）が，**女性の参政権は認められていなかった**。日本国憲法下では，公務員の選定罷免権（参政権）を**国民固有の権利**とし（憲法15条１項），**成年者による普通選挙**（同条３項），**選挙人資格についての差別の禁止**（公職選挙法44条ただし書）を規定。同法では，選挙権，被選挙権に関する年齢を規定している（同法９条以降）。

4 ◎ **内閣の首長である内閣総理大臣には国務大臣の任免権が認められている。**
正しい。大日本帝国憲法下では主権者は天皇であり，行政権は天皇に帰属し，**内閣総理大臣も国務大臣も天皇を輔弼（ほひつ）する（55条1項）**ものであった。また，内閣制度の規定はなく，首相も国務大臣も**対等**で首相は「**同輩中の首席**」だった。一方，日本国憲法下では，内閣総理大臣と国務大臣とで行政権を担当する「内閣」が構成され，**内閣の一体性**を持たせるために内閣総理大臣を**内閣の首長**とし（66条１項），**国務大臣の任免権を認めている**（68条）。

5 × **地方自治の本旨＝住民自治＋団体自治**
「民主主義の学校」である地方自治については，**日本国憲法第8章で初めて規定**された。同92条では「**地方自治の本旨**」を地方公共団体の組織及び運営に関する事項の基礎としている。これは，①その地方の住民の意思に基づき地方自治がなされる＝「**住民自治**」，②地方自治体に団体としての独立性を認め，団体内部での問題を地方自治体の自らの解決に委ねる＝「**団体自治**」の２つを意味する。地方公共団体が国から自立するということではない。

正答 4

FOCUS

この年には特別区でも同テーマの出題があった。大日本帝国憲法と日本国憲法との比較表を作るなどして，それぞれ正確な知識に確実にしておこう。

POINT

重要ポイント 1 日本国憲法の基本原理

個人の尊厳
→ **国民主権**（前文，1条，15条3項，41条，43条）
→ **基本的人権の尊重**（11条，13条，97条など）
→ **平和主義**（前文，9条，66条2項，98条2項）
→ **国際協調主義**（前文）

⇐ 実際に条文を見ておく必要あり

重要ポイント 2 大日本帝国憲法

天皇

・天皇主権
・天皇の地位
(1) 神聖不可侵
(2) 国の元首
(3) 統治権の総攬（そうらん）者→すべての権限は天皇に集中
→諸機関に権限はない
↓

↓

臣民

帝国議会（天皇の**協賛機関**）
内閣（天皇の**輔弼（ほひつ）機関**）
裁判所（**天皇の名で裁判**，特別裁判所の存在）

※**君主権が強大**であった**プロシア（プロイセン）憲法**を手本とする。地方自治制度はない。

重要ポイント 3 日本国憲法下での天皇

地位：日本国および日本国民統合の**象徴**（1条）
権限：**国政に関する権限なし**（4条）
↓
・天皇の**国事行為**（7条）
内閣の助言と承認が必要＝**内閣に実質的決定権**がある
・内閣総理大臣・最高裁判所長官の任命（6条）…それぞれ国会・内閣の指名が必要

重要ポイント 4 憲法改正手続（96条）

発議：**各議院の総議員の3分の2以上**の賛成
承認＝国民投票：**過半数の賛成**＝主権者の同意
---ここまでが実質的な改正手続---
公布：国民投票で承認を得たら，**天皇が，国民の名で直ちに**行う。

※直接民主制の現れ・国会単独立法の原則の例外
※**現在まで一度も改正されていない→**憲法改正論議・憲法調査会（両議院に設置）。
※国民投票法の制定（投票できる者は満18歳以上）。

重要ポイント5 大日本帝国憲法と日本国憲法の比較

大日本帝国憲法	事項	日本国憲法
1889(明治22)年２月11日	発布・公布	1946(昭和21)年11月３日
1890(明治23)年11月29日	施行	1947(昭和22)年５月３日
自由民権運動→民撰議院設立建白書	制定の動機	第二次世界大戦敗戦→ポツダム宣言受諾
伊藤博文・井上毅・伊東巳代治・金子堅太郎ら	制定中心者	日本国政府・連合国軍総司令部（GHQ）
プロイセン（ドイツ）憲法←君主権強大	模範外国憲法	アメリカ合衆国憲法（政治機構：イギリス）
枢密院審議のみ・秘密主義	制定方法	大日本帝国憲法の改正 帝国議会による審議
皇室典範とともに最高法規 欽定・硬性・成文憲法	形式	最高法規（98条） 民定・硬性・成文憲法
天皇主権（上諭・１条・２条）	主権	国民主権（前文・１条）←民主主義
神聖不可侵，国の元首，統治権の総攬者＝絶対的地位	天皇	日本国と日本国民統合の象徴（１条）・国事行為のみを行う（７条）〈象徴天皇制〉
陸海軍の統帥権は天皇大権，臣民には兵役の義務	戦争と軍隊	第９条で他に類を見ない平和主義（戦争放棄・戦力不保持・交戦権否認）
臣民の権利ー恩恵的なもの 法律の範囲内（法律の留保） 自由権的基本権が主	人権	国民の権利ー前国家的権利・永久不可侵性 「公共の福祉」による制限 社会権まで規定
帝国議会（貴族院と衆議院） 天皇の協賛機関 国政調査権なし	議会	国会（衆議院と参議院・42条） ＝国権の最高機関・国の唯一の立法機関（41条） 国政調査権あり・衆議院の優越
内閣についての条文はなし 天皇の輔弼機関 構成員は対等（内閣総理大臣＝同輩中の首席） 天皇に対し直接・個別責任	内閣	行政権の最高機関（65条） 内閣は国会の信任に基づき存立（議院内閣制） 内閣総理大臣に国務大臣の任免権←内閣の一体性
天皇の名において裁判 特別裁判所あり（行政裁判所―東京１か所のみ・軍法会議）	裁判所	司法権(76条)＋憲法の最高法規性擁護(81条) 特別裁判所なし 「中立と公正」が支配
予算不成立の場合，前年度予算による施行が可能 緊急処分による支出可能 皇室財政については別（議会審議不要）	財政・予算	予算不成立の場合の規定なし＝支出不能(年度内不成立のときには暫定予算←国会の議決必要) 皇室財政についても国会の議決が必要 財政民主主義（83条・84条）
規定なし←中央集権的国家 中央の意思の地方への伝達	地方自治	第８章で規定 地方の個性・住民意思の尊重（「地方自治の本旨」） 直接請求権，直接選挙
天皇の発議→国会の議決（総議員の３分の２以上の出席＋出席議員の３分の２以上）	憲法改正	国会の発議（総議員の３分の２以上）→国民の承認（国民投票で過半数）→天皇の公布 基本原則につき改正不可能

実戦問題　基本レベル

＊＊＊
No.1　日本国憲法の改正に関する記述Ａ～Ｄのうち，妥当なもののみを挙げているのはどれか。
【国家専門職・平成26年度】

Ａ：日本国憲法第96条第１項は憲法の改正手続について，「各議院の総議員の３分の２以上の賛成で，国会が，これを発議し，国民に提案してその承認を経なければならない。」と規定しているところ，日本国憲法として施行されてから一度も改正されていない。

Ｂ：憲法審査会は，平成19年に，憲法及び憲法に密接に関連する基本法制について調査を行い，憲法改正原案，憲法改正の発議又は国民投票に関する法律案等を審査するため，衆参両議院に設置された。なお，憲法審査会が設置されたことに伴い，衆参両議院に設置されていた憲法調査会は廃止された。

Ｃ：日本国憲法の改正に当たっては，国民主権や基本的人権の保障など，憲法の基本原理を変えることはできないとされており，このように改正に限界がある憲法のことを硬性憲法という。日本以外には，フランスやロシアなどの憲法がこれに該当するが，世界的にみて少数派である。

Ｄ：日本国憲法の改正を行うために必要な国民投票の手続を定めた，いわゆる国民投票法が平成22年に施行された。同法は，憲法改正案に対する賛成の投票数が有権者の半数を超えた場合，国民の承認があったものとすると規定している。

1　Ａ，Ｂ
2　Ａ，Ｄ
3　Ｂ，Ｃ
4　Ｂ，Ｄ
5　Ｃ，Ｄ

＊＊
No.2　わが国の三権分立に関する記述として最も妥当なのはどれか。
【国家一般職・平成24年度】

1　国会の機関として設けられる弾劾裁判所の弾劾裁判で，罷免の宣告がなされた裁判官は，職を失う。司法権の独立の観点から，弾劾裁判所及び罷免の裁判を求める裁判官訴追委員会は，国会議員ではなく，現職の裁判官で構成される。

2　違憲立法審査権は，最高裁判所にはあるが，下級裁判所にはない。また，その対象は，国会の制定する法律に限られ，行政機関の命令・規則，行政処分については対象とならないと解されている。

3　最高裁判所の長たる裁判官は，内閣の指名に基づいて天皇が任命し，最高裁判所のその他の裁判官は，内閣が任命する。また，下級裁判所の裁判官は，最高裁判所の指名した者の名簿によって内閣が任命する。

4 内閣は，内閣不信任案が可決又は信任案が否決された場合のみ，衆議院を解散することができる。内閣は，衆議院を解散した場合，解散の日に総辞職しなければならず，また，解散の日から40日以内に総選挙が行われ，総選挙の日から30日以内に臨時国会が召集される。

5 国会は，国会議員の中から，内閣の長たる内閣総理大臣を指名する。この指名について，両議院の議決が異なる場合に，両院協議会を開いても意見が一致しないときは，改めて他の国会議員の中から指名しなければならない。

＊ No.3 日本の財政に関する次の記述のうち，妥当なものはどれか。

【地方上級（全国型）・令和３年度】

1 租税法律主義の原則から，租税に関する事項の細目に至るまで，国会がすべて法律で定めなければならない。

2 国会における予算案の審議は，法律案と同様に，衆議院と参議院のいずれから始めてもよい。

3 予備費は，事前に国会の承諾を得ることなしに，内閣の責任でこれを支出することができる。

4 会計年度開始までに予算が成立しなかった場合には，内閣は，前年度の予算を施行することができる。

5 国の収入支出の決算は，すべて会計検査院が検査するので，内閣が，後に国会に提出する必要はない。

実戦問題の解説

No.1 の解説　憲法改正
→問題はP.48　正答1

A ○ 日本国憲法は，現在まで一度も改正されたことはない。

正しい。1946年11月3日に公布された日本国憲法は現在まで**一度も改正されていない**。

B ○ 憲法審査会＝憲法調査会＋憲法調査特別委員会。

正しい。衆参両院に設けられていた，憲法一般について広範かつ総合的な調査を行う「**憲法調査会**」と国民投票法を議論する「**憲法調査特別委員会**」の2つを引き継ぐ機関として，2007年の国民投票法の成立を受けて国会法が改正されて設置されたのが「**憲法審査会**」である。

C × 硬性憲法は，改正が一般の法律よりも厳格なもので，世界では多数派。

硬性憲法とは，その改正につき，一般の法律改正（制定）よりも厳格な手続を要求する憲法のことである。憲法の優位性から，世界（フランス，ロシアも含む）では硬性憲法が多数派である。

D × 国民投票法での「賛成」＝有効投票数の2分の1を超えること。

正式には「日本国憲法の改正手続に関する法律」。2007年成立・公布，2010年5月施行。憲法96条の改正手続について規定するものとして**国民投票法**が制定された。同法で「承認があった」とするのは，賛成票が有効投票数の2分の1を超えた場合とする（126条1項，98条2項）。

以上より，**A**と**B**が妥当であり，正答は**1**。

No.2 の解説　わが国の三権分立
→問題はP.48　正答3

1 × 第2文が誤っている。すなわち，司法権の公正・中立を守るために，弾劾裁判所および罷免の裁判を求める**裁判官訴追委員会**は，全国民の代表たる国会議員で構成されることになっている（憲法43条1項，64条1項，国会法125条1項，126条1項，裁判官弾劾法5条1項，16条1項）。

2 × **違憲審査権の主体**は，すべての裁判所である（憲法81条，最大判昭25・2・1）。そして憲法の最高法規性を守るため，その対象は国会の制定する法律に限定されず，あらゆる国家行為とされている。

3 ◎ 最も妥当である（同6条2項，79条1項，80条1項）。

4 × **衆議院が解散するのは**，69条の内閣不信任案が可決または信任案が否決された場合のみではなく，それ以外にも解散することができる（同7条3号参照）。また衆議院が解散した場合に内閣が総辞職するのは，「衆議院議員総選挙の後に初めて国会の召集があったとき」であり（同70条），ここで召集されるのは**特別会（特別国会）**である（同54条1項）。

5 × 第2文が誤っている。内閣総理大臣の指名については**衆議院の優越**がある。すなわち，両院協議会を開いても意見が一致しないときには，衆議院の議決を国会の議決とされる（同67条2項）。

◆**憲法前文**

(1) 前文に示された基本原理

①**代表民主制**：国民が選挙で代表者を選出，その代表者が国政に当たる
②**国民主権**：国政の最終的決定権を国民が持つ
③**民定憲法**：国民が制定した憲法
④**平和主義**：戦争を放棄し平和の実現・維持に努める
⑤**国際協調主義**：諸外国・国際社会との協調を図る

(2) 前文の法規範性

憲法の各条文と同様の法規範性（法律としての効力）を有する
⇒前文の改正には憲法改正手続きが必要（前文も憲法の一部）
⇒裁判所は憲法の各条文の解釈で，前文を解釈の指針とすることが可能

(3) 前文の裁判規範性

前文は裁判所への請求の直接の根拠とならない（判例・通説）。

No.3 の解説 日本の財政

→問題はP.49 **正答3**

1 × **租税法律主義＝法律又は法律の定める条件によることが必要（憲法84条）。**
租税とは，国や地方公共団体が提供する公共財／サービスの必要経費等を強制的に徴収するものであり，財産権の自由を制限するものである。よって（国民の代表者から成る議会が定める）法律の根拠がなければ，租税を賦課／徴収されることはない＝**租税法律主義**。経済情勢の変化に機動的に対応させるために，賦課・徴収（←核心）以外の細目に関しては政令や省令で規定することも認めるので「すべて法律で…」ではない。

2 × **衆参両院対等が原則だが，衆議院には予算先議権がある（衆議院の優越）。**
予算先議権が，衆議院に認められている（憲法60条1項）。

3 ◎ **予備費＝「なにか」の時のための，使途を特定しない目的外予算のこと。**
正しい。予見し難い予算の不足の対応のため，その規模の大きなものに関しては補正予算を組み，軽微な規模のものに関しては，国会の議決に基づき計上され，内閣の責任で支出する予備費で対応する。その支出には**事後に国会の承諾が必要**（憲法87条）。

4 × **1年＝1会計年度で独立。間に合わなければ「暫定予算」で対応。**
日本では4月から3月までの1年を1会計年度とし，**各会計年度は独立**している（憲法86条・90条，財政法11条，地方自治法208条）。国では1月召集の常会で新年度予算が決定（＝成立）するが，新年度までに予算が成立しなかった場合には，内閣は暫定予算を作成し国会に提出する（財政法30条）。

5 × **予算を作成した内閣は，その結果（決算）も国会に提出する（憲法90条）。**
国の予算執行の結果（＝決算）については，内閣から完全に独立した**会計検査院**がすべて毎年検査し，決算検査報告を作成する。内閣は，次の年度に，その検査報告とともに，決算を国会に提出する（憲法73条，90条1項）。

テーマ **4** 第2章 日本国憲法

基本的人権（総論）

必修問題

基本的人権に関する記述として最も妥当なのはどれか。

【国家専門職・平成30年度】

1 日本国憲法において，基本的人権は，法律の認める範囲内で保障される権利として位置付けられており，全ての国民は，基本的人権を保障するために，**憲法を尊重し，擁護する義務**を負うものとされている。

2 日本国憲法において，**思想・良心の自由**は，公共の福祉によって制限されるものであることが明示的に規定されているが，最高裁判所は，**三菱樹脂事件**で，特定の思想を持つことを理由に企業が本採用を拒否することは違憲であると判示した。

3 日本国憲法は，表現の自由を**健康で文化的な最低限度の生活**を営むために侵すことのできない権利として保障し，**検閲を例外なく禁止**しており，最高裁判所は，**家永訴訟**で，教科書検定は検閲に当たるため違憲であると判示した。

4 日本国憲法は，**法の下の平等の原則**を定め，人種，性別，能力等による差別の禁止や，家庭生活における両性の平等を定めており，最高裁判所は，**夫婦別姓**を認めない民法の規定を違憲であると判示した。

5 日本国憲法は，**身体（人身）の自由**を保障するため，法律の定める手続によらなければ刑罰を科せられないことを定めており，また，**自己に不利益な供述の強要を禁止**するとともに，不当に長く抑留や拘禁された後の自白を証拠とすることができないとしている。

難易度 ＊＊

必修問題の解説

基本的人権の内容と重要判例についての基礎的な知識を問う問題である。内容と条文を基礎として押さえておくことと，重要判例については事件の概要はもちろん，背景，判示事項も押さえておく必要がある。

1 × **憲法を尊重し，擁護する義務の主体は公務員**

日本国憲法下での人権は，**前国家的権利**であり原則として**永久不可侵性**を持つ（11，97条）。したがって，大日本帝国憲法下での臣民の人権に認められた**「法律の留保」は付けられていない**。また，全国民が選択肢のような**憲法尊重擁護義務**を負うことは規定されておらず，憲法では「天皇又は摂政及び国務大臣，国会議員，裁判官その他の公務員」とされている（99条）。

2 × **思想・良心の自由は，内心にとどまる限り絶対保障。**

精神的自由権の核である「思想良心の自由」(19条) については，**内心にとどまる限り絶対的に保障**される。また，特定の政治的思想・信条を有することが入社拒否の理由となるかが争われた**三菱樹脂事件**で最高裁（最大判昭48・12・12）は，思想，信条を理由とする雇入れの拒否を直ちに民法上の不法行為とすることができないと示し，高裁の判決を破棄して東京高裁に差し戻した（その後東京高裁で和解成立）。

3 × **表現の自由は，民主主義の前提となる。**

憲法21条１項は「集会，結社及び言論，出版その他**一切の表現の自由は，これを保障する**」と規定し，「健康で文化的な最低限度の生活を営む」ことを保障したのは生存権である（25条）。また，表現の自由を守るために**検閲を禁止**する（21条２項前段）。**家永訴訟**では，最高裁は，「思想の自由市場への登場を禁止する事前抑制そのもの」ではないことなどから合憲とした（最判平５・３・16，平９・８・29）。

4 × **憲法14条は「人種，信条，性別，社会的身分又は門地」による差別を禁止。**

民主主義の大前提のあらわれとして，憲法は「平等」に関する規定をおき，同14条１項は「人種，信条，性別，社会的身分又は門地」による差別を禁止している（**法の下の平等**)。ここでの平等は「形式的平等」ではなく「**実質的平等**」であり，合理的な理由がある場合の差別（区別）は認められる。他にも**家庭生活における両性の平等**（同24条），**議員及びその選挙人の資格における平等**（同44条）がある。**夫婦別姓制度**につき最高裁は，現行の民法750条「夫婦同氏の原則」は「婚姻をすることについての直接の制約を定めたものではない」と述べ**合憲**とした（最大判平27・12・16)。なおその後，「**結婚後に旧姓使用**が認められないのは「法の下の平等」に違反する」とした裁判でも，原告の請求を退けている（東京地判令元・３・25)。

5 ◎ **現憲法で人身の自由の保障が厚くなった。**

正しい。資本主義経済の前提条件としての意味を持つ「身体（人身）の自由」とは，身体活動の自由を意味する。**大日本帝国憲法でも保障されていた**が，捜査，裁判，刑の執行など国家権力の行使する刑事手続で侵害されることがあり，その保障が不完全だったので，日本国憲法では選択肢のような各種の規定をおいている（31条・38条，他に18条，33～39条参照)。

正答 5

FOCUS

基本的人権については社会の発展にともなってその解釈も変化することがあるし，それを受けて制度も改正されることもある。一方で，社会がどう変化しても代わらない人権もある。憲法改正がなくても，常に知識をアップデートする必要がある。

POINT

重要ポイント 1 人権概念の変遷

絶対王政下においては，人民は君主などの権力者によって認められた人権を有するにすぎなかった。

(1) 性質としては自由権的なものが多いのが特徴

(2) 後になって剥奪することもできたし，法律の範囲内で認められた＝法律の留保

現代社会においては，個人の尊厳という考え方を基礎として，人権は「人間が人間であるというただそれだけで当然に有する権利」と考えられ，それは国家以前のものであり（**前国家的権利**），**永久不可侵性**を持つと考えられている。

重要ポイント 2 人権の拡大

人権は「人間であるがゆえに当然に認められる権利」であり，**人間性の確保**ともいえる。社会の変遷・発展に応じて，その内容は拡大してきている。

自由権・平等権―{ **参政権**――→（経済的・社会的弱者の増大）――→**社会権**
　　　　　　　　　　{ **請求権**　　＝弊害→自由・平等の　　　20世紀型権利
自由放任思想　　　　　　実質的保障の必要性　　　　福祉国家
夜警国家（消極的国家）　　　　　　　　　　　　（積極的国家）
＝国家の任務は国防と社会秩序維持のみ　　　　1919年ワイマール憲法

――――→**新しい人権**

…憲法は制定以来，改正なし。社会の高度化で「人間らしさ」の内容が拡大。
自由権的権利＝幸福追求権（13条），社会権的権利＝生存権（25条）を根拠とする。

重要ポイント 3 基本的人権の性格

人類の多年にわたる自由獲得の努力の成果（97条）

→ { 不断の努力によって擁護していく責任（12条）
　 { 権利の濫用の禁止，公共の福祉のために利用（12条）
　 { 侵すことのできない永久の権利（11条・97条）
　 { 国政の上で最大の尊重（13条）

※「**公共の福祉**」
　自己の人権と他者の人権とが衝突した場合の調整基準。
　＋パターナリスティックな制約。
「公共」とあるが，これは複数人を意味するものではなく，人権が衝突する場合に考慮される。

重要ポイント 4 人権の享有主体性

日本国憲法における人権の享有主体は，第一義的には国民である（日本国憲法第3章表題，11条）。しかし，人権は「人間であるがゆえに当然に認められる権利」であることから，以下の場合に問題となる。

(1) 天皇（皇族）

象徴たる地位（1条），4条の制限→参政権・社会権はない。政治的発言は不可。

(2) 外国人

それぞれの権利・自由の性格に照らして，外国人への適用を特に排除すべき合理的理由がない限りこれを認める。

政治活動の自由：日本の政治的意思決定またはその実施に影響を及ぼす活動などは×，それ以外は○。

入国の自由：×（在留・在留することを要求する権利も含む・マクリーン事件）

選挙権：国政×，地方公共団体では都道府県×，市町村△で裁量による。

勤労権：×

労働基本権：○

(3) 在監者

かつては特別権力関係→できる限り人権保障・未決拘禁者の閲読の自由など。

(4) 内国法人

自然人ではないが，社会的機能や実体に着目した結果，国民の権利および義務の各条項は，性質上可能な限り，内国の法人にも適用される（八幡製鉄政治献金事件）。

請願権，適法手続きの保障，精神的自由，経済的自由，裁判を受ける権利，国家賠償請求権など：○

選挙権，奴隷的拘束および苦役からの自由など：×

(5) 公務員

労働基本権のうち，争議権については全面一律禁止。←全農林警職法事件判決

※全面禁止に対しては，政府の「国家公務員の労働基本権（争議権）に関する懇談会」が争議権導入に関する論点整理を行うなど，新たな動きも（平成22年）。

重要ポイント 5 自由権における「二重の基準」

自由権の中でも，**精神的自由権**はその実現が究極的な目標である「個人の尊厳」に直結しており，その制約は直接的な制約となる（→厳格に判断される。制約は認められにくい）。一方，**経済的自由権**は経済的基盤を介してそれと間接的に結びついていることから，その制約はそのまま「個人の尊厳」の制約にはつながらない（→合理性があれば認められる）。

→経済的自由権（職業選択の自由・財産権）については，福祉国家理念に基づく政策的制約が可能（合理的理由があれば制約が認められている）

←22条，29条の条文内でも「公共の福祉による」制限があることが再言されている。

実戦問題

No.1 ＊＊ **次の５つの記述のうち，人権の制約として他の４つとは異なる性質を持つものはどれか。** 【地方上級（全国型）・平成27年度】

1 オートバイの運転手に対して，その道路走行上の安全のために，ヘルメットの着用を義務づけること。

2 自制心を抑えることのできない者のために，賭博を禁止すること。

3 青少年に対し，その健全な育成を図ることを目的として，有害な図書等を指定し，その販売を規制すること。

4 受動喫煙が，発がんリスク等健康に害を及ぼす可能性があることから，公共施設における喫煙を禁止すること。

5 健全な判断力を持たない未成年者が政治的抗争に巻き込まれることを防止するため，未成年者の選挙運動への参加を禁止すること。

No.2 ＊ **次は，日本国憲法が保障する基本的人権に関する記述であるが，A～Dに当てはまるものの組合せとして最も妥当なのはどれか。**

【国家一般職・令和４年度】

日本国憲法は，３章で基本的人権を保障している。まず，憲法が保障する権利は，大きく自由権，社会権，参政権，［A］に分けることができる。ただし，憲法13条が保障していると考えられている包括的人権としての幸福追求権，及び憲法14条の定める法の下の平等は，このような分類にはなじまず，それらと並ぶものとして位置付けられる。

立憲的意味の憲法による人権は，古典的には［B］の保障を中核にしていた。日本国憲法の人権保障も自由権をその中核としている。自由権は，さらに大きく三つに分けられる。それは，精神の自由，経済の自由，［C］である。これに対し，国家への請求権としての性格を有する社会権は，資本主義経済が発展する中，憲法に規定されるようになり，団結権・団体交渉権・団体行動権の労働三権もこの権利に含まれる。また，参政権は，選挙などによって国政に直接参加する権利のことで，民主主義の実現のために不可欠である。そして，憲法は，その他にも，［A］として，［D］など国家に対して一定の行為を請求する権利を保障している。

	A	B	C	D
1	国務請求権	国家からの自由	人身の自由	国家賠償請求権
2	国務請求権	国家からの自由	財産権の保障	教育を受ける権利
3	国務請求権	国家による自由	財産権の保障	環境権
4	生存権	国家からの自由	財産権の保障	環境権
5	生存権	国家による自由	人身の自由	国家賠償請求権

＊＊
No.3 幸福追求権や新しい人権をめぐる判例に関する記述として最も妥当なのはどれか。 【国家専門職・平成23年度】

1 大阪空港の周辺住民が航空機の騒音・振動・排気ガスなどの被害から生活環境を守るため，国に対して夜間飛行の差止め等を請求した訴訟で，最高裁判所は，騒音等の被害は環境権及び人格権に対する侵害であるとして，夜間飛行の差止めと過去・将来の損害賠償を認めた。

2 小説『石に泳ぐ魚』の登場人物のモデルとされた女性が，承諾なしに私的な事柄を記述されたとして出版の差止め等を求めた訴訟で，最高裁判所は，小説の公表が女性の名誉やプライバシーを侵害し，その出版により女性が重大かつ回復困難な損失を受けるおそれがあるとし，出版の差止めと損害賠償を認めた。

3 氏名等の個人情報を政府が一元管理する住民基本台帳ネットワークをめぐる訴訟で，最高裁判所は，何人も個人に関する情報をみだりに第三者に開示又は公表されない権利を有し，本ネットワークにおける本人確認情報には秘匿性の高い情報が含まれるとし，本人の意思によりその情報を削除できるとした。

4 信仰上の理由から輸血拒否の意思を伝えていたにもかかわらず，本人や家族の同意なく輸血を行ったとして，患者が損害賠償を求めた訴訟で，最高裁判所は，宗教上の信念を理由とする輸血拒否は「人格権の一内容」であるとはいえず，医療上必要な措置が自己決定権に優先するとした。

5 東京都国立市に建設された高層マンションをめぐり，周辺住民が良好な景観を妨げる高層部分の撤去等を求めた訴訟で，下級審は，本件建物は住民の景観利益を違法に侵害するものではないとして請求を退けたが，最高裁判所は，独特の景観利益は法的な保護に値するとして，建物の部分撤去を命じた。

実戦問題の解説

No.1 の解説　人権の制約根拠

→問題はP.56　正答4

STEP❶　人権の重要性＝基本的性質

①前国家的権利

②永久不可侵性

STEP❷　人権の性質に鑑みて，その制約は厳格になされなければならない。

憲法上で，唯一認められているのが「公共の福祉」

他者の人権との衝突時の「調和」「調整」のためである。

←制約根拠の１つめ…これが選択肢**4**

STEP❸　さらに，自身の人権を守るために，制約を認めることがある。

本肢の『パターナリスティクな制約』

←制約根拠の２つめ…これが選択肢**1**，**2**，**3**，**5**

1○　同じ。ヘルメットを着用することで守ろうとしているのは，オートバイを運転する者（安全・生命）である。

2○　同じ。賭博をさせないことで守ろうとしているのは，賭博に依存してしまうおそれのある者（依存からの回避）である。

3○　同じ。有害図書等を指定しその販売を規制することで守ろうとしているのは，青少年（の健全な育成）である。

4×　異なる。公共施設における喫煙を禁止して守ろうとしているのは，喫煙者（の健康）ではなく，受動喫煙を強いられる者（の健康）である。

5○　同じ。選挙運動への参加を禁止して守ろうとしているのは，未成年者（の健全な育成，安全）である。

No.2 の解説　基本的人権の歴史

→問題はP.56　正答1

基本的人権がどのように獲得されてきたか（＝**B**），人権がどのように分類されるか（＝**A**・**C**），その分類の中にどのような具体的な人権が含まれるのか（＝**D**）を問う出題である。すなわち，基本的人権は，天皇による絶対主義下で，法律の留保を伴いながら認められていた臣民の権利のようなものではなく，生まれながらにしてすべての人が持つ権利なのである。換言すれば，天皇の支配からはずれること（＝国家からの自由）がその基礎にある。基本的人権は，自由権，社会権，参政権，国務請求権（受益権），幸福追求権，平等権に大きく分類され，そのうち自由権は，精神の自由，経済の自由，人身の自由に分類される。国務請求権の中には，国家賠償請求権（憲法17条）や裁判を受ける権利（同32条）などがある。
選択肢から，消去法を使えば正答にたどり着く。生存権は社会権に含まれるので，**4**，**5**は誤り。また自由権の分類（**C**）で「人身の自由」がわかれば，**1**とわかる。

No.3 の解説　人権に関する判例

→問題はP.57　**正答2**

1 × 過去の損害は認められるが，将来の損害賠償請求は認められない。

判例（最大判昭56・12・16）は，「国営空港には国の航空行政権が及ぶため，民事訴訟の対象にならない。過去の損害は特別の犠牲により成り立つものであり，国家賠償法第２条の適用が認められる。しかし，**将来の損害**については程度の確定が困難であり，**請求は認められない**」とした。

2 ◎ プライバシーを守る権利により，出版差止と損害賠償を認める。

正しい。判例（最判平14・９・24）は，①公共の利害に関する事項でないこと，②出版によって被害者の精神的苦痛が増大すること，を理由に，「**プライバシーを守る権利**により，**出版差止はできる**」とした。⇒出版差止めが憲法の禁止する「**検閲**」には当たらないとする。

3 × 住基ネットワークの本人確認情報は秘匿性の高い情報とはいえない。

判例（最判平20・３・６）は，住民基本台帳ネットワークにおける**本人確認情報**は「**秘匿性の高い情報**に**該当するとはいえない**」とした。

4 × 患者には輸血拒否について意思決定する権利が認められる。

判例（最判平12・２・29）は，「医師は，患者が右手術を受けるか否かについて意思決定をする権利を奪われたことによって被った精神的苦痛を慰謝すべく不法行為に基づく**損害賠償責任を負う**」とした。

5 × 高層マンションの建設は，景観利益を侵害する行為には当たらず。

判例（最判平18・３・30）は，「①景観利益は，法律上保護に値する利益に当たる，②国立の大学通り周辺の住民には景観利益を有するものと認められるが，14階建てのマンションの建築について，違法建築物でなく，高さの点を除けば本件建物の外観に周囲の景観の調和を乱すような点があるとは認め難いから，周辺住民の景観利益を違法に侵害する行為に当たらない」とした。

基本的人権（各論）

必修問題

信教の自由に関するア～エの記述のうち，妥当なもののみをすべて挙げているのはどれか。 【市役所・令和３年度】

ア：信教の自由は，**20世紀以降に各国憲法に明記されるように**なり，日本では日本国憲法で初めて規定された。

イ：信教の自由には，内心における信仰の自由のみならず，**宗教活動への参加や不参加の自由**も含まれる。

ウ：**宗教法人の解散命令**は，宗教団体が，著しく公共の福祉を害すると明らかに認められるなどの行為をした場合には，違憲ではない。

エ：**宗教団体が作った私立学校**に対しては，国は補助金を支出することができない。

1 ア，イ
2 ア，ウ
3 イ，ウ
4 イ，エ
5 ウ，エ

難易度 ＊＊

必修問題の解説

信教の自由は，社会の中の根底にあった「教会からの自由」に始まる。また，信教は，それぞれの内心の問題であるので，19条と同様に保障が図られねばならない。その内容と問題点を押さえておきたい。

ア× **大日本帝国憲法にも信教の自由はあった。**
西欧では昔から「教会権力からの自由」の到達点として「**信教の自由**」は認識されてきた。1215年の**マグナカルタ**や1788年に発効した**アメリカ合衆国の憲法**にも規定がある。日本では，天皇主権を支えるために臣民に「国家神道」として神道を強制した**大日本帝国憲法**下においても，**信教の自由は規定**されていた（同28条）。近代のほとんどの憲法と戦後の世界人権宣言及び市民的及び政治的権利にも，「信教の自由」は規定されている。

イ○ **信教の自由には，消極的内容（無信仰，宗教行為への不参加等）も含まれる。**
正しい。憲法20条１項の規定する信教の自由を保障するために，それが外部との関わり合いをもつものである「宗教的行為」の自由も保障した（憲法20

条2項）。具体的には，肢の通り，礼拝・祈祷その他の宗教上の儀式や式典を行い，それに参加する自由，また，それにまったく参加しない自由が保障されている。

ウ○ **その活動により，侵害される人権がある場合には解散命令も許される。**

正しい。**宗教法人の解散命令**については，その宗教を信仰している者にとって大きな影響があり，信教の自由の保障との関係で問題があるが，宗教に関係するからといって宗教法人の行うことがすべて許されることにはならない。すなわち，その法人の行為により他者の人権が影響を受ける（=**公共の福祉**に反する）ような場合である。判例も，オウム真理教に対する解散命令につき憲法20条1項に違反しない，としている（最決平8・1・30，オウム真理教解散命令事件）。

エ× **国の補助金の目的は，学校（教育）に対するものである。**

信教の自由から「**政教分離の原則**」が導かれる（憲法20条1項後段，3項，89条参照）。その具体的内容の1つとして，「国が宗教団体に特権を与えることの禁止（特定の宗教団体に特権を付与すること・宗教団体すべてに対し他の団体と区別して特権を与えることなど）」があり，肢の補助金がこれとの関係で問題となる。ところで，国の学校に対する補助金は，国民の教育機関としての「学校」に対するものであり，設立した宗教団体に対するものではない。よって，国の基準を満たす限り，補助金を支出することができる。これと同様に，文化財（たとえば寺社の建造物）に対する補助金も考えることができる。

よって，妥当なのは**イ**と**ウ**であり，正答は**3**である。

正答 3

FOCUS

20条は「信教の自由」を保障している。「信教」というと宗教と結びつけやすいが，宗教にこだわるものではなく，「自分が信じる通りに生きる自由」や「信じたくないものに頼らないで生きる自由」ということであり，他の自由の基礎にもなる自由と考えられる。19条の「思想・良心の自由」の宗教的側面を規定したのが20条と捉えられる。

POINT

重要ポイント 1 幸福追求権（13条）

幸福追求権＝抽象的・包括的権利

14条以下の各権利は，過去において国家その他の権力により弾圧された過去があることからわざわざ規定されている。

→各則のほうが優先。新しい人権などの根拠となる。

重要ポイント 2 基本的人権の体系

（　）内は日本国憲法の条数を示す。

<table>
<tr><td colspan="2">基本的人権の前提となる諸原則</td><td colspan="4">●基本的人権の永久・不可侵性（11・97）●基本的人権を保持利用する責任（12）●個人の尊重の原則（13）</td></tr>
<tr><td colspan="4">●法の下の平等（14）●男女の本質的平等（24）●選挙権の平等（44）</td><td rowspan="7">公共の福祉</td><td rowspan="7">個人の自由と社会共通の利益を調整していく考え方である。基本的人権は侵すことができないことを特色としているが，自由や権利を互いに尊重しつつ調整していくことが必要である。

●権利濫用の禁止・公共の福祉に適合（12）

●居住・移転の自由，職業選択の自由は公共の福祉に反しないことが条件（22）

●財産の内容は公共の福祉に適合するよう法律で定める。公共のために利用（29）</td></tr>
<tr><td rowspan="3">自由権</td><td rowspan="3">国家権力の介入・干渉を排除し，国民の自由を確保する権利。保障の対象により「精神の自由」「人身の自由」「経済の自由」に分類することができる。</td><td>精神の自由</td><td>●思想・良心の自由(19) ●信教の自由(20) ●言論・出版その他表現の自由(21Ⅰ) ●集会・結社の自由(21Ⅰ) ●検閲の禁止・通信の秘密(21Ⅱ) ●学問の自由(23)</td></tr>
<tr><td>人身の自由</td><td>●奴隷的拘束・苦役からの自由(18)●法の正当な手続の保障(31)●不当侵害の禁止〔●不当逮捕の禁止(33)●抑留・拘禁の制限(34)●住居の不可侵(35)●拷問・残虐刑の禁止(36)〕●刑事被告人の権利〔●証人審問・弁護権(37)●黙秘権・自白効力(38)●不遡及・不再理(39)〕</td></tr>
<tr><td>経済の自由</td><td>●居住・移転・職業選択の自由（22Ⅰ）
●外国移住・国籍離脱の自由（22Ⅱ）
●財産権の不可侵（29）</td></tr>
<tr><td colspan="2">社会権</td><td>個人の生存，生活の維持・発展に必要な諸条件の確保を，国家に要求する権利。</td><td>●生存権（25）●教育を受ける権利（26）●勤労の権利（27）●勤労者の団結・団体交渉・団体行動権（28）</td></tr>
<tr><td rowspan="2">基本的人権を確保する権利</td><td>参政権</td><td>国民が政治に参加する権利。公務員の任免権を国民が持つことによって，人権の保障が実質的に裏づけられるので，人権を確保するために不可欠の権利。</td><td>●公務員の選定・罷免権（15Ⅰ）
●普通選挙・秘密投票(15Ⅲ・Ⅳ)
●選挙権・被選挙権(15・44・93)
●最高裁判所裁判官国民審査権(79)
●特別法制定同意権（95）
●憲法改正国民投票権（96）</td></tr>
<tr><td>請求権</td><td>国家にある行為を要求し，給付を要求する権利で，自由権とは正反対の性質を持つ。憲法の規定が必要。国務請求権。</td><td>●請願権（16）
●損害賠償請求権（17）
●裁判請求権（32・37）
●刑事補償請求権（40）</td></tr>
<tr><td colspan="2">新しい人権</td><td>社会情勢の変化に伴い主張され，社会的に認められるようになった権利。
憲法によって特に定められているものではない。</td><td colspan="3">●人格権（プライバシーの権利，肖像権など）
●健康に生きる権利（環境権，日照権，通風権など）
●知る権利(情報入手権，情報利用権，情報修正権，アクセス権など)
●平和に生きる権利●尊厳死ないし安楽死の権利●その他(嫌煙権など)</td></tr>
<tr><td colspan="2">国際的人権</td><td>かつての植民地支配や，ファシズムによって人権が抑圧されたことの反省から，国際的な条約によって人権を保障しようという動きが高まり，国連は人権内容の共通基準を設けている。</td><td colspan="3">●世界人権宣言(1948年採択)●国際人権規約(1966年採択)
●人種差別撤廃条約（1965年採択）
●女子差別撤廃条約(1979年採択)●児童の権利条約(1989年採択)</td></tr>
</table>

重要ポイント3 平等権

基本的人権は「人間は生来自由かつ平等」ということから導かれる。
→自由権・平等権が前提となる権利

平等権：法の下の平等（14条）

- ・法の**適用平等**ばかりでなく**内容平等**も必要→立法者拘束説
- ・14条１項後段（列挙事由）は**例示列挙**
- ・実質的平等＝合理的**区別**は認められる。
  例：累進課税制度・社会保障制度（生活保護）

重要ポイント4 精神的自由権

精神的自由・思想・良心の自由（19条）が核＝内心にとどまる限り絶対保障
↓
信教の自由（20条）・表現の自由（21条）・学問の自由（23条）
※これらの個別規定は過去に国が弾圧した経験のあることについてのもの。

重要ポイント5 社会権

20世紀になって，絶対的自由・平等から，実質的自由・平等へと変化
「人間らしさ」の保障から認められる権利

生存権（25条）：「健康で文化的な最低限度の生活」を保障
プログラム規定→抽象的権利
朝日訴訟・堀木訴訟

教育を受ける権利（26条）：人格育成のうえで教育は不可欠
「読む・書く・聞く・話す」コミュニケーションの基本的なスキルの習得＝義務教育（無償）。子女に教育を**受けさせる義務**も規定

勤労権（27条）：勤労の義務も規定
※勤労権も労働基本権に含めて呼ぶ場合もある。

労働基本権（28条）：使用者に対する労働者の権利を確保するため。
団結権・団体交渉権・団体行動権（争議権）

重要ポイント6 参政権

国民主権＋代表民主制の下で重要な意味＝主権者たる国民の意思（民意）の反映

選挙権・被選挙権（15条）：「国民固有の権利」
普通・平等選挙の保障（15条，44条）
最高裁判所裁判官の国民審査（79条）
憲法改正の国民投票（96条）：「国民投票法」（2010年５月施行）

近年，参政権の重要性が再確認されている。
※直接民主制，間接民主制とのつながりを考えておく。

実戦問題❶ 基本レベル

＊＊
No.1 憲法に定める生存権に関する記述として，妥当なのはどれか。

【地方上級（東京都）・平成28年度】

1 生存権は，精神，身体および経済活動の自由とともに，国家権力による束縛や社会的身分から個人が自由に行動する権利を保障する自由権に含まれる。

2 生存権は，20世紀に制定されたワイマール憲法で初めて規定され，ワイマール憲法では，経済的自由を制限することなく生存権の基本的な考え方を示した。

3 食糧管理法違反事件判決では，憲法25条により個々の国民は，国家に対し具体的，現実的な権利を有するものではなく，社会的立法および社会的施設の創造拡充に従って個々の国民の具体的，現実的な生活権が設定充実されるとした。

4 朝日訴訟事件判決では，児童福祉手当法が児童扶養手当と障害福祉年金の併給を禁止していることは，身体障害者や母子に対する諸施策や生活保護制度の存在などに照らして合理的理由があり，立法府の裁量の範囲内であるとした。

5 堀木訴訟事件判決では，憲法25条は，すべての国民が健康で文化的な最低限度の生活を営みうるように国政を運営すべきことを国の責務として宣言したにとどまらず，個々の国民に対して具体的権利を付与したものであるとした。

＊
No.2 政教分離に関する次の記述のうち，妥当なものの組合せはどれか。

【地方上級（全国型）・平成27年度】

ア：政教分離は，国家と宗教との分離を要請するものであるが，両者の間の一切のかかわり合いを排除する趣旨である。

イ：政教分離は，国家の宗教的中立性を制度として保障したものであり，その核心的部分を侵害することができないと解されている。

ウ：宗教団体が政治上の権力を行使することは許されないので，宗教団体が政治活動を行うことも違憲である。

エ：政教分離は，公教育の中立性をも要請するものであるが，場合によっては，特定の宗教を信仰する者に対して一定の配慮をすることもできる。

1 ア，イ
2 ア，ウ
3 イ，ウ
4 イ，エ
5 ウ，エ

No.3 ＊＊ **わが国の社会権的基本権に関する記述として最も妥当なのはどれか。**

【国家一般職・平成18年度】

1 日本国憲法は，社会権的基本権として思想・良心の自由，信仰の自由，生存権，教育を受ける権利，勤労権，勤労者の団結権・団体交渉権・団体行動権（争議権）を規定している。このような考え方はモンテスキューの唱えた自然法思想に由来し，フランス第四共和制憲法によってはじめて憲法に規定された。

2 日本国憲法25条の規定は，健康で文化的な最低限度の生活を営む権利を保障し，国家に対し，社会福祉，社会保障および公衆衛生の向上および増進の義務を課している。この生存権の規定については，プログラム規定説，法的権利説などが主張されたが，判例は，何が健康で文化的な最低限度の生活であるかの認定判断は厚生大臣（当時）の合目的的な裁量に委されているとした。

3 日本国憲法26条の規定は，すべての国民に，能力に応じて，ひとしく教育を受ける権利を保障し，義務教育は，これを無償とすると定めている。この規定は，立法上の目標を示したもので，教育基本法は，良質の教育を提供するために国・公立学校で合理的な少額の授業料を徴収することを認めている。

4 日本国憲法27条は，勤労の権利と義務を規定し，これにより労働基準法が制定されたが，公務員は公共の福祉を守る責務を有するため憲法上の勤労者には含まれず，原則として労働基準法が適用されない。そのため国家公務員法および地方公務員法が制定されたが，これらの法規が労働基準法に抵触する場合には労働基準法が適用される。

5 日本国憲法28条は，勤労者の団結権・団体交渉権・団体行動権（争議権）を保障している。これにより制定された労働組合法は，労働組合の正当な団体交渉や争議行為で発生した損害について労働組合に対し民事上の責任を課しているが，刑事上の責任は免除している。また，管理運営事項として使用者に団体交渉を拒否する裁量を認めている。

実戦問題1の解説

No.1 の解説　生存権

→問題はP.64　**正答3**

1 ×　生存権は社会権の一つである。

生存権を規定する日本国憲法25条は，国民に対して**「健康で文化的な最低限度の生活」**を保障するものであり，**社会権**に分類される。自由権は，国家権力からの束縛や干渉を排除するものである。

2 ×　社会権を初めて規定したとされるワイマール憲法には，経済的自由の制限があった。

1919年に制定された**ワイマール憲法**で初めて社会権が制定されたとされる。社会権の実現には「富の公平な分配」が必要であることから，経済的自由に制約が設けられている（同153条3項参照）。

3 ◎　判例では，25条の権利に具体的権利性を認めていない（＝プログラム規定）。

正しい。「…この規定（＝憲法25条1項）により直接に個々の国民は，国家に対して**具体的，現実的にかかる権利を有するものではない。**社会的立法及び社会的施設の創造拡充に従つて，始めて個々の国民の具体的，現実的の生活権は設定充実せられてゆくのである。」と，判示している（最大判昭23・9・29）。

4 ×　朝日訴訟とは，生存権と生活保護法の内容について争った行政訴訟。

児童扶養手当と障害福祉年金との併給について争われたのは堀木訴訟（最大判昭57・7・7）である。朝日訴訟（最大判昭和42・5・24）では，「…憲法25条の規定の趣旨にこたえて具体的にどのような立法措置を講ずるかの選択決定は，立法府の広い裁量にゆだねられており，それが著しく合理性を欠き明らかに裁量の逸脱・濫用と見ざるをえないような場合を除き，裁判所が審査判断するのに適しない事柄であるといわなければならない。」と判示している。

5 ×　朝日訴訟では，生存権の具体的権利性を改めて否定。

朝日訴訟は，上告人の死亡と同時に終了し，相続人もこれを承継しうる余地はないとしたが，「念のため」として，「…この規定（＝25条1項）は，すべての国民が健康で文化的な最低限度の生活を営み得るように国政を運営すべきことを国の責務として宣言したにとどまり，直接個々の国民に対して具体的権利を賦与したものではない…。」と判示している。

No.2 の解説　政教分離原則

→問題はP.64　**正答4**

ア ×　政治と宗教の完全分離を理想とするが，それは不可能と判示した。

津地鎮祭事件判決（最大判昭52・7・13）においては，「…宗教は…極めて多方面にわたる外部的な社会事象としての側面を伴うのが常で」「教育，福祉，文化，民俗風習など広汎な場面で社会生活と接触する」ため，国家が「社会生活に規制を加え，あるいは教育，福祉，文化などに関する助成，援助等の諸施策を実施するにあたつて，**宗教とのかかわり合いを生ずることを免れえない**」。その結果「…現実の国家制度として，**国家と宗教との完全な**

分離を実現することは，実際上不可能に近い」と判示する。

イ ○ 政教分離原則は制度的保障で，その核心は「信教の自由の保障」である。
正しい。政教分離原則は，国家の宗教的中立性を保障することで，国民の「信教の自由」を保障しようという**制度的保障**と解される。核心部分である「信教の自由の保障」は侵害することはできない。

ウ × 宗教団体ができないとされるのは，立法権などの統治的権力。
憲法20条1項2文の「政治上の権力」とは，国や地方公共団体の機能としての**統治的権力**（例：立法権・課税権）であり，政治活動の意味ではない。

エ ○ 公教育でする宗教に対する一定の配慮は，政教分離原則に反しない。
正しい。公立学校の学生が，**自己の宗教的信条**に反するため，必修科目である剣道の履修を拒否したことによる学校の処分が違法だと争われた**神戸高専剣道実技拒否事件**（最判平成8・3・8）では，一定の配慮を認めた。
以上より，**イ**と**エ**が妥当であり，正答は**4**。

No.3 の解説 社会権的基本権

→問題はP.65 正答2

1 × 自然法思想＝ロック，ルソー。
モンテスキューは**権力分立論**を唱え，**自然法思想**はロックやルソーによる。本肢のうち，思想・良心の自由と信仰の自由は自由権である。社会権的基本権とは，自由権や平等権が形式的に解釈される中で生じた弊害（＝弱者の発生）を，「人間は元来自由で平等である」ことから修正しようと認められた権利であり，これらは国家によって保障される権利（後国家的権利）である。1919年のドイツのワイマール憲法で初めて登場した。

2 ◎ 25条の保障する生活の基準は，政治裁量に任されている（判例）。
正しい。判例は，「何が健康で文化的な最低限度の生活であるかの認定判断は，いちおう，**厚生大臣の合目的的な裁量に委されており**，その判断は，当不当の問題として政府の政治責任が問われることはあっても，直ちに違法の問題を生ずることはない。」とした（最大判昭42・5・24）。

3 × 日本国憲法での「義務教育は無償」は「授業料不徴収」の意味。
判例は，「義務教育は無償」は「授業料不徴収の意味」と解する（最大判昭39・2・26）ので，憲法26条の規定は具体的内容を持つ。そして，教育基本法も，「国又は地方公共団体の設置する学校における義務教育については，授業料は，これを徴収しない」と定めている（同法4条2項）。

4 × 公務員も憲法28条の「労働者」に当たる。
公務員も憲法28条の「勤労者」に当たる（最大判昭40・7・14）。ただ，その職務の特殊性から，私企業の労働者とは異なる制限を受ける。国家公務員法は，**一般職の職員には労働基準法は適用されない**とする（同法付則16条）。なお，地方公務員には，原則として労働基準法が適用されるが（同法58条3項），地方公務員法と抵触する場合には地方公務員法が優先適用される。

5 × **労働組合法は，日本国憲法制定前に制定された。**

労働組合法は，刑事上も民事上の責任も免除し（同法１条２項，８条），また，正当な理由のない団交拒否を不当労働行為として違法とする（同法７条２号）。なお，労働組合法は日本国憲法よりも前に制定されている。

実戦問題2　応用レベル

＊＊
No.4　憲法19条の規定する思想・良心の自由に関する次の記述のうち，誤っているものはどれか。　【市役所・平成18年度】

1　公務員が憲法を否定する思想を有していたとしても，それが内心の領域にとどまる限り，そのことを理由に懲戒等の不利益を課すことは許されない。

2　国が将来の皇室のあり方を検討する資料とするために，国民に対して天皇制の支持・不支持についてのアンケート調査を行うことは，憲法19条に反し許されない。

3　単なる事実の知・不知のような人格形成活動に関連のない内心の活動には，思想・良心の自由の保障は及ばない。

4　他人の名誉を毀損した者に対して，謝罪広告を新聞等に掲載すべきことを加害者に命ずることは，謝罪の意思を有しない者に，その意思に反して謝罪を強制することになるので許されない。

5　企業者は，労働者の雇用にあたり，いかなる者をいかなる条件で雇い入れるかについて，原則として自由に決定でき，特定の思想・信条を有する者をそのゆえをもって雇い入れることを拒んでも，それを当然に違法とすることはできない。

No.5 * **日本国憲法の規定する法の下の平等に関する記述として最も妥当なのはどれか。**
【国家総合職・令和３年度】

1 日本国憲法は，14条１項において，「すべて国民は，法の下に平等であつて，人種，信条，性別，社会的身分又は門地により，政治的，経済的又は社会的関係において，差別されない」と規定し，法の下の平等の基本原則を宣言しているが，この規定以外には平等に関する規定を設けていない。

2 ６か月間の女性の再婚禁止期間を定める民法の規定について，最高裁判所は，当該規定は女性の再婚後に生まれた子において父性の推定が重複することを回避し，父子関係をめぐる紛争の発生を未然に防ぐことを立法目的としているが，当該立法目的は，医療や科学技術の発達により父子関係を科学的に判定できる現代においては合理性を欠くものであり，再婚禁止期間を設けること自体が合理的な立法裁量の範囲を超えるものであるため，違憲であるとした。

3 就業規制等により一定の勤続年数による昇進等が行われているにもかかわらず，女性がその対象から外されていることについて数名の女性職員が役職資格の確認と賃金差額を請求した訴訟（いわゆる芝信用金庫訴訟）において，最高裁判所は，性別のみを理由に格差を設けることは不合理であるが，当該職員の具体的な職務内容等諸般の事情を考慮すると，本事案においては当該取扱いは不合理とはいえないとして原告の請求を棄却した。

4 障害福祉年金と児童扶養手当の併給禁止規定（当時）によって，障害福祉年金受給者とそうでない者との間に生じる児童扶養手当受給における差別の合理性が問題となった訴訟（いわゆる堀木訴訟）において，最高裁判所は，併給禁止は生存権の重大な制限をもたらすものであるため，違憲であると判断し，生存権の具体的な権利性を認めた。

5 部落差別（同和問題）は，封建的身分制の下でいやしい身分とされ，職業・住居・結婚などあらゆる生活面で差別的取扱いを受けてきた人々が，今なお同じような差別を受け続けているという問題である。この部落差別の撤廃のために，政府は，同和対策事業特別措置法，地域改善対策特別措置法，部落差別の解消の推進に関する法律等の一連の立法などの取組を行ってきている。

実戦問題2の解説

No.4 の解説　憲法19条　→問題はP.69　正答4

1 ○ 正しい。その思想が**内心にとどまる限り**，絶対的な保障を受ける。

2 ○ 正しい。このようなアンケート調査は，思想・良心の自由の保障する一内容である「**沈黙の自由**」を侵害する。

3 ○ 正しい。内心にとどまる限り，絶対無制約という強力な保障が与えられることに鑑みて，その対象をその自由にふさわしい事項に限定する趣旨である。

4 × 誤りである。判例は，「**単に事態の真相を告白し陳謝の意を表明するにとどまる程度のもの**にあっては，謝罪広告を強制したとしても思想・良心の自由の侵害とはいえない」とする（最大判昭31・7・4）。

5 ○ 正しい（最大判昭48・12・12）。

No.5 の解説　法の下の平等　→問題はP.70　正答5

1 × **平等は民主主義の基礎であり，14条，24条，44条で規定されている。**
日本国憲法は，14条以外にも，24条で「社会における**両性の本質的平等**」，44条ただし書きでは「**投票価値の平等**」を規定している。

2 × **最高裁は，100日を超える部分につき，違憲であるとした。**
再婚禁止の規定は婚姻を直接制限するものであり，合理的な根拠に基づくものでなければ，14条1項に違反する。平成27年12月16日の最高裁判所判決では，再婚禁止期間は100日設ければ十分であって，これを超える部分は違憲だと判断した（＝再婚禁止期間の規定自体を違憲としたわけではない）。

3 × **本事案では，提訴から15年後に最高裁判所で和解が成立している。**
本事案（いわゆる芝信用金庫訴訟）では，控訴審の東京高等裁判所は，このような取り扱いに対し，「均等待遇」を定めた労働基準法3条，「男女同一賃金の原則」を定めた労働基準法4条の規定に違反し無効であると判示した。上告をしたが，最高裁判所で和解が成立した（2002年10月24日）。

4 × **併給禁止規定は，14条，25条に違反していない。**
堀木訴訟では，障害福祉年金と児童扶養手当の**併給禁止**が，憲法25条，14条に違反しないかが争われた。最高裁判所は，併給調整は立法府の裁量の問題だとし，また，給付資格に区別を設けることについては，合理的理由のない不当な差別とはいえず，憲法14条にも反しないとした。最高裁は，朝日訴訟（最大判昭42・5・24）を踏襲して，25条は国家の義務ではなく，責務の宣言であるとする（2023年現在も併給禁止は続いている）。

5 ◎ **現在も部落差別（同和問題）は解決しておらず，各施策が実施されている。**
部落差別（同和問題）は，日本固有の人権問題である。これまでも肢にある法律などにより問題解決が図られてきたが，いまなお残っており，完全な解決には至っていない。差別意識の解消，同和地区内世帯の高齢化問題，ネット上での差別などの新しい差別への対処などが，そのために必要とされる。

国 会

必修問題

わが国の国会に関する記述として最も妥当なのはどれか。

【国家総合職・令和4年度】

1 憲法上，衆議院には**国政調査権**が認められており，証人の出頭・証言や記録の提出を要求するなどの国政に関する調査は，**両議院で可決した場合に限り行うことができる**。ただし，その調査権限は無制約ではなく，権力分立の原則から司法権の独立を侵すことになるような権限の行使は認められない。

2 **条約の締結に必要な国会の承認**については，衆議院で先議しなければならない。また，衆議院で可決し参議院でこれと異なった議決をした場合，衆議院で出席議員の3分の2以上の多数で再び可決したときは，国会の承認を経たものとみなされる。

3 司法府に対する監督権限として，国会は，罷免の訴追を受けた裁判官を裁判するため，両議院の議員で組織する**弾劾裁判所**を設置する。ただし，2021年末現在，弾劾裁判で罷免された裁判官はおらず，制度の空洞化が指摘されている。

4 国会における審議を活性化するとともに，国の行政機関における政治主導の政策決定システムを確立することを目的として，**国会審議活性化法**が制定されている。これにより設けられた国家基本政策委員会の合同審査会として，**党首討論**が行われている。また，国務大臣を補佐する副大臣・大臣政務官が各府省に置かれている。

5 憲法は，「国会は国権の最高機関であつて，国の唯一の立法機関である」と定め，国会が主権者である国民を代表する機関であり，国の政治は国会を中心に行われるべきであるということを示している。そのため，**両議院の会議は常に公開とする**ことが義務付けられている。

難易度 ＊＊

必修問題の解説

立法権の「官僚主導から政治主導への移行」が図られているという最近の大きな流れを抑えることと，全国民の代表である国会議員で構成される国会，それぞれの議院の権能をきちんと押さえておくことが必要である。その過程で，なぜ二院制を採用しているか，さらに遡って三権分立の中での「均衡と抑制」をも押さえておきたい。

1 × **国政調査権は，それぞれの議院が個別に行使できる権能である。**
国政に関わる事柄に関して調査に伴い，それに関する証人の証言を得るために証人喚問を行い資料の提出を求めるなどの行為ができる権能を「**国政調査権**」といい，衆・参両院が**それぞれ**有する議院の権能である（憲法62条）。肢の後段のように，国政調査権は国会での審議を充実させるためのもの（＝補助的権能）であるため，三権の独立性を害することはできない。

2 × **衆議院に先議権があるのは「予算」についてのみである。**
条約の締結には，国会の承認が必要であるが，これに**衆議院の先議権は認められていない**（憲法73条3号，60条1項参照）。なお，衆参両院で議決が異なった場合には，衆議院の優越が認められ，予算の場合と同様の手続（両院協議会の必要的開催，それでも異なる場合などでの衆議院の議決が国会の議決になる）がとられる（同61条，60条2項）。

3 × **弾劾裁判所は国会により設置され，実際に過去に裁判官が罷免されている。**
裁判官は，その職務の性質故に独立し，身分保障がある。裁判官が罷免の訴追を受けた場合に，国会は**弾劾裁判所**を設置する（憲法64条）。身分保障のある裁判官を罷免できるのは，主権者（国民）である。これまでに10人の裁判官が弾劾裁判を受けている（うち，7人の裁判官が罷免されている）。現在もSNS上で裁判当事者に対する不適切な発言の繰り返しをしたとして弾劾裁判が行われている（2023年7月現在）。

4 ◎ **党首討論や副大臣の設置などは，政治主導のシステム確立のためのもの。**
正しい。同法は「国会審議の活性化及び政治主導の政策決定システムの確立に関する法律」のことであり，1999（平成11）年に成立した。2000年度の通常国会から，イギリスのクエスチョン・タイムにならって各党党首が議論する国家基本政策委員会を設置すること，政府委員制度の廃止，副大臣・大臣政務官の設置などを定める。

5 × **両議院の会議は原則公開であるが，場合により秘密会とすることもできる。**
全国民の代表である国会議員で構成される国会の会議については，原則として公開されるが，**出席議員の3分の2以上の多数**で議決した場合には**秘密会**とすることができる（憲法57条1項）。**公開**とは，傍聴の自由，報道の自由が認められることをいう。委員会は，完全な公開が原則でないことに注意（国会法52条）。

正答 4

FOCUS

立法権を担う国会は，国権の最高機関であり，多様な民意を反映させるために二院制をとっている。国会は二院で構成され，立法権の行使については原則協働するが，それ以外の点では必ずしも協働するわけではない。

POINT

重要ポイント 1 国会の地位

大日本帝国憲法下：天皇の**協賛**機関，帝国議会＝衆議院＋**貴族院**

日本国憲法下：国権の**最高**機関（同41条）

→「最高」とは主権者である国民と国会がつながっているとの意味。政治的美称説

内閣や裁判所の上位に立つ（統括機関）という意味ではない。

国の**唯一**の立法機関

「唯一」の解釈

→国会中心立法の原則（立法権は国会のみ…権限）

例外：議院規則（同58条），裁判所規則（同77条），
政令制定権（同73条６号），条例制定権（同94条）など

→国会単独立法の原則（国会だけで立法可能…手続）

例外：特別法（同95条），憲法改正の発議（同96条）

重要ポイント 2 二院制

憲法42条：国会＝衆議院＋参議院←憲法は二院制を要求＝**原則**：両院対等

趣旨：慎重な審議，異なる選挙制による多様な民意の反映

効果：両議院で可決したときに法律となる（同59条）

※憲法改正の発議は両院がそろうことが条件（二院制の原則どおり，同96条）

同時活動の原則→衆議院が解散されたときは，参議院は，同時閉会（同54条）

重要ポイント 3 会期制

種　類	回　数	召　集	会　期	主な議題
①常会（通常国会）（52条）	毎年１回	１月中	150日間（１回延長可）	次年度予算の審議
②臨時会（臨時国会）（53条）	不定	内閣または，いずれかの議院の総議員の1/4以上の要求	両議院一致の議決による（２回延長可）	予算，外交，その他国政上緊急に必要な議事
③特別会（特別国会）（54条）	不定	衆議院解散後の総選挙の日から30日以内	同上（２回延長可）	内閣総理大臣の指名
④参議院の緊急集会（54条）	不定	衆議院解散中，国に緊急の必要が生じたとき，内閣が集会を要求	不定	国政上緊急に必要な議事

・会期は，両議院一致の議決で延長することができる。
・参議院の緊急集会は，厳密には国会ではない（←二院制の例外）。そこでなされた議事については，次の国会開会後10日以内に衆議院の同意が必要（54条３項）。
・衆議院議員の任期満了での総選挙の場合は，臨時会で内閣総理大臣の指名。

重要ポイント4 国会と議院の権限

（1）国会の権限

権　限	根拠条文	内　容
立法権 （法律制定）	41 59	原則として国会が唯一の立法機関（中心立法・単独立法の原則），両院での可決が必要→例外として，衆議院の優越あり。
条約の承認	61 73	条約：内閣の締結＋国会の承認（原則として事前，時宜により事後），条約の承認につき，衆議院の優越あり。
憲法改正の発議	96	要件：衆・参両院の総議員の３分の２以上の賛成 国会単独立法の例外，衆議院の優越なし。
租税法律主義に基づく議決権	84	国民から強制的に徴収する租税に関しては，その新設・変更につき国会の議決を必要とする。
予算の議決	60 86	国家財政は歳入・歳出ともに予算に編成され，国会による審議・議決を経なければならない。衆議院の優越あり。
決算の議決	90	会計検査院の検査→内閣が次年度に報告・提出→国会が議決
対内閣		
財政状況の報告を受ける	91	内閣から少なくとも年１回，財政状況につき報告を受ける権利を有する。
内閣総理大臣の指名	67	議院内閣制の現れ。国会議員の中から指名，衆議院の優越あり。国会において最優先事項（すべての案件に優先される）。
財政処理	83	財政を主権者である国民の監督の下に置く（財政民主主義）。本来，財政は行政権に属する点に注意。
対裁判所		
弾劾裁判所の設置	64	弾劾裁判所を設置し，罷免の訴追を受けた裁判官の弾劾裁判を行う。

（2）議院の権限

権　限	条	内　容
自律権	58	議院の自律性を確保するため，その議事手続き・内部規律に関して規則（議院規則）を制定する。 議員に対する懲罰権なども認められる。
国政調査権	62	立法・財政などに関する権限を有効適切に行使するために，広く国政に関する事項を調査する権限を有する。そのために，証人の出頭および証言や記録の提出を求めることができる。
憲法調査会	（国会法） 102の6	「広範かつ総合的に調査するため」←憲法改正が目的ではないことに注意。

重要ポイント 5 衆議院の優越についてのまとめ

・**憲法の要請が二院制**（＝法律の成立には両院の議決が必要とされる）**である以上，衆議院の優越はその例外となる。**

・**なぜ衆議院か？**

任期が4年，解散あり→選挙の頻度が高い＝民意が反映されやすい。

・**権能面**

予算先議権（同60条1項）――**先議権は予算についてのみ**である。

内閣不信任決議権（同69条）――衆議院には解散がある。

・**議決面**

①**一般法律案の場合**（同59条2項，3項，4項）

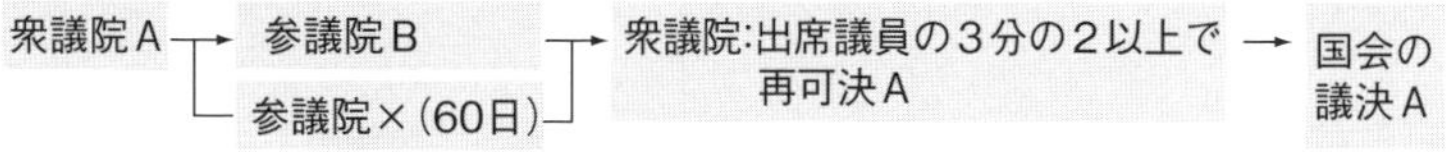

衆議院A → 参議院B ／ 参議院×（60日） → 衆議院：出席議員の3分の2以上で再可決A → 国会の議決A

※この場合，意見調整のために両院協議会を開いてもかまわない（裁量的）。

②**予算の議決・条約の承認**（同60条2項，61条）

衆議院A → 参議院B → 両院協議会（必要的開催）→（不一致）→ 国会の議決A

衆議院A → 参議院×（30日）→ 国会の議決A

③**内閣総理大臣の指名**（同67条2項）

衆議院A → 参議院B → 両院協議会（必要的開催）→（不一致）→ 国会の指名A

衆議院A → 参議院×（10日）→ 国会の指名A

※衆議院の議決（指名）をA，参議院のそれをB，審議しない場合を×とする。

▶両院協議会＝衆参両院からそれぞれ10名ずつの議員が出席して，意見調整を図るための会議。

実戦問題❶　基本レベル

No.1 ＊＊ **日本国憲法に規定する衆議院の優越に関する記述として，妥当なのはどれか。**

【地方上級（特別区）・令和元年度】

1 法律案および予算については，衆議院に先議権があるため，参議院より先に衆議院に提出しなければならない。

2 参議院が，衆議院の可決した法律案を受け取った後，国会休会中の期間を除いて60日以内に議決しないときは，直ちに衆議院の議決が国会の議決となる。

3 参議院が，衆議院の可決した予算を受け取った後，国会休会中の期間を除いて30日以内に議決しないときは，衆議院は，参議院がその予算を否決したものとみなすことができる。

4 条約の締結に必要な国会の承認について，衆議院で可決し，参議院で衆議院と異なった議決をした場合に，衆議院で総議員の3分の2以上の多数で再び可決したときは，衆議院の議決が国会の議決となる。

5 内閣総理大臣の指名について，衆議院と参議院とが異なった議決をした場合に，両院協議会を開いても意見が一致しないときは，衆議院の議決が国会の議決となる。

No.2 ＊＊ **日本の国会に関する次の記述のうち，妥当なのはどれか。**

【市役所・平成26年度】

1 衆議院および参議院の議員の任期は，ともに4年とされている。また，衆議院には解散制度が設けられているが，参議院には設けられていないため，参議院では通常2年ごとにその半数の議員を改選する。

2 常会の召集は毎年4月，会期は原則として90日間，主な議題は新年度予算とされている。また，臨時会の主な議題は内閣総理大臣の指名であり，特別会の主な議題は補正予算である。

3 各議院の最終的な意思決定は本会議で行われるが，議案に関する詳細な審議は，少数の議員によって構成される委員会で行われる。各委員会の委員に就任するのは，各政党から選出された同数の議員である。

4 国会は国権の最高機関であり，国の唯一の立法機関であるが，内閣にも法案提出権が認められている。ただし，国会議員が1人からでも法案を提出することができるのに対して，内閣は各省庁の合意がなければ法案を提出できないため，内閣提出法案の数は少ない。

5 各議院はその所属する議員について，院内の秩序を乱した場合には懲罰を与えることができる。また，国政に関して必要なときは，議員に出頭を求めたり調査を行ったりすることができる。

No.3 国会および国会議員に関する記述として最も妥当なのはどれか。

＊＊

【国家一般職・平成23年度】

1 国会は唯一の立法機関であり，法律案を提出できるのは国会議員と内閣である。国会議員が法律案を発議するには，一人だけで発議することはできず，一定数以上の議員の賛成が必要とされており，予算を伴う法律案を発議するには，さらに多数の賛成を必要とする。

2 国会は常に開いているものではなく，会期制をとっている。会期中に成立しなかった法律案は，いずれかの議院で可決されれば，後会に継続することができるとされているため，次の会期において，他方の議院で可決されれば成立する。

3 国会開会後，審議を始める前に内閣総理大臣が所信表明演説を行い，この演説に対して，内閣総理大臣と野党党首とのいわゆる党首討論が行われる。内閣総理大臣の所信表明演説は衆議院のみで行うのが原則であるが，衆議院と参議院の第一党が異なる場合には両院で行うこととしている。

4 国会議員は，国費で政策秘書3名，政務秘書1名の計4名までの公設秘書を付することができる。公設秘書のうち，政策秘書は資格試験に合格した者から採用しなければならないが，政務秘書の採用は国会議員の裁量に委ねられており，自らの配偶者を採用することも可能である。

5 国政調査権とは，国政に関して調査を行う国会の権能であり，証人の出頭，証言や記録の提出を求めることができる。証人には出頭義務があるが，虚偽の証言をした場合でも刑事罰が科されることはない。また，証人の尋問中にテレビ放映などに向けた撮影を行うことは禁じられている。

No.4 ＊＊ **わが国の国会議員の特権等に関するA～Dの記述のうち，妥当なもののみを挙げているのはどれか。** 【国家一般職・令和２年度】

A：国会の会期前に逮捕された国会議員は，その議員が所属する議院の要求があれば，会期中は釈放しなければならない。

B：国会議員は，議院で行った演説，討論または表決について院外で責任を問われない。一方，政党がその党員である国会議員の発言や表決について責任を問い，除名等を行うことは可能である。

C：憲法が国会議員に免責特権を保障している趣旨に照らし，国会議員でない国務大臣や委員会に出席して答弁を行う国家公務員にも，法律により免責特権が認められている。

D：国会議員は，法律の定めるところにより国庫から相当額の歳費を受けるが，この歳費は在任中減額または自主返納することはできない。

1 A，B
2 A，C
3 A，D
4 B，C
5 C，D

実戦問題1の解説

No.1 の解説 衆議院の優越

→問題はP.77 正答5

1 × **衆議院に先議権があるのは，予算についてのみ。**
日本国憲法60条１項では「予算は，さきに衆議院に提出しなければならない」と規定し，**衆議院の先議権**を認めている。法律案に関しては同59条に規定があり，議決に関する衆議院の優越は認められているが，先議権は認められていない。

2 × **法律案は，60日間審議をしないと否決したものとみなされる。**
憲法59条４項は，「参議院が，衆議院の可決した法律案を受け取つた後，国会休会中の期間を除いて**60日以内**に，議決しないときは，衆議院は，参議院がその法律案を否決したものとみなすことができる」と規定する。参議院で否決された法律案は，同条２項により「…衆議院で出席議員の３分の２以上の多数で**再び可決**したとき」に法律となる。

3 × **予算案は，30日間審議をしないと衆議院の可決した予算が成立。**
憲法60条２項は，「予算について…参議院が，衆議院の可決した予算を受け取つた後，国会休会中の期間を除いて30日以内に，議決しないときは，衆議院の議決を国会の議決とする」と規定する。**法律案の場合と違い，そのまま（＝何の手続も必要とせず）「国会の議決になる」**ことに注意。

4 × **条約の締結については，予算案と同様の議決面での優越が認められる。**
条約の締結に必要な国会の承認について，憲法61条は，予算案についての手続である同60条２項を準用する，と規定し，予算案の議決と同様の衆議院の優越を認めている。したがって，肢のような衆議院の再可決は不要となる。

5 ◎ **内閣総理大臣の指名は，予算案と同様の議決面の優越が認められる。**
正しい。憲法67条２項は，「衆議院と参議院とが異なつた指名の議決をした場合に，…**両議院の協議会**を開いても意見が一致しないとき…は，衆議院の議決を国会の議決とする」と規定としている。

No.2 の解説 国会

→問題はP.77 正答5

1 × **衆議院議員・参議院議員の任期は，それぞれ４年・６年である。**
任期に関しては，衆議院議員，参議院議員について，それぞれ憲法45条，46条で規定されている。さらに，46条では３年ごとの**半数改選**が規定されている。

2 × **常会は，毎年１月に召集され，会期は150日間である。**
常会については，国会法で，**毎年1月中召集**，**会期は150日間**と規定され（２条，10条），その主な議題は新年度予算である。**臨時会**の主な議題は，基本的に常会が終了しても消化できていない案件や補正予算など。**特別会**のそれは主に総理大臣の指名である。

3 × **委員会制度をとっており，その構成は各会派の所属議員数の比率による。**
前半は正しい。現在では審議案件の多さ，またその内容が複雑多岐にわたるため合議体としての委員会を設け，これに案件の下調べや実質的な検討を行わせる**委員会制度**がとられている。しかし，委員の数に関しては，「常任委員及び特別委員は，各会派の所属議員数の比率により，これを各会派に割り当て選任する」（国会法46条）。

4 × **議員提出法案については，一定数の賛成がなければ提出できない。**
国会法では，**衆議院では20名以上**，**参議院では10名以上**，さらに**予算を伴う場合**はそれぞれ**50名**，**20名以上**の賛成がないと提案することができない（56条）。慣行として国会では内閣提出の法律案を優先して審議する傾向にあり，日本では成立する法律案の大多数が内閣提出のものである。この場合，各省庁の合意は必要とされない。

5 ◎ **各議院は，その自律のために，懲罰権，国政調査権を持つ。**
正しい。国会を構成する衆議院と参議院はそれぞれ自律権を有し，それぞれの所属議員に**懲罰**を与えることができる（国会法121条以下）。後半は正しい。ただし，各議院の有する**国政調査権**の対象は議員に限られない（同法106条参照）。

No.3 の解説　国会および国会議員

→問題はP.78　**正答 1**

1 ◎ 最も妥当である（憲法41条，国会法56条）。

2 × 妥当でない。国会の会期には「**会期独立の原則（会期不継続の原則）**」があり，原則としてその会期中に両院の議決に至らなかった法案は廃案になる。しかし，その法案を委員会が「閉会中審査（継続審議）」とした場合には廃案にならず，例外として，次の会期においても継続して審議が行われる（同68条）。

3 × 妥当でない。国会は全国民の代表である国会議員で構成され（憲法43条），衆議院と参議院との議員の**兼職は禁止**されているために（同48条），内閣総理大臣が行う所信表明演説は両院の本会議でなされる。また，この演説に対して，各政党・会派の代表者による「代表質問」がなされる。ちなみに，「党首討論」とは，会期中に，原則として毎週１回，衆参両院の国家基本政策委員会の合同審査会として首相と野党各党首により行われる討論である。

4 × 妥当でない。国会議員が付することのできる公設秘書は，政策担当秘書，公設第一秘書，公設第二秘書の３人をおくことと国会法132条で定められている。そのうち，政策担当秘書については，国会議員政策担当秘書の資格試験合格者または，選考採用審査認定者のみに限定されているが，その他の２人については特別な身分は不要とされていた。しかし，2004年以降，「65歳以上の者」および「当該国会議員の配偶者」が公設秘書になることが禁止されている。

5 × 妥当でない。**国政調査権の主体は両議院**である（憲法62条）。これにより，各議院が個別に国政調査権を行使することが可能となる。また，出頭した証人であっても，宣誓をしたにもかかわらず虚偽の証言をした場合には偽証罪に問われ，刑事罰が科せられる（議院証言法6条）。さらに，証人の尋問中の撮影については，1988年に議院証言法が改められ，喚問中のテレビカメラによる撮影や，カメラマンによる写真撮影が一切禁止されたが，その後の汚職事件追及の過程での撮影禁止は世論の批判を招き，1998年には再度改正され，喚問の冒頭に委員が認めた場合には許可されるようになった。

No.4 の解説　国会議員

→問題はP.79 **正答 1**

A ○ 国会議員は「全国民の代表」たる側面を持ち，不逮捕特権がある。

不逮捕特権（憲法50条）は，議員の逮捕や訴追による議会の独立や活動の自由を脅かしてきたことに対して，**議員や議会の活動の自由を確保**するための手段として認められるものである。なお，参議院の緊急集会は国会の職務を臨時に代行するものなので含まれるが，国会閉会中の委員会における審議は含まれないことに注意。

B ○ 会議での議員の自由な討論のため免責特権が認められる。

免責特権（憲法51条）も，不逮捕特権と同様の意義を持ち，**議会内での自由な討論を保障**するものである。そして，議員が自由意思で加入した団体（政党，組合，企業など）から院内での発言や投票行動を理由に制裁を受けても，免責特権の保障は及ばない。

C × 免責特権の主体は「両議院の議員」に限られている。

免責特権は「両議院の議員」のためのものであり，一般国民にはない特権を明確な根拠なく拡大することは許されないから，国務大臣や委員会に出席して答弁を行う**国家公務員には認められない**。国会に議席を有する国務大臣であっても，本特権が及ぶのは**議員としての言論・行動に限られる**。

D × 参議院議員の歳費の一部を自主返納できるようにする法律がある。

いわゆる**歳費特権**（憲法49条）は，議員が全国民の代表である（同43条）ことから認められる。減額に関しては，2011年の東日本大震災発生後には復興財源に充てるため，さらに議員定数削減が実現するまでの措置として，また2020年にはCOVID-19感染拡大で経済的に苦しむ国民の感情を配慮して，歳費の減額（削減）が行われた例がある。また，国会議員による**歳費の返納**は，公職選挙法で禁止されている寄附行為に当たるとされているために自由には行えないが，参議院議員については，2019年に自主返納を可能とする法改正を行っている。

よって妥当なものは**A**と**B**であり，正答は**1**である。

◆国会議員の特権

国会議員の地位：全国民の代表（憲法43条）として立法権を行使
→重責→種々の特権

歳費特権（同49条）：一般国家公務員の最高額以上の歳費を保障（国会法35条）
←かつては名誉職

不逮捕特権（同50条）：国会への出席を確保するのが目的
会期中の不逮捕，会期前逮捕につき議院の要求で釈放
※例外　①院外での現行犯　②院の許諾（国会法33条）

免責特権（同51条）：国会での発言をはじめとする意見表明を保障
議院で行った演説・討論・表決について免責される。
※その趣旨から，ヤジや私語には適用されない。地方公聴会など議員の職務には適用あり。
所属政党や団体からの責任追及（懲戒・除名処分など）は別。

※大臣としての職務に対しては適用なし。議員の地方での公聴会などには適用される。

実戦問題❷　応用レベル

No.5（＊＊） **国会の委員会制度に関する次の記述のうち，妥当なものはどれか。**

【地方上級・平成16年度】

1　委員会は，その委員の３分の１以上の出席がなければ，議事を開き議決することができない。

2　委員会の委員は，会派ごとに平等に同数を割り当て選任することとされている。

3　委員会は，議員以外の者でも自由に傍聴できるのが原則であるが，その決議により秘密会とすることができる。

4　委員会には常任委員会と特別委員会があるが，特別委員会は国政の基本的事項に関し，長期的かつ総合的な調査を行うために設置される。

5　予算委員会は，予算を審査する常任委員会であるが，実際には国政全般に関する議論が行われ，常任委員会のうちでも委員数が最も多い。

No.6（＊＊） **国政調査権に関する記述として最も妥当なのはどれか。**

【国税専門官・平成19年度】

1　国政調査権は議院それ自体が有する権能ではないが，既存の常任委員会では国政調査権を行使することができないので，国会において特別の調査委員会を設置してこれを行使しなければならない。

2　国政調査権には衆議院の優越が認められているので，衆議院でこれを行使しない場合には参議院で行使することはできないが，両議院による協議会において意見が一致した場合には参議院で独自に行使することができる。

3　三権分立の観点から，国政調査の対象は行政権および司法権に限定され，そのうち現に裁判が進行中の事件について裁判官の訴訟指揮の当否を調査することは許されないが，確定した判決の裁判内容の当否を調査することは制限なく認められている。

4　国務大臣が国政調査権により議院から出頭を求められた場合であっても，正当な理由の有無を問わず，自己の政治責任において出頭を拒否することができる。

5　国政調査は犯罪を捜査することが目的ではないが，その調査の手段としては，証人に出頭を求めてその証言を要求したり，記録の提出を要求することが認められている。

実戦問題2の解説

No.5 の解説　委員会制度
→問題はP.84　正答5

1× **委員会の定足数**は，その委員の半数以上（の出席）である（国会法49条）。

2× 委員会の委員の選任は，各会派の所属議員数の比率により割り当てられる（同46条1項）。

3× 委員会は，原則として議員以外の傍聴を許さないが，委員長の許可を得た報道関係者等には傍聴が許される（同52条1項）。後半は正しい（同条2項）。

4× **特別委員会**は，その議院において特に必要があると認めた案件または常任委員会の所管に属しない特定の案件を審査するために設置されるものである（同45条1項）。なお，選択肢の説明は，参議院の調査会についてのものである（同54条の2第1項）。

5◎ 正しい。委員の員数は衆議院では予算委員会が50人で，その他の委員会は20～45人となっている。

No.6 の解説　国政調査権
→問題はP.84　正答5

1× 両議院は，おのおの国政に関する調査を行うと規定され（日本国憲法62条），国政調査権は両議院がそれ自体で有する権利である。

2× **国政調査権**についての衆議院の優越は認められていない。それは国政調査権があくまでも国会の有する権限を有効に行使するための補助的な権限であると考えられるためである（補助的権能説，通説）。

3× 犯罪捜査，公訴提起，不起訴処分など検察事務は，本来行政作用であるから，その妥当性を調査することは，原則として国政調査権の内容となるが，同時に**検察活動は準司法活動ともいうべき性質を有する**ため，国政調査権の行使に当たっても，議院はその行使が検察行政や司法作用への干渉にならないようにする必要がある。そして，ここでの対象は，現に犯罪としての捜査や公訴が進行中の「事実」であって，検察行政や司法作用への干渉にならないように，との制限があると考えられている。

4× 本肢のような場合には国務大臣は議院の求めに応じなければならない。たとえば委員会には特定の大臣の出席を要求する権利が認められている（国会法71条）し，国政調査権を有効にするための**議員証言法**には，出頭拒否に対し「1年以下の禁錮又は10万円以下の罰金」という刑事罰が規定されている（同法第7条）。

5◎ 正しい（日本国憲法62条）。

7 内　閣

必修問題

内閣に関する記述として最も妥当なのはどれか。

【国家専門職・令和3年度】

1 内閣総理大臣は，**任意に国務大臣を罷免**することができる。内閣の職務は閣議の決定により行われるが，閣議は内閣総理大臣が主宰し，その意思決定は，内閣の一体性を確保するため，全員一致の形式が採られている。

2 内閣総理大臣は，衆議院で第一党となった政党に所属する国会議員の中から，国会の議決で指名され，天皇が任命する。内閣総理大臣は国務大臣を任命するが，**その過半数を衆議院議員の中から**選ばなければならない。

3 行政権は，内閣に属し，内閣は，その首長である内閣総理大臣およびその他の国務大臣で組織される。内閣総理大臣は**文民**でなければならないが，その他の国務大臣は必ずしも文民でなくてもよい。

4 内閣は，衆議院が内閣の不信任の決議案を可決し，または信任の決議案を否決したときは，必ず**総辞職**しなければならない。一方，参議院が内閣の不信任の決議案を可決し，または信任の決議案を否決しても，総辞職する必要はないが，参議院を解散しなければならない。

5 内閣は，行政権の行使について，**国会に対し連帯して責任**を負う。天皇は国政に関する権能を有しておらず，天皇の国事行為に対する内閣の助言と承認は，行政権の行使には含まれないため，内閣は，国会に対し，助言と承認については責任を負わない。

難易度　＊＊

必修問題の解説

日本国憲法下で，内閣は行政権を担当する（憲法65条）。内閣は，国会議員の中から国会の議決で選ばれる内閣総理大臣とそれにより任命される国務大臣と構成されることで（66条1項），合議体である内閣の一体性が維持される。内閣総理大臣は内閣の首長であり，代表である。

1◎ 行政権を行使する内閣の統一性・一体性のために閣議は全員一致制をとる。
正しい。行政権を担う内閣は，内閣総理大臣と**国務大臣**で構成され，内閣の統一性・一体性を担保するために内閣総理大臣は国務大臣の**任免権**を持つ（憲法65条，66条1項，68条）。そしてそのために閣議においては**全員一致制**が採用されている。

2 × **内閣総理大臣と国務大臣の過半数は，国会議員の中から選ばれる。**
肢のように内閣総理大臣が選出されている現状であるが，憲法上は「内閣総理大臣は，**国会議員**の中から国会の議決で，これを指名する」（憲法67条1項前段）。また内閣総理大臣が任命する国務大臣の要件については「その**過半数**は，**国会議員**の中から選ばれなければならない」（同68条1項）。

3 × **内閣を構成するすべての者は文民でなければならない。**
内閣を構成する内閣総理大臣その他の国務大臣は，**文民**でなければならない（憲法66条2項）。いわゆる文民統制は，民主主義国家において，武力を背景とした軍の政治への介入を予防し，民主主義と異なる組織原理による軍事支配から国民を守るために必要とされる。また，「**文民**」をどう解するかについては諸説あるが，「**軍人でない者**」という理解で足りる。

4 × **衆議院が内閣不信任決議をした場合，内閣は衆議院の解散か総辞職をする。**
衆議院の優越の1つとして内閣不信任決議権があり，同権利が行使された場合に内閣は，①**10日以内に衆議院を解散**する，②**総辞職**をする，の2通りの選択肢がある（憲法69条）。なお，参議院には内閣不信任決議権は認められておらず，それに対応する解散もない。

5 × **天皇のすべての国事行為には，内閣の責任で助言と承認がなされる。**
日本は**議院内閣制**をとり，内閣は，首班である**内閣総理大臣**は国会の指名に基づき選任され，その他の国務大臣は内閣総理大臣により任命されるので，行政権の行使について，**国会に対し連帯して責任**を負う（憲法66条3項）。また，**天皇は**国政に関する権能を有しない（同4条1項）。よって天皇が行うすべての**国事行為には，内閣の助言と承認が必要**とされ，この助言と承認も内閣の権能である以上，内閣がその責任を負う（同3条）。

正答 1

FOCUS

三権分立の下で立法権、司法権それぞれと「均衡と抑制」の関係に立ちつつ，内閣は行政権を行使する。また，内閣は総理大臣と国務大臣で構成されることから，行政権行使のために内閣の一体性が必要とされる。それらを実現するための仕組みを理解する必要がある。

POINT

重要ポイント 1 大日本帝国憲法下の内閣

(1) 天皇が行政権を持つ。

(2) 内閣総理大臣・各国務大臣は個別に天皇と結びつく。

→天皇に対し，直接的・個別的責任を負う。

(3) 内閣総理大臣と各国務大臣は対等である。

※憲法に内閣の規定はなし。内閣は天皇の輔弼(ほひつ)機関。

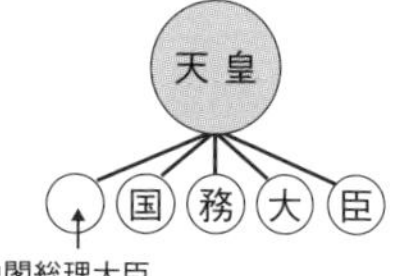

重要ポイント 2 日本国憲法下の内閣

内閣自らが行政権を担当（憲法65条）。

→内閣に一体性・統一性が必要

→内閣総理大臣の国務大臣の任免権（同68条）

…首長としての内閣総理大臣

（旧憲法に比べて内閣総理大臣の地位が向上）

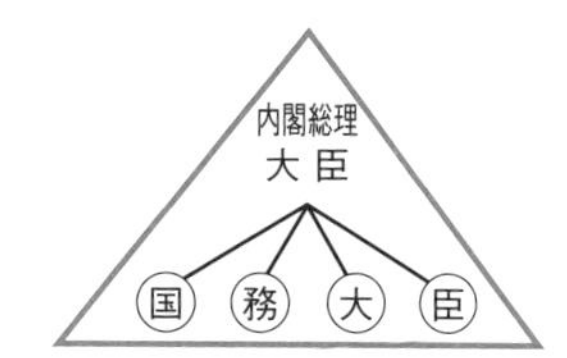

重要ポイント 3 内閣の権限

権限	条	内容
一般行政事務	65 73	行政権は内閣に属するから，行政権に属する作用は，原則としてすべて内閣の権限とされる。
法律の執行と国務の総理	73 ①	立法機関たる国会の意思を尊重して，法律に正しく準拠した行政活動を行い，また国の最高行政機関として行政事務一般を統括処理する。
外交関係の処理	73 ②	重要な外交関係の処理は，外務大臣に一任せず，内閣が行う。
条約の締結	73 ③	全権委員に全権を委任したり，条約を締結するのは内閣であるが，事前あるいは事後に，国会の承認を必要とする。
官吏に関する事務の掌理	73 ④	国家公務員法に従って，政府職員の職階制，試験・任免・給与などの事務を行う。
予算の作成	73 ⑤	予算を作成して国会に提出する。 （注：予算案を提出するのは内閣総理大臣の権限）
政令の制定	73 ⑥	憲法や法律の規定を実施するために，内閣は政令を発することができる。
恩赦の決定	73 ⑦	恩赦法に従って，恩赦を決定できる。
天皇の国事行為への助言と承認	3 7	実質的決定権は内閣にあるといえる。よって，内閣はその責任を負う。
臨時会の召集 緊急集会の召集	53	これは内閣の専権である。※参議院の緊急集会（54）
裁判官の指名と任命	6 79 80	最高裁判所─┬長官…内閣の指名，天皇の任命。 └その他の裁判官…内閣が任命。 下級裁判所─最高裁で指名した者の名簿により内閣が任命。

重要ポイント 4 議院内閣制

(1) 内閣は国会の信任の下に存立…憲法は内閣と国会との連動を予定。

(2) 議院内閣制の表れ

①内閣総理大臣は国会議員の中から国会の議決で指名される（憲法67条1項）。

②内閣総理大臣の任命する国務大臣の過半数は国会議員でなければならない（同68条1項）。※イギリスにおいては，閣僚全員。

③内閣は国会に対して連帯して責任を負う（同66条3項）。

④衆議院が内閣不信任の決議をしたときには，総辞職か衆議院の解散かのいずれかを選択しなければならない（同69条）。重要ポイント7参照

重要ポイント 5 内閣総理大臣の権限

対　象	内　容
国会	議案提出・内閣の代表・一般国務および外交関係の報告。
国務大臣	国務大臣の任免，法律・政令に連署，閣議の主宰など。
行政機関	行政各部の指揮監督など。
裁判所	国務大臣の訴追同意権など。
自衛隊	最高指揮監督権，防衛出動命令，治安出動命令など。

重要ポイント 6 内閣の総辞職

意義：議院内閣制の下で内閣と国会とが連動しなくなった場合の修正

●総辞職する場合：憲法69条・70条

①内閣不信任決議後，10日以内に衆議院を解散しなかったとき

②衆議院議員総選挙後の国会召集のとき

③内閣総理大臣が欠けた場合（死亡，**国会議員でなくなった場合**）

④その判断で，任意に総辞職する場合

例：大きな政策の変更などで改めて民意を聞く必要がある場合など

政治 第2章 日本国憲法

重要ポイント 7 内閣不信任案

そもそも連動を予定されている国会と内閣とが乖離した場合，その「歪み」を修正する必要がある。その一つが衆議院による内閣不信任である。**内閣は，国会と連動するように調整**され，不信任が可決されると，その内閣は遅かれ早かれ総辞職しなければならないことを押さえておこう。

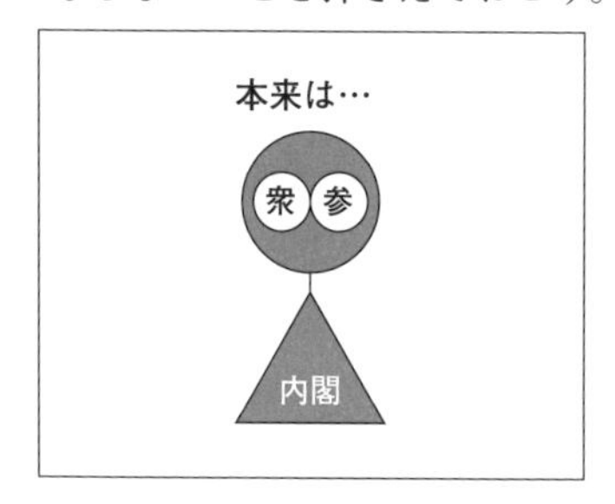

議院内閣制の下，国会と内閣とは連動（一体性）が予定されており，国会と内閣とは同じ色であるべき。

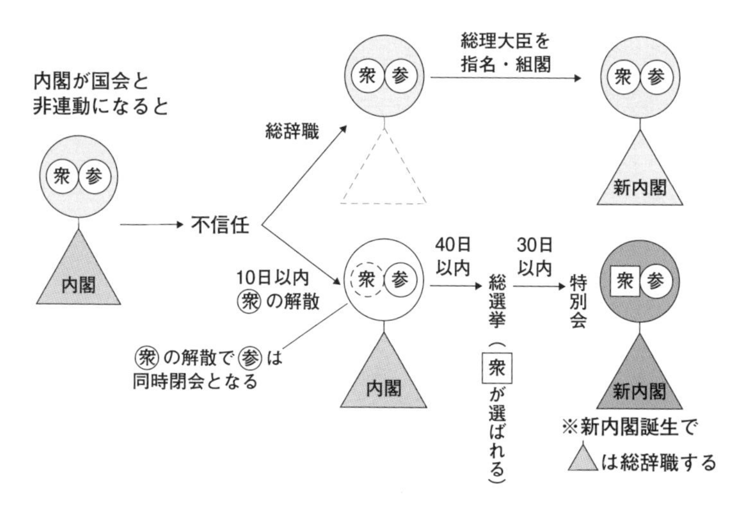

実戦問題

＊＊
No.1 わが国の国会や内閣に関する記述として最も妥当なのはどれか。

【国家専門職・平成29年度】

1 内閣は，内閣総理大臣およびその他の国務大臣で組織する。議院内閣制の下，内閣総理大臣その他の国務大臣は，国会議員でなければならず，また，国務大臣の過半数は，文民の中から選ばれなければならない。

2 内閣総理大臣は，国会の議決で指名され，この指名は他の全ての案件に先立って行われる。衆議院と参議院とが異なった指名の議決をした場合に，3日以内に参議院が再指名の議決をしないときは，衆議院の議決が国会の議決とされる。

3 内閣は，行政権の行使について，国会に対し連帯して責任を負う。内閣は，衆議院で内閣総理大臣またはその他の国務大臣に対する不信任決議案が可決されたときは，30日以内に衆議院が解散されない限り，総辞職をしなければならない。

4 内閣を構成する内閣総理大臣またはその他の国務大臣は，それぞれが内閣を代表して所管する法律案を国会に提出することができ，また，行政を行うために，法律の範囲内で，それぞれが政令を定めることができる。

5 内閣は，衆議院で内閣不信任決議案が可決されたときは，総辞職か，衆議院の解散かのいずれかを選択しなければならない。また，不信任決議案の可決を前提にしない，憲法7条による衆議院の解散も行われている。

＊＊
No.2 わが国の内閣および内閣総理大臣に関する次の記述のうち，妥当なものはどれか。

【市役所・平成28年度】

1 内閣は，内閣総理大臣およびその他の国務大臣で組織され，行政権の行使については個々の国務大臣が国会に対して個別に責任を負う。

2 内閣総理大臣は，内閣を代表して議案を国会に提出する権限を有するが，ここにいう議案には法律案は含まれない。

3 内閣は政令を制定する権限を有するので，法律の委任に基づく命令だけでなく，法律の根拠に基づかずに法律から独立した命令を発することもできる。

4 国務大臣が内閣の定める方針に反する行動をとることで閣内不統一となった場合には，内閣は総辞職しなければならない。

5 内閣総理大臣が死亡し，または国会議員としての地位を失った場合には，内閣は総辞職しなければならない。

＊
No.3 議院内閣制の原則に関する次の記述のうち，妥当なのはどれか。

【国家一般職・平成6年度】

1 国民から公選され国の元首となった大統領が議会の同意を得て，議員の中から内閣総理大臣および各国務大臣を任命し，任命された各閣僚が大統領に対し責任を負う制度も議院内閣制といわれている。

2 議院内閣制においては，いったん議会により選任され成立した内閣は，その後においては議会の同一会期中は一事不再議の原則により，行政権の行使について議会の統制を受けない。

3 議院内閣制においては，内閣は議会に対して連帯して政治上の責任を負うこととされており，その地位は議会の信任によって左右される。

4 議院内閣制においては，内閣総理大臣は国政に民意をより反映させるために国務大臣に一定数の民間人を登用することが義務づけられている。

5 議院内閣制においては，内閣はすべての行政権の行使について事後に議会の承認を得ることとされているが，議会があらかじめ議決した特に重要な事項の実施については，議会の事前の同意を必要とする。

***

No.4 わが国の内閣制度に関する記述として最も妥当なのはどれか。

【国家一般職・平成21年度】

1 議院内閣制を採用しているため，内閣総理大臣は国務大臣の過半数以上を衆議院議員の中から任命しなければならない。また，国務大臣を衆議院議員以外から選任した場合には，その者の任命について衆議院での承認を必要とする。

2 責任内閣制を採用しており，法律の執行に関しては，内閣が国会に対し連帯して責任を負う。他方，法律の制定に関しては，三権分立の原則に基づき国会が唯一の立法機関とされているため，内閣が閣議決定した法律案は，与党の衆議院議員によって発議される。

3 内閣は予算を作成して国会に提出できるが，国の財政を処理する権限は国会の議決に基づいて行使しなければならない。また，内閣は外交関係を処理し，条約を締結することができるが，条約締結については，事前に，時宜によっては事後に，国会の承認を必要とする。

4 内閣は，最高裁判所長官を指名し，その他の裁判官を任命することができる。裁判官に罷免に相当する著しい職務義務違反や非行が認められた場合には，内閣は，すみやかに国会に対し弾劾裁判所の設置を求め，その裁判官を訴追しなければならない。

5 内閣は，大赦，特赦，減刑，刑の執行の免除及び復権を決定することができる。これらの執行は，三権分立の原則の下で司法が決定した判断を行政が変更する結果となるため，国権の最高機関である国会の承認を必要とする。

実戦問題の解説

No.1 の解説　内閣制度

→問題はP.91 正答5

1 ×　内閣総理大臣その他の国務大臣には文民要件がある。

内閣は，**内閣総理大臣及およびその他の国務大臣で組織**する（憲法66条1項)。議院内閣制の下，内閣総理大臣その他の国務大臣は，**文民でなければならず**（同条2項)，また，**国務大臣の過半数は，国会議員の中から**選ばれなければならない（68条1項ただし書)。第二次世界大戦までは軍人が内閣総理大臣となることが多数あり，その反省からこの文民要件がある。なお「文民」とは，①旧陸海軍の職業軍人の経歴を有する者であって，軍国主義的思想に深く染まっていると考えられる者，②自衛官の職に在る者以外の者をいう（1973年政府見解)。

2 ×　内閣総理大臣の指名について，衆議院の優越がある。

内閣総理大臣は，国会の議決で指名され，この指名は他のすべての案件に先立って行われる（67条1項)。衆議院と参議院とが異なった指名の議決をした場合に，①両院協議会を開いても意見が一致しないとき，又は②衆議院が指名の議決をした後，国会休会中の期間を除いて10日以内に，参議院が指名の議決をしないときは，**衆議院の議決を国会の議決**とする（67条2項)。

3 ×　憲法上，内閣総辞職をしなければならないのは3つの場合。

内閣は，行政権の行使について，**国会に対し連帯して責任**を負う（66条3項)。憲法上，内閣**総辞職をしなければならない**のは，①衆議院で不信任の決議案を可決し，又は信任の決議案を否決し，10日以内に衆議院が解散されない場合（69条)，②内閣総理大臣が欠けたとき，又は③衆議院議員総選挙の後に初めて国会の召集があったとき（70条）である。

4 ×　内閣総理大臣は内閣（合議体）の代表である。

法律案などの**議案を国会に提出できるのは，内閣を代表する内閣総理大臣のみ**である（72条)。また，**政令を制定することができるのは内閣**である（73条6号)。なお政令は，①閣議決定（内閣法4条1項）→②主任国務大臣が署名，内閣総理大臣が連署（憲法74条）→③天皇が公布（同7条1号）→④官報に掲載，という手続きで制定される。

5 ◎　憲法7条により衆議院が解散される場合もある。

正しい。日本は議院内閣制をとり，**国会と内閣とが連動（共働）**することが求められる。そのため，衆議院で内閣不信任決議案が可決された場合には，10日以内に衆議院を解散するか，総辞職かのいずれかを選択する必要がある。総辞職しなければならないのは肢3の解説にあげた3つの場合であるが，**それ以外にも内閣には衆議院解散権**が与えられており，このときの解散は首相の裁量で行い，形式は，内閣の助言と承認に基づき，**憲法7条の国事行為**として行う。

No.2 の解説　内閣の組織の権能

→問題はP.91　正答5

1 ×　行政権の行使については，合議体である内閣が国会に対して責任を負う。
前半は正しい（憲法66条１項)。行政権の行使については，「内閣は，…**国会に対し連帯して責任**を負ふ」と規定する（同法同条３項)。

2 ×　内閣総理大臣は法律案も含め議案を国会に提出できる。
前半は正しい（憲法72条)。内閣の法律案の提出は国会単独立法の原則から問題となるが，①発案は立法の準備行為とみることができること②憲法73条１号などから憲法72条の「議案」に法律案も含めると解する。

3 ×　内閣は，独立命令を発することは，認められない。
前半は正しい（憲法73条６号本文)。そして，同条同号は政令の制定を「この憲法及び法律の規定を実施するため」とする。権力分立の観点から，立法権は国会に帰属する（41条）のであり，**独立命令は認めていない**（執行命令と委任命令のみを認める)。

4 ×　国務大臣の行動により閣内不統一になっても総辞職する必要はない。
日本は議院内閣制をとり，内閣総理大臣を内閣の首長とし，内閣総理大臣に国務大臣の任免権を与え，内閣の統一性（一体性）を維持する。当該国務大臣の**任命責任**を問われることはあるとしても，それは直接に内閣総辞職の原因とはならない（総辞職については，同法69条，70条参照)。

5 ◎　内閣総理大臣は，内閣の首長として，死亡あるいは議員失職で総辞職。
正しい。議院内閣制の下，内閣の首長である**内閣総理大臣は国会議員**でなければならない（67条１項)。そして，各国務大臣を任命した内閣総理大臣が死亡した場合には，内閣はその存在基盤を失うので，「内閣総理大臣が欠けたとき…は，内閣は，総辞職をしなければならない」(70条)。

No.3 の解説　議院内閣制の原則

→問題はP.91　正答3

1 ×　公選なら，政府（内閣）が議会の信任によって存立するとはいえない。
行政府の長たる大統領が公選で決まり，議会の信任がその成立要件でない以上，議院内閣制ではない。

2 ×　議会は，内閣による行政権の行使を常に監視可能。
一事不再議の原則とは，会議体で一度議決（決定）した事項は重ねての審議を許さないとするものである。また，議会は行政権の行使につき常にチェックできる体制にある。

3 ◎　内閣は，国会に対して連帯責任を負う（憲法66条３項）
正しい。憲法には66条３項で国会に対する連帯責任の，同69条で内閣不信任の規定がある。

4 ×　国務大臣の過半数は国会議員から選ばれる（憲法68条１項ただし書き）
国務大臣の民間人登用は義務づけられておらず，内閣総理大臣や国務大臣の一定数（日本では過半数，イギリスでは全員）が国会議員であることが重要である（同67条1項，68条1項）。

5 × **行政権の行使に議会の承認は不要。**
内閣が法律に基づき行政権を行使している（同73条1項）限り，その承認を求める必要はない。ただし，内閣は行政権の行使について議会に報告義務（同72条）が，議会にはその報告を審議する権限がある。議会も行政権の行使についてチェックを行う（同62条）。

No.4 の解説　内閣制度

→問題はP.92　**正答3**

1 × **首相は国務大臣の過半数を国会議員から任命する。**
日本の議院内閣制においては，内閣が**国会の信任の下に存立**することの表れとして，内閣総理大臣は，国務大臣の過半数以上を国会議員の中から任命しなければならない（日本国憲法68条1項）。また肢の後半のような規定は存在しない。

2 × **内閣も法案提出権を持つ。**
責任内閣制とは，**議院内閣制**の下で，内閣が議会（日本では衆議院）の信任の有無を存立の条件とし，常に全大臣が連帯して責任を負う制度をいう。日本は，法律の執行を行う内閣が，連帯して国会に対して責任を負うところから（同66条3項），前半は正しい。内閣は**法案提出権**を持っているので，閣議決定をした法律案は内閣を代表して内閣総理大臣が提出する（同72条参照）。

3 ◎ **条約締結に必要な国会の承認は，事前または事後にする。**
正しい（同73条5号，83条，86条，73条3号）。議院内閣制のポイントは，主権者と内閣との間に直接民意を反映させるパイプがないことである。すなわち，内閣は国会を経由して間接的に国民とつながっている。

4 × **弾劾裁判所に関わることは，主権者に最も近い国会が行う。**
前半の記述は正しい（同6条2項，79条1項）。裁判官訴追委員会の訴追を受け，裁判官を罷免するか否かの弾劾裁判を執り行う**弾劾裁判所**は，両議院の議員で組織され，国会がこれを設けるのであり（同64条参照），内閣は国会に対してその設置を求める権限を持たない。

5 × **大赦や特赦などは内閣の事務。**
前半は正しい（同73条7号）。**大赦，特赦などの決定は内閣に認められた事務**であり，その執行についても国会の承認は必要とされない。

裁判所

必修問題

わが国の司法・裁判制度に関する記述として最も妥当なのはどれか。

【国家総合職・令和5年度】

1 最高裁判所は，法律や国家権力の行使が憲法に合致しているかを審査する権限を持っており，日本国憲法において，**違憲審査権**は最高裁判所以外の裁判所には認められていない。この違憲審査は刑事裁判や民事裁判などの中で行われるとともに，事件発生前に法律の合憲，違憲を判断することもできる。

2 裁判所は，上級裁判所である最高裁判所，中級裁判所である高等裁判所，下級裁判所の地方裁判所などで構成される。その他に，2000年代に司法制度改革の一環として，**特別裁判所**に当たる**知的財産高等裁判所**が全国8か所に設置された。知的財産高等裁判所では，特許権や商標権などの知的財産権に関する訴訟を専門に扱い，5人の裁判官で審理することとされている。

3 最高裁判所は，**長官と14人の裁判官の計15人で構成**される。長官は内閣の指名に基づいて天皇が任命し，長官以外の14人の裁判官は，内閣が任命することとされている。また，最高裁判所は，司法権の独立を確保するために，訴訟手続や裁判所の内部規律に関する事項について規則を制定する権限を有する。

4 裁判の判決に不服がある場合，異なった階級の裁判所で3回まで裁判を受けられる仕組みを**三審制**と呼ぶ。第一審の判決を不服として上訴することを上告，第二審の判決を不服として上訴することを控訴という。また，民事裁判では第二審を飛び越して直接最高裁判所に上訴する制度が存在するが，刑事裁判では，同様の制度は存在しない。

5 **裁判員制度**では，有権者から無作為にくじで選出された4人の裁判員が，一定の要件を満たす刑事裁判について，3人の職業裁判官とともに被告人の有罪無罪を決定することとされている。被告人が有罪となった場合の**量刑について**は，高度な法律知識が必要となるため，裁判員は合議体に加わらず，職業裁判官のみで決定する。

難易度 ＊＊

必修問題の解説

公正・中立が要求される司法権の行使について，基礎的な知識が問われている。

司法権が「人権を守るためのもの」であることから，それぞれの知識を押さえておく必要がある。社会の中での争訟は，人権侵害の結果生まれるものであり，それを判断・救済するのが司法権である。

1 ×　すべての裁判所が違憲審査権をもち，訴訟の中で行使される。
違憲審査権の終審は最高裁判所と規定されており（憲法81条），最高裁判所以外の裁判所にも違憲審査権は認められている。また，日本は**具体的付随的審査制**をとっており，違憲審査は具体的な訴訟の中で行われる。肢のように「事件発生前に」審査されることはない。

2 ×　知財高裁は，東京のみ1か所。原則3名で審理を行う。
知財高裁は特別裁判所ではない（憲法76条2項）。日本の高等裁判所は8か所にあるが，**知的財産高等裁判所は東京に1つ**しかない。日本でも知的財産の活用の進展に伴い，知的財産に関する事件についての裁判の一層の充実及び迅速化を図るため，2005年に知的財産高等裁判所設置法に基づき設置，裁判官18人の他調査官，書記官，事務局職員の51人体制で始まった。原則として裁判官3名の合議体で事件を審理するが，裁判官5名の合議体（大合議体）でも裁判を行うこともある。また，知的財産権関係事件の集中部は，東京地裁，大阪地裁，大阪高裁にも設けられている。

3 ◎　最高裁判所は15名の裁判官で構成され，規則制定権を持つ。
正しい。最高裁判所は，内閣の指名に基づき天皇が任命する長官と，最高裁の指名した名簿の中から内閣が任命する14名の裁判官で構成される（憲法79条1項，80条1項，6条2項，裁判所法5条3項）。また，裁判所の自律性を確保するために，**最高裁判所は規則制定権を持つ**（憲法77条1項）。

4 ×　不服申立は，控訴→上告の順。また，民訴・刑訴で「飛躍上告」がある。
日本では**三審制が**とられ，第一審から第二審を**控訴**，第二審から第三審を**上告**という（民事訴訟法281条，311条，刑事訴訟法372条，405条）。また，民事・刑事訴訟において，当事者は，第一審の判決の法律問題についてのみ不服がある場合などには，直接に上告ができる（飛躍上告/跳躍上告）。

5 ×　日本の裁判員は，裁判官とともに評議・評決まで行う。
日本の**裁判員裁判**は，裁判官3名，裁判員6名の9名の合議体で行われる（裁判員法2条）。また裁判員も裁判官とともに，評議，評決を行い，有罪となった被告人に対する量刑までも行う（同法6条）。

正答 3

FOCUS

裁判員法は，2009年施行。同年8月に東京地裁で最初の公判が行われた。2019年には施行10年目を迎え，同制度の課題などが改めて問われている。

POINT

重要ポイント 1 司法権

司法権＝個別具体的な紛争を，法を適用することで**解決**する国家作用

↓

（法適用による）**人権侵害**の**救済**<人権を保障するためのもの>

↓

公正・中立

※社会秩序の維持，犯罪の連鎖を防ぐ観点➡「自力救済の禁止」

重要ポイント 2 公正・中立のための手段

公正・中立
- **司法権の独立**（最高裁判所と下級裁判所に属する）
- **裁判官の独立**（良心に従い，憲法と法律のみに拘束）
- **裁判官の身分保障**（報酬の保障，原則として罷免されない）
  <罷免される場合：①分限裁判　②弾劾裁判　③国民審査>
- **特別裁判所の禁止**
- **行政機関は終審として裁判を行えない**
- **裁判所の自律**（最高裁判所の規則制定権，下級裁判所の裁判官の指名）
- **三審制**（①→②：控訴，②→③：上告）
- **裁判の公開**（対審：原則公開，判決：絶対公開）

重要ポイント 3 違憲審査権（81条）

違憲審査制はアメリカの制度をとり入れたもの。

目的：憲法の最高法規性（98条）の確保

主体：**すべての**裁判所

対象：**あらゆる**国家行為→憲法に反するものは**どのようなものも**認めない。

※日本における違憲審査制は，**具体的付随的審査制**である。

→違憲判決の効力は個別的効力にとどまる（その法律を改廃するかは立法権の権限）。例：刑法200条［尊属殺人］の違憲判決は1973年，廃止は1995年。

重要ポイント 4 司法権の限界

事件性：具体的な法律関係ないし権利・義務の存否に関する争いであること。
…警察予備隊事件判決
法律の適用により終局的に解決できるものであること。
…創価学会寄付金返還請求事件（前提として宗教判断が必要）

裁量行為：憲法や法律は，法の定める枠内で目的に適合した活動を保障する。
当・不当の問題は生じても，適法・違法の問題は生じない。

統治行為：「高度の政治性」を有する場合には，その判断が可能であっても裁判所はあえて判断をせず，民主的過程による判断にゆだねる。

自律権：団体や機関の内部的意思形成にかかわる議事手続や，内部規律の問題については自律権が尊重される。

部分社会の法理：団体とその構成員との間に「法律上の係争」があるとき，「係争」の原因が団体内部の問題にとどまる場合には裁判所の審査権は及ばず，一般市民社会の問題にまでかかわる場合には審査権が及ぶ。

重要ポイント 5 最高裁判所での違憲判決・決定

違憲判断の方法：①法令違憲：法令の全部または一部について違憲と判断する。
②適用違憲：その事件における法令の適用場面での法令適用行為が違憲であると判断する。

①法令違憲の例

事案・年月	違憲対象	根拠条文	判決要旨	判決後の措置
尊属殺人重罰規定（1973.4）	尊属殺人罪 刑法200条	憲法14条	尊属殺の刑の加重は合憲 普通殺人罪との刑の格差は違憲	1995年の刑法改正で削除
薬局の距離制限規定（1975.4）	薬事法 6条2項	憲法 22条1項	薬局開設の許可制は合憲 その手段としての距離制限は非合理的	国会は同条項を廃止
衆議院の定数配分規定（1976.4/1985.7）	公職選挙法（選挙区と定数配分）	憲法 14条・44条ただし書	72年：最大1：4.99 83年：最大1：4.40は投票価値の平等原則に違反	76年は特になし 86年には定数是正
共有林の分割制限規定（1987.4）	森林法 186条	憲法 29条2項	同規定は合理性に欠け，必要限度を超える	国会は同条を廃止
郵便法事件（2002.9）	郵便法 68条・73条	憲法17条	国家賠償請求責任を免除し，制限する部分は違憲	郵便法改正案が2002年施行
在外邦人選挙権制限（2005.9）	公職選挙法	憲法15 Ⅰ・Ⅲ，43Ⅰ，44条ただし書	在外日本人に対し，国政選挙における選挙権行使の全部又は一部を認めないことは違憲	衆議院・参議院議員選挙で，選挙区選挙でも投票できるように
非嫡出子国籍取得制限（2008.4）	国籍法 3条1項	憲法 14条1項	同条項は国籍取得に関し著しく不合理な差別が生じており，憲法14条1項に違反する	2009年国籍法改正 出生後に日本人に認知されていれば国籍取得可能に
非嫡出子相続分規定（2013.9）	民法900条4号ただし書前段	憲法 14条1項	非嫡出子の相続分を嫡出子の相続分の2分の1とする同条項は違憲	2013.12民法改正で同条項は削除
再婚禁止期間訴訟（2015.12）	民法 733条1項	憲法 14条1項 24条2項	100日を超える再婚禁止期間は，憲法14条1項，24条2項に違反する	2016年民法改正で100日間に短縮
在外邦人審査権制限（2022.5）	最高裁判所裁判官国民審査法 4条	憲法 15条1項，79条 2・3項	在外邦人に最高裁裁判官の国民審査権をまったく認めていないのは違憲	2022年同法改正で在外国民審査が可能となった（2023.2施行）

②適用違憲の例

年月	事案	根拠条文	判決・決定
1972.12	被告人が迅速な裁判を受ける権利を放棄したといえない事情の下で，15年余の公判中断（高田事件）	憲法38条２項	免訴
1997.4	愛媛県知事が，戦没者の遺族の援護行政のために靖国神社及び愛媛県護国神社に対し玉串料を支払う（愛媛県靖国神社玉串料訴訟）	憲法20条３項及び89条	違憲 玉串料を知事が県に返還
2010.1	砂川市が市有地を宗教団体に無償提供（砂川事件・空知太神社事件）	憲法20条３項及び89条	市から賃貸するように変更
2021.2	那覇市が儒教施設の久米至聖廟に，土地を無償提供（孔子廟訴訟）	憲法20条３項	違憲 免除の行政処分を取り消し，公園使用料を請求

重要ポイント６ 裁判所の種類

最高裁判所（１か所〈東京〉）	
構成	長官および14人の最高裁判所判事 最高裁判所長官：内閣の指名に基づき天皇により任命 最高裁判所判事：内閣により任命，天皇の認証
扱う事件	上告および訴訟法で特に定められた抗告についての裁判権 人事官の弾劾に関する裁判につき第一審かつ終審
上告の理由	民事事件および行政事件においては憲法違反または判決に影響を及ぼすことが明らかな法令違反に限定
その他	規則制定権：訴訟に関する手続き，弁護士，裁判所の内部規律および司法事務処理に関する事項について規則を制定 司法行政権：下級裁判所の裁判官に任命されるべき者の指名，裁判官以外の裁判所職員の任命および補職等
下級裁判所	
高等裁判所（全国に８か所〈東京，大阪，名古屋，広島，福岡，仙台，札幌，高松〉と支部［知財高裁を含む］）	
構成	高等裁判所長官および判事・長官は内閣が任命，天皇が認証 裁判では，原則として３人の裁判官からなる合議制
扱う事件	地方裁判所・家庭裁判所の判決または簡易裁判所の刑事の判決に対する控訴，地方裁判所の民事の第二審判決に対する上告および簡易裁判所の民事の判決に対する飛躍上告，地方裁判所または家庭裁判所の決定に対する抗告についての裁判
その他	東京高裁に特別の支部として，平成17年４月に知的財産高等裁判所が新設
地方裁判所（全国に50か所〈北海道４＋各都府県〉と支部）	
構成	裁判では，単独裁判官または３人の裁判官からなる合議体のどちらか *合議体による裁判が必要とされるもの：「合議体で審理および裁判をする」旨を合議体で決定した事件，死刑又は無期もしくは禁固に当たる罪の事件，控訴事件，その他法律によって合議事件と定められたもの
扱う事件	原則的な第一審裁判所であり，他の裁判所が第一審専属管轄権を持つ特別なものを除き，第一審事件のすべての裁判
その他	地方裁判所は，簡易裁判所の民事の判決に対する控訴事件についての裁判

家庭裁判所（地方裁判所とその支部の所在地と同じ所＋出張所）	
目的	家庭の平和を維持し，少年の健全な育成を図る（昭和24年に新たに設けられた）
扱う事件	夫婦関係や親子関係の紛争など家事事件の調停・審判，未成年者等に対する少年事件の審判，少年の福祉を害する成人の刑事事件
特徴	非公開。教育的かつ保護的な措置を施す
簡易裁判所（全国に438か所）	
構成	すべての事件は1人の簡易裁判所判事によって審理・裁判される
扱う事件	民事事件：訴訟の目的となる物の価額が140万円を超えない請求事件 刑事事件：罰金以下の刑に当たる罪および比較的簡単な罪の訴訟の第一審の裁判
特徴	その管轄に属する事件について，罰金以下の刑または3年以下の懲役刑のみ。この制限を超える刑を科するのを相当と認めるときは，事件を地方裁判所に移送。

重要ポイント7 裁判員制度

国民のための司法改革の最も重要な柱である国民の司法参加の実現のための一つの方法として，「広く一般の国民が，裁判官とともに責任を分担しつつ協働し，裁判内容の決定に主体的，実質的に関与することができる」制度。平成16年5月「裁判員の参加する刑事裁判に関する法律」（略称：裁判員法）成立，平成21年5月に実施（第1号の裁判は8月）。国民の刑事裁判への参加により，裁判が身近でわかりやすいものとなり，司法に対する国民の信頼の向上につながることが期待されている。施行5年を経て，2014年には現行制度についての問題点が検討された。

裁判への国民参加の制度（参審制）は，アメリカ，イギリス，フランス，ドイツ，イタリア等でも行われている。

①**裁判員の要件**：衆議院議員の選挙権を有する者。選挙人名簿をもとに，毎年，くじで選定して裁判員候補者名簿を作成。

欠格事由	禁錮以上の刑に処せられた人，心身の故障のため裁判員の職務の遂行に著しい支障がある人等。
就職禁止事由	法律の専門家（裁判官，検察官，弁護士，法律学の教授など）や国会議員，国務大臣，行政機関の幹部等。国民の社会常識を反映させるという裁判員制度の趣旨や三権分立の観点を考慮したもの。
事件に関連する不適格事由	公平な裁判所による裁判を実現するために，事件の当事者や事件自体と関係のある者が裁判員に選ばれることを制限するため，被告人または被害者，その親族などは裁判員になることができない。
辞退事由	70歳以上の人や学生，生徒，会期中の地方公共団体の議員のほか，やむをえない事由（たとえば，重い病気で裁判所に行くことが困難な人や，介護または育児で家を離れられない人など）がある場合。

②**裁判員の職務内容等**：原則として**裁判官3人，裁判員6人の計9人で合議体**を構成し，事件の**評議**，**評決**を行う。

※アメリカの陪審制では，有罪か無罪かを決めるのみで，量刑まで行わない。

対象事件	地方裁判所の事件のうち，死刑または無期の懲役もしくは禁錮に当たる罪に係る事件，裁判所法26条第２項第２号に掲げる事件であって，故意の犯罪行為により被害者を死亡させた罪に係るもの（前号に該当するものを除く）。
裁判員の権限	有罪・無罪の決定および刑の量定に関し，審理および裁判をする。また，審理において，裁判長に告げて，証人を尋問し，被告人の供述を求められる。
裁判員等の秘密漏洩罪	裁判員，補充裁判員またはこれらの職にあった者が評議の経過もしくは各裁判官もしくは各裁判員の意見もしくはその多少の数その他の職務上知りえた秘密を漏らし，または合議体の裁判官および他の裁判員以外の者に対しその担当する事件の事実の認定，刑の量定等に関する意見を述べたときには，懲役または罰金に処せられることがある。

重要ポイント８ 近年の問題

（1）民事訴訟のIT化：民事訴訟法改正2022年５月25日公布

訴訟は人権を守る最終的な手段であるにも関わらず，現行の民事訴訟は当事者にとって不便な手続であり，そのことで利用が敬遠されているともいわれる。そこで，民事訴訟のIT化を推進すべく，それまで実際に裁判所に出向いて行わなければならないとされていた手続がオンラインでできるように改正された。

施行：公布日から起算して４年を超えない範囲内において政令で定める日

例：訴えの提起に必要な訴状の提出や，口頭弁論の実施がオンラインで可能となるなど。

（2）袴田事件再審開始決定：2023年３月13日

これまでの検察の取り調べにおいて，力を使った取り調べなどによる冤罪の可能性の指摘などが「司法制度の可視化」へとつながっている。2023年３月に，57年前の1966年に静岡で起きた一家４人殺害事件で死刑が確定した袴田巖さんについて，東京高等裁判所は再審を認める決定をし，これに対し東京高等検察庁は特別抗告をせず，死刑確定から42年を経て静岡地裁で再審が開始されることになった。

実戦問題

＊＊＊
No.1 わが国の司法制度に関する記述として最も妥当なのはどれか。

【国家専門職・平成27年度】

1 日本国憲法では，司法の公正と民主化を図るため，司法権の独立の原則を確立しており，具体的な規定の一つとして裁判官の身分保障を定めている。すべての裁判官は，弾劾裁判所で罷免の決定を受けたときを除いては，罷免されることはない。

2 裁判は三審制を原則としており，第一審の判決を不服として上訴することを上告，第二審の判決を不服として上訴することを控訴という。国民の権利保障を慎重に行うため，第二審を飛び越して直接最高裁判所に上訴することは認められていない。

3 再審請求は，刑が確定しても判決の基となった事実の認定に合理的な疑いがあるような新たな証拠が発見された場合に，裁判のやり直しを請求できる制度である。無罪判決や死刑判決に対しては，再審請求はできない。

4 刑事事件においては，検察官は公益を代表して裁判所に訴えを起こし，また，裁判の執行を監督する検察権を持っている。検察官のした不起訴処分の当否を審査することなどを行う機関として，検察審査会が設置されている。

5 国民の司法参加を保障するため，殺人など重大な刑事事件の第一審で，有権者から無作為に選出された裁判員が裁判官と共に事実認定を行い，有罪・無罪の判決を下す裁判員制度が実施されている。有罪の場合，量刑の決定は裁判官が行い，裁判員は加わらない。

＊＊＊
No.2 わが国の裁判所に関する記述として，妥当なのはどれか。

【地方上級（特別区）・平成26年度】

1 明治憲法下では，司法権の独立が定められていなかったので，訪日中のロシア皇太子に対して警備の警官が重傷を負わせた大津事件で，担当の判事は内閣の求めに応じ，死刑判決を下した。

2 裁判によって刑が確定したあと，判決の判断材料となった事実の認定に，合理的な疑いがもたれるような証拠が発見された場合には，裁判のやり直しを行う再審制度があるが，再審によって無罪となった事件はない。

3 刑事事件において，裁判所に公訴を提起し，法の正当な適用を求めるのが検察官であるが，検察官の不起訴処分が適正か否かを審査する機関として，検察審査会が設置されている。

4 法律，命令，規則又は処分が憲法に適合しているかどうかを審査する違憲審査権は，最高裁判所だけでなく下級裁判所によっても行使でき，具体的な事件とかかわりなく，抽象的に憲法判断を行うことができる。

5　市民の積極的な司法参加の観点から，司法制度改革審議会の意見に基づき，事実審理を一般市民が行い，法律判断は職業的裁判官が行う参審制度に近い裁判制度が導入された。

*
No.3　**わが国の裁判員制度に関する記述として，妥当なのはどれか。**

【地方上級（東京都）・平成21年度】

1　裁判員は，高等裁判所または地方裁判所で行われる刑事裁判のうち，法定刑が死刑または無期の懲役に当たる罪に係る事件の裁判に限り参加する。

2　裁判員の参加する合議体では，裁判官の員数は２人とされ，裁判員の員数は５人とされている。

3　裁判員は，日本国内に住居を有する者の中から抽選で選ばれることとされ，日本国籍を有する必要はない。

4　裁判員は，有罪・無罪の決定および量刑の判断について，裁判官との合議体の過半数で決し，有罪の決定は，裁判員のみの意見により下される場合がある。

5　裁判員は，守秘義務を負い，これに反した場合，刑事罰として罰金刑や懲役刑が科されることがある。

**
No.4　**わが国の司法制度に関するＡ～Ｄの記述のうち，妥当なものを選んだ組合せはどれか。**

【地方上級（特別区）・令和３年度】

Ａ　2009年に導入された裁判員制度は，重大な刑事事件の第一審において，国民から選ばれた裁判員が，裁判官とともに，有罪・無罪の決定や量刑を行う制度である。

Ｂ　ADRとは，民事上及び刑事上の紛争について，裁判によらない解決をめざし民間機関等の第三者が和解の仲介や仲裁を行う裁判外紛争解決手続のことである。

Ｃ　2008年に導入された被害者参加制度により，一定の重大事件の犯罪被害者や遺族が刑事裁判に出席し，意見を述べることができるようになったが，被告人や証人に質問することはできない。

Ｄ　検察審査会制度とは，国民の中からくじで選ばれた検察審査員が検察官の不起訴処分の適否を審査するものであり，同一の事件で起訴相当と２回議決された場合には，裁判所が指名した弁護士によって，強制的に起訴される。

1　Ａ，Ｂ
2　Ａ，Ｃ
3　Ａ，Ｄ
4　Ｂ，Ｃ
5　Ｂ，Ｄ

実戦問題の解説

No.1 の解説　日本の裁判

→問題はP.103　正答4

1 ×　裁判官の罷免は，弾劾裁判か分限裁判による。
司法権独立の原則から，裁判官の身分保障を定める（地位につき憲法78条，報酬につき79条6項，80条2項）。例外として，裁判官が罷免される場合として，**弾劾裁判**（国会の弾劾裁判所（64条）が行う，裁判官の罷免についての裁判，裁判官弾劾法に規定）のほかに，**分限裁判**（裁判官が心身の故障で職務を執ることができないかの判断をするための裁判（78条）と裁判官の**懲戒**についての裁判，裁判官分限法に規定）がある。

2 ×　第一審→（控訴）→第二審→（上告）→第三審。
日本では**三審制**が原則であり，第一審からの上訴を「**控訴**」，第二審からの上訴を「**上告**」という（裁判所法16条，24条3号参照）。また，一・二審が事実審，第三審が法律審であることから，第一審後に法律問題のみが争われる場合には，民事訴訟・行政訴訟では「飛躍上告」，刑事訴訟では「跳躍上告」が認められる。

3 ×　死刑判決が出た場合には再審請求できるが，無罪判決の場合にはできない。
刑事訴訟は，「真実の発見」を目的とし，一方で当事者の人権に最大限の配慮が要請される。判決が確定したとしても，一定の要件を満たす重大な理由がある場合に，再審理が認められる。無罪判決の場合には，憲法39条の「一事不再理（の原則）」に接触する可能性があるため，再審請求はできない。

4 ◎　検察官の公訴権に対して，起訴／不起訴の当否を検察審査会が審査する。
検察官の職務に関しては，検察庁法4条で規定されている。また，**検察審査会**は，検察審査会法により設置され，検察官が独占する起訴の権限（公訴権）の行使に民意を反映させ，また不当な不起訴処分を抑制するための機関である。

5 ×　裁判員は，事実認定から有罪無罪の決定さらに量刑までを行う。
第1文は正しいが第2文が誤り。国民が司法に参加する形態（参審制）は国によりいろいろだが，日本の**裁判員裁判**では，裁判員が裁判官とともに評議・評決（＝事実認定から有罪・無罪の決定，さらに量刑まで）を行う（裁判員法6条1項66条，67条）。本肢のような有罪・無罪の判断にのみにかかわるのは，アメリカの**陪審制**である。

No.2 の解説　司法制度

→問題はP.103　正答3

1 ×　大津事件では，裁判所は法治遵守主義を貫いた。
1891年の大津事件では，政府は，ロシアの皇太子にも，日本の皇室に対する罪である大逆罪（旧刑法116条）を適用して死刑にすべきであると主張したが，大審院院長の児島惟謙は，政府の圧力に屈さず，法治遵守主義を唱え，通常の殺人未遂による無期徒刑で処断した。

2 ×　日本の司法制度には，再審制度があり，再審無罪になった具体例がある。

本肢は，刑事訴訟に関する再審制度についてである。再審理由を定める刑事訴訟法第435条は，いずれも有罪判決を受けた者の利益になる場合にだけ適用される。免田事件，財田川事件，島田事件，松山事件などでは再審・無罪となっている。袴田事件では再審決定を東京高裁が2018年に覆し，最高裁に特別抗告をしている。

3◎ 検察官の公訴権に対しても，民意の反映を図る制度がある。

正しい。**検察審査会**は，検察審査会法に基づき設置され，検察官が独占する公訴権（起訴の権限）の行使に民意を反映させ，また不当な不起訴処分を抑制するために，無作為に選出された**国民11人によって構成**され，審議を行う機関である。裁判員裁判同様，国民の司法参加と意味を持つ。同法39条の5により，①起訴を相当と認めるときは「起訴を相当とする議決」（起訴相当），②公訴を提起しない処分を不当と認めるときは「公訴を提起しない処分を不当とする議決」（不起訴不当），③公訴を提起しない処分を相当と認めるときは「公訴を提起しない処分を相当とする議決」（不起訴相当）の議決ができる。「不起訴不当」，「起訴相当」議決がされた後で起訴された事件もある。

4× 日本の違憲審査制は，具体的・付随的審査制である。

日本国憲法81条は，憲法の最高法規性（同98条）を守るために，違憲審査権をすべての裁判所に認めている。よって前半は正しい。しかし，**日本では付随的・具体的審査制**が採用されており，実際の事件から離れて憲法判断をすることは認められていない。

5× 裁判員裁判では，裁判員と裁判官が一緒になって評議・評決をする。

裁判員裁判は，2004年に成立，５年後の2009年に施行された「裁判員の参加する刑事裁判に関する法律)」に基づく裁判である。国民の司法参加により市民の日常感覚や常識の裁判への反映，司法に対する国民の理解増進とその信頼向上を図ることを目的とする。賠審制とともに参審制度の１つの形。裁判員裁判は，**原則として裁判員6名，裁判官3名の合議体**で行われる（同法２条２項，３項参照）。このような趣旨から，原則として，裁判員は，**裁判官とともに審理（評議）に参加**して，証拠調べ，有罪か無罪かの判断そして有罪の場合の**量刑の判断（評決）を行う**。

No.3 の解説　日本の裁判員制度

→問題はP.104　**正答5**

1× 裁判員裁判が行われるのは，地方裁判所における刑事裁判のみである（**裁判員法**ー正式名称：裁判員の参加する刑事裁判に関する法律ー２条１項）。また，本肢のような法定刑に限られず，たとえば無期の禁錮に当たる犯罪なども扱うことになっている（同２条１項１号２号）。

2× 原則として，**裁判官が３人，裁判員が６人の計９人**で合議体を構成する（同２条２項本文）。

3 × 選任資格は「衆議院議員の選挙権を有する者」とされるが（同13条），国政選挙の有権者の年齢が18歳以上に引き下げられた時には20歳以上が維持された。2018年に18歳を成年とする改正民法が成立し，2021年には少年法が改正され（適用年齢は20歳未満，18・19歳は「**特定少年**」として重罪については原則として成人並みの処遇を受ける），2022年４月からは裁判員の選任資格も18歳以上となった。

4 × 有罪・無罪の決定および**量刑**の判断については，裁判員と裁判官の合議体で決し（裁判員法６条１項）」，この評決は，「構成裁判官及び裁判員の双方の意見を含む合議体の員数の過半数の意見による」とされており（同67条１項），**評決**には裁判官を少なくとも１人を含む必要がある。

5 ◎ 正しい。裁判員等は**守秘義務**を負い，これに違反すると処罰される。裁判員法108条は秘密漏示罪を規定する。

No.4 の解説　裁判外の紛争解決方法

→問題はP.104　**正答3**

A ○ **裁判員裁判は，選ばれた国民（＝裁判員）が裁判官と一緒に裁判をする。**
正しい。この社会の中で，紛争の解決を図る＝人権を守るための司法を国民の身近におき，司法への信頼を得るために　裁判員制度が導入された。選ばれた国民が裁判員として裁判に参加し，裁判官とともに評議・評決をする制度である。重要ポイント7参照。

B × **ADRの対象は，紛争対象を当事者が処分できる民事事件に限られる。**
ADRとは，裁判を使わない紛争解決手続（＝裁判外紛争解決手続）のことである。この対象は，紛争の解決が当事者の意思によるものに限られるために，民事上の紛争のみが対象となる。特徴は，非公開で行われるためプライバシーが守られること，裁判より手軽に行えることなどがある。

C × **犯罪被害者は，（希望すれば）刑事裁判に関われるようになっている。**
刑事手続では，裁判所の許可を得て被害者参加人として裁判に参加，また，情状に関する事項について直接証人を尋問，意見陳述を行うために必要な場合に被告人に対して直接質問，事実または法律の運用について意見を述べることができるなどが（刑事訴訟法）認められている。

D ○ **検察審査会は，検察官の不起訴処分が妥当かを国民が審査するものである。**
正しい。事件に対する検察官の不起訴処分が妥当だったかを審査する検察審査会は，選挙権を有する国民の中から選ばれた11人の検察審査員で構成され，そこで起訴相当の判断がされた場合には，検察官は再度捜査を行い，改めて起訴・不起訴の判断をする。ここで，再び不起訴処分とされた場合には，検察審査会は再度の審査を行い，改めて起訴相当との判断がされた場合には，地方裁判所が，検察官の職務を行う弁護士を指定し，指定された弁護士が検察官に代わって起訴をして裁判を行うことになる。
よって妥当なものは**A**と**D**であり，正答は**3**である

地方自治

必修問題

わが国の地方自治等に関する記述として最も妥当なのはどれか。

【国家一般職・令和2年度】

1　地方公共団体には，議決機関として議会や教育委員会などの各種の**委員会**が，執行機関として首長が存在している。議会の議員と首長は，住民の直接選挙によって選ばれるが，各種委員会の委員は，二元代表制の原則にのっとって，議員の中から首長が任命することとなっている。

2　**地方公共団体の事務**は，自らが主体的に行う自治事務と，国から委任された機関委任事務に分けられる。近年，国が主体的に行う業務の一部は機関委任事務に移行されており，国道の管理，パスポートの発行，帰化の許可などは，「三位一体の改革」が行われた際に機関委任事務に移行された。

3　地方議会の**議員の任期は4年**であるが，住民による直接請求で有権者の一定数の署名をもって議会の解散を請求することができる。また，議会が首長の不信任案を可決した場合，首長は議会を解散することができる。

4　条例とは，地方議会の議決により成立する地方公共団体の法規であり，国の法律よりも厳しい規制を定める「**上乗せ条例**」の成立には，憲法の規定により，議会の議決に加えて住民投票（レファレンダム）で過半数の同意が必要である。

5　**地方財政の自主財**源には，地方税と地方債がある。しかし，多くの地方公共団体は自主財源だけで歳出を賄うことができないため，地方交付金や国庫支出金なども財源となっている。さらに，財政再生団体となった地方公共団体は，**赤字公債**を発行することができるようになる。

難易度　＊＊

必修問題の解説

国と地方公共団体の関係は「対等」である。一方，その前提として，その自治体の財政が自主財源だけで賄えることが必要だが，ほとんどの自治体では賄うことができずに国からの援助を受けており，「対等」を妨げる結果となっている。

1×　**教育委員会などの委員会は，執行機関である。**

日本の地方公共団体における議決機関は議会であり，首長に加え，政治的中立性や公平性が求められる分野や，慎重な手続きを必要とする特定の分野に限って設置される各種の**委員会が執行機関**である。教育委員会，選挙管理委員会，人事委員会，公安委員会（都道府県のみ）などがある。またその性質から，委員すべてが首長により任命されるわけではない。

2 × **かつての委任事務は，地方分権により廃止された。**
地方分権を進めるために地方分権一括法が制定され（施行は2000年），国と地方公共団体の関係は対等とされた。これにより，従来の「委任事務」は廃止され，地方公共団体の仕事は，**自治事務**と**法定受託事務**の２種類となった。重要ポイント3の「権能」参照。なお，肢の中の「**三位一体の改革**」とは，国から地方への税源移譲，地方交付税の見直し，国庫補助負担金の廃止・縮減の３つを一体として行う改革のこと（2001年から2006年に実施）。

3 ◎ **地方議会は，住民の要求によっても，首長によっても解散させられる。**
正しい。地方自治において尊重すべきはその地方の住民の意思であり，住民の権利として，地方議会の解散権がある。重要ポイント5「直接請求権・住民投票権」参照。また，地方公共団体の首長と地方議会議員は，住民による直接選挙によると憲法で規定され（93条２項），地方議会には首長に対する不信任決議権が，対抗する形で首長には議会の解散権が認められている（地方自治法178条）。

4 × **条例の制定は地方議会が行い，住民投票は不要である。**
地方公共団体には，条例制定権が認められる（憲法94条）。「地方公共団体の個性」にあったきまりが必要な場合があるからである。地方議会により**民主的な手続で制定される**以上は，法律よりも厳しい基準の条例を定めることも原則許され，改めての住民投票は必要ではない。

5 × **ほとんどの地方公共団体は，自主財源だけでは賄えていない。**
令和４年度の地方交付税不交付団体は，73団体（東京都と72市町村）で，ほとんどの自治体は自主財源だけでは支出を賄えない状況にある。自主財源は主に地方税であり，その不足分を賄うのが**地方交付税**や**国庫支出金**，**地方債**などである。財政再生団体とは，かつての財政再建団体に相当するもので，財政健全化法の基準で，自主的な財政健全化が困難である自治体のこと。総務大臣の同意が必要な「財政再生計画」を策定する必要があり，同意を受ければ赤字地方債（再生振替特例債）が発行可能となる。

正答 3

FOCUS

日本国憲法になって初めて認められた地方自治は，「民主主義の学校」ともいわれる。その地方の個性を活かした政治が行われるために，どのような制度が規定されているのかを，確認をしておきたい。

POINT

重要ポイント 1 地方自治の本旨

政治の目的は「個人の尊厳」の保障にある。一方で全国基準である国政を，他方で各地方の個性・特徴を考慮して地方自治を認めることが一層，目的に資する。

憲法92条は「地方公共団体の組織及び運営に関する事項は，地方自治の本旨に基いて，法律でこれを定める」と規定し，地方自治の尊重・制度の確立を明示する。「地方自治の本旨」の内容は，①地方の行政は，地方公共団体の機関が行い，国から独立してなされること（**団体自治**），②地方公共事務は，住民が直接にまたはその代表を通じて行うこと（**住民自治**）の双方を意味すると解される。

それゆえ，天皇主権の下に中央集権であった**大日本帝国憲法下では，地方自治の規定は存在しない**。地方制度は，中央の意思を地方に伝達する機関であった。

重要ポイント 2 地方公共団体の組織

種類：普通地方公共団体→都道府県・市町村

特別地方公共団体→特別区，財産区，地方公共団体の組合

地方議会：一院制，議員は住民の直接選挙で選出，任期は4年，解散あり

執行機関：長＋行政委員会

※両者の関係は，協働が原則であり，議会には不信任決議権，長には拒否権・解散権が認められている。

日本国憲法下の地方自治

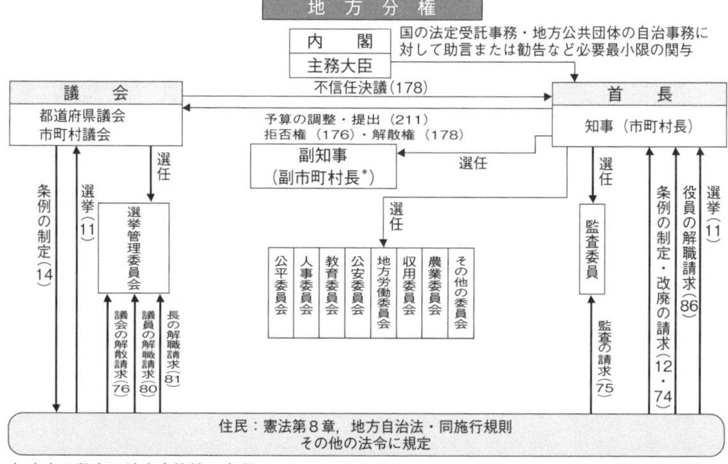

（ ）内の数字は地方自治法の条数

重要ポイント 3 地方公共団体の権能（仕事）

[背景]

1999年に地方分権一括法が成立（施行は2000年）し，2020年までに9次にわたって地方分権一括法が成立している。**国と地方**（都道府県と市町村）**を対等な関係に置**

くことを基礎とし，地域の自主性・自立性を高めるために，国→地方公共団体・都道府県→市町村への事務・権限の移譲／地方公共団体への義務付け・枠付けの緩和等を行った。

［権能］（憲法94条）

①自治行政権：財産の管理，事務の処理・行政の執行

←住民の福祉増進＋最少の経費で最大の効果を挙げる（地方自治法２条14項）。

・**自治事務**（同条８項）：住民基本台帳の整備，公園・病院の設置など

・**法定受託事務**（同条第９項）：

第１号法定受託事務：本来国の役割…戸籍／旅券の発行／国道管理

第２号法定受託事務：本来都道府県の役割

②**条例制定権**：法律の範囲内で制定可能

・ここでの条例には，首長や委員会等が制定する規則まで広く含む

・自治事務のすべてに関して制定可能

・罰則も制定可能…２年以下の懲役・禁錮，100万円以下の罰金など（同法14条３項）。

・住民には条例制定改廃請求権（イニシアチブ）がある←国の法律と異なる

・委任条例…法令の授権に基づいて制定されるもの

重要ポイント 4 地方公共団体の種類（地方自治法1条の3）

・**普通地方公共団体**：都道府県／市町村

・**特別地方公共団体**・**特別区**・地方公共団体の組合（広域連合など）・財産区

※市町村の数：市792，特別区23，町743，村183（2023年7月現在）

重要ポイント 5 直接請求権・住民投票権

直接請求権・住民投票権＝住民の意思の尊重という観点から憲法で認められる。

請求の種類	必要署名数	請求先	取扱い
条例の制定，改廃（イニシアティブ）	有権者の1/50以上	首長	首長が20日以内に議会にかけ結果を公表
首長・議員の解職（リコール）	同1/3以上	選挙管理委員会	住民投票に付し過半数の同意で解職
その他の役員の解職（副知事，副市町村長など）		首長	2/3以上出席の議会にかけその3/4以上の同意で解職
議会の解散	同1/3以上	選挙管理委員会	住民投票に付し過半数の同意で解散
監査	同1/50以上	監査委員	監査し，結果を公表

・**直接請求権**

↕

・**住民投票権（レファレンダム）**：国がある地方にのみ適用される特別法を制定する場合には，住民の過半数の同意が必要（憲法95条）。

実戦問題

No.1 ＊＊ **わが国の地方自治に関する次の記述のうち，妥当なものはどれか。**

【地方上級（全国型）・平成28年度】

1　地方公共団体には，教育委員会や選挙管理委員会などの委員会が置かれているが，これは専門的な分野において，首長の指揮監督の下，政策について首長に助言することを目的とした機関である。

2　直接民主制的制度が設けられており，たとえば，選挙権を有する住民が一定数以上の署名をもって，首長に対して条例の制定を請求したときは，首長はこれを住民投票に付さなければならず，そこで過半数の賛成が得られたときには，当該条例案は条例となる。

3　地方税法には住民税や固定資産税などの税目が挙げられているが，地方公共団体が条例を制定し，地方税法に規定されていない新たな税目を独自に起こすことはできない。

4　地方交付税制度は，地方公共団体間の財政格差の是正を目的としており，財政状況の健全な地方公共団体から徴収された交付税を，財源不足に陥っている地方公共団体に配分している。

5　人口50万人以上の市が政令で指定され，政令指定都市になると，都道府県からその権限を大幅に移譲される。

No.2 ＊＊ **わが国の地方自治に関する記述として最も妥当なのはどれか。**

【国家専門職・平成23年度】

1　日本国憲法は，「地方公共団体の組織及び運営に関する事項は，地方自治の本旨に基いて，法律でこれを定める」としている。ここでいう「地方自治の本旨」とは，国から独立した機関としての地方公共団体が自主的にその地域の政治を行う住民自治と，住民がNPOなどの団体を組織して直接その運営に参加する団体自治を意味している。

2　地方公共団体は条例制定権を持ち，都道府県議会または市町村議会の議決により，法律の範囲内で条例を制定することができる。ただし，条例では違反者に罰金刑を科すことはできるが，懲役刑または禁錮刑を科すことはできない。

3　地方公共団体の事務は，2000年４月に施行されたいわゆる地方分権一括法により，機関委任事務が廃止され，地方公共団体の責任で処理する自治事務と，本来は国の事務であるが地方公共団体に委託して実施する法定受託事務に整理された。自治事務とされたものとしては，都市計画の決定，国道の管理，生活保護の決定などがある。

4　地方公共団体の長（首長）は，地方公共団体を代表し，条例や予算の執行，規則制定，財産管理などの事務の処理を行う。首長は，議会の議決した条例や予算について異義のあるときは，再議に付すことができ，また，議会が首長に対して行った不信任決議に対しては，議会の解散権を持っている。

5 地方の自立を支える財政基盤の構築を目的として行われた2005年のいわゆる三位一体の改革では，国から地方公共団体への財源移譲が行われ，従前は認められていなかった地方債の発行が可能とされたことから，地方公共団体はその義務的経費のほぼ全額を自主財源で賄うことが基本とされた。

***

No.3 地方自治に関する記述として最も妥当なのはどれか。

【国家一般職・平成21年度】

1 地方公共団体の長は，その地方公共団体の住民の直接選挙によって選出することとされているが，条例に特別の定めがあれば，その地方公共団体の議員による選挙によって選出することができる。

2 地方公共団体は，地域における事務に関し条例を制定することができるが，刑罰は必ず法律で定めなければならないことが憲法で定められているため，罰則を条例で定めることはできない。

3 特定の地方公共団体のみに適用される特別法は，その地方公共団体の議会において過半数の同意を得なければ，国会はこれを制定することができないとされている。

4 都道府県及び市町村の事務は，地方自治法上，公共事務，機関委任事務及び行政事務からなる自治事務と，法律によって地方公共団体が受託している法定受託事務に分けられる。

5 都道府県及び市町村の事務の処理に関して国が関与を及ぼす場合には，法律又はこれに基づく政令の根拠が必要である。

＊＊
No.4 **わが国の地方自治に関するA～Dの記述のうち，妥当なものを選んだ組合せはどれか。**

【地方上級（特別区）・平成26年度】

A：住民自治とは，地方自治が国から独立した団体に委ねられ，団体自らの意思と責任の下でなされることをいう。

B：オンブズマン制度とは，政府や公共機関を監視し，これらの機関に対する苦情などを処理する制度である。

C：地方公共団体の事務は，法定受託事務が廃止されたため，固有の事務として独自に処理できる自治事務と，国や都道府県による関与が必要なものとして法令で定められる機関委任事務の２つになった。

D：地方自治法に規定する特別地方公共団体には，特別区，地方公共団体の組合および財産区の3種類がある。

1 A B
2 A C
3 A D
4 B C
5 B D

＊＊
No.5 **わが国の地方自治に関する記述として，妥当なのはどれか。**

【地方上級（特別区）・令和５年度】

1 地方自治法は，都道府県を普通地方公共団体と定め，特別区および市町村を特別地方公共団体と定めている。

2 地方公共団体の事務には，自治事務と法定受託事務があり，旅券の交付や戸籍事務，病院・薬局の開設許可などが法定受託事務に該当する。

3 地方交付税交付金とは，地方公共団体間の財政格差を是正するために，国が使途を指定して交付する補助金である。

4 地方公共団体の議会は首長の不信任決議権を持ち，首長は議会の解散権を持つが，首長は議会の議決に対して拒否権を行使することはできない。

5 行政機関を監視し，住民からの苦情申立てを処理するためのオンブズパーソン制度が一部の地方公共団体で導入されている。

実戦問題の解説

No.1 の解説　地方自治　→問題はP.112　正答5

1 ×　いわゆる行政委員会は，政治的な中立性・独立性が維持されている。
行政委員会は，教育や選挙事務など，一般の行政組織の体系からある程度独立して特定の行政権を行使する，合議制の意思決定機関（地方自治法138条の4第3項）。よって首長の指揮監督を受けない。政策について助言をするのは審議会であり，その意見（答申）に法的拘束力を持たない**諮問機関**と持つ**参与機関**に分類される。

2 ×　イニシアティブの場合には，議会にかけて条例にするか判断する。
地方自治においては，国政と異なり，住民の直接民主的制度が導入されている。**条例の制定改廃請求**（イニシアティブ）も認められているが，その手続は，有権者の50分の1以上の連署でもって首長に請求し，それから20日以内に議会にかけ，そこで可決されれば条例は制定される。本肢のように住民投票を実施する必要はない。

3 ×　条例を定めれば，地方公共団体は独自に課税可能。
日本国憲法下では，**国政と地方自治の2本立て**を前提とし，地方の個性を尊重する（地方自治の本旨，憲法92条）。そして地方公共団体に，法律の範囲内での**条例制定権**を求めている（94条）。これを受けて，地方税法において，地方団体に課税権を認め（2条），条例により「その地方税の税目」を定めることができる（3条）。

4 ×　地方交付税交付金の原資は，国税の中の一定税目の一定割合である。
地方交付税の目的は，国が地方行政の計画的な運営を保障することにある。よって，その原資は**国税**（所得税・法人税の33.1%，酒税の50%，消費税の19.5%，地方法人税の全額）である。令和4年度での普通交付税不交付団体は，都道府県分では東京都のみ，市町村分では72市町村のみである。

5 ◎　政令指定都市になると，都道府県からの独立性が高まる。
正しい。いわゆる大都市で，政令で指定する法定人口50万以上の市を「**政令指定都市**」といい，地方自治法252条の19以下に定められた日本の都市制度の一つである。基本的に都道府県が行う事務のほとんどを独自に扱え，都道府県と同格とされる条例で，区を設けるものとされる。2023年現在，京都，大阪，名古屋，神戸，横浜など**全国に20市存在**する。

No.2 の解説　地方自治　→問題はP.112　正答4

1 ×　妥当でない。日本国憲法第8章は地方自治に関する規定であり，**日本国憲法で新設**されたものである。92条は地方自治の基本原則が「**地方自治の本旨**」であることを述べている。具体的には，「地方自治の本旨」とは，「地方自治の本来のあり方」のこととされ，①**団体自治**：国から独立した地方自治体を認め，その自治体の自らの権限と責任において地域の行政を処理するという原則と，②**住民自治**：地方における行政を行う場合にその自治体の住民の意思と責任に基づいて行政を行うという原則のことをさす。

2 ×　妥当でない。地方自治法14条3項では，**条例に罰則の規定を設けることを認めている**。実際にも青少年保護条例など罰則のついた条例が存在する。法律ではない条例で刑罰が科せられる根拠であるが，条例は，公選の議員で構成される地方議会の議決で制定される自治立法であり法律に類するものであるからである。この場合，「個別的な委任」ではなく，「相当程度に具体的な委任」があれば足りるとされる（徳島市公安条例事件，最判昭50・9・10，最判昭37・5・30参照）。

3 ×　妥当でない。本肢で挙がっている例は，国が本来果たすべき役割に係る事務であって，国においてその適正な処理を特に確保する必要がある「**法定受託事務**」である。ほかにも，国政選挙，旅券の交付，国の指定統計，戸籍事務等がある。一方，**自治事務**の例としては，介護保険サービス，国民健康保険の給付，各種福祉・サービス，各種助成金等（乳幼児医療費補助等）の交付，公共施設の管理等がある。

4 ◎　最も妥当である（地方自治法176条，178条）。

5 ×　妥当でない。日本において国と地方公共団体に関する行財政システムに関する，「国庫補助負担金の廃止・縮減」「税財源の移譲」「地方交付税の一体的な見直し」の3つの改革を「**三位一体の改革**」という。本肢にある「**地方債**」とは，地方公共団体が財政上必要とする資金を外部から調達することによって負担する債務で，その履行が一会計年度を超えて行われるものをいう。地方債の発行は，その必要性から，地方財政法で，従来から認められている。

No.3 の解説 地方自治

→問題はP.113 正答5

1 ×　地方公共団体の長は，住民の直接選挙で選出（憲法93条）

日本国憲法93条２項は「地方公共団体の長，その議会の議員及び法律の定めるその他の吏員は，その地方公共団体の住民が，直接これを選挙する」と規定する。憲法は最高法規であり，憲法の内容を**下位規範である条例**で変更することは法秩序の観点から認められない。

2 ×　条例でも，罰則を設けることができる。

人権を制約する性質を持つ**罰則**を条例で定めることができるかについては，地方自治法14条３項が認めている。また，条例は住民の代表たる議員で構成される地方議会で制定されることから，民主的基盤を欠くことはなく法律の制定と同視できることから，憲法上の問題もないと解されている。

3 ×　特別法の制定には，住民投票での過半数の同意が必要。

特別法の制定手続に地方議会の関与は必要とされていない（日本国憲法95条参照）。

4 ×　現在は，自治事務と法定受託事務とに分類される。

それまでの国と地方との関係を改めようとして2000年４月１日に**地方分権一括法**（の大半）が施行され，地方自治法改正が行われた。これに伴い，それまでの委任事務（機関委任事務と団体委任事務）と公共事務という区分は廃止され，新たに**自治事務**と**法定受託事務**という区分となった。

5 ◎　国と地方との関係は「対等」が原則である。

正しい。地方分権を推進していくスタンスから，自治体の事務への関与は最小限でなければならず，委任に際しては法律などの根拠を必要とする。

No.4 の解説 地方自治

→問題はP.114 正答5

A ×　地方自治の本旨は，住民自治と団体自治。

住民自治とは，地方公共事務が住民が直接にまたはその代表を通じて行うことを意味し，本肢は**団体自治**の説明になっている。

B ○　オンブズマンは，行政（機関）への国民の苦情申し立てを審査する。

正しい。オンブズマンとは苦情調査官を意味し，役所や公務員の違法行為を見張り，行政に関する苦情を調査・処理したり，それを監視したりする制度を**オンブズマン制度**という。※ジェンダーの観点から「**オンブスパーソン**」ということもある。

C ×　現在の地方と国の関係は「対等」が原則。

国と地方公共団体との関係は，従来「地方は国の出先機関」とみられてきたが，地方分権が進み，現在はその関係は原則，対等なものとなっている。よって，地方公共団体の事務も，それまでのような**機関委任事務が廃止**され，本来地方公共団体が果たすべき「**自治事務**」とそれ以外の事務で法律またはこれに基づく政令に特に定められた「**法定受託事務**」がある（法定受託事務については，地方自治法２条９項参照）。

D ○ 特別地方公共団体には，東京23区などがある。

正しい。特別地方公共団体は，普通地方公共団体に比し，その組織，権能，事務などにおいて特別の性格を持つものである（主として地方自治法第３編）。特別区（東京23区）および地方公共団体の組合，財産区が含まれる。

よって妥当なのは**B**と**D**なので正答は**5**となる。

No.5 の解説　地方自治

→問題はP.114　**正答5**

1 × 都道府県と市町村は普通地方公共団体である。

普通地方公共団体とは，その組織，事務，権能等が一般的，普遍的なもの。都道府県や市町村が含まれる。**特別地方公共団体**とは，その組織，権能，事務などにおいて特別の性格をもつもの。大都市の一体性および統一性の確保の観点から導入されている「特別区」や特定の目的のために設置される「地方公共団体の組合」・「財産区」がある。※「地方開発事業団」は廃止されている（地方自治法１条３項，８条，252条19項，252条22項）。

2 × 病院や薬局の開設許可は，自治事務である。

地方公共団体の処理する事務には，**法定受託事務**と**自治事務**とがある。前者は，国（都道府県）が本来果たすべき役割に係る事務であって，国（都道府県）においてその適正な処理を特に確保する必要があるもので，法律・政令により事務処理が義務付けられているものとしては，国政選挙，旅券の交付，国の指定統計，国道の管理，戸籍事務，生活保護がある。後者は，地方公共団体の事務のうち，法定受託事務を除いたものであり，その範囲は多岐にわたり，小中学校の設置管理，介護保険の介護給付，住民基本台帳事務，飲食店営業の許可，病院・薬局の開設許可，都市計画の策定等がある。

3 × 地方交付税交付金は，使途を指定しないで配分する。

地方交付税交付金は，個々の地方公共団体の財政力により，公的サービス（教育・警察・消防・環境衛生・生活保護など）に格差が生じないように，国が地方公共団体の財政力を調整するために支出するもの。使途は決まっておらず，各地方に応じた利用ができる。義務教育費等と使途を指定して，国から支給されるものは「**国庫支出金**」である。

4 × 首長には，拒否権(再議権)が認められている。

首長は地方議会と対等の立場にあり，各種権限が認められている。首長には，議決に対して異議があるとき，議会の議決が権限を超えている，法令違反等があると認めたときに，議会の議決に対して**再議権（拒否権）を持つ**（地方自治法176，177条）。また，地方議会は首長に対する不信任を決議でき，首長はこの不信任決議に対し，議会を解散させることができる(同法178条)。

5◎ **オンブズパーソン制度は，住民本位の地方行政のためのものである。**
正しい。**オンブズパーソン制度**は，公権力の濫用から住民の権利や利益を擁護するため，議会等から任命された者が，行政の監視，公務員の活動に対する住民の苦情処理などにあたり，住民の意向が的確に反映された住民本位の行政運営に役立てることを目的とした制度。行政以外にも新聞・消費生活の分野でも採用されてきている。スウェーデン語の「代弁者」に由来，「行政監督専門員」と訳される。オンブズマン，オンブズともいう。全国市民オンブズマン連絡会議によれば，2023年現在，全国に65団体がある。

第3章 政治学

試験別出題傾向と対策

頻出度	試験名	国家総合職					国家一般職					国家専門職（国税専門官）				
	年度	21-23	24-26	27-29	30-2	3-5	21-23	24-26	27-29	30-2	3-5	21-23	24-26	27-29	30-2	3-5
	テーマ　出題数	2	2	0	2	0	1	3	1	2	2	3	2	1	0	0
C	10 選　挙		1					1	1		1		1	1		
A	11 行政に関する諸問題	2	1		2		1	2		2	1	3	1			

本章では，国民主権を支える選挙制度とその他の行政に関する諸問題を扱う。試験での「政治」分野では，憲法に次ぐ重要分野といえる。民主主義がとられる日本においては，主権は国民にあり，代表民主制（間接民主制）がとられている。民意を政治に生かす多様な手段が講じられる中で，最も身近であり，重要な意味を持つものが選挙であるといってよい。諸問題・諸施策を，政治への民意の反映，あるいは政治の民主的コントロールなどの観点から問題を考えてほしい。主権者は国民なのであり，政治が一人歩きをしてはならないのである。最近の行政国家化に対する問題や公務員についての問題など大きな視点に立つものから身近な問題までテーマとなっており，現在の政治を題材とする出題が多いのが特徴といえる。出題形式は，正誤問題と組合せ問題が多い。国内外で大きな選挙があった年の前後には，特に準備を必要とする。

試験の出題数の減少から，このテーマからの出題も減ってはいるが，上述の選挙の意義を考えたとき，どの試験でも出題される可能性があるといえる。国政選挙のたびに問題となる「1票の格差」の問題，それを補うべくなされた「合区」の問題，ネット社会を反映しての選挙運動のやり方の拡大（WEB使用，電子メールなど），選挙年齢の引下げなど，新しい知識を常に取り入れていく必要があるテーマである。

また，選挙以外でも，労働（雇用，外国人労働者，女性の活躍などについて），環境（受動喫煙，フードロス対策，パワハラ／セクハラ対策など），教育（高等教育支援）など，対策を講じたものもあれば，これからのものもあり，いろいろな方面にアンテナを張っておく必要がある。

● 国家総合職

選挙制度，代表民主制などに関する出題が以前は散見された。基礎的な知識に関しては正確な理解が必要である。出題される場合は，他の分野との，あるいは時事問題との融合問題といえる形式をとるものが多く，難易度はやや高い。

地方上級（全国型）					地方上級（東京都）					地方上級（特別区）					市役所（C日程）					
21-23	24-26	27-29	30-2	3-5	21-23	24-26	27-29	30-2	3-5	21-23	24-26	27-29	30-2	3-5	21-23	24-26	27-29	30-2	3-4	
2	5	3	2	2	1	3	2	1	1	2	5	1	3	0	1	2	1	2	0	
1	2	2	1	2		1	2	1	1	1		1	1				1			テーマ10
1	3	1	1		1	2				1	5		2		1	2		2		テーマ11

● 国家一般職

毎年ではないが，政治学からの出題がある。傾向としては，日本の議院内閣制とアメリカの大統領制との比較のような横断的な知識を必要とする問題が多い。

● 国家専門職（国税専門官）

直近のこのテーマからの出題はない。しかし，近時の社会動向からも，政治分野について軽視することはできず，準備は必要である。新しい制度の内容や目的，その趣旨などを確実に理解しておくこと。

● 地方上級

全国型では，時事性の強い出題が見られる。知識に偏ることなく，日頃から行政に関する関心を持ち，現在（背景，対策）を意識しておく必要がある。

東京都では，この章に関する出題はそのほとんどが基礎的な知識確認問題であり，難易度はそれほど高くはない。それゆえ，確かな知識が要求されるといえる。

特別区では，選挙制度に関する出題，国内政治に関する出題が散見されたが，いずれも基礎的な問題であり，着実な学習をしていれば十分に対応できると思われる。

● 市役所

行政に関する全般的な問題が出される場合がある。公務員として行政に携わる関係上，現在の行政上の問題点などは押さえておきたい。公務員を志望する受験生の必須の知識であるともいえる。「現在」を意識しながら，勉強していくとよい。

選　挙

必修問題

わが国の選挙制度に関する次の記述のうち，妥当なものはどれか。

【地方上級（全国型）・令和３年度】

1　衆議院議員選挙における**比例代表選挙**は，全国１区で実施され，投票者は個人名または政党名を記入して投票することになっている。

2　参議院議員選挙では，東北，北陸，中国，四国，九州の５地方に，２県による**合同選挙区**が存在している。

3　地方公共団体の議会議員の選挙では，地方公共団体を複数の選挙区に分割し，１つの選挙区から１人の議員を選出することになっている。

4　地方公共団体の**首長の多選**は，法律では規制されていないが，首長の多選制限に関する条例を定めている地方公共団体がある。

5　SNSにおいて候補者や政党に対する誹謗中傷が激化し，選挙の公平性が損なわれるおそれがあることから，**インターネットを用いた選挙運動**は禁止されている。

難易度　＊＊

必修問題の解説

衆議院総選挙・参議院通常選挙・地方公共団体における選挙について最新のデータを確認しておく必要がある。選挙制度は一長一短であり，少しでもいい方向へと変化しようとしている。最新の情報を常に頭に入れておく必要があるし，その根底で選挙の意義を忘れてはならない。

1×　**衆議院の比例代表＝拘束名簿式＝政党名を投票。**

衆議院議員選挙における比例代表選挙は，**拘束名簿式比例代表制**を採用しており，全国を11のブロックに分けて行われる。有権者は政党を選び，政党名を記入して投票する。肢は非拘束名簿式比例代表制を採用している参議院議員選挙についてのものである。

2×　**合同選挙区（＝合区）は「鳥取県と島根県」，「徳島県と高知県」の２区。**

参議院議員選挙での「選挙区」はこれまで，都道府県を一つの単位として実施されてきたが，一票の格差を是正するため，2015年公職選挙法が改正され，翌年の選挙から「鳥取県と島根県」，「徳島県と高知県」がそれぞれ一つの選挙区となる**合同選挙区**（いわゆる**合区**）が導入された。なお，国政選挙で「合区」を採用した事例は世界的にも日本以外にない。そして合区の下でも，それぞれの自治体から代表者を出すことができるようにするため，2019

年の参議院議員選挙から比例区で政党等の判断で**拘束名簿式の「特定枠」**として設定することが可能となった。これにより，比例区では拘束名簿式と非拘束名簿式の両方が混在する形となっている。

3 × **選挙区に分けても定員が複数のところもある。**
その地方の住民の意思を反映させるにふさわしい選挙の形態がとられており，地方公共団体の規模により，全体を１区とするか，選挙区に分けるかとなる（たとえば，都道府県の議会の議員の選挙区については公職選挙法15条参照）。複数の選挙区に分けた場合でも，定数が複数となる場合もある（例：都議会議員「板橋区選挙区」の定数は５人）。

4 ◎ **多選禁止条例では，「職業選択の自由」が問題となる。**
正しい。首長の**多選禁止条例**は，職業選択の自由をはじめとする基本的人権の制約となるおそれがあるために，制定した自治体は神奈川県のみであり（「恒久的に連続３期12年までとする」という内容），多選禁止を努力規定にとどめた「多選自粛条例」については一部の自治体が制定している。

5 × **候補者・政党と有権者を近づける方法としてインターネットが利用されている。**
選挙運動期間における候補者に関する情報の充実，有権者の政治参加促進等を図るため，平成25年に公職選挙法が改正された。候補者・政党等は，ウェブサイト等および電子メールを，有権者は，ウェブサイト等を利用した選挙運動が可能になった。ただし，有権者の**電子メールを利用した選挙運動は禁止**されている。この利点は，①画像・音声などがつけられ，更新も容易で速報性がある，有権者は，候補者・政党についての判断をよりよく行うことができる，②資金力を問わず容易に選挙運動を展開できる，③他のメディアを媒介せずに有権者に十分に情報提供でき，双方向性があるので，有権者の生の意見を聞くことができる，④特定の時間帯，場所に拘束されることなく，候補者・政党は選挙運動を展開でき，有権者も時間をかけて検討を行うことが可能となる等である。一方問題点は，①デジタル・デバイド（インターネットの利用度習熟度により生じる情報格差），②候補者等に対する誹謗中傷や，「なりすまし」の可能性，③望まない有権者には迷惑メールとなること等がある。一長一短であることを確認する必要がある。

正答 4

FOCUS

日本では衆議院と参議院とで選挙方法が異なる。定数や選挙方法などの変更の経緯を含めて押さえておく必要がある。「1票の格差」「選挙区・定数」については最新の裁判・法令でのアップデートも必要である。

POINT

重要ポイント 1 選挙の５原則

選挙は，国民主権・代表民主制の下で，民意を政治に反映させるための国民にとって最も身近なかつ重要な手段である。

選挙権・被選挙権＝憲法15条により保障される，「国民固有の権利」である。

（1）**普通選挙**：一定の年齢に達したすべての国民が選挙権を持つ。

（2）**平等選挙**：個人は平等であるのだから，１票の価値はすべて等しい。１人１票が保障される。

（3）**秘密選挙**：投票の自由を保障。無記名投票。

（4）**直接選挙**：選挙人自らが候補者に投票する。代理投票は原則禁止。

（5）**自由選挙**：自由に候補者を選択できる。強制を受けない。

このうち憲法上，**（1）**～**（3）**についてはすべての選挙で，**（4）**については**地方選挙についてのみ規定がある**（憲93条２項）。

現在のように，一定年齢に達しさえすれば男女を問わず選挙権が与えられる（普通選挙）のとは違い，旧憲法時代には，選挙権を男子に限定し，納付している税の額などで制限をしていた（制限選挙）。

重要ポイント 2 選挙制度

選挙制度にはそれぞれ一長一短があり，これといった絶対のものはない。

選挙区制	選出方法	長　所	短　所
小選挙区	狭い選挙区から１名の当選者	①候補者と選挙民の関係が密接 ②政局が安定しやすい ③選挙費用がかからない	①地方的小人物が出やすい ②死票が多い ③買収などが起きやすい ④ゲリマンダー*の危険性が高い ⑤選挙民の選択の幅が狭い
大選挙区	広い選挙区から複数の当選者	①死票が少ない ②少数派にも有利 ←人物選択の範囲が広い（多様な民意の反映） ③選挙干渉，買収などが減少	①選挙費用がかさむ ②小党分立になりやすい ③同一政党の候補者の同士討ちを招きやすい ④小選挙区に比べると，候補者と選挙民の関係が希薄
比例代表制	得票数により議席を比例配分	①各党に公平 →死票が少ない	①小党分立 →政局不安定になりやすい ②個人を選択できない ←党の決定した名簿に従う（拘束名簿式） ③政党を前提とした選挙になる

※ゲリマンダー：特定の政党候補者に有利なように選挙区の区割りをすること。

重要ポイント3 議員定数の不均衡

国民は平等であり，そこから投票価値の平等が導かれる（原則は1：1）。

国が人口の移動・変化に対して改善せず→定数と有権者との比率について選挙区により格差が生じている（国勢調査結果により是正してきたが追いつかない）。

最高裁判所の判断基準（現行の制度下になってからの違憲判決はまだない）：

衆議院については以前の中選挙区制の下で，4倍を超えると違憲，3.94倍・3.18倍で違憲状態（ただし，事情判決＝選挙を無効としない），現行の制度下では2.30倍（2009年衆院選）を違憲状態と判断。参議院では，1：3.00の格差につき違憲状態を合憲とする下級裁判決がでている。

重要ポイント4 有権者年齢の引き下げ

2015年の公職選挙法改正で，選挙権年齢が**20歳以上から18歳以上に引き下げ**られ，2016年7月の参議院選挙から適用された。若い世代の政治への関心を高めることが目的の一つ。**知事選や市区町村長選など地方選挙も18歳から**投票できる。

各国下院の選挙権年齢調査（国立国会図書館2020年6月時点）では，各国下院（日本での衆議院）の選挙権年齢は，調査対象の187か国・地域の9割近くで18歳となっている（国立国会図書館2020年）。より若い16歳以上に設定している国もあった。被選挙権年齢についても同様で，若者の政治参画を促す方向に制度変更する傾向がある。

選挙権年齢の引き下げに伴い，18～19歳の選挙運動も可能となり，買収など連座制の対象になるような重大な選挙違反を犯した場合，少年法の特例として原則として成人と同様の刑事処分が科される。

重要ポイント5 政党

国民の多様な意見や利害を統合・調整することで，政策実現・**政権獲得**をめざす。

	長所	短所
2大政党制 アメリカ［共和党・民主党］ イギリス［保守党・労働党］	①政局安定 →強力な政治可能 ②有権者の選択容易	①多様な意見の反映不可 ②極端に異なる政策が出にくい →政策は似る傾向 ③政権交代で，一貫性喪失
多党制 フランス ドイツ イタリア 日本　など	①多様な民意の反映可能 ②連立政権により，政策の弾力化と腐敗の防止可能	①連立政権にならざるをえず政局不安定 ②強力な政策の実行不可能 ③政治責任の所在不明確 ←国民の政治批判困難
一党制 旧ソ連 中国　など	①政局安定し，長期化 ②強力な政治の実現 ③政策の連続性	①少数幹部による独裁のおそれ ②政策が固定化，世論無視 ③官僚主義化，腐敗の発生

実戦問題

No.1 ＊＊ **わが国の選挙制度に関する記述として最も妥当なのはどれか。**

【国家一般職・平成28年度】

1 衆議院議員総選挙は，４年ごとに実施され，小選挙区選挙と拘束名簿式比例代表制による。選挙区間の議員１人当たり有権者数に格差があると一票の価値が不平等になるという問題があり，近年の選挙においては，参議院よりも衆議院で一票の最大格差が大きくなっている。

2 参議院議員通常選挙は，３年ごとに実施され，議員の半数が改選される。参議院の選挙制度は，選挙区選挙と非拘束名簿式比例代表制となっており，選挙区選出議員の定数の方が比例代表選出議員の定数よりも多い。

3 期日前投票制度とは，選挙期間中に名簿登録地以外の市区町村に滞在していて投票できない人が，定められた投票所以外の場所や郵便などで，選挙期日前に投票することができる制度である。選挙期日に仕事や旅行などの用務がある場合や，仕事や留学などで海外に住んでいる場合などに利用することができる。

4 従来，国政選挙の選挙権を有する者を衆・参両議院議員選挙は20歳以上，被選挙権を有する者を衆議院議員選挙は25歳以上，参議院議員選挙は30歳以上としていた。平成25年の公職選挙法の改正により，衆・参両議院議員選挙において，選挙権を有する者を18歳以上，被選挙権を有する者を25歳以上とすることが定められた。

5 公職選挙法では，選挙運動期間以前の事前運動や戸別訪問を禁止するなど，選挙運動の制限が規定されている。平成25年の同法の改正により，電子メールによる選挙運動用文書図画の送信については，候補者や政党に加えて，一般有権者にも認められるようになった。

No.2 ＊ **近代選挙の基本原則に関する次の記述のうち，妥当なのはどれか。**

【国税専門官・平成６年度】

1 直接選挙とは，有権者が直接候補者に投票する制度をいうが，わが国ではこの直接選挙制のほかに，有権者が投票により中間選挙人を選出する間接選挙制も，一部導入されている。

2 普通選挙とは，財産，身分，教育，性別などを選挙権の要件としない選挙をいうが，反対にこういった個人の属性を要件とする選挙を特別選挙という。

3 秘密選挙とは，有権者がだれに投票したかを秘密にする選挙をいうが，わが国においては有権者が自発的に投票用紙に署名をして，だれに投票したかを明らかにすることは認められている。

4 自由選挙とは，選挙権の行使が強制によらないことをいうが，これには投票を強制によって妨げられないことのほかに，投票を強制されないことも含まれる。

5 平等選挙とは，有権者の投票権に差別を設けず，１人１票制を原則とする選挙をいうが，１票の価値の平等までは要請されていないとするのが今日の通説的見解である。

＊
No.3 **わが国における政治活動と選挙に関する次の記述のうち，妥当なものはどれか。** 【地方上級（全国型）・令和４年度】

1 政治活動の自由は基本的人権の一つであるが，公務員は政治的中立性が求められる立場であるため，公務員の政治活動は制限されている。

2 自然人とは異なり，法人は利潤の追求のみを目的としているため，法人による特定の政治家や政党への献金は認められていない。

3 選挙区の区割りや投票方法の変更は，高度に政治的中立性を要求される問題であるため，最高裁判所に最終的な判断が委ねられている。

4 選挙運動では，候補者と有権者の間で直接的に対話がなされることが重要であるため，最高裁判所は戸別訪問の禁止を憲法違反とした。

5 憲法改正の是非に関する国民投票の際，インターネットによる広告は，資金力のある団体に有利に働くため，選挙時よりも厳しく規制される。

＊＊
No.4 **選挙制度にはさまざまなものがあり，どのような制度を採用するかによってその選挙結果も変化してくるものであるが，選挙制度に関する記述として妥当なのはどれか。** 【国家総合職・平成９年度】

1 大選挙区制は，１選挙区から複数の議員を選出する選挙制度である。死票が減少すること，選挙民の候補者の選択の幅が広くなることなどの長所がある一方で，同一政党内での公認争いが生じること，候補者や議員と選挙民との関係が希薄化することなどの短所が指摘されている。一般に大政党に有利といわれており，アメリカ合衆国やイギリスで導入されている。

2 中選挙区制は，１選挙区から２人ないし５人程度の議員を選出する選挙制度であり，選挙費用が縮減できる，候補者をよく知ったうえで投票できるなどの長所がある一方で，大政党の候補者間の同士討ちを招く，派閥の温存強化につながるなどの弊害も指摘されており，細川連立政権の際に見直しが図られたが，定数是正にとどまり選挙制度改革にまでは至らなかった。

3 比例代表制は，各政党に対し得票率に比例した議席を配分する制度であり，社会の各集団の意思をほぼ正確に議会に反映する，死票を最小限に抑えることができるなどの長所がある一方で，新党の出現を難しくするなどの欠点がある。

4 小選挙区制は，１選挙区の定員を１名とし，その選挙区内で多数者の支持を得た者を当選者とする制度であり，同一政党内における同士討ちの弊害が少なくなるなどの長所がある反面，大量の死票が出るなどの欠点も指摘されている。

5 細川連立政権において衆議院に導入された選挙制度は，小選挙区比例代表並立制と呼ばれ，ドイツで採用されているものと同じ制度である。この制度においては，有権者は２票を投じ，それぞれ候補者個人と政党を選ぶ。その選挙結果は，比例代表制だけによる場合とほぼ一致するといわれている。

実戦問題の解説

No.1 の解説　日本の選挙制度　→問題はP.126　正答2

1 ×　参議院の方が衆議院よりも「一票の格差」は大きい。

衆議院議員総選挙に関して第1文は正しい。現在，両院議員の選挙では異なる選挙方法がとられている。国政選挙のたびに問題となり，訴訟が起こされている。両院の意義，また，選挙において民意をいかに反映させるかという点で，絶え間ない人口変動を背景に選挙制度改革が模索されている。2016年の参議院選挙では，「**合区**」が導入されている。

2 ◎　参議院議員選挙では，選挙区146名，比例代表96名。

正しい。第1文につき，憲法46条。参議院議員選挙の選挙制度は，選挙区選挙と非拘束名簿式比例代表制とが併用されており，それぞれの定数は146名と96名となっている。

3 ×　期日前投票でも，有権者が直接投票をする。

国民の権利としての参政権を行使しやすくするために，①選挙期日前であっても，選挙期日と同じく投票を行うことができる「**期日前投票**」(＝各市区町村に一か所以上設けられる期日前投票所で投票用紙を直接投票箱に入れる)，②国外に居住する日本人が，在外公館投票か郵便投票の方法で投票する「**在外選挙**」がある。

4 ×　公職選挙法が改正され，有権者についてのみ満20歳以上が18歳以上に。

第1文は正しい。確かに，2015年成立（2016年6月19日施行）の**改正公職選挙法**で，年齢満18年以上からを有権者としたが，被選挙人の年齢に関しては変更されなかった。

5 ×　メールで選挙運動用文書図画を頒布できるのは，候補者・政党等のみ。

インターネットの利用が急速に拡大したことを受けて，2013年の公職選挙法改正では，①何人も，ウェブサイト等での選挙運動が可能に（142条の3第1項），②電子メールでの選挙運動用文書図画については，候補者・政党等のみが頒布可能になった（142条の4第1項）。

No.2 の解説　近代選挙の基本原則　→問題はP.126　正答4

1 ×　日本では間接選挙は採用されていない。

日本では，国会議員・地方議会議員選挙ともに**間接選挙制**は採用していない。間接選挙を採用しているものでは，国民から大統領選挙人を選出し，その選挙人によって大統領を選出するアメリカ大統領選挙が知られている。

2 ×　選挙人資格に条件のある選挙は制限選挙。

普通選挙の対義語は，選挙人の資格を制限する**制限選挙**である。選挙権の重要性に鑑み，国民主権の広まりとともに選挙権は拡大した。日本でも，旧憲法下において衆議院議員選挙でとられていた。

3 ×　日本では，憲法で無記名投票が決められている。

秘密選挙は憲法15条４項で保障されており，有権者が投票用紙に署名したような場合や候補者以外の記入をしたような場合にはその投票は無効となる。

4 ◎ 投票しないのも自由選挙の一内容。

正しい。棄権も有権者の意思表示の一つである。

5 × 投票価値の平等も平等選挙の一内容。

１票の価値の平等も，平等選挙の内容として要求されている。その格差につき，選挙のたびに議員定数訴訟が起こされていることを想起してほしい。

No.3 の解説　政治活動と選挙

→問題はP.127　**正答 1**

1 ◎ 公務員は，その職務の性質上，政治的に中立でなければならない。

正しい。**公務員は，「全体の奉仕者」**であり（憲法15条２項），行政運営や公務員自身を政治的圧力から保護するために政治的中立性が求められ，公務員については**「政治活動」は制限**されている。国家公務員法102条により，①政党や政治目的のための利益授受，②選挙の候補者になる，③政党・政治団体で主要な役職に就くことが禁止されている。共同で行っても，代理人等を使っても，勤務時間外であっても許されない（人事院規則）。地方公務員法36条にもほぼ同様の規定があり，さらに公職選挙法は，地方公務員の地位を利用した選挙活動を禁じている。

2 × 法人による政治献金について，最高裁は認めている。

法人の政治献金については，「**八幡製鉄政治献金事件**」（最大判昭45・6・24）で，（本件は）認められるとされた。判決では，①法人も，自然人（国民）と同様に国税等の負担をしている→納税者として「国や地方公共団体の施策に対し，意見の表明その他」ができる，②法人は，自然人とひとしく，国家，地方公共団体，地域社会その他…の構成単位たる社会的実在ある→社会的作用の負担は必要であり，社会通念上，期待ないし要請にこたえることは可能であるなどを理由とする。

3 × 国民の代表を選ぶ公職選挙については，法律で詳細に定められている。

国会議員や地方公共団体の首長・議員を選ぶための公職選挙については，**公職選挙法**により規定されており，選挙の制度自体と立候補や選挙運動に関して定められている。その目的は，日本国憲法の精神に則り選挙人の自由意志により，国会議員や地方公共団体の首長・議員を選出できるようにすることである。1950年に制定され，その後100回以上も改正されている。

4 × 最高裁判所は，「戸別訪問の禁止」を一貫して合憲としている。

日本では，公職選挙法により**戸別訪問が禁止**されている（同法138条）。その理由は，①買収や利益誘導などの不正行為が起きやすく，それにより有権者の自由意志がゆがめられてしまうおそれがあるから，また②選挙人の生活の平穏を害するから等である。戸別訪問は国民の日常的な政治活動として最も簡便で有効なもので，表現の自由の保障が強く及ぶ表現形態であるとして

「表現の自由」に反しないかが争われたが，最高裁判所は一貫して合憲判決を下している一方で，下級裁判所では違憲とする判決も出されている。

5 × 国民投票で規制されるのは，テレビやラジオのCMのみである。
「日本国憲法の改正手続に関する法律（**憲法改正国民投票法**）」は，憲法改正に必要な国民投票（憲法96条）の手続きを規定する。国民投票運動は原則として自由とされ，憲法改正についての報道（例：新聞や雑誌などに意見広告を載せる）に制限はされていない。しかし，テレビとラジオでの有料のCM放送については，その影響力の大きさに鑑み，期日前投票が始まる投票日の14日前から一切禁止されている。平成19年に成立，平成22年から施行され，さらに平成26年には投票者の年齢を満18歳以上に引き下げ，共通投票所制度の創設等，投票環境向上のための改正が令和３年に行われている。

No.4 の解説　選挙制度

→問題はP.127　**正答4**

出題年度は古いが選挙区についての知識の確認に使って欲しい問題である。

1 × 大選挙区制は，小政党に有利といわれる。
大選挙区制では，同一政党で複数の議席を獲得することも可能であり，小選挙区制に比べて候補者間での政党の公認争いは生じにくい。また，候補者と有権者の関係は，小選挙区制と比べると相対的に希薄であり，比例代表制と比べると相対的に親密であるといえる。なお，アメリカやイギリスで採用されている，大政党に有利となる選挙区制は，小選挙区制である。

2 × 1994年，公選法改正で中選挙区制は廃止された。
大選挙区制の一種である**中選挙区制**は，１選挙区から３～５人の議員を選出するものである。日本では，政治と金との関係を絶つために，それまでの中選挙区制が見直され，細川連立政権の下，94年に公職選挙法が改正され，小選挙区比例代表並立制に改められた。

3 × 比例代表制では，新党の出現が容易とされる。
前半は正しい。得票数で議席を配分する比例代表制では，中小政党も議席を獲得する可能性があるために，小選挙区制に比べ新党の出現は容易となる。

4 ◎ 大量の死票が，小選挙区制の一番の短所といえる。
正しい。小選挙区制はこのような長所や短所がある。

5 × ドイツは小選挙区比例代表併用制を採用。
若干細かな知識ではあるが，**ドイツ**で採用されているのは**小選挙区比例代表併用制**である。併用制は，比例代表制で政党間の議席配分がなされるとともに，小選挙区制での当選者が各党の名簿登載者より優先して当選とされるものである。それゆえに，選挙結果が比例代表制だけによる場合とほぼ一致する傾向があるのはドイツである。

11 行政に関する諸問題

必修問題

わが国の行政に関する記述として最も妥当なのはどれか。

【国家一般職・平成30年度】

1 行政権は内閣に属し，その主な権限としては，一般行政事務のほか，法律の執行，外交関係の処理，予算の作成と国会への提出，政令の制定などがある。また，**国家公務員法**は，一般職の国家公務員に対して，争議行為を禁じているほか政治的行為を制限している。

2 **中央省庁等改革基本法**の制定に伴い，中央省庁は，それまでの１府12省庁から１府22省庁に再編された。これにより多様化する行政課題に対して，きめの細かい対応ができるようになったが，さらに2010年代には，**スポーツ庁**や**防衛装備庁**も設置されている。

3 行政の民主的運営や適正かつ能率的運営を目的として，準立法的機能や準司法的機能は与えられていないものの，国の行政機関から独立した**行政委員会**が国家行政組織法に基づき設置されている。この行政委員会の例としては，公害等調整委員会や選挙管理委員会などがある。

4 効率性や透明性の向上を目的として，各府省から一定の事務や事業を分離した**独立行政法人**が設立されている。具体的には，国立大学，国立印刷局，日本放送協会や造幣局などがあるが，これらの組織で働く職員は国家公務員としての身分を有していない。

5 **情報公開法**が1990年代前半に制定され，それまで不明瞭と指摘されてきた行政指導や許認可事務について，行政運営の公正の確保と透明性の向上が図られた。その後，1990年代後半には**行政手続法**が制定され，政府の国民に対する説明責任が明確化された。

難易度 ＊＊

必修問題の解説

国の行政につき，その体制，国家公務員，関連法案などについての基本的知識を聞いている。社会が多様化，複雑化する中で，より効率的，効果的な行政を目指すため，いろいろな方策が遂行されている。一方で，国民主権の下，すべての国民は行政機関の有する情報を知る権利を持っており，保障されねばならない。

1◎ 国家公務員は，争議行為，政治的行為が禁止されている。

１文は正しい（憲法65条，73条）。公務員は「全体の奉仕者」であること

(15条2項）を前提に，**国家公務員について適用すべき基準**を国家公務員法は規定する。同法はすべての一般職の国家公務員に対して適用されるが，その職務と責任の特殊性に基づく特例もある（例：外務公務員法，警察法等）。国家公務員法98条2項で「同盟罷業，怠業その他の争議行為をなし，又は政府の活動能率を低下させる怠業的行為」が**禁止**され，102条1項で「選挙権の行使を除く外，人事院規則で定める**政治的行為」が禁止**されている。

2 × **2001年1月，それまでの1府22省庁が1府12省庁に再編された。**
1998年6月には，行政改革会議の最終報告を受け，内閣機能の強化，国の行政機関の再編成等を内容とする**中央省庁等改革基本法**が制定・施行された。2001年1月，21世紀に向けて複雑な政策課題に的確に対応できるように，それまでの1府22省庁を1府12省庁に再編。2015年には，**スポーツ庁**がスポーツ振興等のために文部科学省の外局として，**防衛装備庁**が防衛装備品等についての開発や管理等のために防衛省の外局として設置された。

3 × **行政委員会には，準立法的機能や準司法的機能が与えられている。**
行政委員会は，**政治的中立性の確保**・行政事務の専門化への対応・行政運営の合理化・能率化などを目的とする。省庁に設置される委員会について定める**国家行政組織法**などの法律や条例により設置される国や地方公共団体の行政機関だが，職権行使にあたり独立した形で特定の行政権の行使が認められる。また人事院は「**人事院規則**」を制定し，公正取引委員会は「**審判**」を行うなど，準立法的機能や準司法的機能が与えられている。

4 × **独立行政法人の中の行政執行法人の役員・職員は国家公務員。**
独立行政法人は，国民生活及び社会経済の安定等の見地から確実に実施されることが必要だが，国が直接に実施する必要のないもので，①民間の主体に委ねた場合に実施されないおそれがあるもの，②1主体に独占して行わせる必要があるものにつき，設立される法人である（**独立行政法人通則法2条1項**参照)。日本には，①**中期目標管理法人**（例：国民生活センター），②**国立研究開発法人**（例：日本医療研究開発機構），③**行政執行法人**（例：**国立印刷局**，**造幣局**）の3種類があり，行政執行法人の役員・職員は国家公務員である。
なお，**国立大学**には国立大学法人法が適用され，そこでは独立行政法人通則法の多数の規定が準用され，政府の施策でも独立行政法人と同様に扱われる。しかし法人化によって役員・職員は公務員ではなくなり，みなし公務員となる。また1950年に設立された**日本放送協会（NHK）**は，総務省が所管する外郭団体で，放送法に基づき設立された日本の公共放送を担う特殊法人であり，独立行政法人ではない。

5 × **1994年に行政手続法，2001年に情報公開法が制定された。**
1994年に施行された**行政手続法**は，行政上の手続についての一般法で，行政運営における公正の確保と透明性の向上が図られている（ただし同法6章は2006年施行)。その後の1999年に公布され，2001年に施行された**情報公開法**

（行政機関の保有する情報の公開に関する法律）は，国民主権の下，**公正で民主的な行政**の推進に資するために，政府の国民に対する**説明責任を明確化**し，日本の**行政機関が保有する情報について公開（開示）**請求手続きを定めるものである。

正答 1

FOCUS

いろいろな新しい施策・制度は複雑な社会に対応するためのものであり，それらの根底には「国民主権」があることを理解する。ここに出てきた事項に関しては，その背景とともに押さえておきたい。

POINT

重要ポイント1 代表民主制

国民主権の下，本来国民の直接の政治参加が求められる。

しかしながら，①**人口が多いこと**，②**専門知識の欠如**，③**政治的無関心**などの理由により，直接民主制の実現は難しい。

そこで，国民の代表者である国会議員による代表民主制（議会制民主主義，間接民主制）がとられている。

代表民主制の下で国民主権が実現されるためには，①**代表の原理**，②**審議の原理**，③**多数決の原理**が必要となる。

ここで注意すべきは，多数決によって決まる意見が「正しい」意見ではないということである。また，多数決においては，少数意見の尊重をしなければならず（例えば，少数民族に関する決議などには使ってはならない），多数派の横暴を許してはならないということを忘れてはならない。

重要ポイント2 民意の反映／民主的統制

国民主権＋代表民主制の下では，

①選挙権・被選挙権の行使（憲法15条）
②直接民主制に基づく制度（国民投票，国民審査など）
③政党による働きかけ
④圧力団体による働きかけ
⑤世論による働きかけ
⑥オンブズマン制度

圧力団体：自己の特殊利益を追求するために結成された社会集団。

広域な組織力を背景に，特定の立法や行政問題の決定に際して議会や内閣などの統治機関に対して政治的圧力を加え，自己の意思を実現させようとするもの。

人の集団という点で政党と共通するが，政権の獲得ではなく，**特殊利益の実現**にのみ目的とする点で異なる。

アメリカで最初に発達。

オンブズマン（オンブスパーソン）制度：行政監察専門員制度。その職務は裁判官・行政官などの公務員が法を遵守しているかどうかを監視し，違法裁量の行為者，職務上の義務違反者を訴追することである。立法府，行政府，司法府などからも独立している。

※日本においては，主に市民からの行政についての苦情処理を行い，その調査・あっせんがその権限となっている。国政レベルではいまだ実現されておらず，地方公共団体の一部で導入されているにとどまっている。

重要ポイント3 拡大する行政

(1) 行政権の肥大化：現代社会では，国家の役割が増大
→行政活動の拡大・複雑化
→行政機関の増設，公務員の増員

(2) 国会：複雑・多岐にわたる活動に対応不可能
①法案作成：高度に専門的・技術的知識必要
→国会議員だけでは不可能
→専門的技術的官僚が作成
②法律：原則だけを規定，運用は専門的知識を持つ行政担当者に委任
→委任立法・行政指導
↓
(3) 現代国家：「立法国家」から「行政国家」へ

重要ポイント4 行政の民主化

(1) 公務員：国民全体の奉仕者→政治的中立。成績主義による任免
(2) 民主化への動き：スクラップ・アンド・ビルド基準の導入
行政の肥大化防止，行政監察制度の導入，情報公開制度の確立，行政委員会の導入
(3) 行政改革の推進：許認可制度の見直し（規制緩和），行政機構の簡素化，地方分権の推進，公務員の削減

重要ポイント5 官僚制

社会の各領域における巨大化された組織体の形態またはその組織原理。

原　則	内　容	逆機能
権限の分配	職務ごとに必要な権限が配分される	縄張り主義（セクショナリズム）
階層制（ヒエラルキー）	官庁間，役職間に上下の階層秩序がある	タテの人間関係
公私の分離	役所（事務所）と私宅や職務上の金銭・資材と私的財産との完全な分離，情実の排除	
文書主義	成員全体の共通理解を得るために，仕事の経過はすべて文書化される	形式主義（杓子定規）「ハンコ主義」
職務の専門性	職務の遂行には，法律その他の学問・知識が必要となる。そのため，技術的専門家（テクノクラート）が生まれる	

実戦問題　基本レベル

＊＊ No.1　わが国における行政の民主化に関する記述として，妥当なのはどれか。

【地方上級（特別区）・平成16年度】

1　行政委員会は，明治憲法下において行政権から独立した機関として設置され，日本国憲法下では，行政機関の政策立案に際して，関係者や有識者の意見を聞くために必ず開かれなくてはならないとされている。

2　国政調査権は，国会の両議院に認められた国政全般について調査する権限であり，両議院はそれぞれ証人の出頭および証言並びに記録の提出を求めることができる。

3　行政手続法は，官僚制の肥大化をシビリアン・コントロールにより統制するために制定されたものであり，行政庁が行政指導によって企業の民間団体の活動を規制することを禁じている。

4　情報公開法は，国民の知る権利を実現するために，その請求に応じて行政機関に政策立案や実施に関する情報について，個人情報を除き一切の制約なく開示することを義務づけている。

5　オンブズマン制度とは，行政監察官が国民の要求に基づいて行政活動に関する調査および改善勧告を行うもので，アメリカで創設され，わが国でも国と一部の自治体に導入されている。

＊＊ No.2　わが国の行政に関する法律の記述として最も妥当なのはどれか。

【国家一般職・平成19年度】

1　国家公務員法は，国家公務員の採用や給与，服務について規定しており，特別職を含むすべての国家公務員に適用されるが，地方公務員には適用されない。1999（平成11）年の改正では，国家公務員の不祥事を防止するために，国家公務員が遵守すべき倫理原則や贈与，株取引などの報告を義務づけるなどの規定が追加された。

2　地方自治法は，地方自治の本旨に基づいて地方公共団体の区分ならびに地方公共団体の組織および運営に関する事項の大綱を定めている。1999（平成11）年の改正により，機関委任事務が廃止され，地方自治体の処理する事務は自治事務と法定受託事務に分類されるようになった。

3　行政機関の保有する情報の公開に関する法律（情報公開法）は，2003（平成15）年に成立し，2005（平成17）年4月から施行された。これは地方公共団体が条例によって1980年代から導入し始めていた情報公開制度を国レベルで規定したものである。情報公開法の適用対象となるのは国の行政機関であるが，外交・防衛・警察関係の行政機関は除外されている。

4　国家賠償法は，国または公共団体の損害賠償責任に関する法律である。公権力を行使する公務員が，その職務を行うについて，過失によって違法に他人に損害を与えたときは，原則として国または公共団体がその損害賠償責任を負うが，公務員に故意または重過失があったときには公務員個人が直接被害者に対して損害賠償責任を負うと規定している。

5 行政事件訴訟法は，行政事件訴訟全般に関する法律で，民事訴訟とは異なる行政事件訴訟特有の裁判手続きについて規定している。現行憲法は，行政裁判制度を採っており，行政事件に関する裁判は司法裁判所ではなく行政裁判所が管轄している。

＊＊

No.3 行政や政治に対する国民（住民）の参加に関する記述として最も妥当なのはどれか。 【国家専門職・平成18年度】

1 古代ローマ帝国時代における民衆支配の方法としての「パンとサーカス」は，民衆に必要な食糧と娯楽を与えることにより政治力を誇示し，より生活を向上させるために積極的に政治参加させようとするものである。

2 D.リースマンは，政治的無関心を伝統的無関心と現代的無関心の２つに分類し，そのうち伝統的無関心とは，一定の政治的知識や教養があるにもかかわらず政治的行動から遠ざかろうとするものであるとした。

3 オンブズマン制度は，国民の行政に対する苦情を受け付け，中立的立場で調査し，是正措置を勧告することによって，簡易，迅速に問題を処理する制度で，わが国では川崎市や新潟市などが導入している。

4 日本国憲法で定められている直接請求権には，イニシアティブ，リコール，レファレンダムがあり，行政に大きな影響を与えている。たとえば，市町村合併の場合はイニシアティブを経てレファレンダムを行う仕組みになっている。

5 ＮＰＯは，特定の利益を追求するため議会や政府に働きかけ，政策決定に影響を及ぼす団体である。この団体が，住民の身近な問題を直接政策決定に反映させることにより政治参加しやすくなる。また，その団体で専門に活動する人たちをロビイストと呼ぶ。

実戦問題の解説

No.1 の解説　行政の民主化

→問題はP.137 正答2

1 ×　明治憲法下では，強力な天皇制が行われていた。

行政委員会は，独立行政委員会ともいい，国家や地方公共団体のために，主に公正を期する事柄の意思を決定する権限を持つ合議制の行政機関である。**国家行政組織法**，**地方自治法**で定められている。国家では，国家公安委員会，公正取引委員会，中央労働委員会など，地方公共団体では，教育委員会，選挙管理委員会，地方労働委員会などがある。これに対して，行政機関の政策立案に際し，関係者や有識者の意見を聞くために開かれるのは**審議会**である。また，審議会の設置は一般に義務的なものではない。

なお，第二次世界大戦後のわが国における行政委員会は，占領行政に起因する**アメリカの制度の直接的継受**である。戦前においても合議制の行政機関は存在したが，大部分は諮問機関か調査機関であって，法律上，独立して権限を行使する行政庁ではなかった。行政委員会の特色は，内閣から一定の独立性を有し，その構成において中立性ないし非党派性が要求され，権限行使において，**特定の行政権に加えて，準立法的あるいは準司法的作用を有すること**にある。

2 ◎　国政調査権は，両議院の権能である（＝国会の権能ではない）。

正しい。国会の両議院は**国政調査権**を有し，それぞれ証人の出頭，証言，記録の提出を求めることができる（憲法62条）。

3 ×　行政手続法は，行政庁の行政指導を認めている。

行政手続法は，「行政運営における公正の確保と透明性（中略）の向上を図り，もって国民の権利利益の保護に資することを目的とする」（同１条）ものである。したがって，官僚制の肥大化の抑制を目的とするものではない。また同法は，当該行政機関の任務または所掌事務の範囲を逸脱してはならないこと等を一般原則として，行政庁による行政指導を認めている（同32条）。

4 ×　情報公開法は，国防に関することなどは公開できない。

情報公開法（行政機関の保有する情報の公開に関する法律）は一定の情報につき，これを開示しないことを認める（不開示情報）。この不開示情報は，個人情報に限られず，安全保障・外交上の情報，公共秩序の維持に関する情報などについても，一定の条件下で含まれる（情報公開法５条）。

5 ×　オンブズマン制度の起源は，スウェーデンである。

オンブズマン制度は1809年にスウェーデンで創設された。わが国でも川崎市（神奈川県），鴻巣市（埼玉県）など一部の自治体で導入されているが，国レベルでは導入されていない。

No.2 の解説　日本の行政

→問題はP.137　正答2

1 × 国家公務員法は，一般職に属するすべての職にこれを適用するが，特別職に属する職には適用しない。（同2条3項，4項）。また，後段の趣旨から，そのような内容を持つ「国家公務員倫理法」が平成11年には制定された。

2 ◎ 正しい。この改正により，地方公共団体の事務が，それまでの委任事務（機関委任事務，団体委任事務）と固有事務から，自治事務と法定受託事務に改められた。これは，国と地方の関係を対等なものと考えることに基づく。

3 × 「行政機関の保有する情報の公開に関する法律」は，平成11年5月成立，平成13年4月施行である。また，本肢のとおり，1982年に**山形県金山町**が，翌1983年には神奈川県と埼玉県が，情報公開手続きに関する条例を定め，地方公共団体の**情報公開条例制定が先んじた**。また，同法2条の「行政機関」の定義には外交，防衛，警察関係も含まれるが，それらの情報は5条の不開示情報とされる。

4 × **国家賠償法1条1項**は，「国又は公共団体の公権力の行使に当る公務員が，その職務を行うについて，故意又は過失によつて違法に他人に損害を加えたときは，国又は公共団体が，これを賠償する責に任ずる」とするが，2項では「前項の場合において，公務員に故意又は重大な過失があつたときは，国又は公共団体は，その公務員に対して求償権を有する」と規定するにとどまり，**公務員個人の責任を規定していない**。

5 × **行政事件訴訟法**は，抗告訴訟，当事者訴訟，民衆訴訟および機関訴訟を内容とする行政事件訴訟に関し規定していて，この法律に定めがない事項については，民事訴訟の例によるとする（同7条）。また行政裁判所のような特別裁判所の設置は日本国憲法の下で認められておらず（日本国憲法76条2項），司法裁判所が管轄している。

No.3 の解説　住民参加

→問題はP.138　正答3

1 × 「パンとサーカス」（「パンと見世物」ともいう）とは，ローマの風刺詩人ユウェナリスが古代ローマ社会の世相を揶揄した表現として知られている。権力者から無償で与えられる「パン（＝食糧）」と「サーカス（＝娯楽）」によって，ローマ市民が権力者に手なずけられたことをさし，積極的な政治参加を求めるものではない。

2 × アメリカの社会学者D・リースマンは，政治的無関心を本肢のように2つに分類した。ここでの「**伝統的無関心**」は，元来，政治は社会的地位・身分の高い一部の人に任せておけばよいという立場から，一般大衆が政治に対する関心を抱かない状態をいう。なお，もう1つの「**現代的無関心**」は，国民が政治を他人事のように捉え，関心を抱かない状態をいう。

3 ◎ 正しい。現在では，全国に80ある**市民オンブズマン団体**から成り立つ全国市民オンブズマン連絡会議も設けられている。

4 × イニシアティブ，リコール，レファレンダムの**直接請求権**は，日本国憲法に規定されているのではなく，**地方自治法**に規定がある。また，市町村合併については，本肢のようなイニシアティブ（住民発議）による場合と，もう1つは市町村（首長と議会）が動く場合との2通りがある。

5 × NPO（Non Profit Organization）とは，さまざまな分野（福祉，教育・文化，まちづくり，環境，国際協力など）で，ボランティア活動などの社会貢献活動を行う，営利を目的としない団体の総称で，社会の多様化したニーズに応える重要な役割を果たすことが期待されている。本肢の第1文の説明は圧力団体に関するものである。また，ある特定の主張を有する個人または団体が政府の政策に影響を及ぼすことを目的として行う私的な政治活動をロビー活動といい，議会の議員，政府の構成員，公務員などが対象となる。ロビー活動を行う人物が**ロビイスト**と呼ばれる。

第4章 国際関係

試験別出題傾向と対策

試験名		国家総合職					国家一般職					国家専門職（国税専門官）				
年度		21-23	24-26	27-29	30-2	3-5	21-23	24-26	27-29	30-2	3-5	21-23	24-26	27-29	30-2	3-5
頻出度	テーマ　出題数	7	3	2	2	1	3	4	1	1	0	5	1	1	0	2
B	12 各国の政治制度	2			1								1			
C	13 国際連合	1	1				1		1			2		1		1
A	14 国際政治	4	2	2	1	1	2	4		1		3				1

本章では，国際政治，国際情勢を扱う。民主主義に基づき，各国はその歴史，背景などによりさまざまな政治形態をとっている。アメリカの大統領制とイギリスの議院内閣制がその典型である。それぞれの制度がどのような仕組みをとっているのか，日本の政治に対する理解を深めるためにも不可欠である。また最近では，情報や交通機関の発達などを理由として，ボーダレス化が進んでおり，「世界の中の日本」という意識を持たなければならない。子供の教育，国際平和や地球環境の維持など，世界レベルでの問題も数多い。日本の現状について考えることは，現代国際社会の現状について考えていくことにもつながっている。出題形式は，全体として，正誤問題が多い。

試験の種別を問わずに共通していえるのは，出題数と直結しないまでも，国際情勢について重要視していることである。国際連合をはじめとした国際組織は，地理的な共通基盤を持つものから全地球規模に広がるものまである。これまでほぼ「自由貿易主義的な立場」一色だったのが，ここにきて「保護主義的な要素」が見え隠れするようになってきており，それに伴い，国際機関への離脱／脱退を表明する国も増えている。経済も踏まえて，各国の政治について考えることが必要である。

そして，最近特に注目されているアメリカや中国の動向もきちんとみきわめる必要がある。

● 国家総合職

現在の各国の政治状況など国際社会に関する出題がある。上述のように，国際社会の認識は不可欠なものであり，今後も続くと考えられる。現代の政治状況などを押さえておく必要がある。難易度は高いといえる。

● 国家一般職

アメリカの大統領制と日本の議院内閣制との比較，国内外の政治という広い分野からの出題がみられた。その内容は基本的な問題が多かったが，難化傾向にあ

地方上級（全国型）					地方上級（東京都）					地方上級（特別区）					市役所（C日程）					
21-23	24-26	27-29	30-2	3-5	21-23	24-26	27-29	30-2	3-5	21-23	24-26	27-29	30-2	3-5	21-23	24-26	27-29	30-2	3-4	
2	3	3	4	0	2	2	2	2	2	4	4	1	1	4	2	1	3	2	0	
2	1	2	2				1	1		1				1	1					テーマ12
					1				1	2	1	1								テーマ13
	2	1	2		1	2	1	1	1	1	3		1	3	1	1	3	2		テーマ14

り，このテーマについても十分な準備が必要となっている。

● 国家専門職（国税専門官）

直近の出題も含めて，これまでの傾向は，国際連合を含めて国際政治の状況に関する出題が多いのが特徴である。主要国の政治制度に関して出題されるときでも，基礎的な知識を前提とした発展問題が出題され，全体的に難易度はやや高い。

● 地方上級

全国型では，国際情勢の分析などが比較的取り上げられやすく，国際政治に重点が置かれている傾向がある。内容的には知識問題が，形式では正誤問題が多い。

東京都では，現代を意識した国際政治に重点が置かれた出題がなされているといえる。すなわち，国際社会の中で情勢の変化が激しい国や地域に関する「現状」について出題される傾向があり，新しい知識を押さえておく必要がある。

特別区では，地域紛争など国際関係を問う問題がよく出題されている。国際社会の広がりを意識した基本的な問題がみられる。

● 市役所

近年の国際情勢などが出題されており，日頃から関心を持って学習する必要がある。各国の政治制度はもちろん，日本の国際社会とのつながりについても基礎的な知識は持っておかねばならない。

12 各国の政治制度

必修問題

世界の政治体制に関するA～Dの記述のうち，妥当なものを選んだ組合せはどれか。 【地方上級（特別区）・令和４年度】

A：**アメリカの連邦議会**は，各州から２名ずつ選出される上院と，各州から人口比例で選出される下院から成り，上院は，大統領が締結した条約に対する同意権を持つ。

B：**アメリカの大統領**は，国民が各州で選んだ大統領選挙人による間接選挙によって選ばれ，軍の最高司令官であり，条約の締結権や議会への法案提出権などを持つが，連邦議会を解散する権限はない。

C：フランスは，国民の直接選挙で選出される大統領が議会の解散権などの強大な権限を有する大統領制と，内閣が議会に対して責任を負う議院内閣制を併用していることから，**半大統領制**といわれる。

D：中国では，立法機関としての**全国人民代表大会**，行政機関としての国務院，司法機関としての最高人民法院が設けられており，厳格な権力分立制が保たれている。

1 A，B
2 A，C
3 A，D
4 B，C
5 B，D

難易度 ＊＊

必修問題の解説

主要国の政治制度は頻出テーマであり，どういう仕組みで国民の声が政治に反映されるようになっているかの「政治制度」をしっかり押さえておきたい。2022年には，中国では国家主席の「２期10年」という制度を撤廃する憲法改正を通じて習近平国家主席が異例の３期目に突入し，23年には全国人民代表大会（全人代）で李強首相をはじめとする執行部が示された。またアメリカでは，2022年11月に中間選挙が行われたが，事前に予想された共和党の「レッドウェーブ」による巻き返しは起こらず，上院では民主党が過半数となる改選前の51議席を確保し，下院では共和党が過半数を占めた（共和党222議席，民主党213議席）。

A ○ 上院は２名×50州＝100名，下院は各州の人口比例で（現在）435名。
正しい。アメリカの連邦議会の上院は，全50州からそれぞれ２名ずつの上院議員が選出され，定数は100名である。また，下院については，各州の人口を考慮した議員定数となっている（人口比例，定数435名)。連邦議会を構成する２院は立法において対等であるが，上院は，条約の批准，大統領指名人事（大使や合衆国首席裁判官など）について大統領への助言と同意等の権能を持つ。

B × アメリカ大統領制は厳格な権力分立制。
アメリカの大統領選挙は，有権者による直接選挙ではなく間接選挙であり，各州で大統領選挙人を選出し，その選挙人団によって大統領及び副大統領がペアで選出される。大統領は軍の最高司令官としての指揮権を持つ。アメリカの大統領制は厳格な権力分立制であり，行政権を担う大統領は条約の締結権を持つが，法案提出権を持たないし，議会の解散権も有していない。

C ○ フランスは典型的な半大統領制であり，大統領と首相が両立している。
正しい。半大統領制とは，議院内閣制の枠組みを採用しながら，国家元首として大統領を有する政治制度のことをいう。フランス大統領は国民から直接選挙によって選出され，政府のリーダーである首相は，議会において下院の指名によって選出される。フランスでは，大統領が主に外交，首相が内政の問題を担当し，それぞれに役割と権力が分担されており，典型的な半大統領制と言われる。フランス以外にもドイツ，ロシアなどで採用されている。ちなみに，ドイツでは，国家元首として大統領がいるものの政治的権限はなく，首相が率いる内閣が議会に責任を負いつつ，行政権を行使している。

D × 中国では，国家のすべてを共産党が統制し，権力分立制ではない。
中国では，1921年に共産党がつくられ，第二次世界大戦後の1949年に中華人民共和国が建国された。このような経緯から，憲法には「中国共産党による国家や社会の領導（指導)」が明記されている。憲法では全国人民代表大会（全人代）が最高権力機関であるとされ，立法機関にあたる。また，行政機関の国務院と最高裁判所に相当する最高人民法院は，共に全人代の監督下に置かれており，**三権分立は否定されている**。人民代表（＝議員)，その中から選ばれる国家主席のいずれの選出過程も共産党が統制する。
よって妥当なものは**A**と**C**であり，正答は**2**である

正答 2

FOCUS

各国の選挙についての問題であり，選挙制度は各国のいろいろな事情によって変化する。時事問題ともあわせて押さえておく必要がある。議院内閣制，大統領制，半大統領制など主要国の政治制度についても選挙制度とともにまとめておきたい。

POINT

重要ポイント 1 議院内閣制

内閣が議会の信任の下に存立する制度。内閣が国民からの選挙によらずに構成されるものであり，制度上議会と内閣の連動が予定されているといえる。イギリスがそのルーツであり，日本も基本的には議院内閣制である。

議院内閣制の特徴

(1) 行政権の担当者は，合議体である内閣である
(2) 内閣の首班（内閣総理大臣）は多数党の党首である
(3) 内閣は議会（二院制の場合は下院）の信任の上に立つ
(4) 内閣は議会の信任を失えば総辞職する（連帯責任，責任内閣制）

重要ポイント 2 大統領制～アメリカ

(1) 大統領が国民から選出される結果，議会に対する責任はなく，法案提出権もない。
→厳格な権力分立
(2) 大統領は国の元首，軍の最高司令官，行政府の長
(3) 議会の立法に対して１回の拒否権の発動が認められる
(4) 大統領・閣僚は議員であってはならない
(5) 大統領の任期は４年，３選の禁止

重要ポイント 3 各国の政治体制

(1) アメリカ

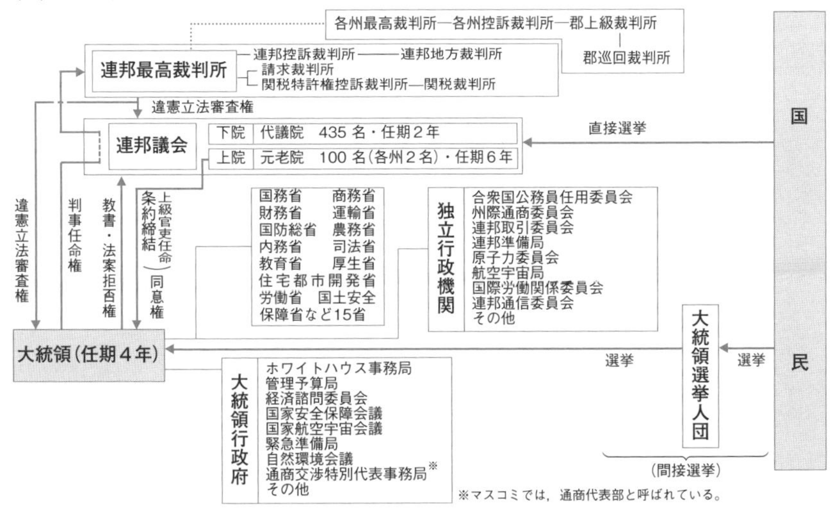

(2) イギリス

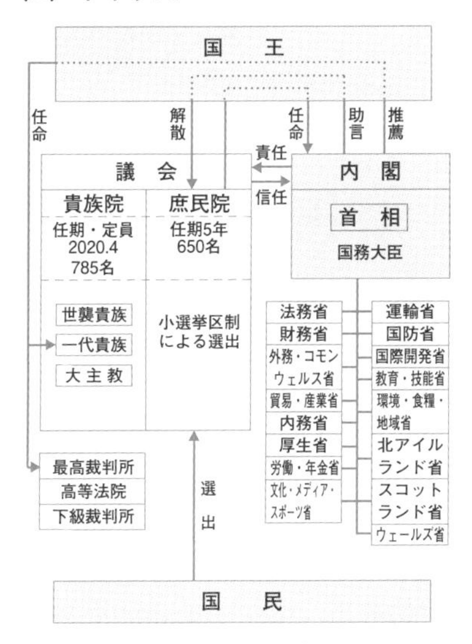

(3) フランス

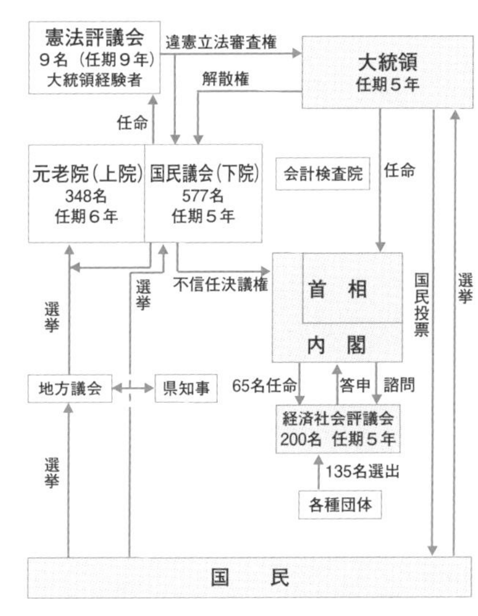

(4) ドイツ

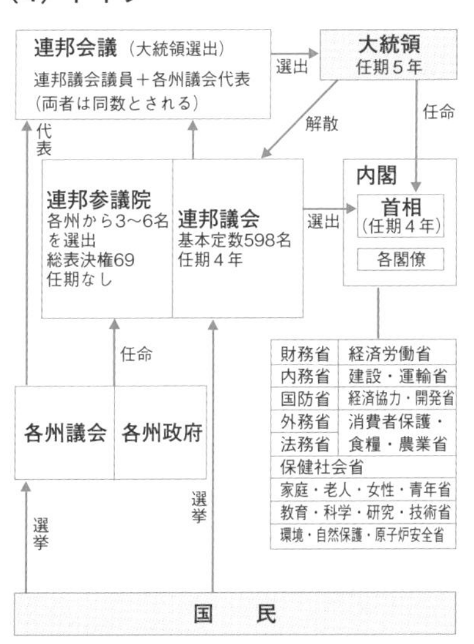

(5) 中国

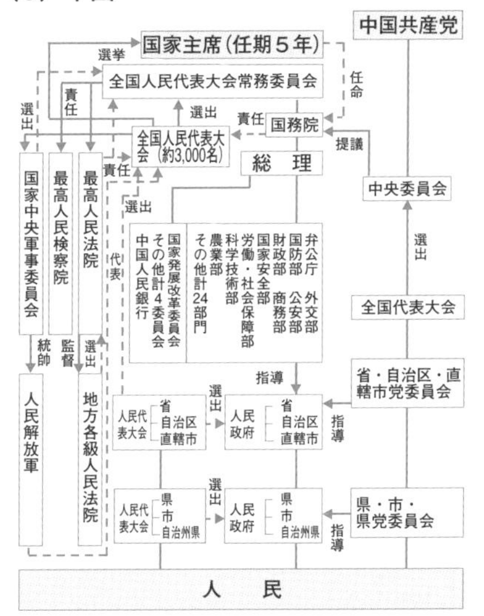

実戦問題

No.1 ＊＊ **各国の国政選挙に関する次の記述のうち，妥当なものはどれか。**

【市役所・平成29年度】

1 日本では，国会の両院議員がそれぞれ異なる選挙制度で選出されており，衆議院は小選挙区比例代表並立制を，参議院は比例代表制のみを採用している。

2 アメリカ合衆国では，大統領選挙は大統領選挙人を通じた間接選挙により行われているが，大統領選挙人は各州に配分されており，その数はどの州も同じである。

3 イギリスでは，上院は非公選議員，下院は公選議員により構成されているが，下院議員の選挙は任期満了の場合に限って行われる。

4 フランスでは，大統領選挙の第１回投票においていずれの候補者も有効投票の過半数を獲得できなかった場合，上位２人による決戦投票が行われる。

5 各国の選挙権年齢について見ると，日本とフランスは18歳以上，アメリカ合衆国とイギリスは20歳以上とされている。

No.2 ＊＊ **次のA～Eのうち，アメリカの大統領制に関する記述の組合せとして，妥当なのはどれか。**

【地方上級（東京都）・平成27年度】

A 大統領は，議会が大統領を選ぶ間接選挙によって選出される。

B 大統領は，議会の不信任決議に対し，議会を解散する権限をもつ。

C 大統領は，議会が可決した法案への署名を拒否する拒否権をもつ。

D 大統領は，議会に対し，教書を送付する権限をもつ。

E 大統領は，憲法の最終解釈権をもち，違憲立法審査権を行使する。

1 A，B
2 A，E
3 B，C
4 C，D
5 D，E

＊＊＊
No.3 現代における各国の政治制度に関する記述として最も妥当なのはどれか。

【国家総合職・令和２年度】

1 英国では，君主制が存続しているが，国王は君臨するのみで統治権を持たない。また，議会は，非民選の上院（貴族院）と民選の下院（庶民院）から成り，首相には，下院で多数を占める政党の党首が選出されることが慣例である。下院では，二大政党が政権獲得を目指しているが，野党となった政党は，影の内閣（シャドー・キャビネット）を組織して政権交代に備えている。

2 フランスでは，国家元首である大統領が国民の直接選挙で選ばれるが，同時に，直接選挙で選ばれた首相が内閣を形成し，内閣は議会に対して責任を負うという半大統領制が採用されている。ただし，国家元首である大統領は大きな権限を有しておらず，専ら儀礼的・形式的な権限のみを有している。

3 米国では，連邦議会によって定められた法律に対する国民の信頼が強く，また，権力立を徹底するため，連邦裁判所に違憲審査権は認められていない。一方，憲法に違反する法令が執行されることを防ぐため，大統領には，連邦議会が可決した法案に対する拒否権が認められている。

4 わが国では，議院内閣制が採用されており，内閣は，衆議院または参議院で不信任の決議案が可決されるか，信任の決議案が否決されたときは，10日以内に衆議院が解散されない限り，総辞職をしなければならない。また，内閣総理大臣は，国務大臣を任命することができるが，その過半数は衆議院議員でなければならない。

5 中国では，国家の最高機関である一院制の全国人民代表大会（全人代）が年２回開催され，全人代の議員の任期は３年である。また，権力集中制（民主集中制）が採用されており，権力分立が否定されていることから，全人代で選出される国家主席が，司法機関である最高人民法院の院長を兼務することとされている。

No.4 大統領制に関する記述A～Dとそれを採用している国の組合せとして最も妥当なのはどれか。 【国家一般職・平成20年度】

A：大統領は選挙人による間接選挙によって選出され，任期は4年，三選は認められていない。国家元首であり，同時に行政府の長である。全国民の代表として議会から独立して行政権を行使する。議会に対する法案提出権がない代わりに教書を送付する権利があり，法案拒否権をもっている。

B：大統領は連邦会議によって選出され，任期は5年で，三選は認められていない。国家統合の象徴であるという性格が強く，また，国家元首として，条約の締結，外交使節の信任・接受，連邦大臣・裁判官・上級公務員の任命などの権限をもっている。

C：大統領は国民の直接選挙により選出され，任期は5年である。第1回投票で過半数がとれない場合には，上位2人による第2回投票で選出される。首相や閣僚の任免権，国民議会の解散権などをもち，権限は非常に強大であるが，議会に責任を負う内閣も存在し，半大統領制ともいわれる。

D：大統領は国民の直接選挙により選出され，任期は4年，三選は認められていない。国家元首であり，首相任命権，国家会議（下院）の解散権，非常大権をもち，軍最高司令官を兼ねるなど，強大な権限をもっている。また，議会の法案に対する拒否権をもっている。

	A	B	C	D
1	アメリカ合衆国	ドイツ	フランス	ロシア
2	アメリカ合衆国	フランス	ロシア	ドイツ
3	ドイツ	フランス	アメリカ合衆国	ロシア
4	フランス	ロシア	ドイツ	アメリカ合衆国
5	フランス	ドイツ	ロシア	アメリカ合衆国

実戦問題の解説

No.1 の解説　各国の国政選挙

→問題はP.148　正答4

1 ×　参議院議員選挙は，選挙区と比例代表制により行われる。
日本では，衆議院議員総選挙は**小選挙区比例代表並立制**で，参議院議員通常選挙では原則として各都道府県に1つ置かれる**選挙区と**全国統一で行う**比例代表制**により行われる。議員定数・選挙区・投票の方法など国政選挙に関する事項は**公職選挙法**等によって規定されている（憲法43条2項・47条）。

2 ×　大統領選挙人の数は，各州で異なる。
アメリカ合衆国では，一般に4年毎の11月に大統領選挙が行われる。各州の**選挙人の数は，各州の上院議員と下院議員の人数の合計**になる。上院議員は各州2名だが，435名の下院議員は10年に1度の国勢調査での州の人口に基づき配分されるので各州で異なる（2020年では，最多はカリフォルニア州で52，最少はアラスカ州など6州で1議席）。

3 ×　下院総選挙は，議院内閣制の下，内閣不信任決議可決に対しても行われる。
イギリスは議院内閣制をとっており，議会は下院（庶民院）と上院（貴族院）とで構成される。下院議員の選挙が実施されるのは，**任期5年**の**任期満了**の場合に加え，庶民院に対して**首相が下院を解散**した場合，そして庶民院で**3分の2以上の多数で解散を決議**した場合（＝自主解散）がある。**議会任期固定法**により，次回総選挙は2022年の予定だったが，イギリスのEU離脱推進のためにジョンソン首相が提出した法案が可決され，2019年12月12日に総選挙が行われている。

4 ◎　フランス大統領選挙では，決定選挙（第2回投票）制が導入されている。
任期5年，連続2期10年までのフランス大統領を選出する選挙では，本選挙にて有効投票の過半数をとる候補がいない場合は上位2人による**決定選挙**が2週間後に実施されることになっている。なお，1965年以降2017年まで毎回，決定選挙まで行われている。

5 ×　日本，フランス，アメリカ，イギリスの選挙権年齢はすべて18歳以上。
日本でも2016年に施行された改正公職選挙法により**18歳選挙権**が実現したが，調査対象の187か国の9割近くで18歳で選挙権が認められている（2020年国立国会図書館）。肢にある4か国とも18歳である。なお，オーストリアなどでは，16歳で選挙権が認められている。

No.2 の解説 アメリカの大統領制

→問題はP.148 **正答4**

A× 大統領は，国民による間接選挙で選出される。

アメリカ大統領制は，厳格な権力分立制に基づき，主権者である国民から間接選挙によって選出される。すなわち，主権者たる国民が直接に投票するのではなく，まず国民は大統領選挙人を選挙によって選出し，その大統領選挙人が大統領を選出する。

B× 大統領と議会の間には，不信任決議権や解散権は存在しない。

厳格な権力分立が実践されているので，立法権を行使する議会と行政権を行使する大統領の間に，不信任決議権や議会解散権は認められていない。

C○ 大統領は，議会が可決した法案に対して拒否権を持つ。

正しい。大統領は議会に対して法案提出権を持たないが，議会が成立させた法律に基づき行政を行うため，その法律（議会が可決した法案）に対する拒否権を持つ。ただこの拒否権は絶対的なものではく，拒否権を行使した法案であっても，議会がさらに３分の２以上の賛成で再可決をすると，法案は成立する。

D○ 大統領は，議会に対して教書を送付する権利を持つ。

正しい。大統領には議会に対する直接の法案提出権はないが，議会に対して教書を送付することができる。ただ，教書は法的拘束力を持たず，その性質は，議会に対する勧告や意見にとどまる。

E× アメリカにおいて違憲審査権を行使するのは，裁判所である。

議会の制定した法律が憲法に反するかどうかを審査する違憲審査権は，裁判所に帰属する。明文で，憲法に規定されてはいないが，1803年，連邦最高裁判所のJ.マーシャル長官が，マーベリー対マディソン事件において初めて判示したところに由来する。日本の違憲審査制はアメリカのそれに基づくものである。以上より，妥当なものは**C**と**D**。よって，正答は**4**となる。

No.3 の解説　現代における各国の政治制度

→問題はP.149　正答 1

1 ◎ 立憲君主制：「君臨すれども統治せず」

正しい。**君主制**とは，国などの政治共同体において世襲の君主が主権を持つ政治形態である。中世の絶対王政などでは君主（国王）が絶対的に国を治め，その権限は法を超えるものとされた。時代とともに君主制も歴史的な変遷を見せ，英国では，**名誉革命**により，国王は「**君臨すれども統治せず**」という立憲君主政の原則が確立した。女王には，「勲章の授与」，「議会の解散」，「首相の任命」といった権能があるものの，これらは「議会の制定した法律に則ってのみ」行使することができる（＝**立憲君主制**）。議会は**両院制**をとり，上院に相当する**貴族院**と下院に相当する**庶民院**によって構成され，首相は，**慣習法**により，下院議員の中から，総選挙で庶民院の過半数の議席を獲得した政党の党首が任命される。健全な議会政治において政権交代と野党の政策立案能力が必須であるとされ，イギリス政府・与党の内閣と対する組織として，公職の「**影の内閣**」が存在し，その首相には野党第１党の党首が就任する（＝影の首相）。

2 × 半大統領制＝強大な権限を持つ大統領＋議院内閣制

フランスの第五共和国憲法の下では，これまで**形式的・儀礼的なものに限られていた大統領の権限**が，軍の指揮権・条約批准権・首相の任免権・国民議会の解散権等を有するようになって**大幅に強化**された。一方で，内閣は議会に対して責任を負う議院内閣制を取っているために，その政治形態は「**半大統領制**」あるいは「**大統領制的議院内閣制**」と呼ばれている。なお，フランスの大統領選挙は，国会議員や地方議員などから500人以上の署名を集めた，23歳以上のフランス国民が候補者となり，国民の選挙により選出される。本選挙にて有効投票総数の過半数を占める候補がいない場合には，最上位２人による「決定選挙」が２週間後に実施される。1965年以降2017年まで決定選挙がすべての大統領選挙で行なわれている。

3 × アメリカ大統領制は，厳格な三権分立制。

アメリカでは，立法権を有する連邦議会（上院・下院）議員も，行政権を有する大統領も国民の選挙により選出され，これによりアメリカ大統領制においては**厳格な三権分立制**がとられ，三権の間には「**均衡と抑制**」の関係が働くことになる。議会が制定した法案は大統領に送付されるが，大統領はその法案を承認することも，承認しないこともできる（合衆国憲法第１条第７節）。後者がいわゆる「**拒否権**」である。また，法令が「憲法に違反するかどうか」を審査するのが**違憲審査権**であり，連邦裁判所には連邦議会の制定した法律に対する違憲審査権が認められているが，**行政権を担当する大統領には認められない。**

4 × 日本での内閣不信任決議ができるのは衆議院のみ。

日本では，国会の信任の下に内閣が存立する**議院内閣制**が採用されており，国会は内閣に対して不信任案を決議できるが，その権限を有するのは**衆議院**だけである（憲法69条）。内閣総理大臣は，行政権を担当する内閣に一体性を持たせるために国務大臣の任命権を持ち，その**過半数は国会議員**でなければならない（同68条）。

5 × **国家の最高権力機関および立法機関である全人代は年１回開催。**

中華人民共和国の立法府である**全国人民代表大会（全人代）**は，国家の最高権力機関および立法機関であり，共産党を中心とする大会主席団，全人代常務委員会，国務院などが提出した議案や予算を審議する（中華人民共和国憲法57条・58条参照）。また，全人代では国家主席を選挙し，また最高人民法院院長を選挙する（同62条）。**一院制の全人代**は，**毎年１回開催**されるが，全国人民代表大会常務委員会が必要と認めた場合，または５分の１以上の全国人民代表大会代表が提議した場合には臨時に招集することができる（同61条）。全国人民代表大会の議員の任期は５年である（同60条）。立法機関として全人代が，行政機関として国務院が，司法機関として，最高人民法院と最高人民検察院が存在するが，**民主集中制**をとっているために三権分立の相互抑制メカニズムではない。

No.4 の解説　大統領制

→問題はP.150 **正答 1**

A：**アメリカ大統領は三選禁止である。**

アメリカ合衆国の大統領制に関する記述である。アメリカでは厳格な三権分立制が採用されており，大統領は，議会から「独立して」行政権を行使する。そのため，議会と大統領との間に，大統領不信任決議権や，法案提出権，議会解散権などを有しない。ただし，それを補うものとして**教書を送付**したり，議会の議決に対する大統領の拒否権が認められている。アメリカでも，大統領は三選禁止となっている（アメリカ合衆国憲法修正第22条）。

B：**ドイツでは議院内閣制を採用している。**

ドイツの大統領制に関する記述である。ドイツでは議院内閣制が採用されており，行政権は首相がこれを行使し，連邦会議によって選出される大統領は，**国家統合の象徴**であるという性格が強い。よって，その権限は，アメリカ，フランス，ロシアなどのように強くはない。

C：**フランス大統領の権限は強大である。**

フランスの大統領制に関する記述である。フランスは，議院内閣制の形式をとりながらも，より権限の強大な大統領を有する政治体制である**半大統領制**（**大統領制的議院内閣制**とも呼ばれることがある）をとっている。強大な権限を持つ大統領は，国民から２回投票制で選出される。

D：**ロシアの大統領の任期は６年である。**

ロシアの大統領制に関する記述である。ロシアは連邦制をとるが，大統領が国家元首として行政において強い指導力を有している。すなわち，大統領は，首相（議会の信任を要する）を含む政府の重要閣僚の指名権・任命権と，議会の同意なしに大統領令を発布する権限を持ち，軍隊と国家安全保障会議の長を兼ねている。**出題当時の任期は４年であったが，2008年の法改正で大統領の任期は６年**に延長された。

以上より，**1**が正しい。

国際連合

必修問題

国際連合（国連）に関する記述として最も妥当なのはどれか。

【国家専門職・令和３年度】

1 **総会**は，すべての加盟国によって構成され，国連憲章に掲げる事項について討議し，加盟国や安全保障理事会に勧告をすることができる。総会で全加盟国は一国一票の投票権を持ち，勧告に関する表決は全会一致で，それ以外の事項の表決は出席国の３分の２の多数によって行われる。

2 **安全保障理事会**は，米国，英国，フランス，ロシア，中国からなる**常任理事国**と，総会における選挙で選出された15か国から成る**非常任理事国**とで構成される。非常任理事国の任期は４年で再任も可能である。常任理事国は拒否権を有しており，同理事会の表決は全会一致で行われる。

3 国連が国連憲章の規定に基づいて行っている**平和維持活動**には，兵力引き離しや非武装地帯の確保に当たる平和維持軍，選挙の適正さを監視する選挙監視団などの活動がある。これまでわが国は，**国連平和維持活動協力法**に基づき，選挙監視団のみに自衛隊を派遣している。

4 **国際司法裁判所**は，国連の主要な司法機関である。同裁判所の裁判官は，総会及び安全保障理事会における選挙で選出される。同裁判所は，紛争当事国双方の合意を得て裁判を行うほか，総会や安全保障理事会の要請に応じて，勧告的意見を出すこともできる。

5 国連の**事務総長**は，安全保障理事会の勧告に基づいて総会が任命し，その任期は国連憲章で10年と定められている。事務総長は加盟国の多いアジア，アフリカ，中南米の三つの地域から順番に選出されるのが慣例となっており，欧州や北米出身の者が事務総長となった例はない。

難易度 ＊＊

必修問題の解説

世界の安全を守る国際機関としての国連についての問題である。戦争・紛争が続いている現在，第二次世界大戦を機に作られた国連の意義は大きいが，最近足並みが揃わなくなってきている。国連の主要組織についての知識は頻出である。

1 × **総会での重要事項の決定には，3分の2以上の賛成が必要である。**

総会は国連の主たる審議機関で，政策を決定する機関であるので，**全加盟国の**

代表で構成され，各国はそれぞれ１票の投票権を持つ。総会での決定については，平和と安全保障，予算のような重要問題については**3分の2以上の多数**を必要とし，その他の問題ついては単純多数で行われる。

2 × **安全保障理事会は，世界の平和と安全に主要な責任を持つ。**
理事会は，中，仏，露，英，米の**5常任理事国**と，総会で選出された**10非常任理事国**（任期２年，連続再任はない）との15か国で構成。各理事国は１票の投票権を持ち，手続事項の決定は９理事国以上の賛成で，実質事項は５常任理事国の賛成を含む９か国以上の賛成による。常任理事国の反対は「拒否権」と呼ばれ，決議は否決される。これは「**大国一致主義**」に基づく。

3 × **国連平和維持活動（PKO）について，国連憲章上明文の規定はない。**
紛争地域の平和維持を図る実際の慣行により行っている。**PKO**は，当事者による対話を通じた紛争解決支援を目的とし，国連休戦監視機構（UNTSO）などが活動中である。最近では，元兵士の武装解除・社会復帰や治安部門改革等の分野での支援，政治プロセスの促進，紛争下の文民の保護等の分野での活動も加わっている。国連東ティモール暫定行政機構（UNTAET）等には，軍事部門に加え，文民警察，選挙，人権等の分野の任務に日本も参加している。1992年に国連平和維持活動協力法が成立，施行，1998年に改正，選挙監視活動に関する規定が置かれ可能となった。

4 ◎ **国際司法裁判所は国籍の異なる15名の裁判官で構成される。**
正しい。**国際司法裁判所（ICJ）**は，国連の主要な司法機関であり，1945年に国連憲章により設立，オランダのハーグにある。国際連盟での常設国際司法裁判所にかわる機関。総会と安保理が選出する15人の裁判官（異なる国から選出，任期９年，再選可能）で構成。ICJは，１国際法に従って，国家から付託された国家間の紛争を解決し，２国連の主要機関および専門機関から諮問された法律問題について勧告的意見を与える。

5 × **現グテーレス事務総長はポルトガル人，任期は国連憲章に規定なし。**
事務総長は，安保理の勧告に基づき総会が任命。任期規定は国連憲章にないが，1971年以降全ての事務総長は５年任期，２期までである。現在はグテーレス（ポルトガル）。大陸毎の持ち回りで常任理事国以外から選ぶ慣例がある。前職が潘基文（韓国），前々職がアナン（ガーナ）である。

正答 4

FOCUS

国際平和を目指すが，2022年２月にはロシアのウクライナ侵攻が開始され，2023年４月にはスーダンでの正規軍と準軍事組織「即応支援部隊(RSF)」との武力衝突内戦が激化し，現状としてはほど遠い状況にある。侵攻・戦争に至るまでの経緯や，その地域での歴史について押さえておくといいだろう。

POINT

重要ポイント 1 国際平和の維持

勢力均衡（国家間の軍事力のバランスで戦争を防止）

↓

集団安全保障（すべての国家による平和維持組織が成立して，戦争は違法であることを確認）→これに反した国家には共同して制裁

重要ポイント 2 国際連盟

第一次世界大戦の惨状…国際的平和機構設立の必要性

↓

国際連盟

アメリカ大統領ウィルソンが提唱，14か条の平和原則
→ベルサイユ講和会議で国際連盟規約作成
1920年発足，本部はスイスのジュネーブ
原加盟国：42か国

①**大国の不参加**（対立する両主義体制の主導国であるアメリカの不参加，ソ連の加盟大幅遅延，日独伊の脱退で弱体化）
②**総会・理事会ともに全会一致制**
③**経済的制裁のみ**（通商・金融・交通の閉鎖など）

これらにより，期待どおりの効果あげられず→第二次世界大戦を回避できず

重要ポイント 3 国際連合

ダンバートン・オークス会議で国際連合憲章原案作成
→1945年6月　サンフランシスコ会議で採択
同年10月発足，本部はアメリカのニューヨーク
原加盟国：51か国
国際連盟下での欠陥を修正

①**大国一致主義**（1945年当時の大国：英・米・仏・ソ・中）
②**多数決制**
③**武力制裁まで用意**

活動：国際平和実現，軍縮の推進，人権の確立，難民の救済，地球的課題への対応，国際法の整備など
現在：193か国加盟（2023年6月現在）
※現在の全加盟国は主権国家。インド・フィリピン・ベラルーシ・ウクライナ・シリアの5か国は国連設立当初は独立国家ではなかった。

他にも，政府間組織や非政府組織，そして正式に認定されていないが確かな主権を有する政体は，国連総会での投票権はないが，オブザーバーとして演説を行うことは認められている。

重要ポイント 4 国際連合の主要機関

(1) 総会：全体会議，毎年9月の第3火曜日から（1年に1回），1国1票
一般事項の表決は単純多数決，重要事項の表決は3分の2以上
重要事項＝平和と安全保障に関する勧告，新加盟国の承認，予算
※特別総会：安保理の要請，加盟国の過半数の要請，過半数の同意を得た1加盟国の要請のうちいずれかにより開かれる
※緊急特別総会：常任・非常任の区別なく安保理9か国の要請，加盟国の過半数の要請，過半数の同意を得た1加盟国の要請のうちいずれかにより，24時間以内に開かれる

(2) 安全保障理事会：5常任理事国（米・英・仏・ロ・中）
10非常任理事国（任期2年）計15か国で構成
決定手続き：15か国中9か国以上の賛成
重要事項：5常任理事国すべての賛成が必要（拒否権）

(3) 経済社会理事会：54か国で構成（3年任期で毎年任期満了の18か国改選）
決定手続き：単純多数決　組織＝各種委員会＋専門機関

(4) 国際司法裁判所：オランダ・ハーグにあり。国籍の異なる15名の裁判官で構成
手続き：関係当事国の付託→裁判（1審で終結，上訴なし）

(5) 事務局：事務総長（任期5年，安保理の勧告で総会が任命）＋国際公務員

(6) 信託統治理事会：1994年11月パラオが独立し，その作業を停止した。

◆**専門機関**：現在15機関。経済・社会・文化・教育・保健等の分野における専門の国際機関。国連憲章57・63条に基づく。**国際連合と連携関係にあるが，自律性を持ち国連と従属関係にはない**点に注意。

国際連合食糧農業機関（FAO）
国際民間航空機関（ICAO）
国際通貨基金（IMF）
国際海事機関（IMO）
国際電気通信連合（ITU）
国際連合教育科学文化機関（UNESCO）
国際連合工業開発機関（UNIDO）
世界観光機関（UNWTO）
万国郵便連合（UPU）
国際農業開発基金（IFAD）
国際労働機関（ILO）
世界銀行（WB）グループ
- 国際復興開発銀行（IBRD）
- 投資紛争解決国際センター（ICSID）
- 国際開発協会（IDA）
- 国際金融公社（IFC）
- 多国間投資保証機関（MIGA）

世界保健機関（WHO）
世界知的所有権機関（WIPO）
世界気象機関（WMO）

◆**総会の補助機関**：国連貿易開発会議（UNCTAD），国連環境計画（UNEP），国連人口基金（UNFPA），難民高等弁務官事務所（UNHCR），国連児童基金（UNICEF），世界食糧計画（WFP），人権理事会（UNHRC），人権高等弁務官事務所（OHCHR）など

実戦問題

No.1 * **国際連合に関する記述として，妥当なのはどれか。**

【地方上級（特別区）・平成21年度】

1 総会は，すべての加盟国によって構成され，国際社会や国連に関するあらゆる問題を討議し，加盟国や安全保障理事会に勧告を行うことができるが，勧告に関する議決は全会一致によって行われることとされている。

2 安全保障理事会は，アメリカ，イギリス，フランス，ロシア，中国の５常任理事国と総会で選挙される非常任理事国10か国とで構成されるが，５常任理事国は拒否権をもっている。

3 国連平和維持活動は，紛争の拡大を防ぐ平和維持軍，停戦合意を監視する停戦監視団の活動などからなるが，平和維持軍は，湾岸戦争では安全保障理事会と加盟国との特別協定に基づいて国連軍として武力行使を行った。

4 信託統治理事会は，経済，社会，人権などの分野で国際協力を促進する国連の中心機関で，国連教育科学文化機関などの専門機関と連携しながら国際紛争の原因となる貧困や社会的不平等を取り除く活動を進めている。

5 国際連合は，創立から80年以上が経過しており，現在の国際社会の状況にその構成を適合させるために安全保障理事会の常任理事国を拡大するなどの機構改革が論議されている。

No.2 * **国際連合に関する記述として，妥当なのはどれか。**

【地方上級（特別区）・平成23年度】

1 国際連合憲章第７章では，安全保障理事会と加盟国間で締結される特別協定に基づいて創設される国際連合軍（UNF）により，軍事的強制措置をとれることになっているが，当該国際連合軍は今日まで設置されていない。

2 総会は，全加盟国によって構成され，国際連合のすべての目的に関する問題について討議，決定するが，決定は加盟国の面積や人口に応じて，各加盟国が投票権を持ち，多数決により行われる。

3 信託統治理事会は，総会の権威の下に国際労働機関（ILO），国連教育科学文化機関（UNESCO），世界保健機関（WHO）などの専門機関と密接に連携しながら，経済，社会分野での国際的な取組みを進めている。

4 国際連合は，紛争の拡大を防ぐために，紛争当時国の同意をいかなる場合も必要とせずに，加盟国が自発的に提供した軍人や文民を紛争地域に派遣して，停戦監視や紛争地域の治安回復にあたらせる平和維持活動（PKO）を行う。

5 安全保障理事会は，常任理事国が決議の成立を阻止できる拒否権を持っているため，全会一致の原則に基づいて運営されており，平和と安全の維持に関しては総会よりも優越的地位を保障されて活動している。

＊No.3 国際連盟と国際連合の相違に関する記述として妥当なのはどれか。

【国家専門職・平成10年度】

1 国際連盟は，設立当初からアメリカが加盟せず，日本が中途脱退するなど，真に世界的組織になることはできなかったが，国際連合には，現在朝鮮半島において分裂状態にある大韓民国（韓国）と朝鮮民主主義人民共和国（北朝鮮）を除いて，世界のほとんどすべての国が加盟している。

2 国際連盟には，国家間紛争を国際法に基づく司法的解決により調停するための機関が存在せず，国際法に基づき平和的に解決できる紛争が武力衝突に至るケースが存在した。その反省に基づき，国際連合は国際司法裁判所を設置した。

3 国際連盟の決議は法的拘束力を持たず，侵略国に対しても経済制裁を加えるにとどまった。国際連合憲章は，安全保障理事会と加盟国が特別協定を結び，国際連合軍を創設することができると定めている。

4 国際連盟では，総会や理事会で全会一致制を採用したため，しばしば決定を下すことができなかった。国際連合では，アメリカ，イギリス，フランス，中国，ソ連（現在はロシア）の５か国に安全保障理事会常任理事国の地位を与え，これら５常任理事国は安全保障委員会のみならず，総会でも拒否権を保有している。

5 国際連盟は，総会と理事会のみから構成されるシンプルな機関であったが，国際連合は世界人権宣言に基づき，経済社会理事会や総会にさまざまな付属機関を設置している。特に，経済社会理事会に設置された国際労働機関（ILO）は，労働者保護の理念を世界に広げるため，重要な役割を果たしている。

実戦問題の解説

No.1 の解説　国際連合

→問題はP.160　**正答2**

1 × **国連の表決は多数決制が原則である。**
国際連合においては，表決に原則として**多数決制**を採用している。国連総会では，**1国1票制**を採用し，**重要問題**については3分の2以上，一般問題については過半数での表決とする。それは，勧告に関する議決であっても変わることはない。

2 ◎ **5常任理事国は拒否権を持っている**
正しい。国際連盟が有効に機能しなかったことに対する反省から，国際連合においては**大国一致主義**がとられ，安全保障理事会においては，**常任理事国**に**拒否権**が認められている。

3 × **湾岸戦争では国際治安支援部隊が多国籍軍として行動した。**
現在まで国連憲章の規定する国連軍が組織されたことはない。湾岸戦争においては，**国際治安支援部隊**が，国連安全保障理事会に承認された多国籍軍として行動したのであり，またこれは国連平和維持活動ではない。

4 × **信託統治理事会は日常的な活動はしていない。**
国際連合の主要機関の一つである**信託統治理事会**は，安全保障理事会の5常任理事国で構成され，世界の中の未解放の地域（第一次世界大戦終了時の委任統治領，第二次世界大戦により旧枢軸国から切り離された地域）を特別の保護の下に置き，そこに住む人々の社会的前進を監督する目的を持つ。1994年，最後の信託統治地域パラオが独立したため，以降は必要のある時にのみ会議を開くことになっており，日常的な活動はしていない。

5 × **国際連合の設立は1945年。**
国際連合は，第二次世界大戦を機に設立された国際平和をめざす機関であり，その設立は**1945年**である（よって80年以上は経過していない）。

No.2 の解説　国際連合

→問題はP.160　**正答1**

1 ◎ 妥当である。国連憲章第7章に規定する**「国連軍」が現在まで一度も組織されていない**ことに注意したい。

2 × 妥当でない。国連総会での議決権は，面積や人口とは無関係に「**一国一票**」が与えられている。一般問題については過半数の，重要問題については3分の2以上の多数決で議決される。

3 × 妥当でない。本肢は経済社会理事会の説明である。独立していない地域の施政や監督をその任務とする信託統治理事会は，国連の主要機関に数えられるが，現在はその対象国はなく活動はしていない。

4 × 妥当でない。国連憲章第6章は，平和維持活動をはじめ各種の紛争の平和的解決について規定しているが，このような活動や解決には当事国の同意が前提（＝必要）とされる。

5 × 妥当でない。安全保障理事会の常任理事国には，手続事項以外の重要事項の議決に**拒否権**が認められている。すなわち議決は，構成する全15か国のうち9か国以上の賛成による多数決でなされるが，この9か国の中にすべての常任理事国が含まれなければならないのである。この点において，いわゆる「**大国一致主義**」がとられているといえるが，これは全会一致制を意味するものではない。

No.3 の解説 国際連盟と国際連合の相違

→問題はP.161 **正答3**

1 × 南北朝鮮ともに，国際連合に加盟している

前段は正しい。国際連盟においてはこのように大国が一致しなかったために，その効果を十分にあげることができなかったのである。1991年に大韓民国と朝鮮民主主義人民共和国（北朝鮮）は国際連合に加盟した。ちなみに**世界には196か国**（日本が承認している国＝195＋日本，2023年6月現在）あり，日本は，ニウエ（2015年），南スーダン（2011年）およびクック（2011年）をそれぞれ承認した。日本が承認している国のうち，バチカン，コソボ，クックおよびニウエは国連未加盟。他方，**国連に加盟している北朝鮮を日本は承認していない**。

2 × 国際連盟時代にも常設国際司法裁判所があった。

国際連盟においても常設国際司法裁判所があり，国家間紛争の司法的解決が図られた。国際司法裁判所の前身である。

3 ◎ 国際連合憲章は，国連軍の創設を規定する。

正しい。いわゆる国際連盟の欠陥の一つであり，有効な決定遵守機能を持たなかった。国際連合では，この点が改められている。

4 × 総会では「1国1票」であり，5大国に拒否権はない。

前段は正しい。5**常任理事国**が**拒否権**を発動できるのは，安保理においてのみである。総会は，主権国家対等の原則から1国1票とされており，拒否権は認められていない。

5 × 専門機関は独立性を持ち，国連憲章に基づく。

国際連盟は，総会と理事会，常設国際司法裁判所などを備えていた。ILOは，確かに経済社会理事会を通じて国際連合と結びついてはいるが，本来，独立の機関である。**専門機関**については国連憲章が規定しており，世界人権宣言は国際的な人権保障を目的とするものであり，1948年の国連総会で採択されている。

国際政治

必修問題

第二次世界大戦の終結と戦後の国際政治の動向に関する記述として，妥当なのはどれか。 【地方上級（特別区）・令和2年度】

1 1945年，アメリカ・ソ連・イギリスの3首脳は，**マルタ会談**で，国際連合の設立と運営原則を取り決め，同時にソ連の対日参戦について話し合った。

2 1955年，インドネシアのバンドンで**アジア・アフリカ会議**が開催され，主権と領土保全の尊重及び内政不干渉等からなる「**平和10原則**」が採択された。

3 1989年，アメリカのブッシュ大統領とソ連のゴルバチョフ共産党書記長は，**ヤルタ会談**で，冷戦終結を宣言した。

4 1990年，**全欧安全保障協力機構（OSCE）**が発足し，ヨーロッパの対立と分断の終結を約した「パリ憲章」を宣言したが，1995年にOSCEは解散した。

5 1991年，ソ連が解体し，ソ連に属していた11か国は，緩やかな結びつきである**経済相互援助会議（COMECON）**を創設した。

難易度 ＊＊

必修問題の解説

国際政治のテーマの中で，軍縮に関する出題が目立つ。冷戦時代から，アメリカ・ソ連（当時）の間でいろいろな試みがなされ，やがて軍縮・平和への模索は世界へ広まっていった。

1 ×　ヤルタ会談・1945年―冷戦の発端

第二次大戦終結の1945年に開かれ，戦争後の対応を，米（ルーズベルト大統領），英（チャーチル首相），ソ連（スターリン首相）の3者で話し合ったのは**ヤルタ会談**である。①独の戦後処理（分割統治・賠償），②ポーランドの問題（国家再建・国境確定），そして③国際連合の創設等がその内容。また，ソ連の対日参戦，北方領土（千島・南樺太）領有に関する秘密協定も結ばれた。一方，欧州での利害対立が明確化し，**東西冷戦の発端**となった。

2 ◎　1955年AA会議は29カ国参加，第3世界，平和10原則。

正しい。**アジア・アフリカ会議**とは，アジア・アフリカ（AA）諸国による国際会議で1955年に開催（バンドン会議とも）。参加国の29か国のうちの多くは，第二次世界大戦後に，欧米諸国の植民地支配から独立した国であった。冷戦が拡大化し，1954年には西側諸国の反共軍事同盟「東南アジア条約機構（SEATO）」が結成されたのを受け，西/東側のどちらでもない「第3の立場（第三世界）」を主張した。そこでは，反帝国主義，反植民主義，民族自決の精神が主張され，「世界平和と協力の推進に関する宣言」（=平和十原則）が採択された。内容は，（1）基本的人権と国連憲章の尊重，（2）主権と領土保全の尊重，など10項目である。1965年に第2回会議が予定されるも，参加国でのクーデターで無期延期に。2005年に50周年を記念してバンドンで開催された。

3 × **マルタ会談・1989年―冷戦の終結。**
肢は，1989年に行われた**マルタ会談**についてのもの。東欧諸国の民主化や，ベルリンの壁の崩壊という状況下で，米（ブッシュ大統領）とソ連（ゴルバチョフ書記長）が東西冷戦終結を宣言，米ソの新時代到来が確認された。

4 × **1975年全欧安全保障協力会議（CSCE）→1995年にOSCEに。**
全欧安全保障協力機構（OSCE）は，1975年のCSCEを拡大・改組したもので，北米（米・加）から欧州（ウクライナ，露も），中央アジアの57加盟国による世界最大の地域安全保障機構で，ウィーンに本部がある。幅広い安保問題の政治的対話を行う場の提供，個人・社会の生活改善のための共同の行動により，紛争予防，危機管理，紛争後の再建を通じて，加盟国間の相違をふまえて信頼醸成を行う。平和維持活動等に派遣する実力部隊・実行手段は持たない。加盟国と11のパートナー国で構成（日本はパートナー国）。

5 × **1949年COMECON→91年ソ連崩壊→国家連合体CIS誕生。**
独立国家共同体（CIS）は，ソ連解体時に，連邦を構成していた15の共和国が独立し，バルト三国以外の12か国で結成された国家連合体。2023年時点で，ジョージアが脱退し加盟国数は11だが，ウクライナは脱退状態にある。本部はベラルーシの首都ミンスク。なお肢中の経済相互援助会議（COMECON）は，1949年にソ連と東欧社会主義国家間の経済協力を目的として発足した国際機構で，米のマーシャル=プランに対抗したもの。キューバ，ベトナムなども加盟していたが，1991年のソ連の崩壊で解散した。

正答 2

FOCUS

軍縮に関する交渉，条約については，主体，内容，日本の態度（批准しているか）を歴史の流れの中で，背景を考えながら押さえておく必要がある。このテーマは普遍であり，いつ出題されてもおかしくないものである。

POINT

重要ポイント 1 国際社会の変遷と動向

17世紀	国際社会の原型……30年戦争（1618〜1648年）の終結 17世紀のヨーロッパ・ウェストファリア条約（1648年） ・中世キリスト教的統一世界の崩壊 ・民族自決主義（ナショナリズム）の高揚
18世紀	近代国際社会の成立……主権国家の形成 17〜19世紀のヨーロッパ・絶対主義国家の形成 →アジア・アフリカ・南米への植民地支配（帝国主義による） ＜近代市民革命＞ ・国民国家の形成
19世紀	新興諸国の国際社会……19世紀の非ヨーロッパ諸国・アメリカ合衆国・日本・中国などへの参入
20世紀	第一次世界大戦後の国際社会……＜20世紀前半の国際社会＞ ・ソビエト社会主義共和国連邦の成立（1922年） ・国際連盟の創設　初の国際的平和維持機構の誕生
	第二次世界大戦後の国際社会……＜20世紀後半の国際社会＞ ・国際連合の創設，アジア・アフリカ諸国の独立 米・ソ，イデオロギーの対立（資本主義VS共産主義）の激化 ・核兵器開発競争の激化と緊張緩和，ソビエト連邦の崩壊
21世紀	米ソ冷戦後の国際社会……＜21世紀前半の国際社会＞ 2001-2014　アフガニスタン紛争。アフガニスタンにおいてタリバーン勢力，アルカイダ，およびその他の武力集団との間で行っている武力衝突 2001.9.11　アメリカ同時多発テロ 2003.3.20〜　イラク戦争。イギリス，オーストラリアと，工兵部隊を派遣したポーランド等が加わる有志連合によって，イラク武装解除問題の進展義務違反を理由にイラクへ侵攻したことで始まった軍事介入 2012-2016　シリア内戦においてシリア最大の都市アレッポで行われた戦闘。 2022.2〜　ロシアのウクライナ侵攻 2023.4〜　スーダンで正規軍と準軍事組織「即応支援部隊（RSF）」との武力衝突

重要ポイント 2 国際関係の基本的要因

●**政治的要因**：ナショナリズム，インターナショナリズム（国際協調主義），超国家主義

●**経済的要因**：資源・エネルギー・食糧問題，国際市場獲得競争

●**文化的要因**：社会的宗教対立，イデオロギー対立，人種的偏見，民族・部族対立など

※現在の国際紛争は文化的要因によるものがほとんどである。この要因の根本的な解消は非常に困難である。

重要ポイント3 国際法

(1) 国際法の成立：国家間の紛争解決手段
戦争（力）→国際法（国家間を律する自然法の存在）

(2) グロティウス（オランダ「国際法の父」）
「戦争と平和の法」…戦時のルール，「自由海論」…公海自由の原則

(3) 国際法の現状

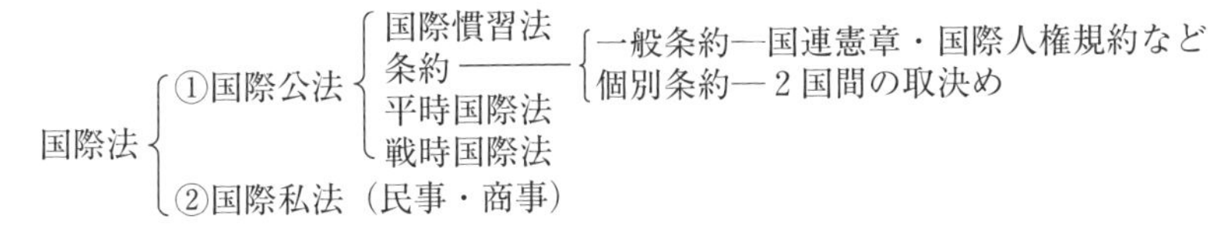

(4) 国際法の課題
①統一的立法機関の不存在
②統一的司法機関の不存在
③法的制裁力（強制力）に限界がある

重要ポイント4 EU

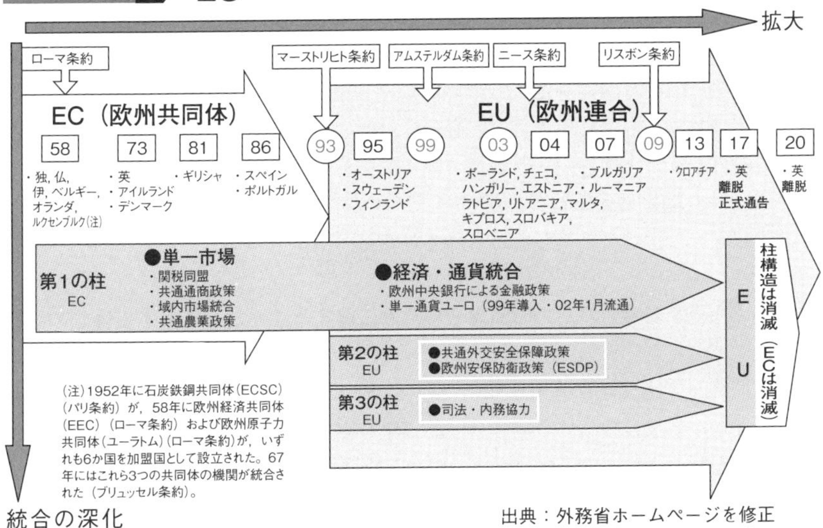

出典：外務省ホームページを修正

▶P.173もあわせて参照

実戦問題❶　基本レベル

＊＊
No.1　世界の軍縮等に関する記述として最も妥当なのはどれか。

【国家一般職・令和元年度】

1　第二次世界大戦後，冷戦により安全保障理事会があまり機能せず軍縮が進まなかったため，国際連合は，国際司法裁判所の下にロンドンに本部を置く国連軍縮委員会を設置した。同委員会での交渉を経て，ロンドン海軍軍縮条約が発効して，欧州での軍縮につながった。

2　1980年代，米ソ間の緊張緩和が進む中，両国間で戦略兵器削減交渉（START）が行われ，包括的核実験禁止条約（CTBT）が発効した。2010年代には，米ロに経済成長が著しい中国を加えた3か国で戦略兵器制限交渉（SALT）が行われ，中距離核戦力（INF）全廃条約が発効した。

3　21世紀に入り，国際テロ組織が核兵器を入手する可能性が高まったことを受けて，核拡散防止条約（NPT）が発効した。核兵器非保有国での核兵器の開発も指摘されたことから，国際原子力機関（IAEA）が安全保障理事会の下に設置され，国連軍の指揮下でIAEAが核査察を実施している。

4　核兵器の根絶を目指す動きの一つに域内国での核兵器の生産・取得・保有を禁止する非核兵器地帯条約の締結・発効があり，中南米，南アジア，東南アジアで条約が発効している。現在，イランやカザフスタンを含む中央アジア地域でも条約の締結に向けた交渉が進められている。

5　特定の兵器がもたらす人道上の懸念に対処するために，それらの使用等を禁止する対人地雷禁止条約，クラスター弾に関する条約が発効し，我が国も批准している。対人地雷禁止条約の採択には，NGOが全世界に地雷の非人道性を訴える活動が大きな役割を果たしたとされている。

＊＊＊
No.2　国家間協力のための組織や枠組みに関する記述として最も妥当なのはどれか。

【国家総合職・平成29年度】

1　東南アジア諸国連合（ASEAN）は，域内における経済成長，社会・文化的発展の促進などを目指して設立され，2016年時点では10か国で構成されている。また，我が国や米国なども参加するASEAN地域フォーラム（ARF）は，政治・安全保障問題に関する対話と協力を通じ，アジア太平洋地域の安全保障環境を向上させることを目的としている。

2　アジア欧州会合（ASEM）は，植民地諸国の独立をきっかけに，アジア・欧州の協力関係を築くため，1950年代中頃に初めて開かれ，領土と主権の尊重，内政不干渉などをうたった平和十原則を採択した。相互尊重と平等の精神に基づき，政治，経済，社会・文化などの三つの柱を中心に活動を行っている。

3　アジア太平洋経済協力（APEC）は，アジア通貨危機を受けて，オーストラリアの提唱で始まったもので，アジア太平洋地域の経済協力の枠組みである。その活動は，協調的自主的な行動と開かれた地域協力を特色としており，APEC首脳会議におけるプラザ合意に基づいて，APECのメンバーが外国為替市場に協調介入を行ったこともある。

4 石油輸出国機構（OPEC）は，産油国によって構成される資源カルテル組織であり，サウジアラビア，イラン，イラク，ロシア，カナダなどが加盟している。OPECは，資源ナショナリズムの高まりから，アラブ石油輸出国機構（OAPEC）を改組して結成され，第4次中東戦争に際し，米国に対して石油の禁輸を実施した。

5 経済協力開発機構（OECD）は，欧州経済協力機構（OEEC）を前身とし，経済成長，開発，貿易の三つを目的に，国連貿易開発会議（UNCTAD）の勧告に基づいて発足し，政府開発援助（ODA）が満たすべき要件を定めるなどしている。我が国はOECDの発足時からの加盟国であり，また，我が国のODAは独立行政法人国際協力機構（JICA）が行っている。

＊＊ No.3 国際社会と国際法に関する記述として最も妥当なのはどれか。

【国家専門職・平成18年度】

1 国際法の父と呼ばれるイギリスのグロティウスは，『戦争と平和の法』を著し，国家間の関係に自然法を適用して，国家が従わなければならない国際規範があると主張したが，この考えは17世紀のイギリスの航海法の制定に影響を与えた。

2 国際法には，公海自由の原則のように諸国間での長期の慣行を経て形成された国際慣習法と国家間の合意として明文化されて効力を発揮する条約とがあるが，条約は，全権委任状を携行する代表により合意内容を確定する署名がなされた時点で発効する。

3 国際法は，従来，主権や領土などの個々の国家の利益を中心に構成された国際社会の秩序を規律するものであったが，国際連合などの国際機構の活動によって，人権や環境の問題など，国際社会全体の利益を想定する新しい考え方が取り入れられるようになった。

4 安全保障の国際法に，複数の国家が同盟して第三国からの攻撃に共同で反撃する防衛同盟条約があるが，二度の世界大戦を経て制定された国際連合憲章では，はじめて戦争や違法な武力に訴える国を残りの国が集団で制裁するという，より組織的な集団安全保障制度を導入した。

5 国際法による裁判所には，当事者が合意した裁判官による国際仲裁裁判所，常設の国際司法裁判所および集団虐殺の首謀者などを犯罪者として訴追する常設の国際刑事裁判所があり，旧ユーゴスラビアやルワンダの民族紛争は常設の国際刑事裁判所で裁かれた。

No.4 国際機構に関する記述として最も妥当なのはどれか。

＊＊

【国家総合職・平成16年度】

1 国際連合（UN）は，加盟国が徐々に拡大し，現在は北朝鮮（朝鮮民主主義人民共和国）と永世中立国のスイスを除く世界のほとんどの国が加盟国となっている。その主要機関である安全保障理事会は５つの常任理事国と10の非常任理事国からなるが，重要な議題の決議においては常任理事国に拒否権が認められている。

2 欧州連合（EU）はマーストリヒト条約により欧州共同体（EC）が改称されて誕生したもので，2005年現在，15か国が加盟している。また，国内の経済事情により参加できなかったイタリア，スウェーデン，デンマークを除くEU加盟国の間で1999年に通貨統合が実現し，単一通貨ユーロが導入された。

3 経済協力開発機構（OECD）は1970年代初頭，当時の世界的な石油危機を克服するために創設されたもので，現在は約30か国が加盟している。OECDは，現在，加盟国の共同出資による基金を活用して加盟国の国際収支や通貨の安定を図ることを主な目的としている。

4 北大西洋条約機構（NATO）は，ファシズム国家に対抗するためにアメリカ合衆国を中心として第二次世界大戦直前につくられた集団安全保障機構である。第二次世界大戦後，その戦略目標はファシズム国家から旧ソ連などの共産主義国に替わり現在に至っているが，東西冷戦の緩和によりその存在意義が薄れつつあり加盟国も減少している。

5 東南アジア諸国連合（ASEAN）は，カンボジアの加盟により2005年現在，加盟国数が10か国となっており，経済分野をはじめ政治的協力やアジア太平洋地域の安全保障を扱う地域機構に成長しつつある。また，ASEAN自由貿易地域（AFTA）が合意されたことにより，域内における関税の引下げや非関税障壁の撤廃が実施されることとなった。

実戦問題1の解説

No.1 の解説 世界の軍縮

→問題はP.168 正答5

1 × **国連軍縮委員会（UNDC）が機能するのは，1978年の再発足以降。**

第二次大戦後の1952年，国連総会において軍縮交渉を行う機関として**国連軍縮委員会（UNDC）**は設置されたが，**長い間休眠状態**であった。**1978年の第1回国連軍縮特別総会**で改編され，国連全加盟国が参加する軍縮につき審議する国連総会の補助機関として，**現在のUNDCが再発足**している。なお，**ロンドン海軍軍縮会議**は，1930年に開催された海軍の補助艦保有量制限を目的とした国際会議。参考までに，国連で軍縮・不拡散分野を扱うのは，①この分野のすべてのテーマを扱う「**国連総会第一委員会**」と②総会の枠外で特定問題を重点的に議論する「UNDC」がある。

2 × **2019年8月INF全廃条約は失効している。**

アメリカ・ソ連間の戦略兵器縮小については，冷戦期の第一次（**SALTⅠ**，1969-1972），第二次戦略兵器制限交渉（SALTⅡ,1972-1979）を経て，1991年に第一次（STARTⅠ），1993年に第二次戦略兵器削減条約（STARTⅡ），2002年のモスクワ条約締結に至り，2011年には新戦略兵器削減条約（New START）が発効した。あらゆる空間での核爆発を禁止する包括的核実験禁止条約（**CTBT**）は，1996年に国連総会で採択，2023年2月現在で186か国が署名，177か国（1997年に日本）が批准するも，核保有国を含む44か国の**発効要件国が批准未完了のため未発効**。中距離核戦力**（INF）全廃条約**は，アメリカとソ連との間で1987年に締結されたが，2019年2月にアメリカは本条約の破棄をロシアに通告，ロシアも条約義務履行の停止を宣言し，**同年8月2日に失効**した。

3 × **国際原子力機関（IAEA）は，国際連合の専門機関ではない。**

核拡散防止条約（NPT）は，冷戦期の下で核兵器廃絶が進まず，保有希望などの潜在保有国が増加したことを背景に，アメリカ，ロシア，イギリス，フランス，中国の**5か国以外の核兵器の保有を禁止**するもので，1968年成立，**1970年に発効**した。2020年4月現在締約国191か国・地域（インド，パキスタン，イスラエル，南スーダンが非締約国）。国連の保護の下に**自治機関として**1957年に設立された**国際原子力機関（IAEA）**は，**原子力の平和利用**の促進，軍事的利用への転用防止を目的とする国際機構である。**国際連合の専門機関ではない。**核物質が平和利用の目的から転用されないよう，IAEAは査察を行っている。

4 × **非核兵器地帯条約はそれぞれの地域で制定，北半球の大半の地域では未制定。**

非核兵器地帯条約は，**それぞれの地域**の各国による核兵器の開発，実験などの禁止だけではなく，付随議定書により核保有国が非核地帯への核兵器による攻撃・威嚇禁止をも内容とする。非核兵器化を進めている地域には，**中南米**（2002年にキューバが批准し，中南米の全33か国が署名・批准），東南アジア（2001年フィリピンが批准し，東南アジア諸国連合（ASEAN）全10か国が署名・批准），他にアフリカ・中南米などがある。一方，北米，ヨーロッパ，ロシア，東アジア（中国，朝鮮半島，日本など），**南アジア**，**中東**など，つまり北半球の大半の地域は非核化されていない。

5 ◎ 対人地雷禁止条約，クラスター爆弾禁止条約ともに日本は批准している。
1999年に発効した**対人地雷禁止条約**は，地雷の全面使用禁止や地雷廃棄・除去等を義務付け，被害者支援等を規定する。日本は1997年署名，1998年批准。また，クラスター弾の使用や製造等を全面禁止とする**クラスター爆弾禁止条約**（オスロ条約）については，日本は2008年署名，2010年批准。対人地雷の部分的禁止を禁止条約までにしたのは，地雷禁止国際キャンペーン（ICBL）等のNGOがキャンペーンを展開し趣旨に賛同する諸国の国内法制定によるとされる。これによりICBLとその世話人は**1997年度ノーベル平和賞**を受賞した。

No.2 の解説　国家間協力の組織　→問題はP.168　正答 1

1 ◎ ASEAN10となり，ARFにはアメリカや北朝鮮も参加している。
正しい。タイ，インドネシア，シンガポール，フィリピン，マレーシアの5か国で1967年の「バンコク宣言」によって設立された**ASEAN**（**東南アジア諸国連合**）は，1984年にブルネイが加盟後，加盟国が順次増加し，現在は10か国で構成（「ASEAN10」とも呼ばれる）。
また，ARF（ASEAN地域フォーラム）は，政治・安全保障問題に関する対話と協力を通じ，アジア太平洋地域の安全保障環境を向上させることを目的としたフォーラムで，1994 年から開催されており，ASEANの一連のフォーラムの中で最も歴史が長く，加盟メンバーも多い（25か国＋1地域＋EU ※北朝鮮も参加）。

2 × ASEMは，アジアと欧州の関係強化を目的として首脳が直接対話する会合。
誤り。1994年10月，第3回「**東アジア・欧州経済サミット**」での提言を受けて，シンガポールのゴー首相は，アジアと欧州の関係強化を目的として首脳が直接対話する「**アジア欧州サミット構想**」を打ち上げ，それに基づき，1996年3月にバンコク（タイ）で第1回首脳会合が開催。アジア側参加メンバー（21か国と1機関），欧州側参加メンバー（30か国と1機関）の合計51か国と2機関によって構成される。

3 × APECは，アジア太平洋地域での経済の相互依存関係の必要性から設立。
誤り。1980年代後半，アジア域内の経済成長，欧州，北米での市場統合が進み，アジア太平洋地域における経済の相互依存関係を基礎とする新たな連携・協力の必要性が高まった。**1989年，ホーク・オーストラリア首相の提唱**を受け，アメリカ，ASEAN等においても次第にアジア太平洋経済協力構想の実現に向けた機運が高まり，同年第1回APEC閣僚会議がオーストラリア（キャンベラ）で開催。アジア太平洋地域の21の国と地域が参加し，「協調的自主的な行動」と「開かれた地域協力」を大きな特色として活動。

4 × **OPECにロシアやカナダは加盟していない／OAPECとは別組織。**

誤り。**OPEC**は，国際石油資本などから石油産出国の利益を守ることを目的として，1960年９月設立。設立当初は，イラン，イラク，クウェート，サウジアラビア，ベネズエラの５か国を加盟国としていたものの，後に加盟国は増加し，2023年６月現在では13か国が加盟している。世界最大のカルテルとされ，1970年代には石油の価格決定権を国際石油資本より奪い，２度のオイルショックを引き起こした。本部はオーストリア・ウィーン。カタールは2019年，エクアドルは2020年に脱退している。

また，**OAPEC**は，OPECとは別組織として，クウェート・リビア・サウジアラビアの３か国で，石油事業促進を目的として1968年１月に結成した国際機構。現在，北アフリカ，地中海沿岸の10か国が加盟。本部はクウェート・クウェートシティ。

5 × **OECDの三大目的は，経済成長，貿易自由化，途上国支援。**

誤り。第二次大戦後の「**マーシャルプラン**」を契機として，1948年４月，欧州16か国でOEEC（欧州経済協力機構）が発足。その後，欧州経済の復興に伴い1961年９月，アメリカおよびカナダが加わり**OECD**が発足（日本は1964年に加盟)。現在の加盟国は38か国で，本部はフランスのパリ。

No.3 の解説　国際社会と国際法

→問題はP.169　**正答３**

1 × **グロティウス**の1625年の論考「**戦争と平和の法**」においては，主権国家が戦争を行えるのはどういう場合か，その場合に市民の権利や財産はどこまで守られるのか，また国際社会にどのような紛争がありうるかを，ギリシャ・ローマの古典やキリスト教神学を援用して論証している。イギリスの航海法の制定に影響を与えたのは，公海自由の原則を説いた1609年の著書『海洋自由論』である。

2 × 条約は，全権委任状を持ったものによる採択が終わると，代表者による署名（調印）が行われ，署名が終わると条約文は最終的な合意となり，以降，勝手な修正や変更はできなくなる。そして，効力が発生するには国家の承認（批准）が必要とされる。これは，国民の代表である議会が条約締結に関与し，審査できるようにするためである。なお，批准された場合には，その批准書を交換することで効力が発生し，多国間の場合は，指定した国または国際機関に批准書を寄託する。

3 ◎ 正しい。

4 × **集団安全保障**とは国家連合において，軍事力の行使を原則禁止し，またその原則に違反して武力行使に至った国家に対しては構成国が連合して軍事的な手段も含む集団的制裁をかける安全保障の概念である。国際連合の前身である国際連盟において初めて採用されたが実効性はなかった。現在では国際連合がこの集団安全保障を機能させる国際機関であるが，連合軍による軍事制裁はいまだ実現していない。

5 × **常設国際仲裁裁判所**は，1901年にオランダのハーグに設立され，国際紛争平和処理条約などで，構成されることを約定された制度。常設といっても裁判官の名簿が常備されているだけであり，紛争が起こるたびに紛争当事国の合意によって構成される。**国際司法裁判所**は，国連の主要機関の一つとして設置された，国家のみを対象とした裁判所であり，強制的管轄権はなく，紛争当事国の合意を前提に裁判権を行使する。国際刑事裁判所は，1998年7月に国際連合全権外交使節会議において採択された国際刑事裁判所ローマ規程に基づき，2003年3月オランダのハーグに設置された個人の国際犯罪を裁く常設の国際司法機関である。なお，本肢にあるルワンダ国際戦犯法廷は，国際連合の安全保障理事会決議955によって1994年11月に設置された国際刑事裁判所であり，1994年1月1日から1994年12月31日の間の時間的管轄が設けられていたもので現在の国際刑事裁判所とは異なる。

No.4 の解説　国際機構

→問題はP.170　**正答5**

1 × **北朝鮮もスイスも，国際連合の加盟国。**

北朝鮮（朝鮮民主主義人民共和国）は1991年9月17日に，スイスは2002年9月10日にそれぞれ国連に加盟している。2023年4月現在の国連加盟国数は193か国であり，日本が正式に認めている独立国の中で，国連に加盟していないのは**バチカン市国**だけである。後半は正しい。

2 × **イタリアは2002年1月1日からEU単一通貨ユーロを使用開始**

1993年11月の欧州連合条約（マーストリヒト条約）の発効によって欧州連合（EU）が誕生した。この時点での欧州連合加盟国は12か国である。EUは，1999年1月から**欧州通貨統合**をスタートさせたが，国内世論の強い反対により，当時の加盟15か国のうちイギリス，スウェーデン，デンマークの3か国は通貨統合に参加せず，現在も未参加のままである（2023年4月現在）。なお，イギリスは2016年の国民投票で**EUから脱退**した。

3 × **OECDは1961年OEECを改組して発足。**

第二次世界大戦後の欧州復興のためのマーシャルプラン受入れのための欧州経済協力機構（OEEC）を改組して，発足したものが**経済協力開発機構（OECD）**である（1961年）。2023年7月現在の加盟国は38か国で，経済の安定成長・途上国援助・貿易の拡大がその主目的である。

4 × **NATOは1949年に発足，現在も拡大中。**

北大西洋条約機構（NATO）は旧ソ連など東欧諸国に対する西側の集団防衛機構として1949年に発足した。現在，東欧諸国の民主化，ドイツの統一，ワルシャワ条約機構解体と続く激動の欧州情勢の中で，通常戦力を大幅に削減し，柔軟な緊急対応型の組織への改変を摸索しており，その中でNATOは東方拡大を進め，1999年3月にはポーランド，チェコ，ハンガリーが，2004年4月にはブルガリア，ルーマニアなど7か国が，また2009年4月にはクロアチアとアルバニアが新たに加盟している。クロアチアとアルバニアが、2017年にモンテネグロ，2020年に北マケドニア，そして2023年にフィンランドが加盟し，31か国が加盟している。

5◎ ASEANは加盟10か国で，AFTAによる自由貿易はほぼ実現

正しい。**東南アジア諸国連合**（**ASEAN**）は，東南アジア域内における経済成長，社会・文化的発展の促進，地域における政治・経済的安定の確保，域内諸問題の解決を目的として1967年8月にインドネシア，マレーシア，フィリピン，シンガポール，タイの5か国により設立され，その後，加盟国を増やし，1999年4月にカンボジアが新規加盟し，**ASEAN-10**となっている。域内の関税・非関税障壁を引き下げることで貿易の自由化・域内経済の活性化を促進する**ASEAN自由貿易地域**（**AFTA**）は，1992年の第4回ASEAN首脳会議においてASEAN域内の自由貿易構想として正式に合意され，2010年に先行加盟6カ国による共通効果特恵関税（CEPT-AFTA）の適用が開始され，域内関税がほぼゼロに引き下げられ，その後，2015年までに，他の4カ国（ベトナム，ミャンマー，ラオス，カンボジア）についても，域内関税率がほぼゼロに（一部例外は2018年まで）。そして2015年12月31日にAFTAをさらに進化・高度化させた「**アセアン経済共同体**（**AEC**）」が発足。AECは，ASEAN加盟国が，通貨統合は目指さず加盟国の主権を優先する一方，ヒト・モノ・カネの動きを自由化する。2021年末現在で，ASEANの人口は6.7億人，GDPは3.3兆ドル。また，2023年7月に**TPP**（環太平洋連携協定）は，英国の加盟が承認され12か国体制となった。

◆EU基本条約

マーストリヒト条約（1993年発効）→アムステルダム条約（1999年発効）→ニース条約（2003年発効）→リスボン条約（2009年発効）

◆EU：28か国体制へ拡大　→イギリスの脱退

2002年12月の欧州連合（EU）首脳会議で，東欧・地中海諸国10か国の2004年の加盟が正式決定。半世紀前に6か国で発足し，後に15か国となったEUは旧共産圏を含む25か国体制へ発展。新加盟国は，エストニア，ラトビア，リトアニア，ポーランド，チェコ，スロバキア，ハンガリー，スロベニア，マルタ，キプロス。各国は2004年正式加盟。その後，ブルガリアとルーマニアが2007年に，2013年にはクロアチアが加盟して，**加盟国数は28か国**に。2016年の国民投票で離脱を決めたイギリスが2020年1月31日（現地時間）にEUから離脱し，加盟国は**27か国**になった。

・スイス：1992年にEU加盟申請を行ったが，その後EEAに加盟するかどうかの国民投票でEEA非加盟を選択。それ以降EU加盟のための交渉は停止。その後，下院でEU加盟申請取下げの決定を下し，2016年に上院が加盟申請無効化の決定をした（スイスはEUへの加盟を公式に辞退）。
・アイスランド：2015年，EU加盟の意志がないことを欧州委員会とEU大統領に通告。
・ノルウェー：EUとは距離を置く。2015年の調査でも同国有権者の約７割がEU加盟に反対している。自国の主権を最大限に行使するため，EUではなく，欧州自由貿易連合（EFTA）に加盟。

◆人口の問題

2022年11月世界の総人口が80億人を突破（国連の「世界人口推計2022年版」）

理由：公衆衛生の大幅な改善→死亡リスク低下→平均余命が延びた。

影響：すべての人が繁栄する世界を迎えるために，持続可能な開発目標（SDGs）の達成，人権の実現等により，「誰一人取り残さない」ことの必要性・重要性が高まる。

将来：世界人口は2080年代に104億人程度になるまで増え続ける予想だが，全体的な増加率は低下傾向。世界人口の３分の２は，女性一人当たりの生涯出生率が2.1人を下回っている中で，世界の最貧国（サハラ以南アフリカの国々等）でさらに人口増加が集中している。

2023年４月インド：14億2860万人>中国（※香港・マカオなどは含まれず）で世界第一位に（国連の世界人口ダッシュボード（2023年中盤推計））。
インドの人口は全世界の２割近くを占める。インドは人口の約半分が30歳未満であり今後の成長が見込まれること，2050年までに16億6800万人になる予想の一方で，中国では同年までに約13億1700万人まで減少すると予測されている。

◆ロシア　ウクライナ侵攻の影響～NATOの拡大

2022年２月24日にウクライナへの全面侵攻を開始し，その長期化に伴い，７月にはフィンランド，スウェーデンのNATO（北大西洋条約機構）加盟に関する議定書が調印され，将来的にNATOが32か国体制になることが決定した。さらに10月には，ウクライナがNATOへの加盟申請を表明した。加盟国による批准手続が進み，23年４月にはフィンランドが正式加盟してNATOは31か国となり，７月にはスウェーデンの加盟が決まり（これで32か国），ボスニア・ヘルツェゴビナ，ジョージア，ウクライナを加盟希望国として認めている。

実戦問題❷　応用レベル

＊＊
No.5　日本周辺の領土問題に関する次の記述のうち，妥当なもののみを選んだ組合せとして正しいものはどれか。　【市役所・平成16年度】

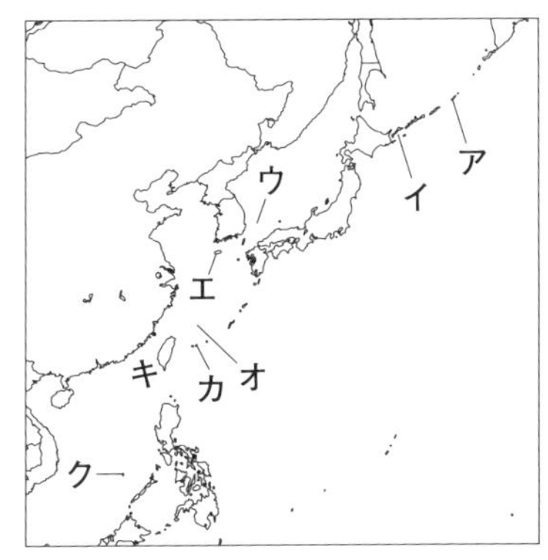

Ⅰ：イは北方領土であり，わが国は全島返還に先行して二島返還を求める交渉をロシアに対して行っている。

Ⅱ：ウは竹島であり，わが国と領有権争いをしている韓国は，同島に常駐の監視員を配置している。

Ⅲ：カは尖閣諸島であり，大陸棚の存在を理由にわが国と領有権争いをしている中国は，天然ガスの採掘を強行しようとしている。

Ⅳ：クは南沙諸島であり，原油などの地下資源が豊富であるため，周辺各国がその領有権を主張している。

1　Ⅰ，Ⅱ　　**2**　Ⅰ，Ⅳ　　**3**　Ⅱ，Ⅲ
4　Ⅱ，Ⅳ　　**5**　Ⅲ，Ⅳ

＊＊＊
No.6　国際紛争への対処や軍縮に関する記述として最も妥当なのはどれか。
【国家総合職・平成22年度】

1　国連の安全保障理事会は，重大な違法行為を行う国に対し，国連憲章に定める「国連軍」を組織して軍事的措置をとることができる。しかし，常任理事国が頻繁に拒否権を発動したため，「国連軍」が派遣されたのは，朝鮮戦争時と湾岸戦争時の2回のみである。

2　平和維持活動（PKO）は，国連の安全保障理事会や総会の議決を必要としない国際紛争処理の方法である。国連事務総長の要請により各国が兵員や装備を提供し，各部隊の指揮権は派遣国が持つ。活動には，休戦協定の履行を監視する軽武装の停戦監視団，紛争を予防し，その拡大を防止する重武装の平和維持軍(PKF)，選挙の実施状況を監視する非武装の選挙監視団等がある。

3　国際司法裁判所は15名の裁判官で構成され，国際紛争を国際法に基づいて解決する。同裁判所の裁判権は，当事国の双方が合意した場合に限り認められるのが原則である。また，国連等の要請に応じて，法律問題について勧告的意見を与える。1996年には，核兵器による威嚇あるいはその使用が一般的に，武力紛争に適用される国際人道法の原則に反するであろうとの判断を示した。

4 国連の軍縮委員会では，核兵器の削減交渉が進められている。全加盟国の間で，1987年に中距離核戦力（INF）全廃条約が締結され，1991年には戦略兵器削減条約（START I）が調印された。また，1996年には，国連総会で，爆発を伴うあらゆる核実験を廃止する包括的核実験禁止条約（CTBT）が採択された。

5 国際刑事裁判所は，集団殺害や侵略戦争，人道に対する罪等の国際法上の重要犯罪を犯した個人を裁く常設の裁判所として第二次世界大戦の終結とともに設置された。最初に行われたのが極東国際軍事裁判で，その後，旧ユーゴスラビア内戦における国際犯罪，ルワンダにおける集団殺害，旧イラク政権の人道に対する犯罪等の裁判が行われている。

＊＊

No.7 **安全保障体制の類型には，集団防衛と集団安全保障の２種類がある。次の記述の空欄ア～カには，それぞれ集団防衛と集団安全保障のいずれかが入るが，このうち集団安全保障が入るものとして妥当な組合せはどれか。**

【地方上級（全国型）・平成27年度】

集団防衛……特定の敵対国や脅威に対して，集団的自衛権等により複数の国家が共同で防衛に当たり，相互の平和と独立を図る体制。

集団安全保障……潜在的な敵国も含めた国際的な集団を構築し，その集団をもって相互の対立を抑える体制。

・国際連盟や国際連合は［ア］であり，北大西洋条約機構（NATO）は［イ］である。

・体制外の脅威に対抗するものが［ウ］であり，体制内の脅威に対抗するのが［エ］である。

・［オ］の問題点として，複数の国家間の同盟を構築することそれ自体が，敵国側の結集や脅威を増強させるおそれがあるのに対し，［カ］は集団間における国際紛争の防止にどこまで実効性が伴うか疑問視されている。

1 ア，ウ，オ

2 ア，ウ，カ

3 ア，エ，カ

4 イ，ウ，オ

5 イ，エ，オ

実戦問題2の解説

No.5 の解説 日本周辺の領土問題

→問題はP.177 正答4

I × イは**北方領土**であり，日本は，自国に固有の領土であると主張し，ポツダム宣言受諾後現在に至るまで実効的支配を続けているロシア（当時はソ連）との間で領有権をめぐる紛争が生じている。日本は，**国後**（くなしり），**択捉**（えとろふ），**歯舞**（はぼまい），**色丹**（しこたん）の四島一括返還を求め続けている。

II ○ 正しい。ウは**竹島**であり，日韓両国は竹島の領有権をめぐり争っているが，韓国は1954年以降，同地に監視員（警備隊員）を常駐させ，さらに宿舎，灯台，監視所などを建設している。そのため，日本の海上保安庁の船舶や漁船はこの島の領海内には入れない状態が続いており，2005年には韓国政府は韓国人（一般）観光客の入島を解禁した。2012年８月10日には李明博大統領（当時）が上陸し，日韓関係は悪化した。

III × カは石垣島や西表島などの島々から構成される**八重山諸島**であり，沖縄県に属するが，沖縄本島よりも台湾に近い。領土問題は生じていない。

IV ○ 正しい。クは**南沙諸島**（スプラトリー諸島）である。1970年代後半に海底油田の存在が確認されて以来，南沙諸島の領有権争いが激化した。現在，領有権を主張しているのは，中国，フィリピン，インドネシア，マレーシア，ベトナム，台湾である。

ア：**千島列島である。**
1854年の日露和親条約で南千島が，1875年の樺太・千島交換条約で北千島も日本領とされたが，第二次世界大戦末期以降，ソ連（ロシア）が同地を支配している。領土問題は生じていない。

エ：**済州島である。**
済州島は韓国最南端にある島であり，韓国本土とは異なる独自の風習や文化を持つことでも有名である。領土問題は生じていない。

オ：**尖閣諸島である。**
尖閣諸島については，日本，中国，台湾の間で領土紛争が生じているが，中国・台湾がその領有権を強く主張し始めたのは，1970年代に東シナ海大陸棚での石油開発の動きが活発化してからである。日本政府は，1895年１月，他の国の支配が及ぶ痕跡がないことを慎重に検討したうえで，国際法上正当な手段で尖閣諸島を日本の領土に編入しており，尖閣諸島が日本固有の領土であることは歴史的にも国際法上も明らかであり，現にわが国はこれを有効に支配していると主張する。よって，尖閣諸島をめぐって解決しなければならない領有権の問題はそもそも存在しないというのが日本政府の立場である。

キ：**台湾である。**
第二次世界大戦後，中国共産党との争いに敗れた国民党政府（中華民国）が中国本土から逃れてきて以来，台湾は中華人民共和国と対立関係にある。中華人民共和国は台湾を自国の領土と主張し，中華民国の独立に向けた動きを牽制している。

よって，ⅡとⅣが正しいので，正答は**4**となる。

No.6 の解説　国際紛争への対処・軍縮

→問題はP.177　**正答3**

1 ×　国連軍はいまだ組織されたことがない。

国際連合憲章第７章においては，平和に対する脅威に際して，軍事的強制措置をとることができると定められており，国際連合安全保障理事会の決議によって組織された国際連合の指揮に服する軍隊を国連軍という。しかし，国連憲章第７章にある兵力提供協定を結んでいる国がないため，**正規の国連軍**が過去において組織されたことは一度もない。

2 ×　PKOは，安保理の付与する権限に基づく。

平和維持活動は，地球上の紛争において平和的解決の基盤を築くことで，紛争当事者に間接的に紛争解決を促す目的を持つ国際連合の活動である。よって，それは国連の指揮下に行われ，安全保障理事会が付与する権限に基づき国連事務総長が指揮をとる。その任務は，幅広いが，通常大きく二種に大別される。すなわち，監視活動と平和維持であり，前者は，休戦・停戦の監視拠点を運営することにあり，非武装の将校によって編成される監視団によって行われる。また，後者は，兵力引き離し，撤退監督などにより平和を維持することであり，武装した軍人で編成される国際連合平和維持軍が任務に当たっている。具体的には，紛争当事者の調停，停戦および休戦の監視，兵力引き離し監視，選挙監視，避難民の移動などである。

3 ◎　両当事国の合意があって，ICJの裁判権が認められる。

正しい。国際司法裁判所（ICJ）は国際連合の常設の国際司法機関。オランダのハーグに本部を置き，国際紛争を裁判によって解決したり，法律的問題に意見を与えることを目的とする。

4 ×　INF全廃条約は米ソ（当時）の２か国間の条約。

中距離核戦力（INF）全廃条約は，中射程の弾道ミサイル，巡航ミサイルをすべて廃棄することを目的とする条約で，アメリカと当時のソビエト連邦との間に結ばれた軍縮条約の一つである。1987年12月に調印，翌年の６月に発効した。同様の軍縮条約として，1991年７月に調印された**第一次戦略兵器削減条約（STARTⅠ）**があり，1982年に米ソ間で始められた交渉（戦略兵器削減交渉＝START）の中で締結されている。一方，**包括的核実験禁止条約（CTBT）**は，宇宙空間，大気圏内，水中，地下を含むあらゆる空間での核兵器の核実験による爆発，その他の核爆発を禁止する条約で，1996年９月，国連総会によって採択されたが（日本は1997年７月に批准），2023年２月現在も，発効要件国（核保有国を含む44か国）の批准がそろわず未発効となっている。

5 ×　ICCができたのは，2003年３月。

国際刑事裁判所（ICC）は個人の国際犯罪を裁く常設の国際司法機関であ

り，1998年7月に国際連合全権外交使節会議において採択された国際刑事裁判所ローマ規程に基づき2003年3月にオランダのハーグに設置された。ICCの活動としては，2008年8月，北オセチアをめぐるグルジア事態について，グルジア・ロシア連邦両国政府の協力を得て調査を開始し，2009年1月にはコンゴ民主共和国の案件について公判が開始され，また，スーダン共和国の案件では，ICC検察局の請求に基づき，同国のオマル・バシール大統領の逮捕状が2009年3月に発行されている。極東国際軍事裁判は，第二次世界大戦で日本が降伏した後，連合国が戦争犯罪人として指定した日本の指導者などを裁くために開かれた裁判のことで，1946年5月より審理が開始し，1948年11月4日に判決の言い渡しが始まり，11月12日に刑の宣告を含む判決の言渡しが終了した。なお，本肢の説明は，国際司法裁判所（ICJ）に関するものである。

No.7 の解説　安全保障の類型

→問題はP.178　**正答3**

ア：「集団安全保障」が入る。

国際連盟や国際連合は，将来対立するかもしれない潜在的な敵国をも加盟国とし，その集団の中で，現実に生起した問題を解決する目的を持つ。国際平和秩序を乱す国があれば，他の加盟国が共同で制裁を加える。

イ：「集団防衛」が入る。

1949年の北大西洋条約により誕生したNATOは，当初は，共産圏（東側諸国）に対抗するための西側陣営の多国間軍事同盟で，原加盟国は12。「集団防衛」，「危機管理」および「協調的安全保障」の3つを中核的任務とする。現加盟国は31か国（2023年現在）。

ウ：「集団防衛」が入る。

「体制外の脅威」の文言から，特定の敵対国や脅威を想定している。

エ：「集団安全保障」が入る。

「体制内の脅威」とは，同じ体制内に属する国が秩序を乱すような場合が該当し，そのときには同じ体制内の他の加盟国が共同で対抗措置をとり，秩序の回復を図ろうとする。

オ：「集団防衛」が入る。

勢力均衡の考え方のように，事実上の同盟関係に脅威・危機感がある場合に，敵国側がその対抗手段をとることで，紛争がエスカレートする可能性もある。

カ：「集団安全保障」が入る。

「集団間における国際紛争」という文言で，「潜在的な敵国も含めた集団」であることがわかる。地理的，経済的なつながりなどがその侵害国と個別にある場合に，制裁措置がどこまで実行されるか不明である点が指摘される。

以上より，「集団安全保障」が入るのは，**ア**，**エ**，**カ**なので，正答は**3**。

経済

第１章　ミクロ経済学

テーマ1　需要曲線と供給曲線
テーマ2　消費者と生産者の行動
テーマ3　市場と経済厚生

第２章　マクロ経済学

テーマ4　国民所得の概念とその決定
テーマ5　経済政策論
テーマ6　金融政策と制度・事情
テーマ7　インフレーション

第３章　財政学

テーマ8　財政の機能と財政制度・事情
テーマ9　租税制度

第４章　経済事情

テーマ10　経済史
テーマ11　世界の通貨・貿易体制
テーマ12　日本の経済事情
テーマ13　世界の経済事情
テーマ14　経済・経営用語

第1章 ミクロ経済学

試験別出題傾向と対策

頻出度	試験名	国家総合職					国家一般職					国家専門職（国税専門官）				
	年度	21-23	24-26	27-29	30-2	3-5	21-23	24-26	27-29	30-2	3-5	21-23	24-26	27-29	30-2	3-5
	テーマ ＼ 出題数	0	0	1	0	1	0	0	0	0	0	0	0	0	0	1
C	1 需要曲線と供給曲線															1
C	2 消費者と生産者の行動															
B	3 市場と経済厚生			1		1										

本章で取り上げるミクロ経済学からの出題は，「需要曲線と供給曲線」（テーマ１），「消費者と生産者の行動」（テーマ２）および「市場と経済厚生」（テーマ３）の３テーマに大別できる。学習内容は，「需要曲線と供給曲線」と「消費者と生産者の行動」が基本，これら２テーマでの学習内容の応用が「市場と経済厚生」と位置づけられる。

出題形式は，グラフ問題，空欄補充形式そして計算問題など多様である。とはいえ，本質的な出題内容はほとんど同じで，過去問に類似問題が多くある。学習時には用語は完璧な暗記，分析的な出題は過去問の答えの暗記より「お作法（考え方・解法)」の習得を重視，というスタイルで得点力をつけていきたい。

●国家総合職

過去20年余りを振り返って，平成27年度と令和４年度に１問ずつ出題されただけである。ミクロ経済学の専門試験対策をしていれば足りる内容である。

●国家一般職

ほとんど出題されておらず，直近の15年間はまったく出題されていない。かつて出題された内容はミクロ経済学の専門試験対策を進める上で必要不可欠なものが多く，基本知識問題ならば必ず正答できるようにしておきたい。

●国家専門職（国税専門官）

令和５年度に，おおむね15年ぶりに１問出題された。出題された場合には，基本知識重視の問題であることが多いものの，市役所・地方上級試験に比べると難易度が高めである。

	地方上級（全国型）					地方上級（東京都）					地方上級（特別区）					市役所（C日程）				
	21-23	24-26	27-29	30-2	3-5	21-23	24-26	27-29	30-2	3-5	21-23	24-26	27-29	30-2	3-5	21-23	24-26	27-29	30-2	3-4
	4	2	4	3	1	0	0	0	1	1	0	0	0	0	0	2	2	2	2	0
テーマ1	2			2						1								1	2	
テーマ2		1	3	1												1	1			
テーマ3	2	1	1		1				1							1	1			

●地方上級

平成12年度以降ほぼ毎年出題され，経済分野４科目の中で最も頻出度が高い科目であった。しかし，平成20年度以降の出題ウエートには低下傾向が見られ，令和元年度以降で出題確認されたのは令和3年度だけである。こうした出題傾向を踏まえると，国家公務員試験のように出題されなくなることが考えられる。とはいえ，難易度が安定している上に，財政学や経済事情に比べると学習時間対得点効率が高い科目なので，教養試験と専門試験の対策を一括するなどして一通りは目を通しておきたい。

●東京都，特別区

東京都では，平成30年度に１問出題されただけで，平成12年度以降において純粋なミクロ経済学といえる出題を確認できていない。経済・経営用語（第４章テーマ14）や専門筆記試験の対策を兼ねた学習を薦める。

特別区では，平成18年度以降において出題確認されておらず，平成12年度以降に範囲を広げても，16・17年度に１問ずつ出題確認できた程度である。専門試験でミクロ経済学に取り組む読者は，専門試験対策を中軸にした学習計画を立てて学習時間の節約を図りたい。

●市役所

平成12～26年度（23年度を除く）では最頻出科目であったが，出題頻度は著しく低下しており，直近ではほとんど出題確認されていない。かつての出題内容を見ると，応用テーマ「市場と経済厚生」を中軸として，周期的に基本テーマ「需要曲線と供給曲線」または「消費者と生産者の行動」から出題されていた。よって，ミクロ経済学を学んだことがある読者や短期決戦型の読者はテーマ１→テーマ３→テーマ２の順に学ぶのも一手である。

テーマ 1

需要曲線と供給曲線

必修問題

競争的な状態である市場に関する記述として，妥当なのはどれか。

【地方上級（特別区）・令和３年度】

1 供給量が需要量を上回る**超過供給**のときには価格が上昇し，需要量が供給量を上回る**超過需要**のときには価格が下落する。

2 価格が上昇すると需要量が増え，価格が下落すると需要量が減るので，縦軸に価格，横軸に数量を表したグラフ上では，**需要曲線**は右上がりとなる。

3 縦軸に価格，横軸に数量を表したグラフ上では，需要曲線と供給曲線の交点で需要量と供給量が一致しており，この時の価格は**均衡価格**と呼ばれる。

4 需要量と供給量の間にギャップがあるときには，価格の変化を通じて品不足や品余りが自然に解消される仕組みを，**プライマリー・バランス**という。

5 技術革新でコストが下がり，すべての価格帯で供給力が高まると，縦軸に価格，横軸に数量を表したグラフ上では，供給曲線は左にシフトする。

難易度　＊

必修問題の解説

需要曲線と供給曲線および市場メカニズムに関する基本問題である。基本問題を確実に得点できるように，基礎知識の定着を図りたい。

1 ×　ワルラス調整過程では，超過供給が生じると価格が下落する。
ワルラス調整過程では，**超過供給**（供給量が需要量を上回るとき）は価格の下落を招き，**超過需要**（需要量が供給量を上回るとき）は価格の上昇を招く（重要ポイント４を参照）。

2 ×　一般に，需要曲線は右下がりである。
一般に，価格が上昇すると**需要量**（市場で，財の買い手が購入しようとする量）は減少するので，縦軸に価格，横軸に数量をとった**需要曲線**は右下がりになる（重要ポイント１を参照）。

3 ◎　需要曲線と供給曲線の交点で市場は均衡する。
正しい（重要ポイント４を参照）。ちなみに，市場が均衡状態にないとき，市場の調整過程が働く（重要ポイント５を参照）。

4 ×　需要量と供給量のギャップを調整する仕組みは価格調整メカニズムである。
プライマリー・バランス（**基礎的財政収支**）は，公債金発効を除く税収などの歳入から**基礎的財政収支対象経費**（国債費を除く歳出）を差し引いた額である。

5 ×　技術革新でコストが下がると，供給曲線が下（右）にシフトする。
技術革新によりコストが下がると，追加的な１単位の増産にかかる費用（限界費用）が下がることになるので，縦軸に価格，横軸に数量をとった供給曲線は下（右）にシフトする（重要ポイント２を参照）。

正答 3

FOCUS

需要曲線と供給曲線を用いた市場分析は，専門試験の経済原論や経済政策などでもよく出題される。それぞれの性質やシフト要因等について整理するとともに，均衡価格や均衡需給量を数式でも求められるようにしておこう。

POINT

重要ポイント 1 需要曲線のシフトの原因

需要曲線は，価格と需要量（消費量）の関係を示す線分で，一般に，価格が下落すると需要量が増加するので右下がりになる。

その財の価格が一定の下でその財の需要量が増大するときに，需要曲線は右にシフトする。D→D'

《需要曲線の右へのシフト要因》

- **所得の増大**
- **購買意欲の増加（貯蓄意欲の減少）**
- **その財の代替財の価格の上昇**
- **その財の補完財の価格の下落**

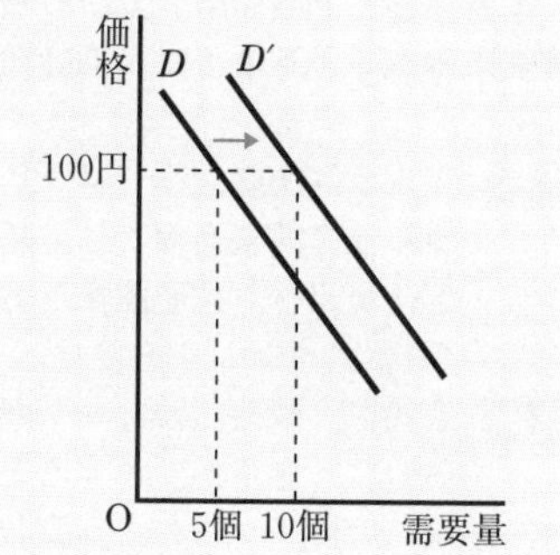

参考：X財の代替財の価格上昇は，代替財の需要量を減少させその代わりにX財の需要量を増大させる。またX財の補完財の価格の下落は，補完財の需要量を増大させ，それとともにX財の需要量も増大させる。

重要ポイント 2 供給曲線のシフトの原因

供給曲線は，価格と供給量（生産量）の関係を示す線分で，一般に，価格が下落すると供給量も減少するので右上がりになる。

その財の価格が一定の下でその財の供給量が増大するときに，供給曲線は右にシフトする。S→S'

《供給曲線の右へのシフト要因》

- **技術革新（＝生産性の上昇）**
- **原材料費の下落**
- **賃金の下落**

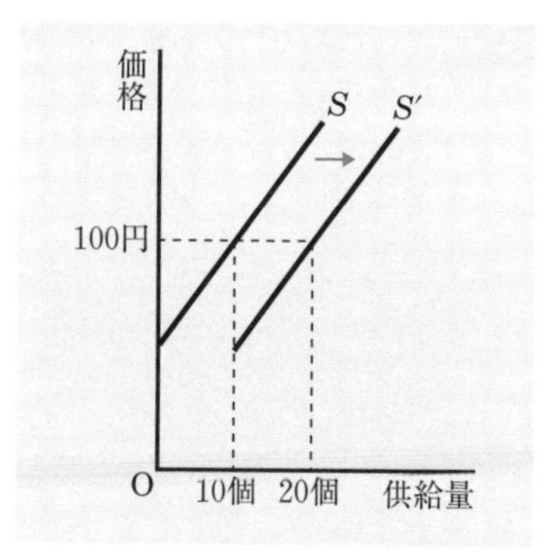

重要ポイント3 需要の価格弾力性

需要の価格弾力性とは，価格が1％上昇したときに需要量が何％減少するかを示す指標である。需要の反応の大きさを示す道具である。

$$需要の価格弾力性＝－1\times\frac{需要量の変化率}{価格の変化率}$$

（1）価格の変化率と需要の変化率が等しいとき，需要の価格弾力性は1である。

需要量の変化が大きい財（＝需要の価格弾力性が1より大きい財）のことを，奢侈（しゃし）品（ぜいたく品）という。

需要量の変化が小さい財（＝需要の価格弾力性が1より小さい財）のことを，必需品（生活必需品）という。

参考：奢侈品や必需品は，所得が変化したときに需要量の変化が大きい財（奢侈品）と小さい財（必需品）と定義されることもある。

参考：必需品の背景
コメなどの必需品は，毎日使う量が決まっていて，価格や所得が変化しても需要量はそれほど変化しない。

（2）需要の価格弾力性が大きいと需要曲線は緩やかになり，需要の価格弾力性が小さいと需要曲線は急勾配になる。

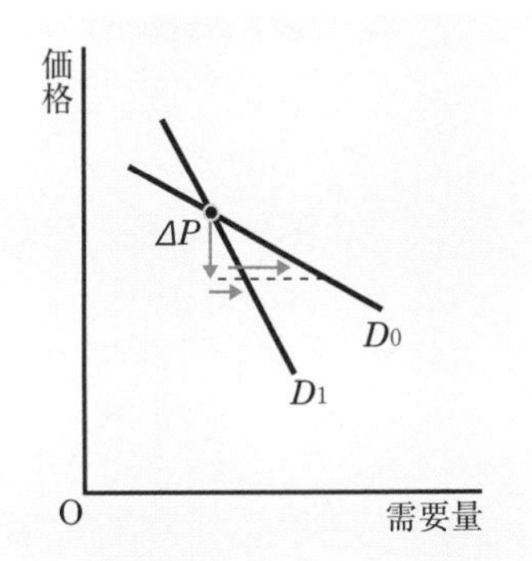

たとえば，価格がΔPだけ下落したとき，需要量が大きく増大する財（弾力性の大きい財）の需要曲線はD_0で緩やかになる。一方，需要量が少ししか増大しない財（弾力性が小さい財）の需要曲線はD_1で急勾配になる。

（3）需要の価格弾力性が小さいと価格上昇（低下）は，支出額を増大（減少）させ，逆に需要の価格弾力性が大きいと価格上昇（低下）は，支出額を減少（増大）させる。

例：

	価格	需要量	支出額（売上）
当初	100円	100個	10,000円
	価格10%上昇		
弾力性が小さい財	110円	99個（1％減）	10,890円（増大）
弾力性が大きい財	110円	80個（20%減）	8,800円（減少）

重要ポイント 4 市場均衡とワルラス的調整過程

市場メカニズムに任せると，需要（量）と供給（量）が一致するように（需要曲線Dと供給曲線Sの交点Eで），価格（市場価格や均衡価格ともいう）が決まる。

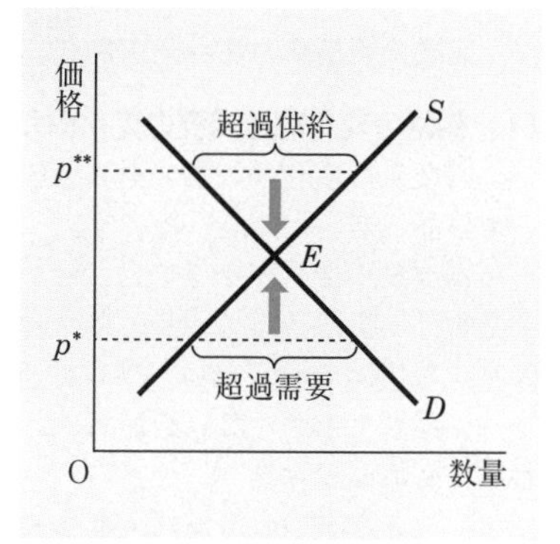

超過需要：ある価格p^*の下で，需要が供給を上回る状態。または需要量が供給量を超過する量。

超過供給：ある価格p^{**}の下で，供給が需要を上回る状態。または供給量が需要量を超過する量。

ワルラス的調整過程：市場で超過需要（ある価格のもとで需要が供給を上回る状態）が生じていれば価格が上昇し，超過供給（ある価格のもとで供給が需要を上回る状態）が生じていれば価格が下落することで，市場調整が進む。

重要ポイント 5 マーシャル的調整過程とくもの巣調整過程

市場の調整過程については，一般に「ワルラス的調整過程」（**重要ポイント4**を参照）で議論されることが多いが，そのほかにも次の2つの調整過程がある。

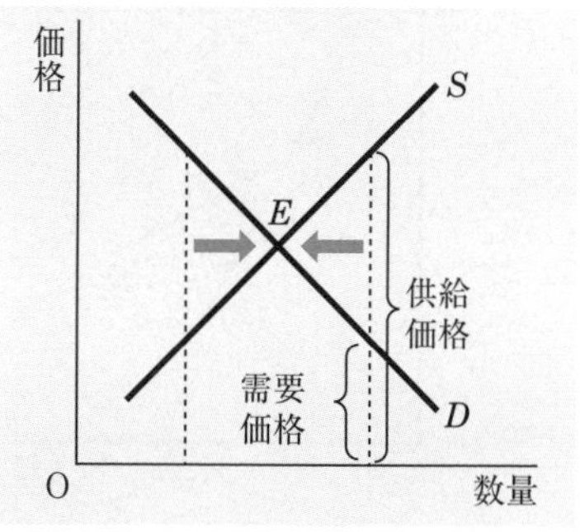

マーシャル的調整過程：ある取引量の下で，**需要価格**（需要曲線の高さで示される。**消費者価格**ともいう）が**供給価格**（供給曲線の高さで示される。**生産者価格**ともいう）を上回るとき供給量が増え，下回るときには供給量が減ることで，市場調整が進む。

くもの巣調整過程：農作物のように価格調整や取引量（数量）調整に相当な時間がかかる場合，市場調整は均衡点Eの周りを回るようにして進む。

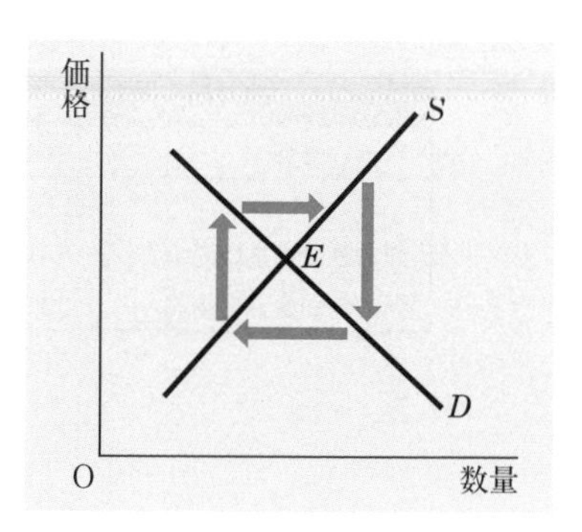

実戦問題1　基本レベル

＊＊
No.1 **私たちに必要不可欠で無料で供給される空気中の酸素および引取料を支払って家庭が捨てるゴミの需要曲線および供給曲線を示した図の組合せとして，最も妥当なのはどれか。**

なお，ゴミについては，ゴミを出す家庭が供給者，ゴミを引き取る側が需要者であるものとする。　　【国家一般職・平成20年度】

A

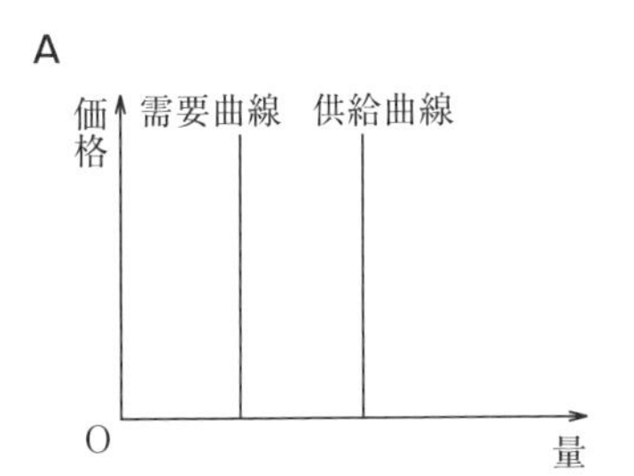

B

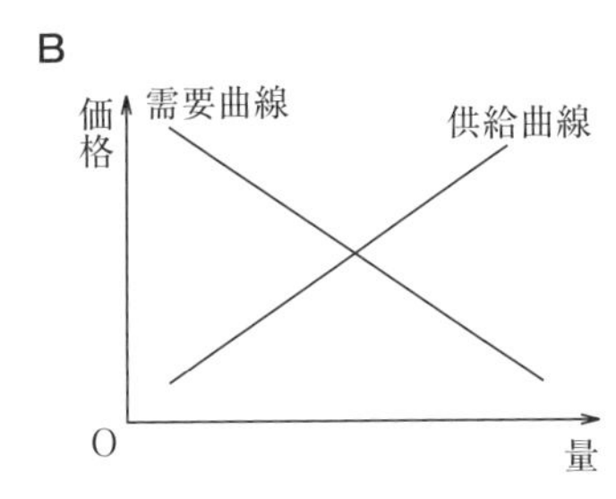

C

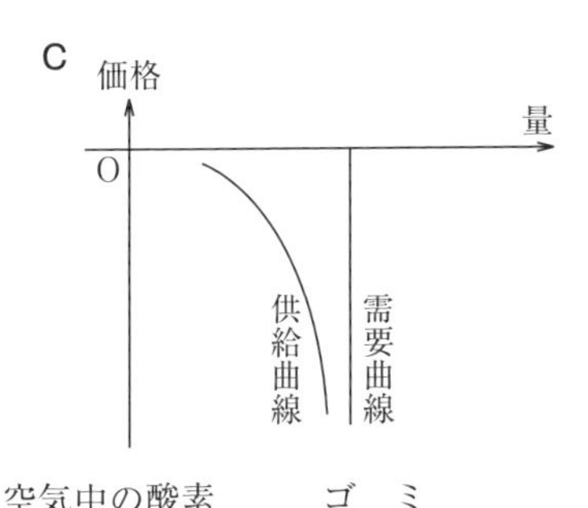

D

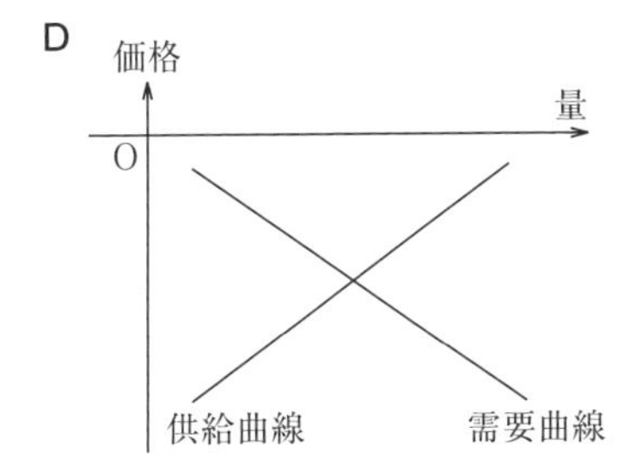

	空気中の酸素	ゴミ
1	A	C
2	A	D
3	B	C
4	B	D
5	C	B

No.2 図中の曲線AおよびBは，それぞれある財の需要曲線または供給曲線のどちらかを示している。いま，この財の人気が高まったことに伴い需要曲線がシフトし，また，この財の原材料価格の上昇に伴い供給曲線がシフトしたとする。これに関する記述として最も妥当なのはどれか。【国家専門職・令和５年度】

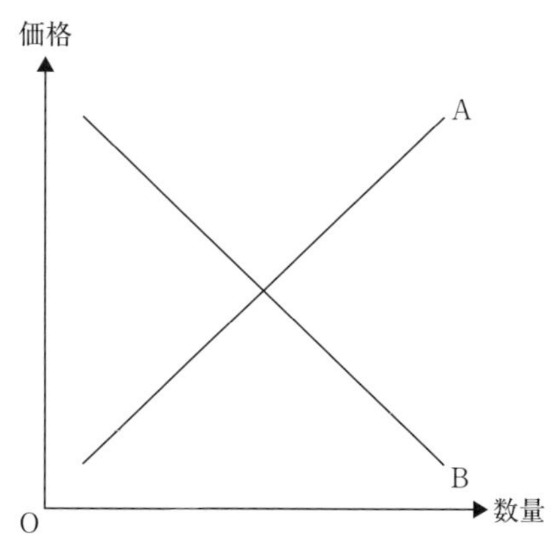

1 人気が高まったことに伴い曲線Aは左上方にシフトし，原材料価格の上昇に伴い曲線Bは左下方にシフトする。そのため，この財の価格は変化しない。

2 人気が高まったことに伴い曲線Aは左上方にシフトし，原材料価格の上昇に伴い曲線Bは右上方にシフトする。そのため，この財の価格は上昇する。

3 人気が高まったことに伴い曲線Bは右上方にシフトし，原材料価格の上昇に伴い曲線Aは右下方にシフトする。この財の価格が上昇するか下降するかは，それぞれの曲線のシフトの大きさによる。

4 人気が高まったことに伴い曲線Bは左下方にシフトし，原材料価格の上昇に伴い曲線Aは左上方にシフトする。この財の価格が上昇するか下降するかは，それぞれの曲線のシフトの大きさによる。

5 人気が高まったことに伴い曲線Bは右上方にシフトし，原材料価格の上昇に伴い曲線Aは左上方にシフトする。そのため，この財の価格は上昇する。

＊＊＊
No.3 ある国では，職種Ｌの賃金より職種Hの賃金のほうが高く，両職種ともに就業者数が増加すると賃金は減少する。この国が外国人労働者を受け入れるとき，次のア～ウのうち妥当なもののみをすべて挙げているのはどれか。ただし，職種Lと職種Hが代替関係にあるとき，一方の職種の就労人口が増加すれば他方の就労人口が減り，補完関係にあるとき，一方の職種の就労人口が増加すれば他方の就労人口も増加するものとする。　【市役所・平成21年度】

ア：職種ＬとＨが代替関係と補完関係のいずれであっても，外国人労働者を受け入れると賃金格差は拡大する。

イ：職種ＬとＨが代替関係にあるとき，職種Ｈが外国人労働者を受け入れると，賃金格差は縮小する。

ウ：職種ＬとＨが補完関係にあるとき，職種Lが外国人労働者を受け入れると，賃金格差は拡大する。

1　ア
2　ア，イ
3　ア，ウ
4　イ
5　イ，ウ

＊
No.4 ある財市場で需要曲線が右へシフトし，その結果としてこの財の価格が上昇した。このようなことが生じた理由として考えられるものはどれか。

【市役所・平成24年度】

1　補完財の価格が上昇した。
2　代替財の価格が上昇した。
3　生産費用が上昇した。
4　生産技術の進歩が生じた。
5　消費者の所得が減少した。

実戦問題**1**の解説

No.1 の解説　需要曲線と供給曲線の形状
→問題はP.191　正答2

STEP❶　確実に誤りとわかる選択肢を切る

市場では，需要と供給が一致するように，価格と取引量（需給量）が決まる。この状態（**均衡**）は，需要曲線と供給曲線の交点で示される。

題意より酸素の価格は無料なので，酸素の需要曲線と供給曲線は「数量軸で交わっている」，あるいは「まったく交わっていない」のいずれかである。よって，**3**と**4**は誤りである。一方，ゴミについては，引取料という名の価格がついているので，ゴミの需要曲線と供給曲線は数量軸上ではない点で交わっている。よって，**1**と**3**は誤りである。

STEP❷　絞り込んだ選択肢を検討する

STEP①の作業で，選択肢は**2**と**5**に絞られ，選択肢間で組合せがまったく違うので，空気中の酸素とゴミのいずれかについてわかれば足りる。

空気中の酸素については，**ワルラス調整過程**を用いて考察すればよい。**A**では常に超過供給が生じているので，価格は0になる。他方，**C**では常に超過需要が生じているので，価格は無限大まで上がる。よって，酸素市場を描いた図は**A**である（**5**は誤り）。

他方，ゴミについては，家庭（供給者）が引取料（ゴミの価格）を支払っていることに注目すればよい。引取料を支払って供給するとは，その財の価格が負の値であることを意味するので，ゴミ市場を描いた図は**D**である（**5**は誤り）。

したがって，正答は**2**である。

No.2 の解説　需要・供給曲線と市場均衡
→問題はP.192　正答5

Step①　需要曲線と供給曲線を見分ける。

一般に，価格が上昇すると，消費者は需要量を減らすのでBは需要曲線，生産者は供給量を増やすのでAは供給曲線である。

Step②　需要曲線と供給曲線のシフト方向を考える。

人気が高まると，価格が一定ならば需要を増やそうとし，需要量が一定ならばより高い価格をお支払ってもよいと考えるので，需要曲線が右上へシフトする。

原材料の価格が上昇すると，価格が一定ならば供給を減らそうとし，供給量が一定ならばより高い価格で供給しようと考えるので，供給曲線が左上へシフトする。

Step③　均衡価格の変化を考える。

右下がりの需要曲線と右上がりの供給曲線の下で，需要曲線が左上へ，供給曲線が左上へシフトすると，均衡を示す両極線の交点は上へ移動するので，価格は上昇する。

したがって，正答は**5**である。

No.3 の解説　代替関係と補完関係

→問題はP.193　**正答4**

STEP❶　職種ＬとＨが補完関係にある場合を考える

この場合，両職種ともに就労者数（労働供給量）が増える（減る）と賃金が下落（上昇）するので，両職種間で賃金の動きは一致する。本問では，各職種での賃金の変化の仕方についての条件が与えられていないので，両職種が補完関係にあるときの賃金格差の変化の仕方については断言できない（**ア**と**ウ**は誤りなので，**1**，**2**，**3**，**5**は誤り）。

STEP❷　職種ＬとＨが代替関係にある場合を考える

この場合，一方の職種で就労者数が増えると，他方の就労者数が減るので，両職種間で賃金の動きは逆になる。つまり，高賃金の職種Ｈで就労者数が増えれば職種Ｈの賃金は低下し，職種Lの賃金は上昇するので，職種間の賃金格差は縮小する（**ア**は誤り）。

よって，正答は**4**である。

No.4 の解説　需要曲線のシフト要因

→問題はP.193　**正答2**

1 ×　補完財は負の代替効果を持つ財である。

補完財は，一定の効用を保つとき，関連財の価格上昇によって需要が減る（負の**代替効果**を持つ）財であるから，需要曲線は左へシフトする。

2 ◎　代替財は正の代替効果を持つ財である。

正しい。**代替財**は，一定の効用を保つとき，関連財の価格上昇によって需要が増える（正の**代替効果**を持つ）財であるから，需要曲線は右へシフトする。

3 ×　生産費用の変化の影響は供給曲線に現れる。

生産費用の上昇は生産者（供給面）の変化であり，**供給曲線**の（左）シフトをもたらす。

4 ×　生産技術の進歩の影響は供給曲線に現れる。

生産技術の進歩は生産者（供給面）の変化であり，**供給曲線**の（右）シフトをもたらす。

5 ×　一般に，消費者の所得の減少は需要の減少をもたらす。

一般に，消費者の**所得**が減少すると，財に対する**需要**が減り，**需要曲線**は左へシフトする。

実戦問題❷　基本レベル

＊＊＊
No.5　次のグラフは野菜AとBの需要曲線と供給曲線を描いている。このグラフの説明として妥当なものはどれか。ただし，野菜AとBの当初の均衡における価格と数量は等しいものとする。　【地方上級・平成20年度】

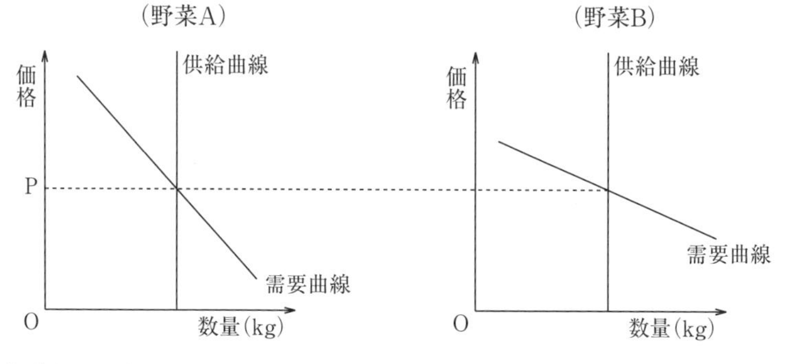

1　供給量が増加し，野菜AとBの価格がともに同額だけ上がるとき，野菜Aの売上げが増加するならば野菜Bの売上げも増加する。

2　供給量が減少し，野菜AとBの価格がともに同額だけ下がるとき，野菜Aの需要の増加は野菜Bの需要の増加より大きい。

3　供給量が増加し，野菜AとBの価格がともに同額だけ上がるとき，野菜Bで利益が生じるならば野菜Aでも利益が生じる。

4　供給量が減少し，野菜AとBの価格がともに同額だけ上がるとき，野菜Aの売上げが減少するならば野菜Bの売上げも減少する。

5　野菜AとBの当初の均衡における価格と取引量は等しいので，野菜AとBの需要の価格弾力性は等しい。

＊＊
No.6　下図は，横軸に借家数，縦軸に家賃を取った借家の需要曲線と供給曲線である。当初，家賃P^*の水準で均衡していたが，家賃をP_1に統制する政策が実施された。このときの市場の反応に関する記述として妥当なものはどれか。

【地方上級（全国型）・平成16年度】

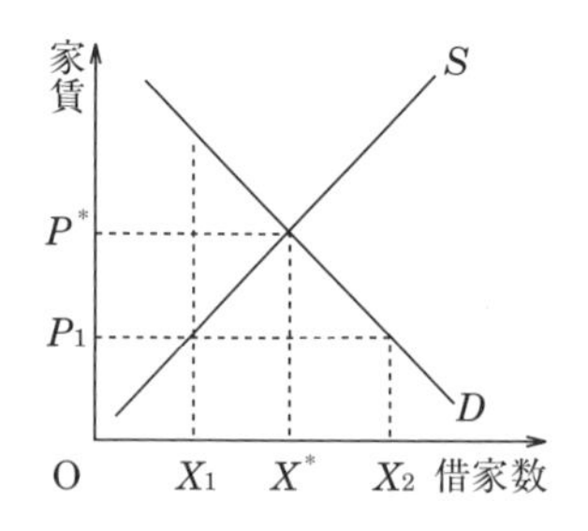

1 短期的にはX_2-X_1の住宅が不足するが，長期的には借家を望むすべての人に借家が供給されるようになる。
2 短期的にはX_2-X^*の住宅が不足するが，長期的にはX_2-X_1の住宅が不足する。
3 短期的にはX^*-X_1の住宅が不足するが，長期的にはX_2-X^*の住宅が不足する。
4 短期的には借家を望むすべての人に借家が供給されるが，長期的にはX_2-X^*の住宅が不足する。
5 短期的にはX_2-X^*の住宅が不足するが，長期的には借家を望むすべての人に借家が供給されるようになる。

＊＊
No.7 需要の価格弾力性に関する次の記述の空欄ア～ウに当てはまる語句の組合せとして，妥当なものはどれか。 【市役所・平成27年度】

価格の変化により需要量がどの程度変化するかを示す値が需要の価格弾力性である。たとえばガソリンの場合，自家用車の代替手段としての公共交通の整備が進んでいる地域と公共交通が未整備の地域を比較すると，もとのガソリンの価格と需要量が等しいならば，ガソリンに対する需要の価格弾力性が大きいのは[ア]のほうである。

ある財の販売に課税する場合には，需要の価格弾力性を考慮する必要がある。たとえば，温室効果ガスを削減するためにガソリン取引きに新たな課税を行う場合，もとのガソリンの価格と温室効果ガスの量が等しいならば，温室効果ガスの削減量が大きくなるのは需要の価格弾力性が[イ]場合である。また，この課税による税収が[ウ]なるのは，需要の価格弾力性が大きいほうである。

	ア	イ	ウ
1	公共交通が整備されている地域	大きい	多く
2	公共交通が整備されている地域	小さい	多く
3	公共交通が整備されている地域	大きい	少なく
4	公共交通が未整備の地域	小さい	少なく
5	公共交通が未整備の地域	大きい	多く

実戦問題2の解説

No.5 の解説　需要の価格弾力性

→問題はP.196　**正答4**

需要の価格弾力性の定義式（重要ポイント3）は次のように変形できる。

$$\text{需要の価格弾力性}=-1\times\frac{\text{もとの価格}}{\text{もとの需要量}}\times\frac{\text{需要量の変化分}}{\text{価格の変化分}}$$

1 ×　価格上昇が売上げを増やすとは限らない。
野菜AとBともに，需要曲線が右下がりなので，供給量が増えると価格は下がる。また，野菜Aの需要曲線はBのそれより急なので，野菜Aの需要の価格弾力性はBのそれより小さい。よって，野菜Aの売上げが増加しても，Bの売上げが増加するとは限らない（重要ポイント3を参照）。

2 ×　需要曲線の傾きは価格変化に対する需要量の変化を示す。
野菜AとBともに，需要曲線が右下がりなので，供給量が減ると価格は上がる。また，野菜Aの需要曲線の傾きはBのそれより急なので，価格低下に伴う需要量の増加は，野菜Aのほうが小さい。

3 ×　供給曲線だけで費用すべてを知ることはできない。
利益とは売上げから費用を差し引いたものであり，与えられた図では費用がわからない。よって，判別できない。

4 ◎　需要曲線の傾きに注目する。
正しい。選択肢**1**の解説を参照。

5 ×　需要の価格弾力性＝－1×需要量の変化率×価格の変化率。
冒頭の定義式より，当初の価格と取引量が等しくても，野菜Aの需要曲線はBのそれより急なので，野菜Aの需要の価格弾力性はBのそれより小さい。

No.6 の解説　価格統制政策

→問題はP.196　**正答2**

STEP❶　短期について考察する

一般に，住宅の賃貸契約は1年や2年のように長期にわたって結ぶため，家賃が下がってもすぐには契約内容を変更できない。よって，短期の住宅供給量はX^*で固定されており，短期供給曲線は垂直な直線S'であると考えられる（図）。他方，住宅需要は契約を結べるか否かとは無関係に，直ちにX_2に増加するので，短期的には，X_2-X^*の住宅不足が発生する。

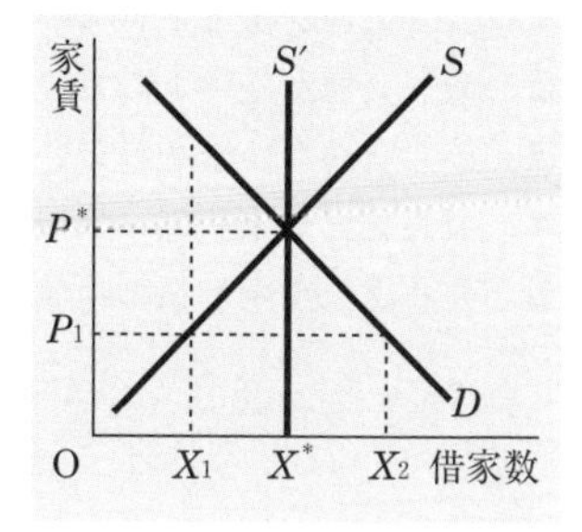

STEP❷　長期について考察する

住宅の供給者は，契約満了時に再度住宅を供給するか否かを選択できる。したがって，家賃がP_1に統制される場合，住宅供給はX_1に減少する。よって，長期的には，X_2-X_1の住宅不足が発生する。

よって，正答は**2**である。

No.7 の解説　需要の価格弾力性

→問題はP.197 正答3

需要の価格弾力性の定義式（重要ポイント3）は次のように変形できる。

$$\text{需要の価格弾力性} = -1 \times \frac{\text{もとの価格}}{\text{もとの需要量}} \times \frac{\text{需要量の変化分}}{\text{価格の変化分}}$$

よって，「もとの価格と需要量が等しいとき，需要の価格弾力性が大きいほど需要曲線の傾きが緩やかになる」ことに留意して，空欄を補充していけばよい。

ア：別の財で代替できる場合，需要の価格弾力性は大きくなる傾向がある。
一般に，ガソリン価格が上昇するとガソリンの購入を控えるために，移動手段を公共交通に代替する人が出現すると考えられる。公共交通が整備されていればこの代替がスムースに行われてガソリン需要量は大幅に減ると考えられるが，公共交通が未整備ならばこの代替はあまりスムースに行われずガソリン需要量の減少は小さいものと考えられる。よって，もとの価格と需要量が等しいとき，公共交通が整備されている地域の**需要の価格弾力性**は，公共交通が未整備の地域のそれより大きいと考えられる（**ア**は「公共交通が整備されている地域」）。

イ：ガソリンの需要量（使用量）が減ると温室効果ガスの排出量は減る。
一般に，温室効果ガスを削減するためにはガソリンの需要量（使用量）を減少させればよいと考えられるから，問題文の「温室効果ガスの量」は「ガソリンの需要量」に読み替え，「温室効果ガスの削減量」は「ガソリン需要量の減少分」と読み替えて考えればよい。よって，もとの価格と需要量が等しいとき，課税に伴う価格上昇によってガソリン需要の減少量が大きくなるのはガソリンに対する**需要の価格弾力性**が大きい場合である（**イ**は「大きい」）。

ウ：従量税税収＝1単位当たり租税額×取引量。
ガソリンに対する課税の収入は次式で求められる。

　税収＝ガソリン1単位当たりの税収×ガソリン取引量

この式は，課税によってガソリン価格が上昇するとき，**需要の価格弾力性**が大きいほど税収は小さくなることを示している。よって，**需要の価格弾力性**が大きいほど税収は小さくなる。また，供給曲線が一般的な右上がりであるとき，この生産者に対する課税が**従価税**方式で行われた場合には，ガソリン1単位当たりの税収の減少を通じても税収は少なくなる（**ウ**は「少なく」）。
よって，正答は**3**である。

消費者と生産者の行動

必修問題

経済学における費用に関する次の記述のうち，妥当なもののみをすべて挙げているのはどれか。 【地方上級（全国型）・平成30年】

ア 企業が他社のビルを賃貸してオフィスとして使用するのではなく，自社のビルをオフィスとして使用した場合には**機会費用**は発生しない。

イ ある料理人は１時間当たり30皿の料理を作ることができ，１時間当たり150枚の皿を洗うこともできる。この料理人が１皿の料理を作るときの**機会費用**は，皿洗い0.2枚分である。

ウ ディナー営業のみの飲食店がランチ営業をするか否かを決める際に，ランチ営業に伴う**可変費用**の増加分だけを収入の増加分と比べることが合理的であり，**固定費用**を考慮することは合理的でない。

エ あるケーキ店では従業員の労働時間が長くなるにつれて生産量は増加するが，その増加分が小さくなるとき，この店の**限界費用**は生産量の増加に応じて減少する。

オ 開発などの**固定費用**を広告収入で回収するソフトウェアを消費者へダウンロード方式で販売する場合，**限界費用**がゼロなので，販売価格が低くなるほど，**社会的余剰**は大きくなる。

1 ア，エ
2 ア，オ
3 イ，ウ
4 イ，エ
5 ウ，オ

難易度 ＊＊

必修問題の解説

機会費用と限界費用の基本概念に関する出題である。両費用ともに日常生活ではほとんど意識しないものだが，経済学的思考では重要な概念なので要注意である。

ア× 選択には機会費用が伴う。
自社のビルを他社に貸せば賃貸料が得られるので，自らのオフィスとして利用すると，この得られたであろう賃貸料が**機会費用**として発生する。

イ× 機会費用は，他の選択をしたときに得られる収入（収穫）である。
この料理人は1皿の料理を作ることをあきらめると皿洗いを150÷30＝5〔枚〕できる。よって，この料理人が1皿の料理を作るときの**機会費用**は，皿洗い5枚分である。

ウ○ 操業判断では，収入の増加分と可変費用の増加分を比較すべし。
正しい。操業するか否かに関わらず**固定費用**はかかるので，操業するか否かの合理的判断において考慮する必要はない。この判断において考慮すべきは，操業した場合に発生する**収入**の増加分（**限界収入**）と**可変費用**の増加分（**限界費用**）の差額である。

エ× 限界費用は，1単位増産にかかる費用のことである。
労働時間が長くなるにつれて生産量は増加するが，その増加分が小さくなるとき，生産量が多い状況では生産量が少ない状況に比べて，1単位増産するために必要な労働時間が長くなる。よって，生産量が多くなるにつれて，**限界費用**は増加する。

オ○ 社会的余剰を大きくするためには，価格＝限界費用を目指すべし。
正しい。一般に，**価格**と**限界費用**が一致する状況において**社会的余剰**は最も大きくなる。

よって，正答は**5**である。

正答 5

FOCUS

周期的に出題される消費者と生産者の行動は，専門試験（経済原論）の最頻出テーマの一つである。定義は似た他の用語との違いを踏まえて記憶し，分析図については描く手順についても理解することが肝要である。

POINT

重要ポイント 1 無差別曲線

無差別曲線：ある一定の満足度（効用）をもたらす財の消費量の組合せからなる線分。

（性質1） ある個人（社会）のある1本の無差別曲線上の点は，いずれも同じ効用をもたらす。

（性質2） ある個人（社会）の無差別曲線が，互いに交わることはない。

→異なる個人（社会）の無差別曲線を1つの図にまとめて描く場合には，互いに交わってもかまわない。

（性質3） 一般に，原点から離れた無差別曲線ほど，高い効用水準を表す。

→財の性質によっては，「原点に近い無差別曲線ほど，高い効用水準を表す」という特殊ケースもある（P.208参照）。

重要ポイント 2 限界代替率

限界代替率：ある財の消費量を1単位増加させたとき，もとの効用に戻すために必要な他の財の消費量の減少分。

（例） X財，Y財ともに消費量が増えると効用が高まる財であり，ある消費者の無差別曲線が右図のように与えられているとする。

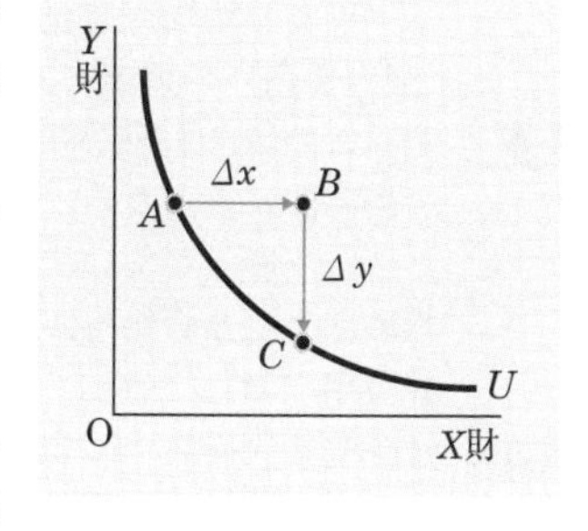

この消費者が点AからX財の消費量をΔx単位増やすと点Bに移る。点BではX財をより多く消費しているので，点Bは点Aより高い効用をもたらすはずである。

このとき，Y財の消費量を減らしてもとの効用に戻る（もとの無差別曲線上の点に戻る）ためには，Y財の消費量をΔyだけ減らさねばならない。よって，X財の消費量増分1単位当たりY財の消費量を$\frac{\Delta y}{\Delta x}$単位減少させる必要がある。これを限界代替率と呼ぶ。

なお，厳密には，当初のX財消費量の増加分を限りなくゼロに近づけたときを考えるので，**限界代替率は無差別曲線の接線の傾き×（−1）**である。

限界代替率逓減の法則：ある財の「もとの消費量」が増加するにつれて，その財を1単位増加させたときの限界代替率が小さくなること。

（例） 上図で，点Aと点Cを比較すると，X財のもとの消費量が多い点Cにおける限界代替率のほうが，点Aにおける限界代替率より小さくなっている。

重要ポイント3 消費者の行動

効用最大化行動：限られた予算の下で，可能な限り高い効用を享受できる消費量の組合せを選択する。

→無差別曲線と予算線の接点E（**最適消費点**）を選択する。

予算（制約）線：限られた予算での，X財の最大購入可能数量X_1とY財の最大購入可能数量Y_1を結んでできる線分。

予算（制約）線の変化：①所得の増加（減少）

所得が増加（減少）すると，X財，Y財ともに最大購入可能数量が増加（減少）するため，予算線は右上（左下）へ平行移動する。

②価格の変化

X財の価格が上昇すると，X財の最大購入可能数量だけが減少するため，予算線の傾きが急になる（Y財の最大購入可能数量は変化しない）。

重要ポイント4 所得効果と代替効果

財の価格変化に伴う需要量の変化（全部効果）は，代替効果と所得効果に分解できる。

X財の価格が上昇したときの，X財の需要の変化を見ると，

全部効果：最適消費点は点Eから点E'へ変化するので，全部効果は線分xx'の長さ。

代替効果：新しい相対価格（予算線AB'の傾き）の下で，当初の最適消費点Eと同じ効用を実現しても生じる消費量の変化。線分xx''の長さ。

所得効果：実質所得の変化（予算線が$A''B''$からAB'へシフトすること）による消費量の変化。線分$x''x'$の長さ。

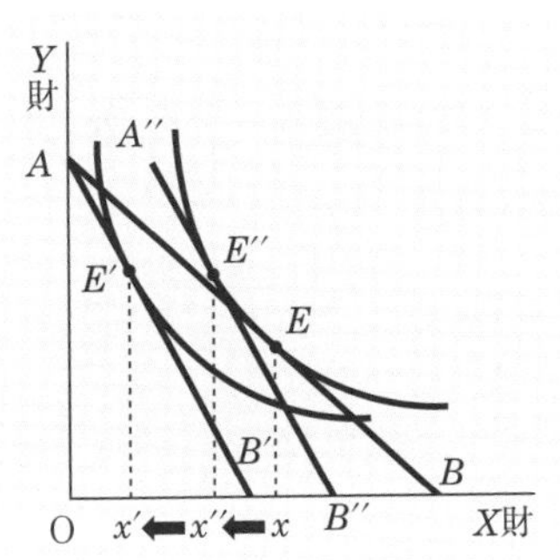

重要ポイント 5　生産者の行動

利潤最大化行動：所与の生産技術の下で，可能な限り高い利潤を獲得できる生産量を選択する。

売上げ（R）：価格と生産量の積。完全競争市場の生産者（企業）の場合，縦軸に売上げ，横軸に生産量を測ると，傾きが価格である右上がりの直線で描ける。

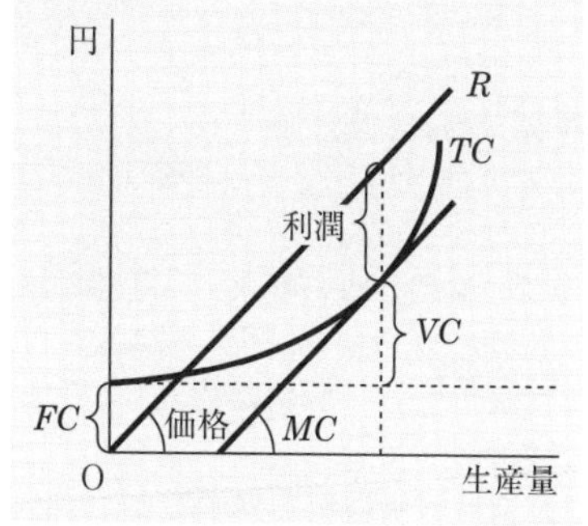

生産費用（TC）：生産量に依存しない生産費用（**固定費用**：FC）と生産量に応じて変化する生産費用（**可変費用**：VC）の和。生産関数（生産要素の投入量と生産量の対応法則を示す関数）の形状によって，生産費用のグラフの形は変化する。

利潤：売上げと生産費用の差。RとTCの垂直距離で測ることができる。

→完全競争市場の生産者（企業）の場合，利潤が最大になる生産量の下では，価格と限界費用が等しい。

限界費用（MC）：1単位増産することによって，必要となる追加的な生産費用。生産費用（TC）の接線の傾き。

→費用関数を生産量に関して微分して求めることができる。

重要ポイント 6　生産者の行動－費用面からのアプローチ

限界費用（MC）：1単位増産することによって，必要となる追加的な生産費用。

平均費用（AC）：生産量1単位当たり生産費用。

平均可変費用（AVC）：生産量1単位当たり可変費用。

損益分岐点（点A）：平均費用曲線の最低点。価格がこの高さより高ければ，正の利潤を獲得できる。

操業停止点（点B）：平均可変費用曲線の最低点。価格がこの高さより低ければ，生産しない。

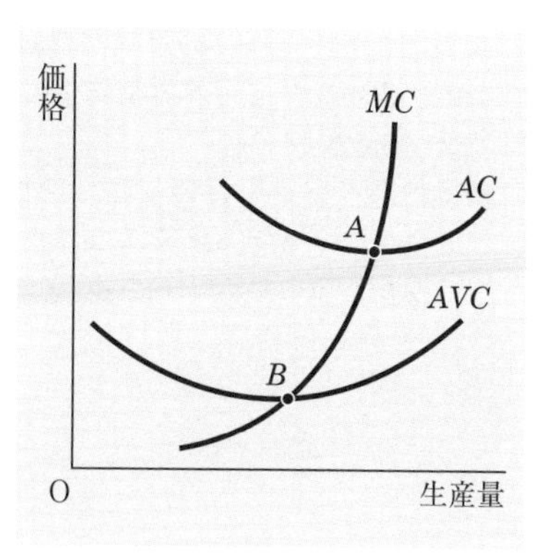

実戦問題1　基本レベル

＊
No.1　2財に関する消費者の選好を述べたA～Cと，ア～ウの無差別曲線の形状とを正しく組み合わせているのはどれか。　【地方上級・平成11年度】

A：2財をビールと枝豆とし，この消費者は枝豆をつまみながらビールを飲むのが好きである。

B：2財をパンとご飯とし，この消費者は主食ならパンでもご飯でも同じだと考えている。

C：2財を右足の靴と左足の靴とし，この消費者はどちらか一方だけあってもうれしくない。

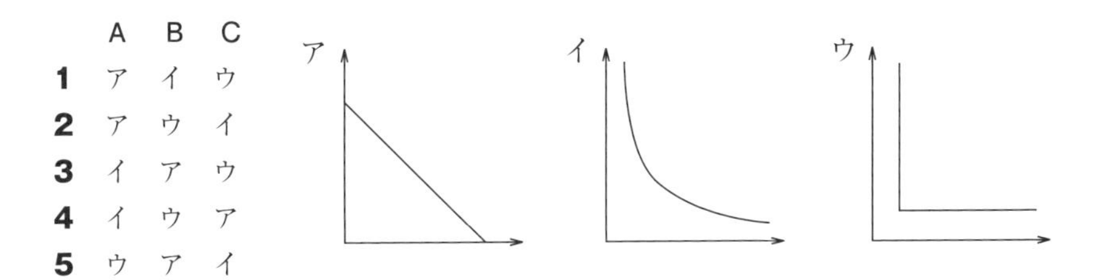

	A	B	C
1	ア	イ	ウ
2	ア	ウ	イ
3	イ	ア	ウ
4	イ	ウ	ア
5	ウ	ア	イ

＊＊
No.2　次の図は，X財とY財を消費するある消費者の無差別曲線U_1，U_2，U_3と予算制約線L_1，L_2を描いたものである。この図の説明としてA～Eのうち妥当なものをすべて選んだのはどれか。　【地方上級（全国型）・平成24年度】

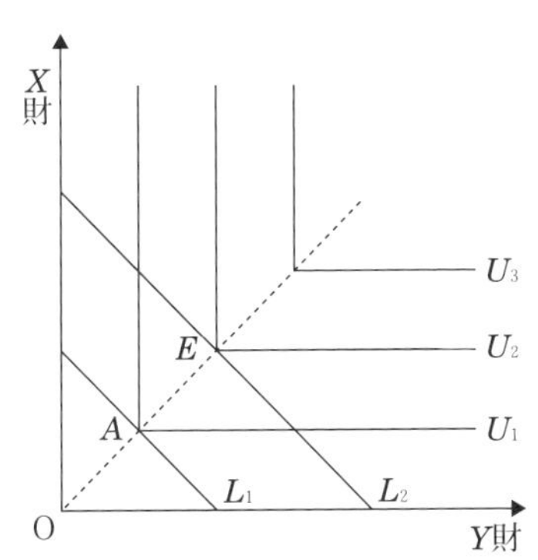

A　この消費者の予算制約線がL_1からL_2に変化するとき，X財の消費量は維持したまま，Y財の消費量を増やすことによって効用が高まる。

B　この消費者の予算制約線がL_1からL_2に変化するとき，X財とY財の消費量をともに増やすことによって効用が高まる。

C　この消費者の予算制約線がL_1からL_2に変化するとき，X財の消費量は増やし，Y財の消費量を維持することによって効用が高まる。

D　この図が表す例として，パンとバターがある。

E　この図が表す例として，うどんとそばがある。

1　A，D
2　A，E
3　B，D
4　B，E
5　C，D

＊＊＊
No.3 **ある消費者の無差別曲線と予算制約線が次の図のように表されているとする。このとき，次の記述のうち，妥当なものはどれか。**　【市役所・平成15年度】

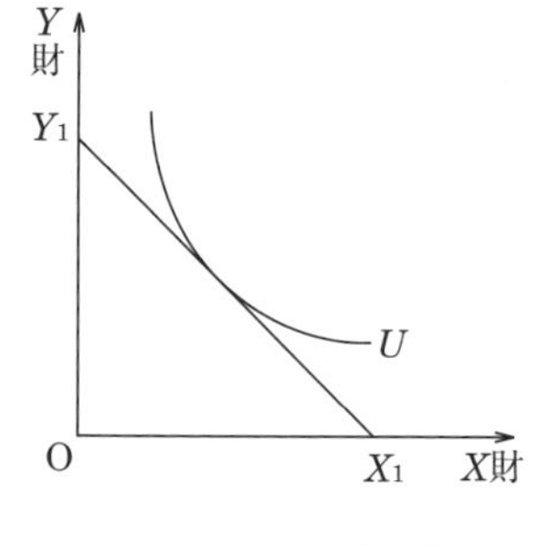

1　X財が上級財，Y財が下級財のとき，所得が増加すると，最適消費点は左上に移動する。

2　X財が下級財，Y財が上級財のとき，所得が増加すると，最適消費点は右下に移動する。

3　X財，Y財ともに上級財のとき，X財の価格が下落すると，最適消費点は左下に移動する。

4　X財が上級財，Y財が下級財のとき，X財の価格が下落すると，最適消費点は右下に移動する。

5　X財が下級財，Y財が上級財のとき，Y財の価格が下落すると，最適消費点は左下に移動する。

＊＊＊
No.4 **図は，完全競争市場において，ある財のみを生産している企業の短期限界費用曲線（*MC*），短期平均費用曲線（*AC*），短期平均可変費用曲線（*AVC*）を示したものである。この財の市場での価格を*p*とするとき，確実にいえるのはどれか。**

【国税専門官・平成17年度】

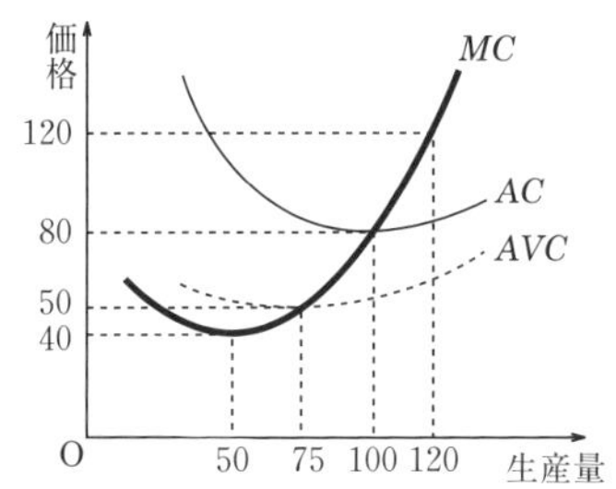

1 $p=120$のとき，生産量を75にすると財１単位当たりの可変費用が最小になるので，利潤が最大になる。

2 $p=120$のとき，生産量を100にすると財１単位当たりの費用が最小になるので，利潤が最大になる。

3 $p=120$のとき，生産量を120にすると限界費用が価格と一致し，短期平均費用を上回るので，利潤が最大になる。

4 $p>50$であると，限界費用が短期平均可変費用を上回るため，どのような生産量でも利潤は正になる。

5 $p<80$であると，限界費用が短期平均費用を下回るため，生産を続ければ固定費用を上回る損失が出る。

実戦問題❶の解説

No.1 の解説　無差別曲線とその例　→問題はP.205　正答3

A：この消費者はビールと枝豆を同時に消費することを好むので，**予算制約線**の傾きにかかわらず両財の最適消費量は正となる。したがって，この消費者の無差別曲線はイかウである。また，いずれか一方の消費量が増えればこの消費者の満足度（**効用**）は高まると解釈できるので，L字型の無差別曲線（ウ）である必要はない。よって，イである。

B：この消費者にとってパンとご飯は同じであることから，パンとご飯に関係なく，食べた量（たとえば，総グラム数）だけが効用を決めると考えられる。また，この消費者はいつでもパンとご飯を一定の比率で交換できると考えていると解釈できるので，この消費者の無差別曲線は直線（ア）である。

C：この消費者は右足の靴が２足，左足の靴が３足あっても，２足分の満足しか得られない。つまり，少ないほうの靴の数からしか満足を得られないので，L字型の無差別曲線である。したがって，ウである。

よって，正答は**3**である。

◆特殊な形状の無差別曲線

本問で示された無差別曲線以外にも，特殊な形状の無差別曲線がある。

①水平（垂直）な無差別曲線

横（縦）軸にとった財の消費量が効用の増減に影響を与えないケース。

②右上がりの無差別曲線

２財のうち一方の財の消費量の増加が効用を低下させるケース。

③原点に対して凹の無差別曲線

２財のうち一方の財のみを消費するケース，あるいは両財ともに消費量が増えれば効用が低下するケース。

④円形の無差別曲線

両財ともに，消費量がある一定量に達するまでは消費量が増えるにつれて効用が高まるが，いずれ消費量が増えるにつれて効用が低下するケース。

No.2 の解説　最適消費点　→問題はP.205　正答3

STEP❶　理論面から考える

消費者は，**無差別曲線**と**予算制約線**の接点（点Aまたは点E）が示す消費量の組合せを選ぶことで，自らの効用を最大化できる。予算制約線がL_1からL_2に変化（所得が増加）すると，**最適消費点**は点Aから点Eへ移る。このとき，X財とY財の消費量はともに増えている（**B**は正しく，**A**と**C**は誤り）。

STEP❷　一般（テキスト）的な例を考える

図中の所得の変化に伴う最適消費点の変化を示す破線（**所得消費曲線**）は，「X財とY財の消費量が一定の割合で増加しなければ，消費者の効用が高まらない」ことを示している。一般に，この性質に当てはまるのは「パンとバター」のような**補完財**であり，どちらか一方で他方を代用できる「うどんとそば」の組合せは不適切である（**D**は正しく，**E**は誤り）。

よって，正答は**3**である。

No.3 の解説　最適消費点

→問題はP.206　**正答4**

当初の**最適消費点**は予算制約線X_1Y_1と無差別曲線Uの接点Aであり，各財の最適消費量はX^*とY^*である（**図1**）。

図 1

また，所得の増加に伴い消費量が増える財を**上級財**，消費量が減る財を**下級財**と呼ぶ。

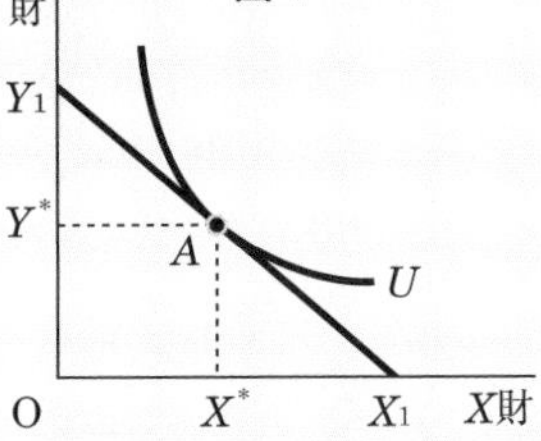

1 ×　所得の増加は予算制約線を右上へ平行移動させる。

所得の増加は予算制約線を右上へ平行移動させることから，新しい予算制約線はX_2Y_2になる（**図2**）。当初の最適消費量を基準にすれば，この新しい予算制約線は①X財の消費量は減るがY財の消費量は増える領域，②両財の消費量が増える領域，③X財の消費量は増えるがY財の消費量は減る領域に区分できる。ここでは，X財が上級財，Y財が下級財であると想定していることから，最適消費点は領域③，すなわち右下に移動する。

図 2

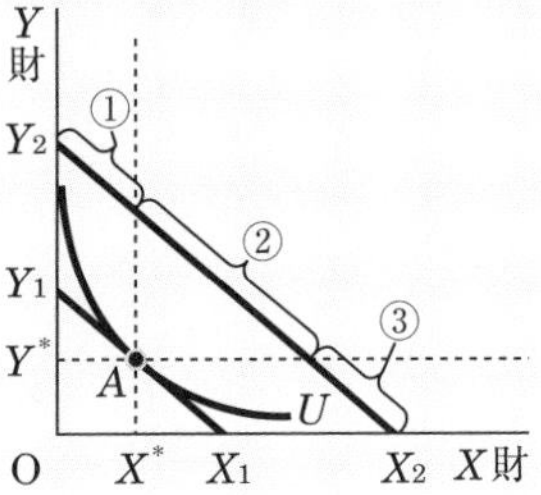

2 ×　上級財ならば所得増で消費量増。

「下級財ならば所得増で消費量減」X財が下級財，Y財が上級財であることから，**図2**において，最適消費点は領域①，すなわち左上に移動する。

図 3

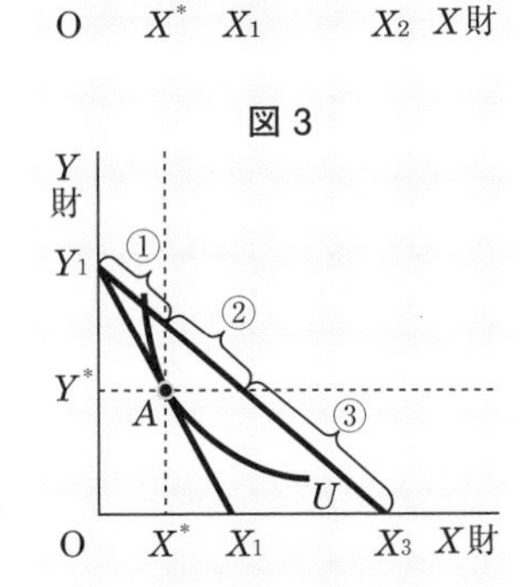

3 ×　一方の財の価格の変化は予算制約線の傾きを変える。

X財の価格が下落すれば，X財の最大購入可能数量だけが増加するため，新しい予算制約線はX_3Y_1のように傾きが緩やかになる（**図3**）。当初の最適消費量を基準にすれば，この新しい予算制約線は①X財の消費量は減るがY財の消費量は増える領域，②両財の消費量が増える領域，③X財の消費量は増えるがY財の消費量は減る領域に区分できる。

X財の価格下落によってX財の最大購入可能数量が増加したことは，消費者の実質的な所得の増加を意味する。したがって，X財，Y財ともに上級財ならば，両財の消費量を増やす効果（**所得効果**）が働くことになる。

さらに，X財の価格下落によってX財は相対的に安くなったのであるから，消費者はY財の消費量を減らして，X財の消費量を増やす効果（**代替効果**）も働く。これら2つの効果を踏まえれば，X財の消費量は必ず増えるが，Y財の消費量の増減方向は確定できず，最適消費点は右へ移動するとしかいえない。

4◎ 上級財の消費量は，自らの価格の低下で必ず増加する。

正しい。**3**の解説より，X財の消費量は必ず増える。下級財であるY財の消費量については，所得効果，代替効果ともにその消費量を減らす方向に働き，最適消費点は右下に移動する。

5× 下級財の消費量は，関連財の価格の低下で必ず減少する。

4の解説において，X軸とY軸を入れ替えた場合であり，最適消費点は左上に移動する。

No.4 の解説　完全競争企業の行動

→問題はP.207　**正答3**

1 ×　平均可変費用曲線の最低点は操業停止点である。

市場価格が120のとき，企業は，**価格**と**限界費用**が等しくなる生産量120を選ぶことで利潤を最大化できる。

2 ×　平均費用曲線の最低点は損益分岐点である。

1の解説を参照。

3 ◎　完全競争企業は，「価格＝限界費用」を満たすように生産量を選ぶ。

正しい。**1**の解説を参照。ちなみに，**短期限界費用曲線**と**短期平均費用曲線**の垂直距離は，生産量1単位当たりの短期利潤をあらわしている。

4 ×　価格が損益分岐点を下回るとき，合理的に行動しても負の利潤が生じる。

$50<p<80$，すなわち価格が**操業停止点**と**損益分岐点**の間であるとき，企業は**限界費用**と**価格**が等しくなる生産量，すなわち利潤を最大にする生産量を選んでも，利潤は負になる。

5 ×　価格が操業停止点を下回ると，損失（赤字）が固定費用を上回る。

損失が**固定費用**を上回るのは$p<50$のときであり，$50<p<80$ならば損失は**固定費用**を下回る。

市場と経済厚生

必修問題

独占市場と日本の独占禁止法に関する次の記述のうち，妥当なものをすべて挙げているのはどれか。 【地方上級（全国型）・令和３年度】

ア　**独占市場**とは市場形態の一つであり，供給者と需要者のいずれか一方が１人である市場のことである。

イ　独占市場では独占企業が価格を決定するため，**完全競争**時に比べて価格が上昇し，生産量が増大する。

ウ　**独占禁止法**は，戦前の財閥の復活を防ぐために持株会社の設立を禁じる一方で，不況時にカルテルを形成することについては認めている。

エ　**公正取引委員会**は，一定の条件を満たす企業が合併等を行う場合の届出を受けており，生産量や価格をコントロールするような企業の合併を認めていない。

1　ア，イ
2　ア，ウ
3　ア，エ
4　イ，ウ
5　ウ，エ

難易度　＊＊

必修問題の解説

独占に関する経済学的な問題とそれに関わる法・制度の基礎知識を組合せた問題である。本問では，歴史的な法・制度改正の出題だが，最近の改正にも要注意である。

ア○ 供給者と需要者のいずれか一方が一人である市場を独占市場という。
正しい。一般には，供給者が1人であることを想定されることが多い。

イ× 企業が独占する市場では，生産量が完全競争時に比べて減る。
一般に，企業が独占する市場では，企業が利潤最大化を図るために，完全競争時に比べて価格は上昇し，生産量（供給量）は減少する（重要ポイント3を参照）。

ウ× 持株会社の設立は解禁され，不況カルテルは禁止されている。
1997年の独占禁止法改正により，**持株会社**の設立は解禁されている。また，不況時におけるカルテルの形成（**不況カルテル**）は，1953年の独占禁止法改正で合法化されたものの，1999年には廃止された。

エ○ 生産量や価格をコントロールするような合併は認められていない。
正しい。ちなみに，公正取引委員会は内閣府の外局として位置づけられる機関で，委員長と4名の委員で構成されている。

よって，妥当なのは**ア**と**エ**であるので，正答は**3**である。

正答 3

FOCUS

市場機能にかかわる概念，とりわけ市場の失敗に関連するテーマは，専門試験の経済原論や経済政策などでもよく出題される。専門用語の概念や定義の暗記に加えて，具体的な事例をイメージできるようにするなど，実践的に使えるように学習しておこう。

POINT

重要ポイント 1 機会費用と優位

(1) 機会費用

ある行動を選択するとき，その選択によって犠牲となった行動から得られる便益の中で最大の額を，選択した行動の機会費用と呼ぶ。

(例) 余暇を読書に費やす人を考える。この人が余暇をスポーツに費やしていれば100の満足を，睡眠に費やしていれば150の満足を得られたとすれば，読書の機会費用は150である。

(2) 2つの優位

①**絶対優位**：ある財を他の人（国）よりも安い費用で生産できるとき，「その財の生産に関して絶対優位を持つ」という。

②**比較優位**：ある財を他の人（国）よりも安い機会費用で生産できるとき，「その財の生産に関して比較優位を持つ」という。

(例) コメと自動車を生産するA国とB国がある。下の表は両国がコメ１kgあるいは自動車を１台生産するのに必要な労働者の数をまとめたものである。

	コメ（１kg）	自動車（１台）
A国	５人	10人
B国	10人	50人

→A国は，B国より少ない労働者で多くのコメと自動車を生産できるので，A国はコメと自動車の生産において絶対優位を持つ。

→A国で自動車１台を生産することの機会費用はコメ２kgであり，B国で自動車１台を生産することの機会費用はコメ５kgであるから，A国は自動車の生産において比較優位を持つ。

重要ポイント 2 不完全競争市場

市場形態	企業数	特　徴
独　占	１社	短期的にも長期的にも（超過）利潤を独り占めする。
複　占	２社	他社の反応を考慮しながら行動する。
寡　占	数社	価格が硬直的になりやすい。 非価格面での競争が行われやすい。
独占的競争	多数	各企業は代替的ではあるが差別化された財を生産する。 長期的には（超過）利潤が消滅。
完全競争	多数	各企業は完全に同質の財を生産し，生産した財は消費者により需要され尽くすとされる。

重要ポイント3 不完全競争市場における企業行動

①独占企業：

利潤最大化条件：限界収入(MR)と限界費用(MC)が一致する点Aを選び，そのときの数量Q^*を生産量として選択し，Q^*における需要曲線の高さP^*を独占価格として設定する。

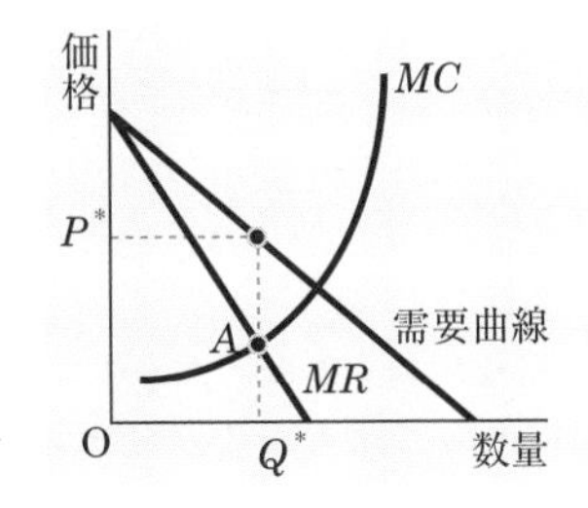

限界収入：生産量を１単位増産したときの売上額（収入）の増加分。

→需要曲線が直線の場合，限界収入曲線は価格軸切片が需要曲線と同じで，傾きが需要曲線の傾きの２倍の直線となる。

（テクニック）需要曲線が直線で，限界費用が一定のとき，独占企業の最適な生産量は，完全競争市場における総生産量の半分になる。

②クールノー・ゲーム：寡占市場において，個々の企業がライバル企業の生産量を一定として，自己の利潤を最大化する生産量を決定し合うというモデル。

一般的なクールノー・ナッシュ均衡の導出方法：

（手順１）反応曲線（反応関数）の導出

ライバル企業の予想生産量をQ_2^eとすると，ある企業が直面する需要曲線は市場需要QからQ_2^eを差し引いた分だけになる。

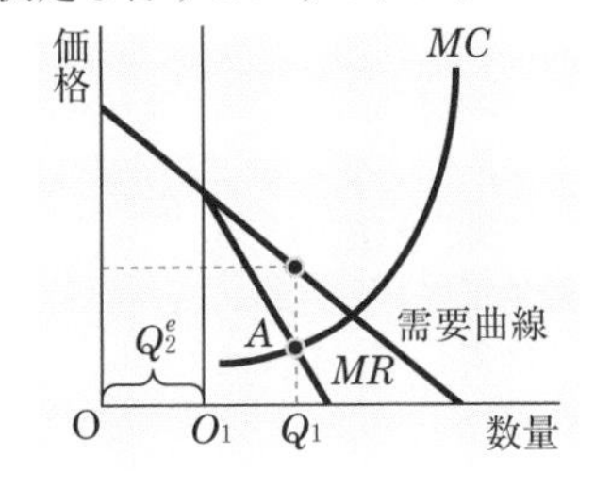

よって，O_1を原点とする需要曲線に対して，この企業は独占企業として行動する。

したがって，この企業が選択する生産量Q_1はライバル企業の予想生産量Q_2^eに依存する関数となる。この関数を**反応関数**と呼ぶ。

なお，すべての企業の反応関数をここで求めておく。

（手順２）**クールノー・ナッシュ均衡**における生産量の導出

クールノー・ナッシュ均衡では，各企業の生産量とライバル企業が予想したその企業の生産量が等しくなっていなければならない。よって，上で求めた反応関数において$Q_1=Q_1^e$，$Q_2=Q_2^e$，……として，連立方程式を解けばよい。

（テクニック）需要曲線が直線で，限界費用が一定の同一の生産技術をn社すべての企業が持つ場合，各企業のクールノー・ナッシュ均衡における生産量は，完全競争市場時の総生産量の$\dfrac{1}{(n+1)}$となる。

重要ポイント 4 余剰分析

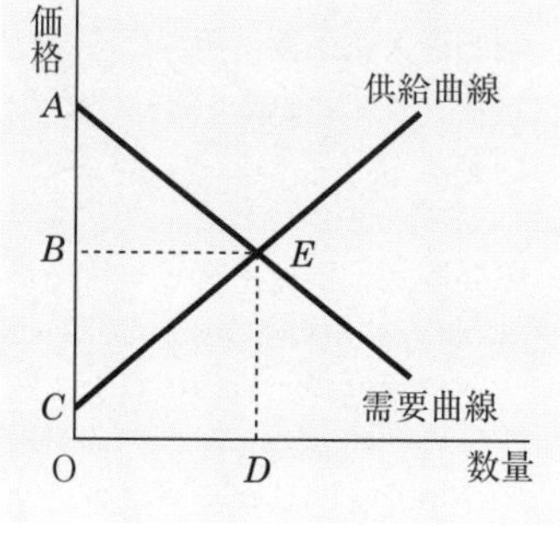

総便益：消費者が支払ってもよいと考える支出額。□O*AED*の面積で測れる。

消費者余剰：消費者が享受する満足を測る指標の一つ。総便益（□O*AED*の面積）と実際の支払額（□O*BED*）の差。△*BAE*の面積で測れる。

生産者余剰：生産者が享受する満足を測る指標の一つ。売上額（□O*BED*）と可変費用（□O*CED*の面積）の差。△*CBE*の面積で測れる。

総余剰（経済厚生）：社会全体での満足を測る指標の一つ。外部経済・外部不経済が発生していないとき，消費者余剰と生産者余剰の和。△*CAE*の面積で測れる。

重要ポイント 5 社会的最適と厚生損失

私的限界費用：生産者自身が直面する限界費用。通常の限界費用に相当する。

社会的最適：生産者が**社会的限界費用**（社会全体から見た，1単位増産することによって必要となる追加的な生産費用）に基づいて行動することで実現できる均衡状態（点E^*）。

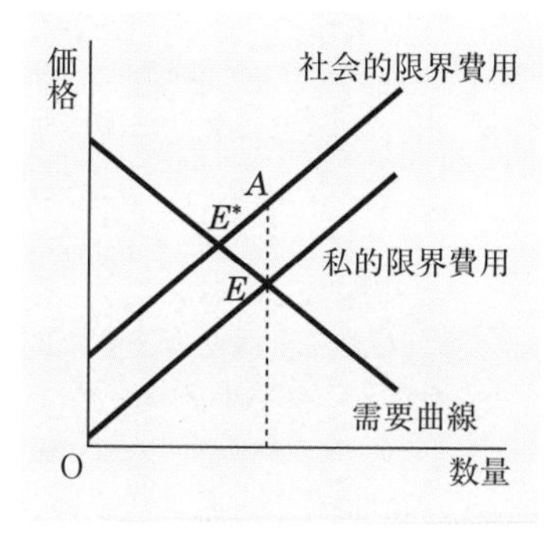

厚生損失（死荷重）：経済主体が外部効果などを無視して行動するなどして，実現する総余剰が社会的最適の下での総余剰に比べて小さくなる分。△E^*AEの面積で測れる。

→外部不経済が生じている場合には適切な租税（**ピグー税**）を課税，外部経済が生じている場合には適切な補助金（**ピグー補助金**）を給付することによって，社会的最適な状態を実現できる。

実戦問題1 基本レベル

No.1[*] **下の表は，A国とB国が農作物と鉄鋼を１単位生産するのに必要な労働力を示したものである。比較生産費説に従うとき，次の文中のアとイに当てはまる語句の組合せとして妥当なのはどれか。** 【地方上級（全国型）・平成21年度】

	農作物	鉄鋼
A国	4	4
B国	5	8

A国とB国が自由貿易を開始すると，A国はア｛a．農作物と鉄鋼の双方 b．農作物のみ c．鉄鋼のみ｝を輸出する。これは，A国が鉄鋼の生産を１単位増やすときに減少する農作物の生産量がイ｛a．B国のそれに比べて多い b．B国のそれに比べて少ない｝からである。

	ア	イ
1	a	b
2	b	a
3	b	b
4	c	a
5	c	b

No.2[**] **ある寡占市場において，A国の企業ａとB国の企業ｂが新技術の開発競争問題に直面している。この技術開発では，市場全体で80万ドルの利益を見込めるものの，両方の企業が開発に成功すると，利益を半々に分け合う形になる。また，開発に当たっては，１社当たり50万ドルの費用がかかる。**

ここで，A国政府が企業ａに対して20万ドルの開発補助金を支給する場合と，いずれの企業も補助金を支給されない場合のそれぞれについて，次のア～エの記述のうち，妥当なもののみをすべて挙げているのはどれか。

なお，各企業は，相手企業に関する情報を完全に入手しており，その情報に基づいて自らの行動を決定するものとする。また，開発に伴う不確実性は存在せず，費用さえかければ必ず開発に成功するものとする。 【国家専門職・平成20年度】

ア：補助金が支給されていないとき，企業ｂの行動にかかわらず，企業ａは必ず開発を行う。

イ：補助金が支給されていないとき，企業ａの行動にかかわらず，企業ｂは必ず開発を行う。

ウ：企業ａに補助金が支給されるとき，企業ｂの行動にかかわらず，企業ａは必ず開発を行う。

エ：企業aに補助金が支給されるとき，企業aの行動にかかわらず，企業bは必ず開発を行う。

1 ア，イ，ウ
2 ア，エ
3 イ
4 ウ
5 ウ，エ

＊＊
No.3 市場の機能等に関する記述として最も妥当なのはどれか。

【国家総合職・平成27年度】

1 市場経済では，財やサービスの取引を行う際，最初から需要量と供給量が一致することはまれであり，需要量が供給量を上回ると，価格が上昇し需要量が減少することで，需要量と供給量の一致が達成される。また，市場において，財やサービスが供給される規模によって価格の変化が起こるより前に，需要量と供給量が調整されていくことを「規模の経済」と呼ぶ。

2 市場は必ずしも万能ではなく，市場メカニズムがうまく働かない「市場の失敗」と呼ばれる状態が生じることがある。例えば，買手が持っていない情報を売手が持っているという「情報の非対称性」により，市場において資源の適正配分が実現されなくなることが挙げられる。

3 「市場の失敗」のうち近年生じたものとして，市場の寡占化・独占化が挙げられる。20世紀後半からカルテル・トラストといった独占形態が出現したため，政府が「デファクト・スタンダード」と呼ばれる価格の基準を設定して，市場の寡占化・独占化が引き起こす弊害の解消を図るようになった。

4 市場取引を通して対価を受け取ることなく損失を被ることを「外部不経済」といい，対価を支払うことなく利益を受けることを「外部経済」という。また，誰もが使い，ある人が多く消費しても他の人の消費がその分減ることはないという非排除性を持ち，対価を支払わなくとも利用できるという非競合性を持つ財を「公共財」と呼ぶ。

5 競争市場では，一般的な企業が一定の利潤を確保できるように設定した価格とは別に，プライス・リーダー（価格先導者）が管理価格を設定し，企業間の価格競争が強まることがある。この場合，価格が下方に変化する場合が多いことから，この状態を「価格の下方硬直性」と呼ぶ。

実戦問題1の解説

No.1 の解説　比較生産費説　→問題はP.217　正答5

STEP❶　各国が比較優位を持つ生産を特定する

A国が鉄鋼1単位を生産するためには，農作物の生産量を4÷4＝1単位減らす必要がある。B国が鉄鋼1単位を生産するためには，農作物の生産量を8÷5＝1.6単位減らす必要がある。よって，イはbである（**2**，**4**は誤り）。

STEP❷　自由貿易の結果を考える

A国は鉄鋼生産に**比較優位**を持ち，B国は農作物生産に**比較優位**を持つので，自由貿易を開始すると，A国は鉄鋼の生産に**特化**し，鉄鋼を輸出する（**1**，**2**，**3**は誤り）。

よって，正答は**5**である。

No.2 の解説　利得表を用いたゲーム理論　→問題はP.217　正答4

STEP❶　利得表を作成する

初めに，補助金が支給されない場合の**利得表**を作成する。2社ともに50万ドルの費用をかければ，市場全体での開発による利益80万ドルを折半してもらえるので，各社ともに80万÷2−50万＝−10万ドルの開発利益を得る。一方，1社だけが費用をかければ，費用をかけた企業の開発利益は80万−50万＝30万ドル，費用をかけなかった企業の開発利益は0である。したがって，利得表は**表1**のようになる。なお，この表のカッコ内の前の数値が企業aの開発利益，後ろの数値が企業bの開発利益を表す。

表1

		企業a	
		開発する	開発しない
企業b	開発する	（−10万，−10万）	（0，30万）
	開発しない	（30万，0）	（0，0）

次に，企業aに対して20万ドルの補助金が支給される場合を考える。この場合，**表1**における企業aが開発を行ったときの利益だけが20万ドル増えるので，**表2**が補助金支給時の利得表になる。

表2

		企業a	
		開発する	開発しない
企業b	開発する	（10万，−10万）	（0，30万）
	開発しない	（50万，0）	（0，0）

STEP❷　各企業の最適戦略について考える

補助金支給がない場合，企業aが開発するならば企業bは「開発しない」ことによって開発したときの利益－10万ドルより高い利益0ドルを得られるが，企業aが開発しないならば企業bは「開発する」ことによって，開発しないときの利益0ドルより高い利益30万ドルを得られる（**イ**は誤り）。
一方，企業bが開発するならば企業aは「開発しない」ことによって開発したときの利益－10万ドルより高い利益0ドルを得られるが，企業bが開発しないならば企業aは「開発する」ことによって，開発しないときの利益0ドルより高い利益30万ドルを得られる（**ア**は誤り）。
他方，補助金支給がある場合，企業aが開発するならば，企業bは「開発しない」ことによって開発したときの利益－10万ドルより高い利益0ドルを得られるが，企業aが開発しないならば企業bは「開発する」ことによって，開発しないときの利益0ドルより高い利益30万ドルを得られる（**エ**は誤り）。一方，企業aについては，企業bの行動にかかわらず，「開発する」ことによってより高い利益を得られる。
よって，正答は**4**である。

No.3 の解説　市場の機能と市場の失敗

→問題はP.218　**正答2**

1 ×　「規模の経済」は生産規模の拡大によって生産効率が高まること。

「**規模の経済**」は市場の調整過程ではなく，生産規模が大きくなるにつれて生産効率が高まることである。ちなみに，前半の記述は**ワルラス調整過程**と呼ばれる市場の調整過程に関する説明で，この調整過程のほかに，売り手と買い手の希望価格の差によって生産量が調整されて，需要量と供給量の一致が達成されるという**マーシャル調整過程**の考え方もある。

2 ◎　「情報の非対称性」は「市場の失敗」の一種。

正しい。買い手と売り手の間で財に関する情報の偏り（**情報の非対称性**）があると，**市場メカニズム**がうまく機能しなくなり，市場メカニズムでは資源の適正配分が実現されなくなる。

3 ×　「寡占・独占」は「市場の失敗」の一種。

カルテルや**トラスト**といった寡占形態は19世紀後半から出現した。**デファクト・スタンダード**とは価格規制で設定される価格水準のことではなく，企業間競争や消費者の選択などの淘汰を経て一般に利用されるようになった「事実上の標準」のことである。

4 ×　外部経済・外部不経済の「外部」は「市場を介さない」の意。

ある経済主体の行動が市場を介さずに他の経済主体の経済活動に影響を与えることを「**外部性**」といい，その影響が他の経済主体にとって好都合ならば「**外部経済**」，不都合ならば「**外部不経済**」という。また，ある人の消費量の増減が他の人の消費（可能な）量を増減させない（消費量が競合しない）という性質を「**非競合性**」といい，対価を支払わない人を消費者から排除できない性質を「**非排除性**」という。

5 ×　企業が「管理価格」を設定できるのは，企業間の価格競争が弱いから。

「**管理価格**」とは，独占または寡占企業がその市場支配力によって設定する価格のことであり，他の企業はその価格を追随するため，企業間の価格競争は起こりにくくなる。また，「**価格の下方硬直性**」とは，**超過供給**が発生しても価格が下がりにくくなる現象のことである。

第2章 マクロ経済学

試験別出題傾向と対策

試験名	国家総合職					国家一般職					国家専門職（国税専門官）				
年度	21-23	24-26	27-29	30-2	3-5	21-23	24-26	27-29	30-2	3-5	21-23	24-26	27-29	30-2	3-5
頻出度　テーマ　出題数	4	0	2	1	1	1	1	2	0	1	1	1	0	3	1
B　4 国民所得の概念とその決定	2				1		1	1						1	1
C　5 経済政策論	1										1				
A　6 金融政策と制度・事情	1		2	1		1		1		1		1			
C　7 インフレーション														2	

本章では，純粋な経済理論としての「マクロ経済学」（テーマ４）とその発展にかかわる「経済政策論」（テーマ５），そして現実のマクロ経済の議論で出てくることの多い「金融」（テーマ６）と「物価」（テーマ７）を取り上げる。「経済政策論」を除けば報道などでなじみ深い用語が多く，初学者にとって抵抗感が少ない科目だろう。

出題形式はミクロ経済学同様に多様だが，ミクロ経済学に比べて暗記色が濃い。全般的に，概念・理論絡みの問題は平易な傾向にあるが，経済政策論と金融からは専門試験レベルの出題も見受けられる。本章の学習内容をきちんと押さえれば，経済事情（第４章）の学習内容の理解が進むだろう。

●国家総合職

平成24年度の試験制度から，出題数が激減している。この背景として，総出題数の見直しの影響があると考えられる。令和元・３年度で久しぶりに出題されたが，出題内容はかつての頻出テーマであり，総出題数が減った専門試験で出題機会を失いつつあるテーマからの問題であった。同試験におけるマクロ経済学は，「得点争い」というより「失点争い」といった印象が濃い科目なので要注意である。

●国家一般職

３年括りで見ると，周期的に「金融」から出題されており，他のテーマからは集中的に出題される傾向が見受けられる。平成30年度以降，経済学からの出題の経済原論（理論）離れ傾向が顕著になるなかで，令和４年度で久しぶりに出題が確認できたかつての頻出テーマは要注意である。

●国家専門職（国税専門官）

かつては，２～３年度ごとに出題当時の話題にちなんだテーマから出題されて

	地方上級（全国型）					地方上級（東京都）					地方上級（特別区）					市役所（C日程）				
	21-23	24-26	27-29	30-2	3-5	21-23	24-26	27-29	30-2	3-5	21-23	24-26	27-29	30-2	3-5	21-23	24-26	27-29	30-2	3-4
	2	1	4	2	3	1	1	1	1	2	2	1	0	0	0	1	1	2	2	0
テーマ4				1				1		1									2	
テーマ5	1				1													1		
テーマ6	1	1	4	1	1	1			1	1	2	1				1	1	1		
テーマ7					1		1													

おり，直近では平成30年度から令和３年度にかけて集中的に出題された。基本知識重視の出題が目立つが，制度・事情については詳細に出題されることがある。

●地方上級

平成21～29年度においてやや集中的に出題されたものの，ミクロ経済学に比べると出題ウエートはかなり低い。平成30年度は出題確認できなかったが，令和元・３年度に出題確認できており，まだくすぶっている感が強い。難易度低めの基本的事項が頻出であるなかで，専門試験レベルの内容が出題されることもあるので，ほんの少し深めの学習をお薦めする。

●東京都・特別区

東京都では，平成18年度以降，５～６年度に１問程度の出題といった傾向が続いている。この出題傾向と直近では令和４・５年度に出題されていることを踏まえると，６年度での出題可能性は相当に低い。とはいえ，経済・経営用語（第４章）や記述式試験の対策の一環として学習しておくことをお薦めする。

特別区では，平成15～26年度において「国民所得の概念とその決定」と「金融」を中軸に断続的に出題されていた。しかし，27年度以降は出題確認されていない。ただし，他の公務員試験ではちらほらと出題が見受けられることから，出題された時には得点源とできるように，基本事項は定着させておきたい。

●市役所

他の公務員試験に比べると，コンスタントに出題されている。「国民所得の概念とその決定」と「金融」からほぼ周期的に出題されており，令和元年度には「金融」から「国民所得の概念とその決定」へのゆり戻し的な出題が確認できた。試験対策は，専門試験対策の導入部分と位置づけて進めることをお薦めする。

国民所得の概念とその決定

必修問題

図は，*IS*曲線と*LM*曲線の一般的な形状を示したものであるが，これに関する記述のA～Dに当てはまるものの組み合わせとして最も妥当なのはどれか。

【国家専門職・令和３年度】

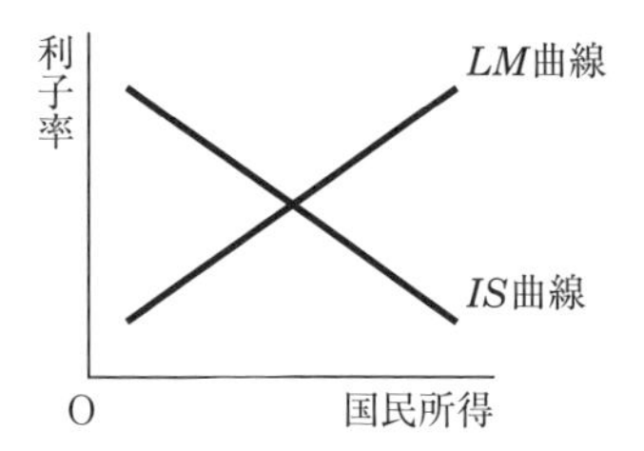

「*IS*曲線とは，財市場を均衡させる国民所得と利子率の組合せを示したものであり，縦軸に利子率，横軸に国民所得をとると，一般的に右下がりの形状となる。ここで，政府が政府支出を拡大させるなどの拡張的な**財政政策**を行うと，***IS*曲線**は［ A ］にシフトする。

一方，*LM*曲線は，貨幣市場を均衡させる国民所得と利子率の組合せを示したものであり，一般的に，右上がりの形状となる。ここで，中央銀行が貨幣供給量の縮小などの緊縮的な**金融政策**を行うと，***LM*曲線**は［ B ］にシフトする。

また，貨幣市場が，いわゆる「**流動性のわな**」の状況にあり，*LM*曲線が［ C ］の状態にある場合，中央銀行がいくら貨幣供給量を増加させても国民所得は増加しない。この状況では，人々は利子率が十分に［ D ］と考えており貨幣を手元に置こうとする。」

	A	B	C	D
1	右	右	水平	低い
2	右	左	水平	低い
3	右	左	垂直	高い
4	左	右	垂直	低い
5	左	左	水平	高い

難易度　＊＊

必修問題の解説

***IS-LM*分析に関する基本問題である。*IS-LM*分析の出題では典型的な論点である，財政・金融政策が*IS*・*LM*曲線に与える影響と流動性のわなにおける*LM*曲線の形状について問われている。**

A：**一般に，拡張的な財政政策は*IS*曲線を右へシフトさせる。**
一般に，拡張的な**財政政策**が実施されると，利子率が一定であっても財市場で需要が増大し，国民所得が増大する。よって，財市場が均衡する利子率と国民所得の組合せを示す***IS*曲線**は右へシフトする（重要ポイント４を参照）。

B：**一般に，緊縮的な金融政策は*LM*曲線を上（左）へシフトさせる。**
一般に，緊縮的な**金融政策**が実施されると，国民所得が一定であっても貨幣市場で超過需要が発生し，利子率が上昇する。よって，貨幣市場が均衡する利子率と国民所得の組合せを示す***LM*曲線**は上（左）へシフトする（重要ポイント４を参照）。

C：**流動性のわなの状況にあるとき，*LM*曲線は水平である。**
利子率がある一定の下限に達し，利子率が少しでも上昇すると貨幣に対する需要が無限に小さくなる状態を「**流動性のわな**」という。この状態にあるとき，何らかの要因で国民所得が増大して，**取引動機に基づく貨幣需要**が増えても利子率は変化しないので，*LM*曲線は水平になる。

D：**流動性のわなの下では，人々は資産を貨幣の形で保有しようとしている。**
投機的動機に基づく貨幣需要の議論によれば，利子率が十分に低く債券価格が高いとき，人々が債券価格を下落する前に債権を売却して資産を貨幣の形態で保有しようとする。つまり，流動性のわなの状況では，人々は利子率が十分に低いと考え，資産を貨幣で保有しようという状態になっている。

よって，Aは「右」，Bは「左」，Cは「水平」，Dは「低い」であるので，正答は**2**である。

正答 2

FOCUS

GDPやGNPなど国民経済計算体系としてとらえられている指標の基本的な関係を整理するとともに，経済史対策と絡めて，大まかなデータの動きをチェックしておきたい。計算問題や政策分析の問題も出題されることがあるので，所得決定理論についても確認しておく必要がある。要注意である。

POINT

重要ポイント 1 GNP（国民総生産）の定義

GNPは，一定期間内に新たに生産された価値（付加価値）の合計からなる。

ルール1　GNPは市場で取引された財・サービスのみを計上する。

主婦（夫）の家事労働は市場で取引しないため，GNPには計上されない。
しかし，これには次の例外がある。

例外：持ち家居住者の帰属家賃
農家の自家消費分
政府から国民一般に対してなされる公共サービス

ルール2　GNPはその年に新たに生み出された財・サービスのみを計上するフローの概念である。

土地や株式，美術品などの資産（ストック）の取引はGNPには含めない。
中古車の取引もGNPには含めない。

重要ポイント 2 三面等価の原則

三面等価の原則：ある一国の経済の規模を生産面から測った**国民総生産**（GNP），支出面から測った**国民総支出**（GNE）そして分配面から測った**国民総所得**（GNI）は常に等しいという法則。

→総生産額と国民総生産，**国内総生産**（GDP）などの関係については，P.000を参照。

***IS*バランス**：国民総支出は，消費C，投資I，政府支出G，輸出Xの総和から輸入Mを引いた値に等しい。

$$\mathrm{GNE}=C+I+G+X-M$$

国民総所得は，消費C，貯蓄S，租税Tの総和に等しい。

$$\mathrm{GNI}=C+S+T$$

三面等価の原則より，GNE＝GNIが成立するので，

$$\underbrace{S-I}_{\text{貯蓄超過}} = \underbrace{(G-T)}_{\text{財政赤字}} + \underbrace{(X-M)}_{\text{貿易黒字}}$$

が常に成立する。

分配面から見た経済規模：売上げはすべて賃金・報酬，利潤などの形で分配される。

GNI＝雇用者報酬＋営業余剰＋固定資本減耗＋(間接税－補助金)

重要ポイント3 45度線分析

想定：経済は**（有効）需要**が不足しており，需要に見合う生産を行うことが可能。
→縦軸に総需要，横軸に総生産（GNP）をとると，均衡は必ず45度線上に位置することになる。

総需要（有効需要）Dの内訳：

（ケース1）閉鎖経済モデル

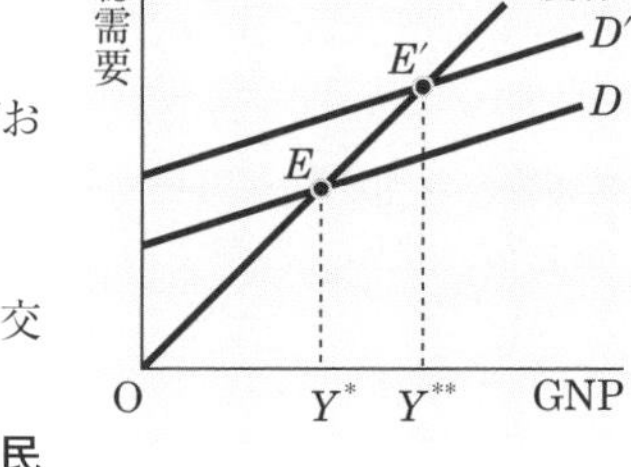

財に対する需要は，民間消費Cと民間投資Iおよび政府支出Gで構成される。

$D=C+I+G$

よって，総生産GNPは総需要Dと45度線の交点Eに対応するY^*の水準に決まる。

この総生産Y^*を**均衡国民総生産（均衡国民所得）**と呼ぶ。

（ケース2）小国開放経済モデル

外国も自国財を需要するので，総需要に輸出Xが加わる。また，国内の民間消費C，民間投資Iおよび政府支出Gの中には外国製品に対する需要が含まれているので，輸入Mを差し引かなければならない。

$D'=C+I+G+X-M$

よって，均衡国民所得は総需要D'と45度線の交点E'に対応するY^{**}の水準に決まる。

政府支出乗数：政府支出が追加的に1単位増加したときの，均衡国民所得の増加分。

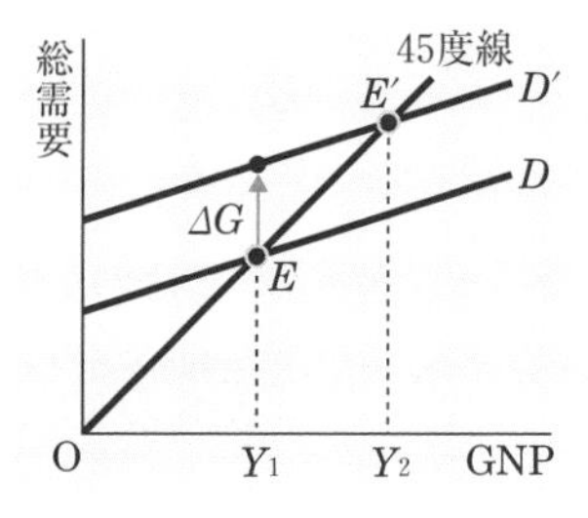

（例）当初の均衡点をEとする。政府支出がΔG増加すると総需要曲線DはΔGだけ上にシフトしたD'となる。その結果，新しい均衡は点E'となり，新しい均衡国民所得はY_2となる。つまり，政府支出が増加することによって均衡国民所得がY_2-Y_1だけ増えたことになるから，政府支出が追加的に1単位増加したときの，均衡国民所得の増加分は$\frac{(Y_2-Y_1)}{\Delta G}$である。

厳密には，$\frac{(Y_2-Y_1)}{\Delta G}$において，$\Delta G$をゼロに近づけたときの極限値である。

重要ポイント 4 *IS-LM*分析

***IS*曲線**：財市場が均衡する利子率と国民所得の組合せを結ぶ線分。

→通常，利子率が上昇すると，投資の効率が低下するため，投資需要が減少し，財市場が均衡する国民所得は低下する(右下がりの*IS*曲線)。

→政府支出の増加や減税など，総需要を拡大させる政策をとると*IS*曲線は右へシフトする。

***LM*曲線**：貨幣市場が均衡する利子率と国民所得の組合せを結ぶ線分。

→通常，国民所得が増加すると貨幣需要が増加する（**取引動機に基づく貨幣需要**）ため，貨幣市場では超過需要が発生し，均衡利子率は上昇する（右上がりの*LM*曲線)。

→貨幣供給量の増加など，貨幣市場を緩和させる政策をとると*LM*曲線は右へシフトする。

流動性選好説：*LM*曲線の導出の背後にある貨幣需要の動機について整理した仮説。

①**取引動機に基づく貨幣需要**＝経済取引に必要な貨幣需要。所得が増加するにつれて増加する。

②**投機的動機に基づく貨幣需要**＝資産の運用先としての貨幣需要。利子率が上昇するにつれて減少する。

③**予備的動機に基づく需要**＝不意の出費に備えるための貨幣需要。所得が増加するにつれて増加する。

→貨幣市場では，これら３つの動機に基づく貨幣需要と貨幣供給が一致するように均衡利子率が決まる。

重要ポイント 5 財政政策と金融政策の効果

財政政策の効果：

	均衡国民所得	均衡利子率
財政拡張政策	増大	上昇
財政緊縮政策	縮減	下落

金融政策の効果：

	均衡国民所得	均衡利子率
金融緩和政策	増大	下落
金融引締め政策	縮減	上昇

流動性の罠：利子率が非常に低く債券価格が非常に高く，***LM*曲線が水平**（貨幣需要の利子弾力性が無限大）の状態。財政政策は国民所得の増減に寄与するが，利子率を変化させない。金融政策は無効になる。

実戦問題1 基本レベル

No.1 * **国民所得や景気変動に関する記述として最も妥当なのはどれか。**

【国家一般職・平成26年度】

1 GNP（国民総生産）は，GDP（国内総生産）より海外からの純所得（海外から送金される所得－海外へ送金される所得）を控除することで得られる。GNPとGDPを比較すると，GNPはGDPより必ず小さくなる。

2 名目GDPの増加率である名目成長率から，物価上昇率を差し引くと，実質GDPの増加率である実質成長率が求められる。また，我が国の場合，第二次世界大戦後から2013年までに，消費者物価上昇率（前年比）が7.5％を上回ったことはない。

3 NI（国民所得）は，生産，支出，分配の三つの流れから捉えることが可能である。また，生産国民所得から支出国民所得を差し引いた大きさと分配国民所得の大きさが等しいという関係が成り立つ。

4 景気が好況時に継続的に物価が上昇することをスタグフレーションという。我が国の場合，デフレーションと不況が悪循環となるデフレスパイラルの現場が見られたことはあるが，スタグフレーションの現象が第二次世界大戦後から2013年までに見られたことはない。

5 景気の波のうち，在庫調整に伴って生じる周期3年から4年ほどの短期間の波を，キチンの波という。一方，大きな技術革新などによって生じる周期50年前後の長期の波を，コンドラチェフの波という。

No.2 ある国のマクロ経済を示した次の図に関する説明として，妥当なものはどれか。ただし，Y_Fはこの国の完全雇用時の国民所得を表すものとする。

【地方上級・平成21年度】

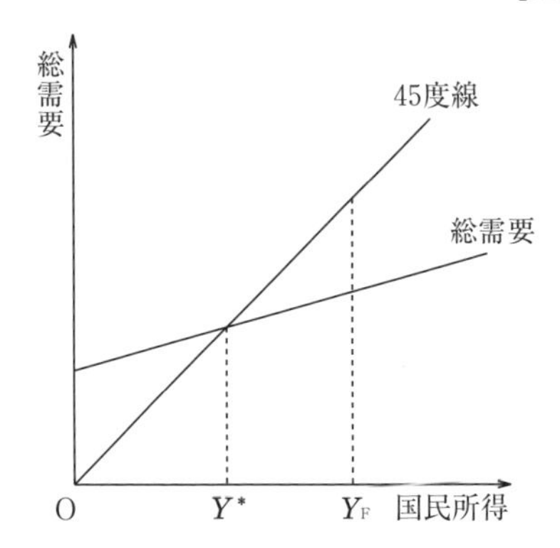

1 この国はデフレ・ギャップの状態にあり，完全雇用時の国民所得を実現するためには総需要を$Y_F - Y^*$増やさなければならない。

2 この国はデフレ・ギャップの状態にあり，完全雇用時の国民所得を実現するために必要な総需要の増加分は$Y_F - Y^*$より少ない。

3 この国はデフレ・ギャップの状態にあり，完全雇用時の国民所得を実現するために必要な総需要の増加分は$Y_F - Y^*$より多い。

4 この国はインフレ・ギャップの状態にあり，完全雇用時の国民所得を実現するためには総需要を$Y_F - Y^*$増やさなければならない。

5 この国はインフレ・ギャップの状態にあり，完全雇用時の国民所得を実現するために必要な総需要の増加分は$Y_F - Y^*$より少ない。

No.3 国民所得，消費，投資，政府支出および租税の関係が次のようなモデルで表されるとき，政府支出の増加および租税の減少が国民所得に与える影響を示した記述として最も妥当なのはどれか。

ただし，投資，政府支出および租税はそれぞれ外生変数であるものとする。

【国家総合職・平成16年度】

$Y = C + I + G$

$C = 10 + 0.8(Y - T)$

（Y：国民所得，C：消費，I：投資，G：政府支出，T：租税）

1 政府支出が1兆円増加する場合，乗数効果を通じて投資も増加し，国民所得は4兆円増加する。

2 政府支出が1兆円増加しかつ租税が1兆円増加する場合，消費に与える効果は相殺されるため国民所得は変動しない。

3 政府支出が1兆円増加しかつ租税が1兆円増加する場合，政府支出の乗数効果のほうが大きいため国民所得は増加する。

4 租税が1兆円減少する場合，所得の増加を通じて消費が増加していき，国民所得は最終的に5兆円増加する。

5 租税が1兆円減少する場合，消費は増加しないものの投資および政府支出が増加し，国民所得は4兆円増加する。

*No.4 貨幣需要に関する次の記述のうち，妥当なのはどれか。

【地方上級（全国型）・平成10年度】

1 取引動機に基づく需要は，日常の取引をするうえで必要とされる貨幣需要のことであり，通常は所得が増加すると減少する。

2 取引動機に基づく需要は，不意の出費に備えるための貨幣に対する需要であり，通常は所得が増加すると減少する。

3 資産動機に基づく需要は，家計が保有する資産の一手段としての貨幣に対する需要であり，利子率が上昇すると減少する。

4 資産動機に基づく需要は，将来の資産価値の増加を見込んで危険資産を購入するための貨幣需要のことであり，利子率が上昇すると減少する。

5 予備的動機に基づく需要は，貯蓄をすることを目的とした貨幣需要であり，債券の需要が高まると減少する。

実戦問題1の解説

No.1 の解説　国民所得と景気変動　→問題はP.229　正答5

1×　GNPとGDPの大小関係は「海外からの純所得」次第。

下図が示すように，**国民総生産**（GNP）は，**国内総生産**（GDP）に**海外からの純所得**（海外から送金される所得－海外へ送金される所得）を合算したものである。また，海外からの純所得＞0ならばGNP＞GDP，海外からの純所得＝0ならばGNP＝GDP，海外からの純所得＜0ならばGNP＜GDPとなる。

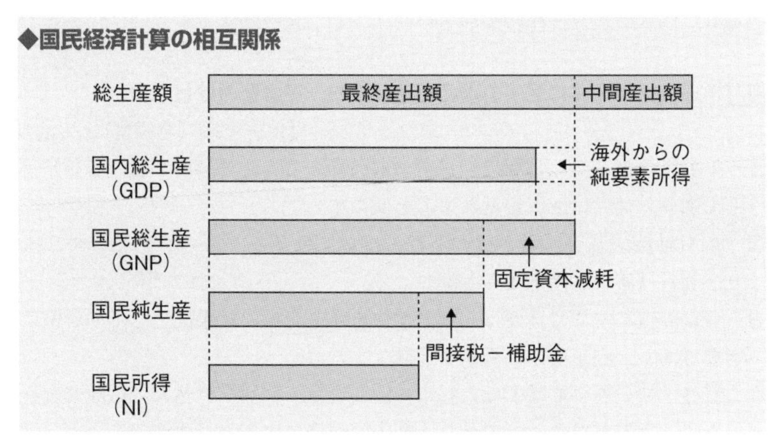

2×　石油危機などで日本の消費者物価は急上昇したことがある。

第二次世界大戦後から2013年までの**日本の消費者物価上昇率**（前年比）を見ると，石油危機などで7.5％を上回ったことがある。

3×　国民所得は，生産面，支出面および分配面のいずれから見ても必ず等しい。

国民所得（NI）は，生産，支出および分配の3つの面からとらえることができる。また，いずれの面から見ても必ず一致する（**三面等価の原則**）。

4×　日本は石油危機の折にスタグフレーションを経験したことがある。

スタグフレーションとは，不況・景気停滞と継続的な物価上昇が併存する状態である。また，日本は石油危機の折にスタグフレーションを経験した。

5◎　在庫調整の波＝キチンの波　技術革新の波＝コンドラチェフの波

正しい。ちなみに，代表的な景気循環は次表のとおりである。

	周期	主な原因
キチンの波	3～4年（40か月）	在庫投資
ジュグラーの波	10年	設備投資
クズネッツの波	20年	建設投資
コンドラチェフの波	50年	技術革新

No.2 の解説　デフレギャップとインフレギャップ

→問題はP.230　正答2

デフレ・ギャップとインフレ・ギャップに関するグラフ問題である。45度線分析についての理解が必要である。

STEP❶　検討すべき点を整理する

選択肢で問われている内容は，この国の経済状態と，この国が完全雇用時の国民所得を実現するために必要な追加的な総需要の規模の大きさの2点である。選択肢の内容を下表のようにまとめ，**乗数効果**に関する知識と追加的に必要な総需要欄を照合できれば，この時点で，選択肢は**2**と**5**に絞られる。

	経済状態	追加的に必要な総需要	
選択肢**1**	デフレ・ギャップ	Y_F-Y^*に等しい	×
選択肢**2**	デフレ・ギャップ	Y_F-Y^*より少ない	○
選択肢**3**	デフレ・ギャップ	Y_F-Y^*より多い	×
選択肢**4**	インフレ・ギャップ	Y_F-Y^*に等しい	×
選択肢**5**	インフレ・ギャップ	Y_F-Y^*より少ない	○

STEP❷　グラフに補助線を引いて検討する

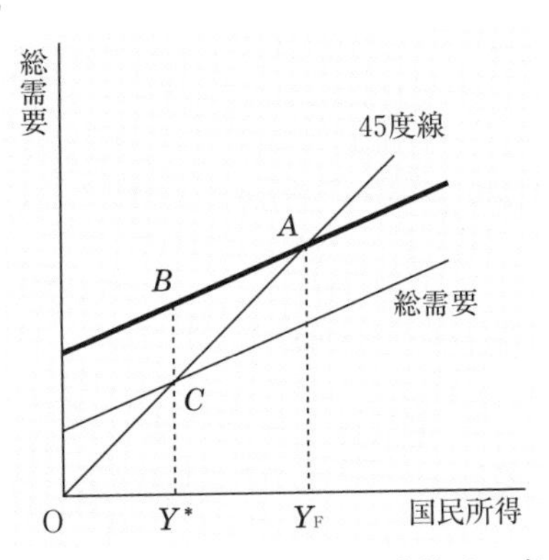

45度線分析の世界では，国民所得は45度線と総需要曲線の交点で決まる。よって，この国が完全雇用時の国民所得を実現するためには，点Aを通る総需要曲線に平行な太線で示される総需要が必要である。現実の国民所得がY^*であるとき，総需要がBY^*（完全雇用時の国民所得の実現に必要な総需要）$-CY^*$（現実の総需要）の長さ，つまりBCの長さだけ不足しているので，この経済は**デフレ・ギャップ**の状態にある（**4**と**5**は誤り）。また，総需要曲線は45度線より緩やかな傾きを持つので，この総需要の不足分（BCの長さ）はY_F-Y^*より少ない（**1**，**3**，**4**は誤り）。

したがって，正答は**2**である。

経済　第2章　マクロ経済学

No.3 の解説　乗数効果

→問題はP.230　正答3

政府支出や租税の変化が均衡国民所得に与える影響を見るためには，はじめに，均衡国民所得の水準について知る必要がある。消費関数 $C=10+0.8(Y-T)$ を財市場の均衡条件式 $Y=C+I+G$ に代入すると，

$Y=10+0.8(Y-T)+I+G$

となる。この式を Y について解くと，均衡国民所得は

$Y=50-4T+5I+5G$　……①

である。

次に，政府支出や租税の変化が均衡国民所得に与える影響について考察する。①式において，投資を除くすべての変数について変化分をとると，

$\Delta Y=-4\Delta T+5\Delta G$　……②

である。

1 ×　乗数効果は，生産と消費が互いに誘発しあって生じる所得の増大効果。

②式に $\Delta G=1$ と $\Delta T=0$ を代入すると $\Delta Y=5$ となるから，国民所得は5兆円増加する。また，この増加は，消費と生産が互いに誘発し合って生じた効果（乗数効果）であり，独立変数である投資 I を通じたものではない。

2 ×　政府支出と租税が同額増えると，消費は増える。

②式に $\Delta G=1$ と $\Delta T=1$ を代入すると $\Delta Y=1$ となるから，政府支出と租税が同時に1兆円増加すると，国民所得は1兆円増加する。

3 ◎　政府支出と租税が同額増えると，国民所得も同額増える。

正しい。**2**の解説より，政府支出と租税が同額だけ増加するとき，国民所得も同額だけ増加する（**均衡予算乗数の定理**）。

4 ×　減税による所得の増加分は，同額の政府支出拡大によるものより小さい。

②式に $\Delta G=0$ と $\Delta T=-1$ を代入すると $\Delta Y=4$ となるから，国民所得は4兆円増加する。

5 ×　減税は可処分所得を増やし，消費を増やす。

減税により可処分所得 $Y-T$ が増加した国民は消費 C を増加させる。他方，独立変数である投資 I と政府支出 G は変化しない。

No.4 の解説　流動性選好説

→問題はP.231　正答3

1 ×　所得が増えると，取引動機に基づく貨幣需要は増加する。

通常，所得が増加すると**取引動機に基づく需要**は増加する。

2 ×　不意の出費に備える貨幣需要は，予備的動機に基づく貨幣需要である。

取引動機に基づく需要は，日常の取引上で必要とされる貨幣需要である。

3 ◎　利子率が上昇すると，資産動機に基づく貨幣需要は減少する。

正しい。なお，資産動機は，**投機的動機**と呼ばれることもある。

4 ×　資産動機に基づく貨幣需要では，貨幣保有を資産運用方法と考える。

資産動機に基づく需要とは，危険資産の購入資金としてではなく，貨幣を資産運用先として見た場合の需要のことである。よって，危険資産と資産動機としての貨幣は代替的である。

5 × **貯蓄は，貨幣の形での資産運用である。**
予備的動機に基づく需要とは，不意な支出に備えるための貨幣需要である。

経済政策論

必修問題

次の記述ア～オについて，ケインズ経済学と古典派経済学の考え方に正しく分類しているものはどれか。 【地方上級（全国型）・平成23年度】

ア：需給バランスが崩れた際，価格は変化せず，供給が変化する。

イ：供給が新たな需要を生み出すとする「**セイの法則**」が成立する。

ウ：財政政策を実施しても，**クラウディングアウト**が完全に働き，**国民所得**は変化しない。

エ：**名目賃金率**が上昇しても，**実質賃金**が変化しなければ，労働供給は変化しない。

オ：**金融緩和政策**が実施されると，**物価水準**が上昇し，**国民所得**は増加する。

	ケインズ経済学	古典派経済学
1	ア，ウ，オ	イ，エ
2	ア，エ，オ	イ，ウ
3	ア，オ	イ，ウ，エ
4	イ，ウ	ア，エ，オ
5	イ，ウ，オ	ア，エ

難易度　＊

必修問題の解説

代表的な学派である「ケインズ経済学」と「古典派経済学」の市場観・政策主張に関する問題である。

STEP❶ 市場観から考える

ケインズ経済学は，**市場メカニズム**による資源の最適配分は成立せず，需要の大きさで供給の大きさが決まると考えた。一方，古典派経済学は，**市場メカニズム**が完全に機能して資源の最適配分は常に成立し，供給が経済規模を決める（**セイの法則**）と考えた（**ア**はケインズ経済学，**イ**は古典派経済学）。

STEP❷ 労働市場観から考える

ケインズ経済学は，労働市場は**名目賃金**の水準で決まるが，労働需要は**実質賃金**の水準で決まると考えた。一方，古典派経済学は，労働の供給と需要ともに**実質賃金**の水準で決まると考えた（**エ**は古典派経済学）。

STEP❸ 政策主張から考える

古典派経済学は，**財政拡張政策**を行って需要を拡大しても，金利上昇を通じて**クラウディングアウト**効果が働くため，**国民所得**は変化しないと考えた。また，古典派経済学は，**金融政策緩和**を行って**物価水準**が上昇すると，**短期的**には**実質賃金**の低下により労働市場で**超過需要**が発生するが，長期的には**名目賃金**が上昇して**実質賃金**はもとの水準に戻るので，**長期的**には物価上昇を招くだけで，**国民所得**は変化しないと考えた（**ウ**は古典派経済学，**オ**はケインズ経済学）。

よって，正答は**3**である。

正答 3

FOCUS

古典派，ケインジアンやマネタリスト等，主要な経済学説の主張内容を対比的に整理しておこう。個人の主張や経済学史に含まれるような内容まで出題されることがあるので，念入りに学習しておきたい。

POINT

重要ポイント 1 経済政策学説一覧

古典派 アダム=スミス	市場メカニズム（価格メカニズム）を信頼。 ・需要と供給の不均衡は，即座に価格の変化により解消される。 スミスは，自由放任の下で各個人が利己心のおもむくままに自由に経済活動をしても，「神の見えざる手」の導きにより，おのずと経済全体が「予定調和」に達するとした。「神の見えざる手」とは価格メカニズムのことである。 ・市場メカニズムにゆだねることで最も効率的な資源配分の状態（パレート最適）が実現する。 政府は必要悪とされ，その規模を最小限にすることが，経済の非効率性を回避するうえで望ましいとされた。「安価な政府」，「夜警国家論」。
ケインズ	1929年の世界大恐慌と1930年代の不況が，市場メカニズムの信頼への反省を促し，ケインズ経済学が登場した。 ケインズは，景気回復のために政府による有効需要拡大政策（財政・金融政策）が必要であると主張した。 ケインズ経済学は，市場の価格メカニズムは不完全で，価格が需給の不均衡に瞬時に即応することに懐疑的で，その代わりとして政府の裁量的な政策が必要であるとした。なお裁量的とは，政府を信頼した政府の判断に基づく政策ということである。
マネタリズム フリードマン	古典派と同様，市場メカニズムを信頼。 フリードマンを中心とするマネタリストは，ケインズ的な有効需要拡大政策は短期的（一時的）には生産力を高め失業率を減らす効果があるが，長期的にインフレをもたらし，人々がそのインフレを認知すると，実質所得や失業率はもとの水準に戻ると主張した。マクロ的な需要拡大政策では動かすことのできないこの失業率水準を「自然失業率」と表現した。 政府の裁量的な政策を批判したマネタリストは，政府のとるべき政策として，経済成長を目的とした貨幣供給量の伸びを一定に保つというルールに基づく政策を提言した（k%ルール）。
合理的期待形成学派 ルーカス サージェント	ルーカス，サージェントら合理的期待形成学派は，マネタリストの主張をもっと極端にし，ケインズの裁量的な有効需要拡大政策は，長期のみならず短期的にも無効であると主張した。 合理的期待形成学派は，価格が完全に伸縮的でかつ経済主体が情報を把握しそれに基づいて合理的に行動することを想定している。
サプライサイド・エコノミックス フェルドシュタイン ラッファー	サプライサイド・エコノミックスは財政の構造から供給面に問題が生じることを指摘し，これらの弊害を除去することで，経済を供給面から活性化することを提唱した。 彼らは，生産力の基礎である労働と資本の供給が税制とインフレにより阻害されるとし，減税政策を提言した。 1981年に登場したアメリカのレーガン政権は，このサプライサイド・エコノミックスを採用したが，その後巨額な財政赤字をもたらす結果になった。
政治経済学のアプローチ ブキャナン=ワグナー	政治経済学の立場から，ケインズ的な積極的な財政政策を批判したのが，ブキャナン=ワグナーである。彼らは，現代民主政治の下では積極的な財政運営は支持されやすいが，緊縮的な財政運営は支持されにくいという非対称性から，放漫な財政運営に流れやすく，財政赤字が累積することを指摘した。 このような認識の下，均衡予算原則の復活を提唱した。

重要ポイント 2 古典派経済学とケインズ経済学の市場観

		古典派（新古典派経済学）	ケインズ経済学
市場一般	市場での調整 市場の状態	価格調整 常に均衡	価格調整・数量調整 不均衡の可能性
労働市場	名目賃金率 雇用 （失業の性質）	伸縮的 完全雇用 （自発的失業）	下方硬直性 不完全雇用 （非自発的失業）
生産物市場	決定要因 （決定原理）	供給サイド （セイの法則）	主として需要サイド （有効需要原理）
資産市場	利子率の決定	貸付資金説	流動性選好説
マクロ安定化政策	基本的な考え方	原則として必要なし	必要あり

出典：『図説日本の財政（令和元年度版）』

重要ポイント 3 マンデル=フレミング・モデル（開放経済モデル）

マンデル=フレミング・モデル：国際的な取引を考慮した開放経済下での財政・金融政策の効果を分析したモデル。

①資本移動が完全に自由なケース

→自国内均衡利子率と世界均衡利子率の間でかい離が生じると，資本の流出入が起こるので，**国際収支均衡線**（*BP*線）が水平になる。

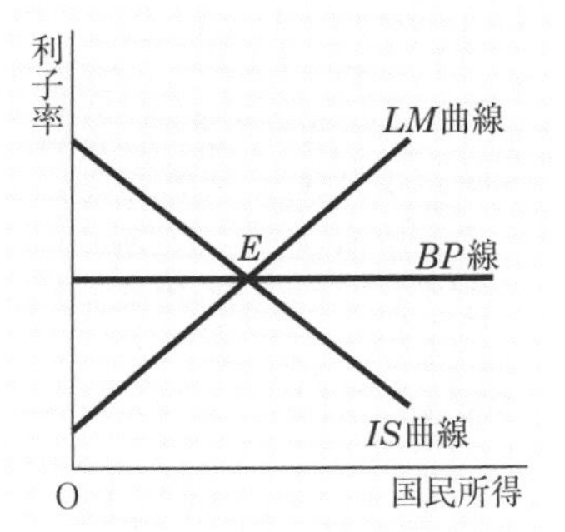

→為替市場と財政・金融政策の効果

	財政政策	金融政策
固定相場制	有効	無効
変動相場制	無効	有効

②資本移動がないケース

→自国内均衡利子率と世界均衡利子率の間でかい離が生じても，資本の流出入が起こらないので，**国際収支均衡線**（*BP*線）が垂直になる。

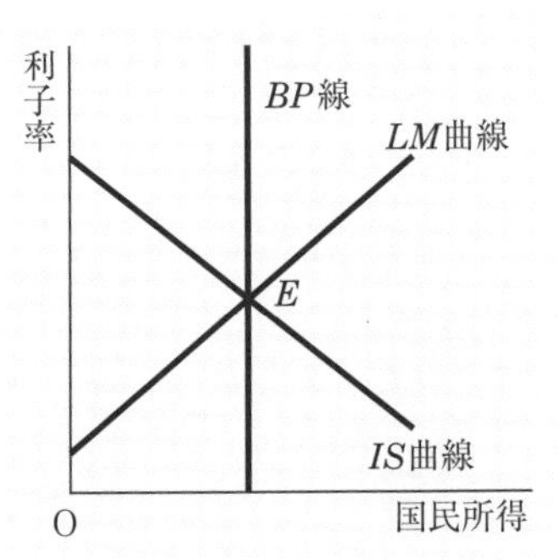

→為替市場と財政・金融政策の効果

	財政政策	金融政策
固定相場制	無効	無効
変動相場制	有効	有効

重要ポイント4 *AD-AS*モデル

総需要曲線：財市場と貨幣市場が同時に均衡する物価と国民所得の組合せを結ぶ線分。***AD*曲線**ともいう。

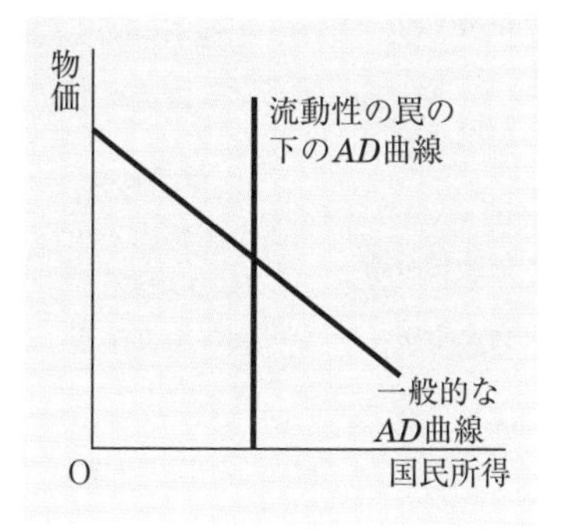

→一般に，物価が上昇すると実質貨幣供給量が減少して国民所得が減少する（**テーマ4** 重要ポイント4　*IS*－*LM*分析を参照）ので，*AD*曲線は右下がり。

→財政拡張政策（*IS*曲線を右へシフトさせる政策）や金融拡張政策（*LM*曲線を右へシフトさせる政策）がとられると，*AD*曲線は右へシフト。

→経済が流動性の罠にあるとき，物価上昇により実質貨幣供給量が減少しても国民所得は変化しないので，*AD*曲線は垂直。

総供給曲線：労働市場が均衡する物価と国民所得の組合せを結ぶ線分。***AS*曲線**ともいう。

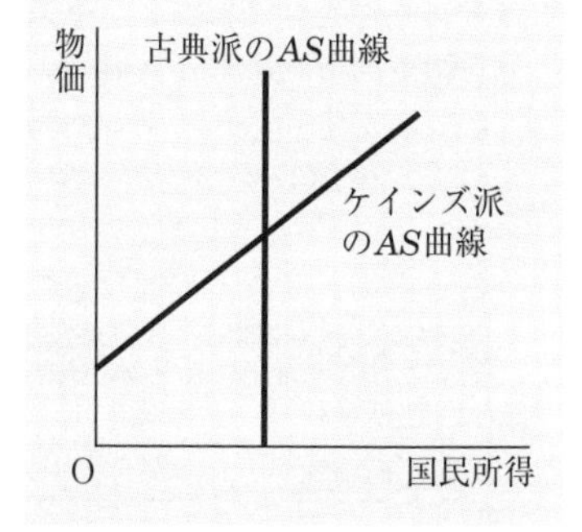

→**古典派**は労働市場においても市場メカニズムに信頼を置くので（重要ポイント2を参照），***AS*曲線は垂直**と考える。

→**ケインズ派**は，労働市場では市場メカニズムが機能しないとするので（重要ポイント2を参照），***AS*曲線は右上がり**であると考える。

政策効果：財市場，貨幣市場および労働市場が同時に均衡する物価と国民所得は，*AD*曲線と*AS*曲線の交点で示される。

→一般に，垂直な*AS*曲線を想定する**古典派**によれば，財政・金融政策は物価水準を変動させるだけで，均衡国民所得は変化しない。

→一般に，右上がりの*AS*曲線を想定する**ケインズ派**によれば，財政・金融政策は物価水準を変動させるとともに，均衡国民所得も変化させる。

実戦問題1 基本レベル

＊＊ No.1 ケインズ学派とマネタリストの経済政策の考え方に関する記述中の空欄A，B，E～Gに当てはまる用語の組合せとして妥当なのはどれか。

【国家一般職・平成6年度】

マネタリストはケインズ学派とは対照的に，［A］の変化が［B］経済の総需要に与える効果を強調し，［C］の効果を疑問視する学派である。初期のマネタリストは，古典派の素朴な［D］に基づいており，［A］の変化は長期的には名目価格に影響を与えるだけで，産出・雇用量にはほとんど影響を及ぼさないと主張したが，1960年代末頃からのマネタリストは，ケインズ学派が重きを置かなかった［E］の効果を強調した。ケインズ学派とフリードマン派のマネタリストとの大きな見解の相違は，経済不安定の発生源についての見方の違いにある。すなわち，［F］の見解では，民間部門は本来，安定的なものであり，［G］がその効果を主張する［C］によって総需要を増やしても，低下させることができない自然失業率が存在し，そうした政策はむしろ経済を不安定にするため，［H］を一定に保つなどの一定の政策ルールが必要であるとする。

	A	B	E	F	G
1	貨幣供給量	ミクロ	財政政策	ケインズ学派	マネタリスト
2	貨幣供給量	マクロ	財政政策	マネタリスト	ケインズ学派
3	財政支出	ミクロ	金融政策	ケインズ学派	マネタリスト
4	財政支出	マクロ	金融政策	マネタリスト	ケインズ学派
5	貨幣供給量	マクロ	金融政策	マネタリスト	ケインズ学派

＊＊＊ No.2 変動為替相場制の下における財政政策・金融政策が一般に経済に与える影響に関するA～Dの記述のうち，妥当なもののみをすべて挙げているのはどれか。

【国家専門職・平成21年度】

A：政府投資の増加は金利上昇につながるため，自国通貨の増加が進み輸出は減少する。

B：減税は金融市場に影響を与えないため，国民所得は増加し，金利と自国通貨の価値はともに変わらない。

C：公開市場操作における買いオペレーションの実施は金利低下につながるため，自国通貨の減価が進み輸出は増加する。

D：預金準備率の引上げはマネーサプライの増加につながるため，自国通貨の減価が進み輸出は増加する。

1 A，B　**2** A，C　**3** B，C
4 B，C，D　**5** D

No.3 ＊＊ **第二次世界大戦後のアメリカ合衆国の経済政策に関する記述として最も妥当なのはどれか。** 【国家総合職・平成17年度】

1 ケネディ，ジョンソン両民主党政権下の1960年代の経済は，マネタリストの均衡予算主義を経済政策の基本としており，機動的な財政政策は部分的なものとなったため，ヴェトナム戦争による深刻な不況が長期間にわたって継続した。

2 1970年代のニクソン政権は，ドルと金との交換を積極的に推進することにより基軸通貨であるドルの安定と固定相場制の維持に努めるとともに，インフレ対策の中心であった賃金・物価に対する政府の統制を撤廃した。

3 1980年代初頭に発足したレーガン政権は，減税等によって供給力の強化を図ろうとするサプライサイド・エコノミックスの考え方とインフレ抑制のためマネーサプライを重視するマネタリズムの考え方を大きく取り入れ，規制緩和政策を積極的に推進した。

4 1990年代前半に発足したクリントン政権は，ブラック・マンデーと呼ばれる株価の急落とそれに伴う景気後退に直面した。これに対し同政権は積極的な財政政策と大規模な所得減税を実施し経済は回復したが，巨額な財政赤字を記録した。

5 今世紀初頭に成立したブッシュ政権は，景気の過熱を抑制することおよび危機的な水準に達していた財政赤字の削減を行うことを目的として，歳出削減に努めるとともに高所得者層を対象としていた大規模な増税を実施した結果，2002年以降，財政収支は黒字に転じた。

＊＊＊
No.4 **マクロ経済学における時間の概念には，大別して「短期」と「長期」があり，このうち「短期」とは需要と供給の不一致があったとしても価格が変化しない期間である。図は一般的な総供給曲線と総需要曲線を示したものであるが，「短期」におけるこれらの曲線に関する記述として最も妥当なのはどれか。**

【国家総合職・平成18年度】

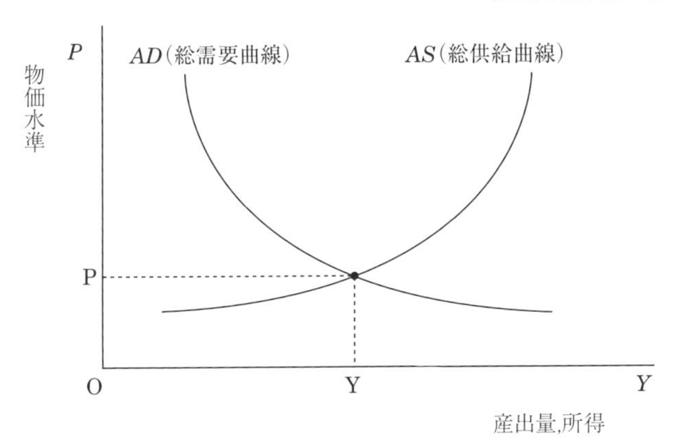

1 総供給曲線は垂直な直線となるため，総需要曲線がシフトしても産出量は変化しない。

2 総供給曲線は水平な直線となるため，総需要曲線がシフトすることにより産出量が変化する。

3 総需要曲線は水平な直線となるため，総供給曲線がシフトすることにより産出量が変化する。

4 総需要曲線は垂直な直線となるため，総供給曲線がシフトしても産出量は変化しない。

5 総需要曲線は水平な直線となり総供給曲線は垂直な直線となるため，産出量と物価水準の組合せである均衡点が一つに定まる。

実戦問題1の解説

No.1 の解説　ケインズ学派とマネタリスト

→問題はP.241　正答5

STEP❶　政策主張から考える

ケインズ学派は，市場の失敗が国民経済（マクロ経済）レベルで起こると考え，積極的な裁量政策（財政政策）を用いなければ，不況は解消できないと主張した。この主張に対して，市場はほぼ完全に働くと考えるマネタリストは，失業率には裁量政策を用いても下回れない水準（**自然失業率**）があり，むやみな介入はかえって経済効率を損ねる可能性があると批判した。そのうえで，次善の策として貨幣供給量の増加率を一定に保つ（***k*%ルール**）など政策をルール化すべきであると主張した。この限りにおいて，政策面を強調すれば，ケインズ学派は財政政策重視であり，マネタリストは金融政策重視といえる。

STEP❷　市場観から考える

このような論争が展開されたのは，1960年代から1970年代にかけて，すなわち**シカゴ学派**がマネタリストの中心となってからのことである。

初期のマネタリストは，シカゴ学派を中心とするマネタリスト以上に市場メカニズムを重視し，**貨幣数量説**の考え方を持ち出して，貨幣供給量の増加は長期的には物価水準を引き上げるだけであり，実質経済にはなんら影響を与えないと主張していたのである。

よって，A：貨幣供給量，B：マクロ，C：財政政策，D：貨幣数量説，E：金融政策，F：マネタリスト，G：ケインズ学派，H：貨幣供給量の増加率となり，正答は**5**である。

◆政策のタイムラグ

フリードマンは，政策の必要時から政策効果が現れるまでのタイムラグを
①**認知ラグ**：政策の必要性が生じてから，政策当局がそれを認知するまで
②**行動ラグ**：政策当局が認知してから，政策実施まで
③**効果ラグ**：政策実施時から，政策効果が現れるまで
に分類した。①と②を合わせて**内部ラグ**，③を**外部ラグ**と呼ぶこともある。一般に，実施に議会等の承認を要する財政政策の内部ラグは金融政策より長いが，需要を直接的に操作する財政政策の外部ラグは金融政策より短い。

No.2 の解説　マンデル=フレミング・モデル

→問題はP.241　正答2

A○　正しい。

B×　***IS*曲線**の右シフトで示される減税政策は，金利の上昇を招き，この金利上昇は海外からの資金流入をもたらすので，自国通貨の増価が生じる。

C○　正しい。

D×　**預金準備率**の引上げは**マネーサプライ**の減少につながるため，金利の上昇を

招き，この金利上昇は海外からの資金流入をもたらすので，自国通貨の増加が生じる。その結果，輸出は減少する。
AとCが正しい。よって，正答は**2**である。

No.3 の解説　アメリカ経済と経済政策

→問題はP.242　正答3

1 × ケネディ，ジョンソン両民主党政権下の1960年代の経済では，ケインズ経済学を中心としたニュー・エコノミックスと呼ばれる経済政策の下で**均衡予算主義**が破棄され，好況期においても積極的な財政政策が展開された。また，当時のアメリカ経済は「**黄金の60年代**」とも呼ばれるように，かつてない持続的な経済成長を実現した。

2 × ニクソン政権は国内景気浮揚のために，ドルと金の交換を停止し，固定相場制は崩壊に向かった。また，ドル下落に伴うインフレ対策として，賃金・物価の凍結という直接的な規制も導入された。

3 ◎ 正しい。なお，このレーガン政権の経済政策体系は**レーガノミックス**と呼ばれている。

4 × クリントン政権は1993～2001年であり，1987年10月19日の**ブラック・マンデー**に直面したのはレーガン政権である。

5 × ブッシュ（子）政権下では，景気減速感が高まる中で，公約の大型減税を実施したことや同時多発テロ事件を契機とする軍事支出の拡大等によって，2002年度に財政収支は赤字に転じた。

No.4 の解説　*AD-AS*分析

→問題はP.243　正答2

STEP❶　*AD*曲線について考える

AD*曲線**はIS－LM*分析**の結果を集約して国民所得と物価の関係を描いたものであり，その形は時間の概念よりも，**投資の利子弾力性**や**流動性選好**の反応度合いによって決まる。よって一般に，***AD*曲線**は右下がりになる（**3**，**4**，**5**は誤り）。

STEP❷　*AS*曲線について考える

AS*曲線**は労働市場の分析結果を集約して国民所得と物価の関係を描いたものであり，価格変動が生じない短期の場合には，労働市場での雇用調整が賃金に反映されないため物価水準を一定に保ったまま産出量を調整できる。すなわち水平なAS*曲線**にある（**1**は誤り）。ちなみに，右下がりの***AD*曲線**と水平な***AS*曲線**の下では，***AD*曲線**の左右シフトのみが産出量を変化させることになる。

2は選択肢のとおり正しい。よって，正答は**2**である。

金融政策と制度・事情

必修問題

金融の仕組みや働きに関する記述として最も妥当なのはどれか。

【国家一般職・令和４年度】

1 流通している貨幣を**現金通貨**，流通していない貨幣を**預金通貨**という。現金通貨は，流通規模が預金通貨に比べて大きく，流動性が高いという特徴があり，預金通貨は，当座預金のように預けてから一定期間は引き出せないという特徴がある。

2 **金本位制度**とは，通貨価値を米国が保有する金の量と結び付けることで，通貨価値を安定させるものである。この制度は，不況期に通貨量が増大してインフレーションを引き起こしやすいが，1970年代に米国のニクソン大統領が金の交換停止を発表するまで，多くの国で採用されていた。

3 金融には，銀行などからの借入れによって資金を直接調達する**直接金融**と，企業が有価証券を発行し金融市場を介して資金を調達する**間接金融**がある。金融市場には１日で取引が完了する株式市場などを扱う**短期金融市場**と，１日を越えて取引する手形市場などを扱う**長期金融市場**がある。

4 銀行の主要な業務として，預金として資金を預かる**預金業務**，株式や社債などの発行引受や販売などを行う**為替業務**がある。また，最後の貸手として，資金繰りが困難になった企業に資金を供給することで**信用創造**を行い，社会全体としての資源配分が適正になるよう調整している。

5 通貨制度の中心として金融政策を担うのが**中央銀行**であり，わが国の中央銀行は日本銀行である。日本銀行は，発券銀行として銀行券を独占的に発行したり，銀行の銀行として市中金融機関に資金を貸し出したりするほか，**政府の銀行**として国庫金の出納なども行う。

難易度 ＊

地上東京都 ★
地上特別区 ★
市役所C ★

必修問題の解説

金融に関わる制度について，歴史的な経緯を含めて幅広く問われている。難易度が高い公務員試験ほどテーマ横断的な出題が見受けられるので要注意である。

1 ×　現金通貨は銀行券と貨幣の総称である。
「**現金通貨**」は銀行券と貨幣の総称であり，「**預金通貨**」は普通預金や当座預金などいつでも払い戻せる「**要求払預金**」のことである。

2 ×　1930年代以降に，多くの国は金本位制から脱却した。
金本位制度は，貨幣価値を貨幣発行国が保有する一定量の金との等価関係で示す制度である。また，金本位制の下では，貨幣発行量が金の保有量によって制約されるので，不況時に通貨量が増大することはなく，インフレーションを引き起こしやすいということもない。さらに，多くの国は1930年代以降に金本位制から脱却した。

3 ×　銀行借り入れは間接金融である。
銀行などからの借り入れによる資金調達は**間接金融**であり，有価証券発行による資金調達は**直接金融**である。また，**短期金融市場**とは期間１年以内の資金取引が行われる市場であり，手形市場がその例である。さらに，**長期金融市場**とは短期金融市場以外の市場であり，株式市場がその例である。

4 ×　「銀行の為替業務」とは，振込みによる送金などのことである。
銀行の為替業務とは，株式や社債などの発行引き受けや販売でなく，振込による送金などである。また，「**最後の貸し手**」とは一般に，一時的な資金不足に陥った金融機関に対して貸付等を行う**中央銀行**のことである。さらに，**信用創造**とは銀行が貸付によって預金通貨を創造する仕組みであり，それが，社会全体としての資源配分を適正になるように調整しているとは限らない。

5 ◎　中央銀行は，「政府の銀行」として機能している。
正しい。ちなみに，日本銀行は「物価の安定」を図ることと，「金融システムの安定」に貢献することを目的としている。

正答 5

FOCUS

金融を出題課目とする公務員試験はほとんどないが，教養試験と専門試験で頻出されている出題分野なので要注意である。理論，制度，事情と幅広く出題されるので，テキストや参考書だけでなく，最新版の白書類や各種報道にも目を向けておこう。

POINT

重要ポイント 1 金融政策の手段

中央銀行（日本銀行）が，マネーサプライ（貨幣供給量）を操作する手段には，公定歩合操作，公開市場操作，支払準備率操作がある。

（1）公定歩合操作

中央銀行が市中銀行に資金を貸し出すときに適用される金利（利子率）が公定歩合である（参考：資金を貸し出すときに手形という形式をとることがあり，その手形の割引率のことを公定歩合という）。

※2006年８月，「公定歩合」と掲載されてきた統計データのタイトルは，「基準割引率および基準貸付利率」に変更された。

①公定歩合が引き下げられると，市中銀行（民間銀行）は中央銀行から資金を借りやすくなり，市中に出回るマネーサプライは増大する。

②公定歩合が引き上げられると，市中銀行（民間銀行）は中央銀行から資金を借りにくくなり，市中に出回るマネーサプライは減少する。

（2）公開市場操作

中央銀行が，金融市場で市中金融機関と有価証券（債券など）を売買してマネーサプライに影響を与える政策のこと。

①買いオペレーション（買いオペ）

中央銀行が市中金融機関から有価証券を買うという操作をすること。

中央銀行は有価証券の購入代金を市中金融機関に支払うため，市中に出回るマネーサプライがその分だけ増大する。

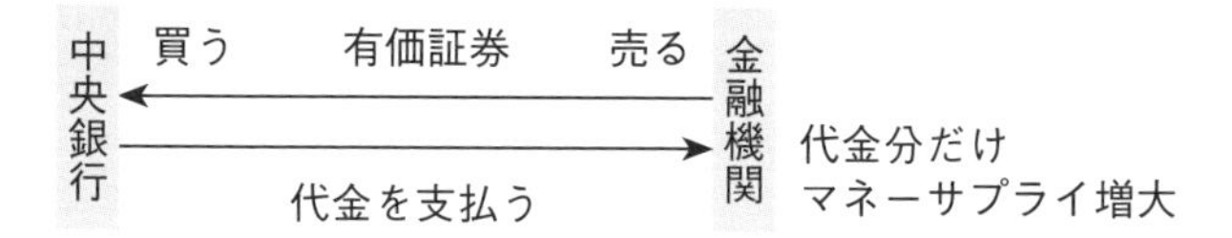

②売りオペレーション（売りオペ）

中央銀行が市中金融機関に有価証券を売るという操作をすること。

市中金融機関は有価証券の購入代金を中央銀行に支払うため，市中に出回るマネーサプライがその分だけ減少する。

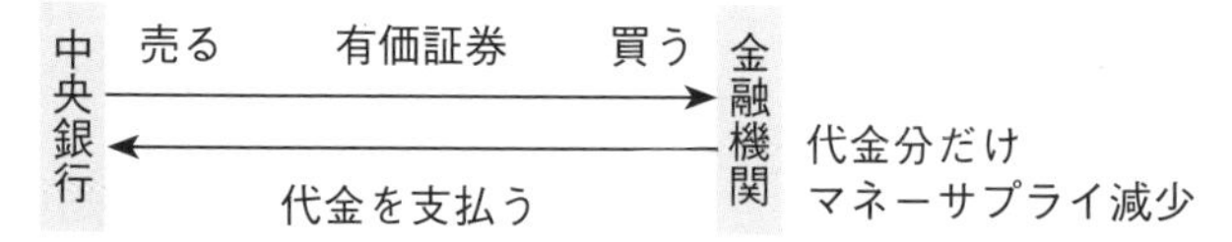

（3）支払準備率操作（法定準備率操作）

市中銀行には，払戻しの準備のために預金の一定割合を中央銀行に預け入れる義務がある。その割合を支払準備率（＝法定準備率）といい，中央銀行がそれを決定する。

①支払準備率の引下げ

中央銀行に預け入れる割合が減少するために，その分市中に出回るマネーサプライの量が増大する。

②支払準備率の引上げ

中央銀行に預け入れる割合が増大するために，その分市中に出回るマネーサプライの量が減少する。

	マネーサプライ増大	マネーサプライ減少
公定歩合操作	引下げ	引上げ
公開市場操作	買いオペ	売りオペ
支払準備率操作	引下げ	引上げ

重要ポイント2 マネーストックとマネタリーベース

(1) マネーストック

金融機関や中央政府が保有する預金などを除く，通貨保有主体が保有する通貨量の残高。通貨保有主体の範囲は，居住者のうち，一般法人，個人，地方公共団体・地方公営企業が含まれる。かつて**マネーサプライ**統計で含まれていた証券会社，短資会社および非居住者は，2008年の見直しの際に，保有者から除外された。対象商品の範囲や金融機関など通貨発行主体の相違等により複数の指標がある。

M1＝現金通貨＋全預金取扱機関に預けられた預金通貨
現金通貨＝銀行券発行高＋貨幣流通高
預金通貨＝要求払い預金（当座，普通，貯蓄，通知，別段，納税準備）
－調査対象金融機関の保有小切手・手形

M2＝現金通貨＋国内銀行等に預けられた預金

M3＝現金通貨＋全預金取扱機関に預けられた預金
＝M１＋準通貨＋CD（譲渡性預金）
準通貨＝定期預金＋据置貯金＋定期積金＋外貨預金

広義流動性＝M３＋金銭の信託＋投資信託＋金融債＋銀行発行普通社債
＋金融機関発行CP＋国債＋外債

(2) マネタリーベース

日本銀行が供給する通貨。市中に出回っているお金である流通現金（日本銀行券発行高＋貨幣流通高）と**日本銀行当座預金**の合計額。マネーストック統計の現金とは異なり，金融機関の保有分が含まれる。

重要ポイント 3 日本銀行

日本銀行：日本の中央銀行として，物価の安定を図ることを通じて国民経済の健全な発展に資するため，通貨および金融の調節を行う。

日本銀行と政府の関係：**日本銀行法**第 3 条は，日本銀行の金融政策の自主性について尊重されなければならないと規定。ただし，日本銀行法第 4 条では，金融政策が経済政策の一環をなすことから，日本銀行は政府の経済政策の基本方針と整合的なものとなるように，常に政府と連絡を密にし，十分な意思疎通を図らなければならないと規定。

金融政策運営の基本方針：**日本銀行政策委員会**の**金融政策決定会合**において，政策委員（総裁 1 名，副総裁 2 名，審議委員 6 名）の多数決で決定される。

重要ポイント 4 近年の日本の金融政策

期間	名称	主な内容等
1999年2月～2006年8月	**ゼロ金利政策**	無担保コールレート（オーバーナイト物）をできるだけ低めで推移させる。
2001年3月～2006年2月	**量的緩和政策**	主たる操作目標を「**日銀当座預金残高**」に変更し，その額を 5 兆円程度に増やす等。
2006年3月～6月	**ゼロ金利政策**	無担保コールレート（オーバーナイト物）をおおむねゼロ％で推移させる。
2010年10月～2013年3月	**包括的な金融緩和政策**	実質ゼロ金利の明確化，「資産買い入れ等の基金」の創設等。
2013年4月～	**量的・質的金融緩和**	主たる操作目標を「**マネタリーベース**」に変更し，「**物価安定目標**」（消費者物価の前年比上昇率２％）をできる限り早期に実現する。

量的・質的金融緩和については，「量的・質的金融緩和の拡大」(2014年10月導入)，「**マイナス金利**付き量的・質的金融緩和」(2016年 1 月導入)，「長短金利操作付き量的・質的金融緩和」(2016年 9 月導入)，「強力な金融緩和継続のための枠組み強化」(2018年 7 月決定）と累次の緩和強化策が取り入れられている。

また，2020年 3 月には，「新型コロナウイルス感染症の拡大を受けた金融緩和の強化」が決定された。

実戦問題 1 基本レベル

＊＊
No.1 金利に関する次の記述ア～オの下線部について，妥当なものの組合せはどれか。

【地方上級（全国型）・平成29年度】

ア：金利は資金の需要と供給で決まる。景気の見通しが改善して資金需要が増加することは，金利が低下する要因となる。

イ：金利は資金の貸し手が，現在の資金を手放して消費を先延ばしすることの対価である。人々が将来の消費よりも現在の消費を重視する傾向が高まることは，金利が上昇する要因となる。

ウ：金利は金融取引きに伴うさまざまなリスクによって変化する。資金の借り手が返済できなくなるリスクが高まることは，金利が低下する要因となる。

エ：固定金利で資金を貸し借りする場合，資金が貸し付けられてから資金を返済するまでの間に物価が上昇すると，実質金利が上昇して資金の借り手は損失を被る。

オ：名目金利がマイナスである場合，貸した額より返済額（元利合計）のほうが小さいので，金利を負担するのは借り手ではなく貸し手である。

1 ア，ウ
2 ア，オ
3 イ，エ
4 イ，オ
5 ウ，エ

＊＊
No.2 日本銀行に関する記述として最も妥当なのはどれか。

【国家専門職・平成26年度】

1 民間の金融機関の預金のうち，日本銀行に預けるべき割合を上下させることによって通貨供給量を増減させる操作を預金準備率操作という。この操作は近年の金融政策の中心となっており，平成20年以降，日本銀行は複数回にわたって預金準備率を引き下げている。

2 日本銀行は，物価の安定を図ることを通じて国民経済の健全な発展に資することを理念として金融政策を運営している。平成25年に日本銀行として持続可能な物価の安定と整合的と判断する物価上昇率を示した「物価安定の目標」を新たに導入した。

3 日本銀行は，我が国の経済の全体像を国際比較可能な形で体系的に記録することを目的として，国民経済計算を作成し，GDP速報などを四半期ごとに公表している。

4 中央銀行が，民間の金融機関に資金を貸し出すときの金利のことをコールレートというが，日本銀行は平成22年に，このコールレートの誘導目標を引き下げ，実質ゼロ金利政策を採用していることを明確化した。

5 日本銀行が金融政策を実施するに当たっては，政府との連携を強化する必要があるとして，平成25年に日本銀行法が改正され，最高意思決定機関である政策委員会には政府代表委員が参加することとされた。

＊No.3 わが国の金融政策に関する記述として，妥当なのはどれか。

【地方上級（特別区）・平成25年度】

1 日本銀行がおこなう金融政策の主な手段には，公開市場操作・公定歩合操作・預金準備率操作があり，現在，その中心は公定歩合操作となっている。

2 公定歩合操作とは，市中銀行が受け入れた預金の一定割合を日本銀行に預ける際の利子率を操作することによって，市中の通貨量を調整するものである。

3 物価が上昇傾向にあるときに，金融市場から資金を吸収するために日本銀行がおこなう政策として，買いオペレーションがある。

4 日本版金融ビッグバンでは，銀行の預金金利や貸出し金利が初めて自由化されるとともに，金融業務の自由化が進み，大手銀行の分割がおこなわれた。

5 我が国では，預金保険機構が金融機関の破たんに備えて設けられており，預金の払戻しの保証が一定限度に制限されるペイオフが実施されている。

＊No.4 金融のしくみと働きに関する記述として，妥当なのはどれか。

【地方上級（東京都）・令和５年度】

1 直接金融とは，企業が必要とする資金を，金融機関から直接借り入れて調達する方法であり，実質的な貸し手は預金者である。

2 間接金融とは，企業が株式や社債などの有価証券を発行して，必要な資金を金融市場から調達する方法である。

3 日本銀行による金融調節の手法としては，公定歩合操作，預金準備率操作および公開市場操作があるが，公開市場操作は現在行われていない。

4 外国金融と自国通過の交換比率をプライムレートといい，政府が外国為替市場に介入することをペイオフという。

5 信用創造は，金融機関が貸し付けを通して預金通貨を作ることであり，通過量を増大させる効果をもつ。

No.5 [*] **200億円を最初に市中銀行に預金したとき，市中銀行の預金準備率を20%とした場合，最初の預金を元として市中銀行全体で新たに信用創造される額はどれか。ただし，市中銀行は常に預金準備率の限度まで貸し出しを行い，そのすべてが市中銀行に預金されるものとする。** 【地方上級（特別区）・平成22年度】

1　40億円
2　160億円
3　240億円
4　800億円
5　1,000億円

実戦問題❶の解説

No.1 の解説 金利

→問題はP.251 **正答4**

ア× **資金需要の増加は金利を引上げ要因である。**
当初，資金の需給が一致するように金利が決まっているとする。この状況で資金需要が増えると，資金市場では超過需要が発生し，金利は上昇する。

イ○ **将来の消費より現在の消費を重視するようになると，金利は上昇する。**
正しい。将来の消費より現在の消費を重視するようになると，現在の資金需要が増えると同時に資金供給が減るので，金利は上昇する。

ウ× **貸付金の返済が滞るリスクの高まりは，金利上昇の要因である。**
貸付金の返済が滞ると，貸付者が損失を被る。よって，返済が滞る可能性が高まると，資金市場では供給が減るので，金利は上昇する。

エ× **物価が上昇すると，実質金利は低下する。**
実質金利＝名目金利÷物価であるから，物価が上昇すると実質金利は低下する。つまり，物価が上昇すると，貸付金から得られる実質的な収入が減少するので，損失を被るのは資金の借り手ではなく，貸し手である。

オ○ **名目金利がマイナスのとき，貸し手が金利を負担する。**
正しい。あくまでも名目上の話である。
イと**オ**が正しい。よって，正答は**4**である。

No.2 の解説 日本銀行と金融政策

→問題はP.251 **正答2**

1× **日本銀行が預金準備率を最後に変更したのは，1991年10月である。**
前半の記述は正しいが，1991年10月以降，日本銀行は**預金準備率**を据え置いている。

2◎ **2013年，日本銀行は量的・質的金融緩和を導入した。**
正しい。重要ポイント３・４を参照

3× **国民経済計算は内閣府によって公表される。**
国民経済計算を作成し，GDP速報などを四半期ごとに公表しているのは，日本銀行ではなく，内閣府である。

4× **中央銀行が民間の金融機関に資金を貸し出すときの金利は，公定歩合である。**
中央銀行が民間の金融機関に資金を貸し出すときの金利は**公定歩合**（日本銀行は「**基準割引率および基準貸付利率**」と呼んでいる）であり，**コールレート**ではない。ゼロ金利政策において金融市場調節の操作目標とされる無担保コールレート（オーバーナイト物）とは，無担保コール取引（金融機関どうしが日々の資金の過不足を調節するために短期資金を貸し借りする取引）のうち，期間が翌日までの取引にかかる金利である。

5× **政策委員会は，日銀総裁1名，日銀副総裁2名および6名の委員で構成。**
平成９年の日本銀行法改正により，**政策委員会**に政府代表委員が入っていた制度は廃止され，日本銀行政策委員会の**金融政策決定会合**に政府の代表者〔財務大臣または経済財政政策担当大臣（またはそれぞれが指名する職員）〕

が出席し，経済金融情勢の認識等について意見を述べることができるようになった。

No.3 の解説 日本の金融政策

→問題はP.252 **正答5**

日本の金融政策に関する基本的な問題である。金融政策の効果が出題されることもあり，この点については***IS－LM***分析と絡めて学習すると効率的である。

1 × **公定歩合操作はもはや金融政策の中心ではない。**

公定歩合とは日本銀行の貸出金に適用される基準金利「**基準割引率および基準貸付利率**」のことである。**公定歩合操作**は1990年代の金利自由化以降，金融政策の中心ではなくなった。

2 × **公定歩合は日本銀行の貸出基準金利。**

公定歩合操作とは，**公定歩合**を上下させることで市中銀行の貸出金利などの市中金利に影響を与え，**貨幣供給量**の調整をめざす政策である。なお，市中銀行が受け入れた預金の一定割合を日本銀行に預ける際の金利は「**（法定または預金）準備率**」という。

3 × **「買いオペ＝金融緩和」「売りオペ＝金融引締め」。**

買いオペレーションは，日本銀行が市場から有価証券を買い取る行動を伴う**公開市場操作**であり，**貨幣供給量**が増加する。「金融市場から資金を吸収する」とは貨幣供給量を減少させることを意味するので，日本銀行が市場に有価証券を売る**公開市場操作「売りオペレーション」**が正しい。

4 × **日本版金融ビッグバンはメガバンク出現のきっかけ。**

日本版金融ビッグバンとは，1996年から実施された金融制度改革である。この改革で銀行業・保険業・証券業の垣根を取り払う規制緩和が断行された結果，既存の銀行が統廃合され，**メガバンク**が誕生する契機ともなった。

5 ◎ **ペイオフは上限付き（1,000万円とその利息）ながら預金を保護。**

正しい。ちなみに，**ペイオフ**とは，当座預金や利息の付かない普通預金など決済用預金については全額，利息の付く普通預金や定期預金など一般預金等については1金融機関につき預金者1人当たり1,000万円とその利息までを保護する政策である。

No.4 の解説　金融のしくみと働き

→問題はP.252　正答5

1 ×　銀行等金融機関からの借り入れによる資金調達は間接金融である。

企業が必要とする資金を，金融機関から借り入れて調達する**間接金融**に関する記述である。企業が必要とする資金の実質的な貸し手は預金者になる。「直接借り入れ」の文言はひっかけ。

2 ×　株式・社債発行による資金調達は直接金融である。

株式や社債などの有価証券を発行して，必要な資金を金融市場から調達する**直接金融**に関する記述である。

3 ×　1990年代以降，日本銀行は公定歩合操作や預金準備率操作を行っていない。

前半の記述は正しい。日本では1994年に金利自由化が完了し，公定歩合と預金金利の直接的な連動性がなくなったことから，それ以降，日本銀行は**公定歩合操作**を行っていない。また，**預金準備率操作**についても，短期金融市場が発展したことを受け，1991年以降実施されていない。さらに，**公開市場操作**は現在も行われている。

4 ×　外国通貨と自国通貨の交換比率は為替レートである。

プライムレートとは，優良企業への資金貸出時に適用される**最優遇貸出金利**のことである。また，政府による外国為替相場への介入は**外国為替市場介入**（**為替介入**）という。ちなみに，**ペイオフ**とは，当座預金や利息の付かない預金など決済用預金については全額，利息の付く普通預金や定期預金など一般預金等については1金融機関につき預金者1人あたり1,000万円とその利息までを保護する制度である。

5 ◎　銀行が貸付けによって預金通貨を創造するしくみを信用創造という。

正しい。ちなみに，**預金準備率**が引き上げられると，銀行は受け入れた預金のうち貸付できる量が減るので，**信用創造**による通貨量の増大幅は縮小する。

No.5 の解説　信用創造

→問題はP.253　**正答4**

STEP❶　初項と等比を求める

信用創造の額を求める問題は等比数列の和を求める問題である。**預金準備率**が20%なので，公比は1－0.2＝0.8である。この公比とはじめに預け入れられた預金額200億円より，初項（はじめに貸し付けられる額）は200億×0.8＝160億である。

STEP❷　等比数列の和の公式を用いる

等比数列の和の公式より，初項が160億，公比が0.8の等比数列の和は

$$\frac{160億}{1-0.8}=800億$$

である。

よって，正答は**4**である。

◆中央銀行による貨幣供給量の操作

*IS-LM*分析をはじめ多くのマクロ経済モデルでは一般に，金融政策として貨幣供給量の操作を扱う（**テーマ4**を参照)。しかし，実際には，中央銀行が貨幣供給量を完全にコントロールすることはほとんど不可能である。

最も狭義の貨幣供給量M_1でも現金通貨と要求払い預金に分かれる。このうち，要求払い預金については企業や家計が決めるため，中央銀行はコントロールできない。中央銀行がコントロールできるのは，現金通貨や法定準備金といった貨幣供給量の一部（ハイパワード・マネー）でしかないのである。

実戦問題❷ 応用レベル

＊＊＊
No.6 企業の資金調達に関する次の記述のうち，妥当なものはどれか。

【地方上級（全国型）・平成28年度】

1 日本では，企業が外部から資金を調達する主な方法は銀行借り入れであったが，近年では株式・債券による資金調達が増加している。家計の金融資産の内訳を見ても，株式・債券が現金・預金よりも大きな割合を占めている。

2 企業の設備投資などの資金を銀行借り入れで調達する場合，小口で短期の資金を需要するため，銀行は大口で長期の資金を預金として集め，それを小口で短期の資金に変えて企業に貸し付けている。

3 企業の内部留保は資産運用に充てて利子収入を得たり，資金の調達などに充てられている。資金調達を銀行借り入れでなく内部留保で賄えば，利子率が上昇しても資金調達の機会費用は増加しない。

4 外部資金を供給する債権者と株主のうち，企業収益が債務の元利合計額を上回った場合に利益を得るのは債権者である。また，企業が倒産した場合には，債権者が負債の返済を受ける前に株主が出資金を回収できる。

5 資本市場を通じた資金調達には，経営者を規律づける役割がある。日本では株主への情報公開など，資本市場を通じたコーポレート・ガバナンス（企業統治）の強化が図られている。

＊＊＊
No.7 金融に関する記述として最も妥当なのはどれか。

【国家総合職・令和元年度】

1 流動性の罠は，利子率が十分に低く，人々が現在の利子率は下限に達していると考えている状況で起こる。このような状況では一般に，貨幣量の増加により利子率を下げることはできないため，金融政策は無効である。一方，政府支出の増加などの財政政策は有効であり，国民所得を増加させる効果をもつ。

2 古典派経済学における貨幣数量説は，貨幣需要は名目国民所得とは関係がなく，利子率に依存することを前提とするものである。この説によると，貨幣量が増加すると，物価は全く変化しないものの，貨幣が一定期間中に取引に何回使われたかを示す指標である貨幣の流通速度は，貨幣の増加率とほぼ同じ割合で増加する。

3 ケインズ理論における貨幣の取引動機についてみると，取引の額が増加するにつれ貨幣需要は低下するが，これは利便性や安全性の面から，小切手などを用いる方が貨幣を用いるよりも効率的となるためである。また，利子率が上昇すると，貨幣保有に伴う機会費用が低下するので，貨幣需要は大きくなる。

4 ハイパワードマネーは，マネーストックとも呼ばれるものであり，現金通貨と預金通貨の合計である。また，マネタリーベースは，銀行が預金の引き出しに備えて保有しておく預金準備のことである。これらの間には，中央銀行がハイパワードマネーを増加させると，マネタリーベースは減少するという負の関係がある。

5 貨幣市場を均衡させる利子率と国民所得の関係を，縦軸に利子率をとり横軸に国民所得をとったグラフで示すと，一般に右下がりの曲線となり，LM曲線と呼ばれる。このLM曲線上においては貨幣市場の需要と供給は均衡しているが，LM曲線の左下の領域では貨幣市場は超過供給の状態となっている。

実戦問題2の解説

No.6 の解説　企業の資金調達

→問題はP.258　正答5

1 ×　長期的には，日本でも株式・債券による資金調達が増加している。
長期的に見ると株式・債券による資金調達は増加しているが，2012年末を見ると，特に**量的・質的金融緩和**導入後は銀行借り入れが最も大きく伸びている。また，日本銀行によれば，2022年8月現在，家計の金融資産の54.3%が現金・預金であり，株式・債券は11.5%である。

2 ×　銀行は小口・短期の資金を集めて，大口・長期の貸付を行っている。
企業の設備投資などの資金を銀行借り入れで調達する場合，大口で長期の資金を需要するため，銀行は小口で短期の資金を預金として集め，それを大口で長期の資金に変えて企業に貸し付けている。

3 ×　利子率の上昇は，内部留保の機会費用の上昇。
内部留保を資産運用すれば利益が得られるので，利子率が上昇すれば**内部留保の機会費用**は上昇する。

4 ×　倒産時には，債権者が負債の返済を受けた後，株主が出資金を回収する。
企業収益が債務の元利合計額を上回った場合に利益を受けるのは**債権者**ではなく，配当を得る**株主**である。また，企業が倒産した場合に株主が出資金を回収できるのは，債権者が負債の返済を受けた後である。

5 ◎　2015年，企業統治指針（コーポレートガバナンス）の適用が始まった。
正しい。

No.7 の解説　金融

→問題はP.258　正答1

1 ◎　一般に，経済が流動性のわなの状況にあるとき，金融政策は無効である。
正しい。流動性の罠の下では，LM曲線が水平になる。**テーマ4** 重要ポイント5を参照。

2 ×　貨幣数量説によれば，名目貨幣量が増えると物価が上昇する。
貨幣数量説では，**ケンブリッジ現金残高方程式**$M=kPY$（M：名目貨幣量，k：マーシャルのk，P：物価，Y：実質国民所得），または**フィッシャーの交換方程式**$MV=PT$（M：名目貨幣量，V：貨幣の流通速度，P：物価，T：取引量）が成立すると考える。ケンブリッジ現金残高方程式は，貨幣需要と名目国民所得PYが関係し，名目貨幣量Mの増減は物価Pの変動をもたらすことを示している。また，フィッシャーの交換方程式は$V=\frac{PT}{M}$と変形できるから，一定期間の総取引額PTが一定ならば，貨幣の流通速度Vは貨幣量Mの増加率と同じ割合で減少する。

3 ×　流動性選好説によると，貨幣需要は取引額の増加や金利の上昇で増加する。
貨幣の**取引動機**においては，取引額が増加するにつれて流動性の高い貨幣に対する需要が増加すると考える。また，貨幣保有の機会費用である利子率の上昇は**投機的動機**に基づく貨幣需要を減少させると考える。

4 × **マネーストック＝貨幣乗数×マネタリーベース**。

ハイパワードマネーは，現金と準備預金からなる「**マネタリーベース**」とも呼ばれる。ハイパワードマネーとマネーストックの間では，ハイパワードマネーが増加するとマネーストックが増加するという正の相関がある。

5 × ***LM*曲線は一般に右上がりであり，その右下では貨幣市場が超過需要。**

縦軸に利子率，横軸に国民所得をとると，LM曲線は一般に右上がりの曲線である。また，LM曲線の（右）下の領域において貨幣市場は超過需要の状態にあり，（左）上の領域において貨幣市場は超過供給の状態にある。

◆貨幣乗数

貨幣供給量Mがハイパワード・マネーHのm倍であるとすると，

$$mH=M \quad \cdots\cdots①$$

の関係が成立する。この式は，ハイパワード・マネーが追加的に1単位増えると貨幣供給量がm単位増えることを示しているので，mを**貨幣乗数**と呼ぶ。ここで，エッセンスを浮き彫りにするため，貨幣供給量は現金通貨Cと預金Dからなり，ハイパワード・マネーは現金通貨と法定準備金Rからなるものとする。①式のHを右辺に移行すると，

$$m=\frac{M}{H}$$

となる。さらに，この式の右辺を現金通貨，預金，法定準備金で表現すれば

$$m=\frac{C+D}{C+R}=\frac{(C+D)/D}{(C+R)/D}=\frac{C/D+1}{C/D+R/D}$$

となることから，貨幣乗数は現金・預金比率（C/D）と法定準備率（R/D）に依存することがわかる。

インフレーション

必修問題

インフレーションに関する次の記述のうち，妥当なものはどれか。

【地方上級（全国型）・令和３年度】

1　**インフレーション**には需要の増大によるものとコストの増大によるものがあり，需要の増大によるインフレーションは悪いインフレーションで不景気をもたらす。

2　物価の上昇に合わせて賃金が上昇するとき，税の累進性を前提とすると，インフレーションは実質的に増税を招くことになる。

3　固定金利で金銭の賃借が行われた後に予期せぬインフレーションが生じると，借り手は損をする。

4　近い将来にインフレーションが生じるという予想が成立すると，投資や支出は減る傾向にある。

5　各国の中央銀行は**インフレターゲット**を設定しており，日本では物価上昇率を年０％とするインフレターゲットを設定している。

難易度　＊＊

必修問題の解説

インフレーションの基本概念から事情（経済史）まで，幅広い知識が問われている。必要に応じて，経済原論で学んだ知識を活用しよう。

1 ×　需要増大によるインフレーションが悪いとは限らない。
需要増大による**インフレーション**は不景気をもたらしうるが，それをもって悪いインフレーションとはいえない。

2 ◎　税が累進的なとき，物価上昇に合わせた賃金上昇は実質的に増税。
正しい。賃金上昇が物価上昇に合わせたものであるとき，名目賃金は増えるが，実質賃金は変わらない。租税は名目賃金（名目所得）で算出されるので，税が累進性をもつとき，名目賃金が増えると納税額も増える。よって，実質的に増税となる。

3 ×　固定金利で金銭を借りている人にとって，予期せぬインフレは得。
固定金利で金銭を借りている場合，インフレーションが生じても名目返済額は変化しない。しかし，インフレーションが生じると貨幣の価値が下がるので，固定金利で金銭を借りている人にとって，予期せぬインフレーションは得である。

4 ×　インフレ期待が生じると投資や支出は増える傾向にある。
近い将来にインフレーションが生じるという予想が成立すると，商品等が値上がりする前に購入しておく動機などが働いて，投資や消費が増える傾向がある。

5 ×　日本銀行のインフレ目標は「消費者物価の前年比上昇率で２％」である。
日本銀行は「消費者物価の前年比上昇率で２％」を目標として掲げている。

正答 2

FOCUS

インフレーション（デフレーション）は周期的に出題されている。まずインフレーションの分類名や特徴などの基本を押さえ，経済政策が物価に与える影響や日本の物価水準の変動についても確認しておこう。

POINT

重要ポイント 1 インフレーションの種類とその特徴

(1) 原因による分類

①ディマンド・プル・インフレーション

需要が供給を超過することにより生じる物価上昇のこと。

図的にいうと，需要曲線の右上方へのシフトにより発生する（**図1**）。

②真正インフレーション

完全雇用の状態のときに総需要が上昇することで生じ，実質生産量は完全雇用水準にとどまるが，物価や賃金が比例的に上昇する現象のこと。ディマンド・プル・インフレーションの特殊なケースである。

図的にいうと，完全雇用水準で供給曲線が垂直なときに，需要曲線が右上方にシフトすることで発生する。

③コスト・プッシュ・インフレーション

賃金や原材料など生産側の原因に基づいて生じる物価上昇のこと。

図的にいうと，供給曲線の左上方へのシフトにより発生する（**図2**）。

④輸入インフレーション

物価上昇の原因が海外にあるインフレーションのこと。

⑤需要シフト・インフレーション

超過供給にある財の市場で賃金の硬直性のために価格が下落せず，超過需要にある財の市場で価格が値上がりして，それが商品全体の物価水準を押し上げるケースを需要シフト・インフレーションという。

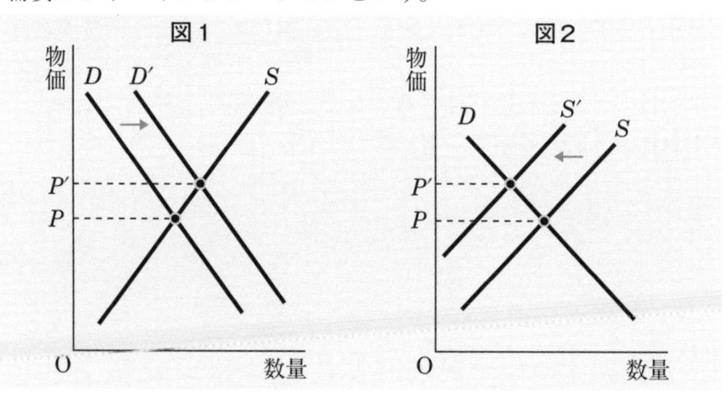

(2) 物価上昇の速度に応じた分類

①クリーピング・インフレーション

年率１～４％で慢性的に継続するインフレーションのこと。

②ハイパー・インフレーション

１年間に物価が何倍も高騰する，戦争や石油危機（オイルショック）などの特殊な状況で起こるインフレーションのこと。

(3) その他

スタグフレーション

不況下の物価上昇のこと。

重要ポイント 2 物価版フィリップス曲線

フィリップス曲線：イギリスの経済学者フィリップスは，1861年から1957年までのイギリスの統計から，名目賃金の上昇率と失業率の間には負の相関関係があることを指摘した。この相関関係を縦軸に名目賃金の上昇率，横軸に失業率をとって描いた右下がりの曲線のこと。

物価版フィリップス曲線：フィリップス曲線の縦軸を物価上昇率（インフレ率）に読み替えて描かれた，インフレ率と失業率の関係を表す曲線のこと。マネタリストは，この曲線は短期的には右下がりとなるが，長期的には**自然失業率**で垂直な直線となると主張した。

重要ポイント 3 古典派の貨幣数量説

インフレーションの原因をマネーサプライの増加に求める仮説。

物価水準をP，財・サービスの取引量をQ，マネーサプライをM，貨幣の流通速度をVで表す。**貨幣の流通速度**とは，ある一定期間に市中に出回っている貨幣（マネーサプライ）が何回使われたかを表す指標である。よって，MVはある一定期間に貨幣の流通総額を表すことになる。貨幣が移動する背景には，財・サービスの移動があったはずであるから，MVはその額に相当する経済取引，すなわち名目GNPと等しくなっている。したがって，

$$Py \equiv MV$$

という関係が成立する。

ここで，古典派は，取引量yは生産性や資本の蓄積度合いで決まり，Vは個人の節約習慣や信用取引などの制度的要因で決まるため，マネーサプライが変化してもほとんど変化しないと考えた。その結果，マネーサプライが増加するとそれに比例して物価水準が上昇すると主張したのである。

実戦問題1 基本レベル

＊＊
No.1 インフレーション（インフレ）に関する次の記述のうち，妥当なのはどれか。

【市役所・平成29年度】

1 インフレの発生原因は，公共事業の拡大などによって発生する需要インフレと生産コストの上昇により発生する供給インフレに分けられ，いずれのインフレも景気の後退を伴う。

2 インフレが発生すると，貨幣価値が低下し，預貯金などの元本の価値が実質的に減少する。また，インフレ率が名目賃金の上昇率を上回ると，賃金は実質的に減少する。

3 インフレ期待とは，人々が将来の物価上昇を予想することをさす。インフレ期待が発生すると，人々が消費を先延ばしすることから，企業の売上げや設備投資が減少し，物価は下がりやすくなる。

4 インフレを抑制するために中央銀行が行う政策は金融引締め政策である。その例として，中央銀行が金融市場で国債などを購入して金利を引き下げることなどが挙げられる。

5 日本の消費者物価の上昇率は，1980年代後半のバブル経済の時期には資産価格の上昇率より高く，約20％であったが，1990年代後半から2000年代後半には約マイナス５％になった。

＊
No.2 インフレーションを抑制する方策として妥当なのは次のうちどれか。

【国家総合職・平成８年度】

1 企業は労働者のベースアップ率を労働生産性の増加率や物価上昇率を上回るように設定するとともに，日本銀行は公定歩合を上げ，労働者の貯蓄意欲を高める。

2 企業は原材料の輸入価格を低下させるために，その輸入量を抑制し，また生産を抑制することによって外貨の流出を防止する。

3 政府は生活必需品の便乗値上げを規制し，消費者はそれ以外の製品の値上げ情報をキャッチして，先んじて商品を購入する。

4 政府は公共投資をはじめとする財政支出の削減や，増税の実施による消費者の購買意欲の低下を通じて，総需要を抑制する。

5 日本銀行は，円安ドル高になるように為替相場に介入することにより，輸入品価格の上昇を図り消費者の購買意欲を低下させる。

＊
No.3 物価の動きに関する記述として，妥当なのはどれか。

【地方上級（東京都）・平成24年度】

1 消費者物価指数とは，消費者が購入する財やサービスなどの価格を指数化したものであり，日本銀行が毎月発表している。

2 インフレーションとは，物価が持続的に上昇することをいい，インフレーションになると，貨幣価値が上がるため，実質賃金の上昇を招くこととなる。

3 ディマンド・プル・インフレーションとは，賃金や原材料費などの生産コストの上昇が要因となって物価を押し上げることをいう。

4 クリーピング・インフレーションとは，わが国では第二次世界大戦直後にみられた現象であり，物価が短期間で急激に数十倍にも上昇することをいう。

5 スタグフレーションとは，スタグネーションとインフレーションとの合成語であり，不況にも関わらず物価が上昇する現象をいう。

実戦問題1の解説

No.1 の解説　インフレーション

→問題はP.266　正答2

1 ×　供給インフレは景気の後退を伴う。

供給インフレは景気の後退を伴うが，**需要インフレ**は需要の拡大を通じて景気を引き上げるので，景気の後退を伴わない。

2 ◎　名目賃金の上昇率＝インフレ率＋実質賃金の上昇率。

正しい。**名目賃金**の上昇率＝**インフレ率＋実質賃金**の上昇率が成り立つ。この式を変形すると，実質賃金の上昇率＝名目賃金の上昇率－インフレ率なので，インフレ率が名目賃金の上昇率を上回ると実質賃金の上昇率はマイナスとなり，実質賃金が低下する。

3 ×　インフレ期待が発生すると，物価は上がりやすくなる。

インフレ期待が発生すると，人々は，物価が上昇する前に消費（購入）しようと消費を前倒しするため，企業の売上や設備投資が増加し，物価は上がりやすくなる。

4 ×　金利を低下させる金融政策は，金融緩和政策である。

後半の記述は**金融緩和政策**（**買いオペ**）についてである。インフレ抑制のための**金融引締め政策**の例として，中央銀行が金融市場で国債などを売却して，金利を引上げる政策（**売りオペ**）がある。

5 ×　バブル期の消費者物価上昇率（対前年比）は2～3%である。

バブル経済の時期の消費者物価の上昇率（対前年比）は２～３％であり，20％超であったのは資産価格の上昇率（対前年比）である。また，1990年代後半から2000年代前半までの消費者物価の上昇率（対前年比）を見ると，５％も低下したことはない。

No.2 の解説　インフレーションを抑制する政策

→問題はP.266　正答4

1 ×　労働生産性上昇以上の賃上げは実質コストを上昇させる。

労働生産性の増加率を上回る労働者の**ベースアップ率**は，企業にとって（実質的な）生産費用の上昇であり，**コスト・プッシュ・インフレーション**を乗じる原因となる。また，ベースアップ率の上昇によって所得が増加した労働者たちが財・サービスに対する需要を高めると，**ディマンド・プル・インフレーション**を生じる可能性がある。さらに，日本銀行が公定歩合を引き上げると，市中銀行の貸付金利が上昇し，企業にとっては生産費用が上昇することになるため，コスト・プッシュ・インフレーションを生じる可能性がある。

2 ×　生産の抑制は超過需要をもたらす。

生産の抑制（供給の減少）は，**需給ギャップ**の拡大を通じて，ディマンド・プル・インフレーションを促進させる可能性がある。

3 ×　駆け込み需要は超過需要をもたらす。

消費者による生活必需品以外の製品を先んじて購入する行動は，短期的にディマンド・プル・インフレーションを促進させる。

4 ◎ 総需要抑制は超過供給をもたらす。
正しい。

5 × 円安ドル高は原材料を輸入する日本企業のコストを上昇させる。
円安ドル高になると，輸入品が相対的に高くなり，海外から原材料を輸入する企業の生産費用が上昇するため，コスト・プッシュ・インフレーションが生じる可能性がある。

No.3 の解説　インフレーションの種類と指標

→問題はP.267　正答5

1 × 消費者物価指数は，総務省が毎月作成・発表している。
消費者物価指数とは，消費者の消費構造を一定のものに固定し，これに要する費用が物価の変動によってどのように変化するかを指数値で示したものである。消費者物価指数は，総務省が毎月作成・発表している。

2 × インフレーションになると，貨幣価値が下がる。
インフレーションになると，貨幣価値が下がるので，名目賃金が一定ならば実質賃金は下落する。

3 × 生産コストの上昇は，コスト・プッシュ・インフレーションの要因である。
記述は**コスト・プッシュ・インフレーション**に関するものである。**ディマンド・プル・インフレーション**とは，需要が供給を超過することで生じるインフレーションである。

4 × 物価が短期間に数十倍にも上昇する現象は，ハイパー・インフレーション。
記述は**ハイパー・インフレーション**に関するものである。**クリーピング・インフレーション**とは，年率1～4％で慢性的に継続するインフレーションである。

5 ◎ インフレーション＋景気停滞＝スタグフレーション。
正しい。1971年のニクソン=ショックや1973年の第一次石油危機により，日本など先進国は**スタグフレーション**に陥ったとされている。

第3章 財政学

試験別出題傾向と対策

頻出度	試験名	国家総合職					国家一般職					国家専門職(国税専門官)				
	年度	21-23	24-26	27-29	30-2	3-5	21-23	24-26	27-29	30-2	3-5	21-23	24-26	27-29	30-2	3-5
	テーマ / 出題数	2	1	1	1	0	1	1	2	0	0	0	1	4	1	0
A	8 財政の機能と財政制度・事情	2	1	1			1	1	2				1	2	1	
C	9 租税制度				1									2		

本章では，教養・基礎能力試験での出題数はかなり少ないが，最終合格までのプロセスを見ると出題ウエートはかなり高い財政学を取り上げる。本書では便宜的に財政絡みのテーマ（テーマ８）と租税絡みのテーマ（テーマ９）に分けて扱うが，両テーマともに，出題内容は「国（日本政府）と地方」，「理論・制度・事情」と細分できる。よって，学習内容は相当に広い。

出題形式は単純な正誤五肢択一問題が多く，他の出題形式を含めて見ても暗記色が濃い。ただし，出題範囲の広さに比べると教養・基礎能力試験での出題数は少なく，専門試験レベルの難易度で出題されることも多い。よって，最終合格までのプロセスを見通した学習計画を立てるのが得策である。

●国家総合職

おおむね３年度につき１問程度出題されている。令和２年度は珍しく租税制度からの出題であった。こうした出題傾向に加えて詳細な内容が問われる可能性があるものの，平成23年度以前の旧試験制度ではマクロ経済学に比べて出題ウエートが軽かったこと，そして近年の専門択一試験における難易度が低下していることを踏まえると，対策時間を過度に割くことは避けたい。

●国家一般職

平成12～29年度ではほぼ周期的に出題されてきたが，平成30年度以降では出題が確認されていない。かつてはコンスタントに出題されていた分野なので，突発的に出題される可能性がある。出題内容を見ると，租税絡みの出題は比較的少ない一方で，財政絡みの出題では基本的な知識から事情的な内容まで幅広い。

●国家専門職（国税専門官）

平成12～17年度で出題確認されなくなった後，平成18年度から再び出題されるようになり，平成24年度以降は出題頻度が高まっている。直近では令和元年度に

地方上級（全国型）					地方上級（東京都）					地方上級（特別区）					市役所（C日程）					
21-23	24-26	27-29	30-2	3-5	21-23	24-26	27-29	30-2	3-5	21-23	24-26	27-29	30-2	3-5	21-23	24-26	27-29	30-2	3-4	
2	1	5	3	1	1	1	3	0	0	0	0	0	0	0	2	0	1	0	1	
2	1	2	1	1	1		2								2		1			テーマ8
		3	2				1												1	テーマ9

確認されていることから，６年度に出題されても１問程度であろう。他の国家公務員試験に比べると，租税制度絡みの出題が多い傾向がある。

●地方上級

比較的長いスパンをおいて，周期的に財政絡みのテーマから出題されている。かつては事情問題が中軸だったが，25年度は理論色の濃い問題が出題された。平成29年度をピークに出題が減ってきており，令和元・３・５年度には出題が確認できなかったが，令和２年度と４年度では出題された。油断は禁物である。

●東京都・特別区

東京都では，地方上級同様，やや長めの出題周期性が見られる。平成27～29年度に１問ずつ出題されている。このことに加え，ミクロ・マクロ経済学の出題数が少ないため，出題ウエートは重い。

特別区では，平成12年度以降の30年余りを見ても，平成14年度と20年度に１問ずつ出題された程度であり，出題数は極めて少ない。これら２問の出題内容は制度・事情に関するものであったので，基礎知識を押さえたら，時事対策を兼ねて試験前年辺りに関心を集めた話題にちなんだ基礎知識を押さえておきたい。

●市役所

平成12年度試験以降を見ると，21・22年度に財政絡みのテーマから１問ずつされた後，28年度に財政絡みの出題が１問，29年度と令和３年度に租税絡みの出題が１問された程度であり，出題頻度は低い。試験前年辺りで関心を集めた話題にちなんだ基礎知識を中軸に，深入りしすぎない試験対策を講じたい。

財政の機能と財政制度・事情

必修問題

日本の財政赤字に関する次の記述のうち，妥当なものはどれか。

【地方上級（全国型）・令和４年度】

1 **国債の新規発行額**は，財政法によって対GDP比の一定水準までに制限されている。

2 令和３年度末の**国と地方の長期債務残高**は400兆円程度になる見込みであり，対GDP 比を見ると100％に迫っている。

3 令和元年度決算において，地方公共団体のうち，**決算収支**が赤字の団体は約400団体あり，**財政再生団体**は約50団体である。

4 日本が財政赤字に陥っている理由には，歳出面では社会保障費の増大や新型コロナウイルス感染症対策などが，歳入面では歳出増に対する税収の伸び悩みなどがある。

5 令和３年度に，**国と地方を合わせたプライマリーバランス**（**基礎的財政収支**）の黒字化目標は達成された。

難易度 ＊＊

必修問題の解説

財政事情を中軸にして基本事項の知識を問う出題である。基礎知識の学習を終えたら，時事対策を兼ねて主要指標についても押さえておきたい。

1 × **財政法は，国債の新規発行額の対GDP比上限を定めていない。**
財政法は，国債の新規発行額について対GDP比で制限していない。

2 × **令和３年度末の国と地方の長期債務残高の対GDP比は200%超。**
令和３年度末の**国と地方の長期債務残高**は1,212兆円程度と見込まれていた。これは，対GDP比で217％に達する見込みであった。

3 × **令和元年度決算において，財政再生団体は１団体であった。**
令和元年度決算を見ると，**決算収支**が赤字の団体はなかった。また，**財政再生団体**は１団体（北海道夕張市）だけであった。

4 ◎ **社会保障の増大と新型コロナウイルス感染症が財政赤字の原因になった。**
正しい。ちなみに令和４年度一般会計予算（当初）では，歳出が前年度当初予算比9,867億円増に対して，税収の前年度当初予算比は７兆7,870億円増となり，税収の伸びが大きくなった。

5 × **令和３年度の国と地方を合わせた基礎的財政収支は赤字であった。**
令和３年度の国と地方を合わせた**プライマリーバランス**（**基礎的財政収支**）は赤字であり，黒字化目標は達成されていなかった。

正答 4

FOCUS

財政制度および近年の財政事情に関する出題は，数こそ少ないものの，専門試験（財政学）と同レベルの内容が問われるので，念入りな学習が必要である。最新版の『経済財政白書』や『図説日本の財政』は必ず目を通しておこう。

重要ポイント 1 予算原則

日本国憲法では「第７章　財政」に基本原則の定めがあり，これを受けて財政法など多くの法律が制定されている。これらを通じて，

(1) 事前議決の原則：予算執行前に，事前に国会の議決を受けること

(2) 総計予算主義の原則：国の収入と支出は全額予算に計上すること

などの予算原則が定められている。

予算についての国会の議決は，原則として１年間（日本は４月１日～翌年３月31日）という期間内にその対象を限定としており，この１年間を会計年度と呼ぶ。

(3) 予算の単年度主義：予算は会計年度ごとに作成される。

［例外］数会計年度にわたる支出を要する「**継続費**（工事，製造その他の事業で，完成に数会計年度を要するもの）」「**国庫債務負担行為**（支出は翌年度以降になるような債務を国が契約など負担するような行為）」。

(4) 会計年度独立の原則：ある会計年度の歳出（支出）は当該会計年度の歳入（収入）で賄わなければならない。

［例外］「**繰越明許費**（その性質上あるいは予算成立後の事由により年度内に支出が終わらない見込みのあるもの）」。

重要ポイント 2 一般会計予算，特別会計予算，政府関係機関予算

国の会計は元来１つのものであるが，財政の範囲が拡大し，その内容も多様化してくると，いくつかの会計に分けるメリットが生じてくる。

(1) 一般会計予算

国の一般の歳入歳出を経理する会計を一般会計と呼ぶ。これは税金などの財源を受け入れ，社会保障，教育など国の基本的経費を賄う会計である。通常，予算と呼ぶ場合，この一般会計予算を指す場合が多い。令和５年度一般会計予算は，114兆3,812億円（４年度は107兆5,964億円）である。

(2) 特別会計予算

「国が特定の事業を営む場合，特定の資金を保有してその運用を行う場合，その他特定の歳入を持って特定の歳出に充て，一般の歳入歳出と区別して経理する必要がある場合に限り，法律をもって，特別会計を設置する」ことができる。令和５年度現在，13特別会計が設けられている。

(3) 政府関係機関予算

政府関係機関とは，特別の法律によって設立された法人で，その資本金が全額政府出資の機関である。その予算については国会の議決を必要とする点で，一般会計予算や特別会計予算と同じである。令和５年度現在，４機関がある。

重要ポイント 3 本予算，暫定予算，補正予算

社会経済情勢の変動に迅速に対応し，有効かつ適切な予算を期するために，事情の変化に応じて予算内容を変更する場合がある。

(1) 本予算

一般会計，特別会計，政府関係機関の各予算は，一体として国会の審議，議決を経て通常当該年度開始前に成立する。この予算を本予算という。

(2) 暫定予算

なんらかの理由で年度開始までに国会の議決が得られず本予算が成立しない場合に組まれる，本予算が成立するまでの間に必要な経費を支出するための暫定的な予算のこと。暫定予算も国会の議決が必要であり，計上されるのは本予算成立までの必要最小限度の出費に限られ，本予算が成立すれば効力を失い，本予算に吸収される。

(3) 補正予算

本予算の執行の過程で，天災地変，経済情勢の変化あるいは政策の変更などで当初の予算どおり執行することが不可能ないし不適当となった場合に，本予算の内容を変更する予算を組むことがある。この予算を補正予算という。補正予算も国会の議決が必要である。なお，補正予算の編成に回数制限はなく，実際に毎年度編成され，かつ一会計年度に2回以上組まれることもある。

重要ポイント 4 財政投融資

財政投融資は，国の制度や信用を通じて集められる各種の公的な資金を財源にして，財政投融資対象機関を通して運用が図られる政府の投融資活動のことである。郵便貯金，厚生年金・国民年金積立金などからなる資金運用部資金が財政投融資の原資（財源）の8割を超えていたが，財政投融資のスリム化・抜本的改革のために2001年4月からこれらの資金の資金運用部資金への預託制度が廃止され，財投機関債発行，財投債からの融資，政府保証債発行などで資金調達を行うようになった。

令和5年度財政投融資計画額は16兆2,687億円で，2年連続で前年度当初計画比減となっている。また，令和3年度末における財政投融資計画残高は151兆80億円となっている。

重要ポイント 5 近年の「国」の財政事情

予算編成プロセス：編成から決算までのプロセスは決まっている(右図)。歳入・歳出ともに同じ過程を経る。

一般会計予算規模：令和５年度一般会計予算（当初）は114兆3,812億円であり，昭和50年度以降最大規模となった。このうち，22.1％が**国債費**であり，国債費，地方交付税交付金等および社会保障関係費で一般会計の７割弱を占める。

公債：当該年度の財源不足を補うために発行される債券で，財政法４条に基づいて発行される**建設国債**と単年度立法に基づいて発行される**特例公債**（**赤字国債**）がある。近年，特例公債の新規発行額のほうが建設国債の新規発行額より多く，令和５年度当初予算では，特例公債29兆650億円に対して，建設国債６兆5,580億円の発行を予定している。

公債依存度：一般会計予算に占める新規公債発行額の割合。平成18～21年度（当初）は30％台，平成22～26年度（当初）は40％台。平成27年度以降は令和３年度を除いて30％台であり，令和５年度は31.1％である。

編成
内閣だけが編成可能。
↓
審議
衆議院の先議権。
予算の自然成立。
↓
執行
予算通りの執行が原則だが，「予算の移用・流用」という制度もある。
↓
決算
会計検査院に送付。
↓
決算と検査報告を国会提出

債務残高：令和５年度末の**普通国債**（建設国債と特例公債）の残高は約1,068兆円（対GDP比187％），**国と地方の長期債務残高**は約1,279兆円（対GDP比224％）に達する見込みで，累増している。

重要ポイント 6 地方財政

地方財政計画：例年２月に内閣が国会に提出するもので，全国の地方団体の普通会計をいわば１つの財政主体と見なして，翌年度の歳入・歳出の姿を示すもの。地方団体の活動に対する法的拘束力はない。令和５年度地方財政計画（通常収支分）の歳出規模は２年連続増の92兆350億円である。

地方交付税：税源の偏在からくる地方公共団体間の財政力格差の調整（**財源調整機能**）とナショナルミニマムとしての必要な財源を保障（**財源保障機能**）するために，国から地方へ交付される一般財源。

国庫支出金：国が地方に交付する支出金のうち，使途を特定した支出金のこと。

実戦問題1 基本レベル

**
No.1 財政に関する記述A～Eのうち，妥当なもののみを挙げているのはどれか。

【国家専門職・平成28年度】

A：プライマリー・バランス（基礎的財政収支）は，国債発行額を除く税収等の歳入から，国債の利払いと償還費である国債費を除く歳出を差し引いた収支のことを意味し，財政健全化目標に用いられている指標である。

B：租税負担額の国民所得に対する比率を国民負担率と呼び，租税負担額と社会保障負担額（公的年金や公的医療保険にかかる支払保険料）の合計の国民所得に対する比率を「潜在的な国民負担率」と呼ぶ。

C：財政には，政府が公共財を供給する資源配分機能，所得税に対する累進課税制度等によって所得格差を是正する所得再分配機能，税制や財政支出を用いて景気変動を小さくする景気調整機能の三つの機能がある。

D：我が国の租税を課税ベースから分類した場合，所得課税，消費課税，資産課税等に分類できる。このうち所得課税の例としては，国税においては所得税，法人税，相続税等が挙げられ，地方税においては住民税，印紙税，酒税等が挙げられる。

E：我が国が発行する公債である国債については，主として，公共事業，出資金及び貸付金の財源として発行される建設国債と，それ以外の歳出に充てられる特例国債の二つに区分され，いずれも財政法に基づき発行される。

1 A，C
2 A，E
3 B，D
4 B，E
5 C，D

**
No.2 所得再分配政策に関する次の記述のうち，妥当なもののみをすべて挙げているのはどれか。

【地方上級（全国型）・平成30年度】

ア：租税負担には応能負担と応益負担の考え方があるが，所得再分配政策の財源としては応益負担のほうが応能負担より優れている。

イ：平等の実現に当たっては機会の平等と結果の平等という2つの考え方があり，相続税は機会の平等に寄与し，所得税は結果の平等に寄与する。

ウ：累進的な課税制度では，年によって所得が変化する人と，所得が変動しない人では，生涯所得が同じでも，生涯を通じた税負担額に差が生ずる。

エ：公的扶助の方法として現金給付と現物給付があるが，現金給付が不正受給を防止しやすいのに対して，現物給付は行政費用が低い。

オ：所得再分配政策を実施する根拠の一つとして，たとえば所得1万円の便益は，所得が少ない人よりも所得が多い人のほうが大きいことが挙げられる。

1 ア，エ

2 ア，オ

3 イ，ウ

4 イ，エ

5 ウ，オ

＊ No.3 財政に関する次の記述のうち，妥当なのはどれか。

【市役所・平成21年度】

1 なんらかの理由で本予算が年度開始までに国会の議決を得られず，本予算が成立しない場合には，補正予算が組まれる。

2 会計検査院が検査報告を内閣に行った後，内閣はそれと決算を国会に提出して，国会で審議を受ける。

3 予算単年度主義とは，ある年の歳出はその年の歳入から賄わなければならないという，健全財政のための原則である。

4 会計年度独立の原則とは，予算は毎年作成しなければならないというものである。

5 繰越明許費とは，複数年に及ぶ事業に関し，その内容を記載し，国会へ提出して議決を得ることにより，支出が許されるものである。

＊＊ No.4 近年の日本の財政に関する次の記述のうち，妥当なのはどれか。

【市役所・令和２年度】

1 令和元年度一般会計当初予算の規模は100兆円を超えている。その歳出面を見ると，社会保障関係費と防衛関係費が前年度当初予算に比べて増加している。

2 令和元年度一般会計当初予算では，消費増税による税収の増加が見込まれたものの，税収は前年度当初予算と比べて減少しており，公債依存度は前年度当初予算より高い。

3 国民の税負担と社会保障負担を合わせた額を国民負担率という。2016年度の日本の国民負担率は，2016年のアメリカより低く，2016年のスウェーデンやフランスより高い。

4 「税収＋税外収入」から「国債の元本返済や利子の支払い」を差し引いたものを基礎的財政収支という。近年の国の基礎的財政収支は黒字が続いている。

5 令和元年度末の国と地方の長期債務残高は1,000兆円を超える見込みであり，国と地方を比較すると，地方の長期債務残高のほうが国の長期債務残高より多い。

No.5 財政やその機能に関する記述として最も妥当なのはどれか。

【国家一般職・平成29年度】

1 財政とは，国が単独で行う経済活動をいい，その機能には，資源配分，所得再分配，景気調整，金融調節，為替介入の五つがある。例えば，景気を立て直そうとする場合に，景気調整と資源配分を組み合わせた財政政策が行われるが，これをポリシー・ミックスという。

2 資源配分機能とは，電気，ガスなどの純粋公共財や，交通機関，通信回線などの公共サービスを政府が財政資金を用いて供給することをいう。例えば，政府は，電力会社や鉄道会社などに対して補助金を交付することで，全国一律の料金で同等のサービスが受けられるようにしている。

3 所得再分配機能とは，資本主義経済では所得格差が発生するため，税制度や社会保障制度を通じて所得の均一化を図ることをいう。例えば，所得の多い人ほど一般に消費性向が高く，消費税による税負担の割合が重くなるという累進課税がこの機能の一つである。

4 自動安定化装置（ビルト・イン・スタビライザー）とは，自動的に税収が増減したり，社会保障費が増減したりする機能である。例えば，景気の拡大期には，所得の増加に伴って個人消費が伸び，消費税による税収が増えることで積極的な財政政策を行わせ，景気を更に拡大させる。

5 裁量的財政政策（フィスカル・ポリシー）とは，政府が公共支出や課税の増減を行うことで，有効需要を適切に保ち，景気循環の振幅を小さくして経済を安定させる政策である。例えば，不景気のときには，減税をしたり国債の発行によって公共事業を増やしたりする。

実戦問題1の解説

No.1 の解説　財政の機能と用語　→問題はP.277　正答1

A○　基礎的財政収支は財政健全化目標に用いられているフローの指標。

正しい。ちなみに，令和2年度一般会計予算において国の**基礎的財政収支**は赤字，**地方財政計画**において地方の基礎的財政収支は黒字，**財政健全化目標**に掲げられている国・地方の基礎的財政収支は赤字である。

B×　租税負担率＝租税負担額÷国民所得×100。

租税負担額の国民所得に対する比率は**租税負担率**であり，租税負担額と社会保障負担額の合計の合計の国民所得に対する比率は**国民負担率**である。国民負担率に，財政赤字の国民所得を加えると**潜在的な国民負担率**になる。

C○　税制や財政支出には景気調整機能がある。

正しい。

D×　相続税と印紙税は資産課税（等），酒税は消費課税である。

相続税は**国税**だが，**資産課税**等に分類される。**印紙税**は国税であり，資産課税等に分類される。さらに，**酒税**は国税であり，**消費課税**に分類される。

E×　特例国債は単年度立法による法律に基づいて発行される。

建設国債は**財政法**（4条）に基づいて発行されるが，**特例国債**（**赤字国債**）は単年度立法による法律に基づいて発行される。

よって，妥当なものは**A**と**C**なので，正答は**1**である。

No.2 の解説　所得再分配政策　→問題はP.277　正答3

ア×　所得再分配政策の観点に立てば，応益負担より応能負担。

所得再分配の財源としては，**応能負担**（各自の担税力に応じてその負担額を決定するという考え方）が**応益負担**（各自が受けたサービスの便益に応じて対価を支払うという考え方）より優れている。

イ○　相続税機会の平等，所得税は結果の平等に寄与する。

正しい。

ウ○　累進所得課税の下では，生涯所得が同じでも納税額は異なることがある。

正しい。

エ×　公的扶助を現金給付すると，扶助目的外のために現金を使われることがある。

給付された現金が公的扶助の目的外に利用される可能性があるので，現金給付が現物給付より不正受給を防止しやすいとはいえない。また，現物給付を行う場合，給付する現物を調達・管理するための費用がかかるので，現物給付にかかる行政費用が現金給付にかかる行政費用より安いとはいえない。

オ×　所得再分配政策は，低所得者が高所得者より高い便益を受けることが前提。

所得1万円から得られる便益に関して，高所得者が低所得者より大きいものと仮定する。このとき，高所得者から低所得者に所得1万円を移転させると，社会全体の便益は小さくなると考えられるから，高所得者から低所得者への所得再分配を支持する根拠とはならない。

よって，妥当なものは**イ**と**ウ**なので，正答は**3**である。

No.3 の解説 日本の財政

→問題はP.278 **正答2**

1× 年度開始までに本予算が成立しない場合に組まれる予算は「暫定予算」。
補正予算は**暫定予算**の誤り。重要ポイント３を参照。

2◎ 内閣は，会計検査院の検査報告と決算を国会に提出する。
正しい。

3× 会計年度独立の原則＝ある年の歳出はその年の歳入で賄うこと。
会計年度独立の原則に関する記述である。**予算単年度主義**については，重要ポイント１および**4**の解説を参照。

4× 予算単年度主義＝予算は毎年作成すること。
予算単年度主義に関する記述である。**会計年度独立の原則**については，重要ポイント１および**3**の解説を参照。

5× 工事，製造その他の事業で，完成に数会計年度を要するものは「継続費」。
継続費に関する記述である。**繰越明許費**については，重要ポイント１を参照。

No.4 の解説 近年の日本の財政

→問題はP.278 **正答1**

1◎ 令和元年度一般会計当初予算は101兆4,571億円である。
正しい。令和元年度**一般会計当初予算**では，**社会保障関係費**は1.1兆円増，**防衛関係費**は0.1兆円増となった。

2× 令和元年度一般会計当初予算では，税収増が見込まれた。
令和元年度一般会計当初予算では，消費増税による税収増加などにより，税収は３兆4,160億円増加すると見込まれた。また，**公債依存度**は前年度当初予算の34.5％から32.2％に低下した。

3× 国民負担率＝(租税負担額＋社会保障負担額)÷国民所得×100。
国民負担率とは，国民の税負担と社会保障負担の合計額が国民所得に占める割合である。また，2016年度の日本の国民負担率は42.8％であり，2016年のアメリカ（33.1％）より高く，スウェーデン（58.8％）やフランス（67.2％）より低い。

4× 近年の国の基礎的財政収支は赤字が続いている，
前半の記述は正しいが，近年の国の**基礎的財政収支**は赤字が続いている。

5× 令和元年度末において，国の長期債務残高は地方のそれより多かった。
前半の記述は正しいが，令和元年度末の見込みにおいて，国の**長期債務残高**（928兆円）のほうが地方の長期債務残高（194兆円）より多かった。

No.5 の解説　財政とその機能

→問題はP.279　正答5

1 ×　財政の機能は，資源配分，所得再分配および経済の安定化である。

財政とは政府の経済活動の収支のことであり，国が単独で行う経済活動に限定されていない。また，財政の機能には，**資源配分**，**所得再分配**および**経済の安定化**の3つがある。さらに，**ポリシーミックス**とは，複数の機能を組み合わせた政策ではなく，複数の政策を組み合わせて実施することである。

2 ×　純粋公共財とは，非排除性と非競合性の双方を満たす財である。

電気やガスは純粋公共財（集団的に供給され，ある個人が利用するときに他の個人の利用を排除することが困難という「**排除不可能性**」，およびある主体の財・サービスの利用量が他の主体の利用量に影響を与えず，ある主体への財・サービスの量を増やしても他の主体への量を減らすことがないという「**非競合性**」の2つを満たす財）ではない。また，電力会社や鉄道会社などに対して補助金が交付され，全国一律の料金で同等のサービスが受けられるようにはなっていない。

3 ×　消費税は逆進性をもつ。

資本主義経済だからといって所得格差が発生するとは限らない。一般に，所得が多い人ほど消費性向は低く，消費税による税負担の割合は軽くなる（**逆進性**）。ちなみに，**所得再分配機能**としては，所得税などへの累進税率の適用や資産課税などがある。

4 ×　自動安定化装置は，景気の波を自動的に抑えるように働く。

自動安定化装置（ビルト・イン・スタビライザー）が機能すると，景気の拡大期には，所得の増加に伴って所得税収が増えたり，消費税収が増えたりして，個人消費などの総需要の伸びを抑制し，景気の拡大を抑制する。

5 ◎　裁量的財政政策は，景気安定のために，適宜とられる財政政策である。

正しい。ちなみに，1930年代のアメリカで実施された**ニューディール政策**はその一例である。

実戦問題2 応用レベル

*
No.6 財政政策の効果に関する次の記述のうち，妥当なものはどれか。

【市役所・平成17年度】

1 財政政策の効果は，減税よりも財政支出のほうが大きい。
2 均衡予算の制約の下では，限界消費性向が大きいほど，財政政策の乗数効果が大きい。
3 ビルトイン・スタビライザーが働くと，所得格差が大きくなる。
4 流動性のわなの下では，財政政策の効果がない。
5 公債を中央銀行によって消化するとき，国民所得は減少する。

***
No.7 財政・金融政策に関する記述として最も妥当なのはどれか。

【国家総合職・平成20年度】

1 イギリスの経済学者ケインズは，市場メカニズムによる調整の限界を指摘するとともに財政政策の有効性に疑問をいだき，金融政策によって完全雇用を達成しようとしたが，アメリカの経済学者フリードマンは，金融政策は長期的には無効であると主張して，財政政策を重視した。
2 不況期には政府支出を増やしてGDPを増加させようとする財政政策が実施されることが多いが，所得税や法人税を累進課税にして自動的に通貨供給量を減少させることによりGDPを増加させる金融政策は，税制によるビルト・イン・スタビライザー機能と呼ばれている。
3 財政政策として実施された政府支出は，支出額と同額のGDPの増加をもたらすが，減税は，可処分所得の増加を通じた乗数効果によって消費・投資を増大させるため，政府支出の場合よりGDPを増加させる効果が大きい。
4 経済がインフレ・ギャップの状態にあるときは，不況で失業や投資の不足が生じており，政府支出の増加によって消費を増加させる財政政策や基準割引率及び基準貸付利率（従来「公定歩合」と称されていたもの）の引下げによって投資を誘発する金融政策が効果的である。
5 財政政策として実施された政府支出の増加はGDPの増加をもたらし，貨幣需要を増大させて利子率が上昇し民間投資を減少させるため（クラウディング・アウト効果），GDPを増加させる効果が抑制される。クラウディング・アウト効果を小さくする方法として，買いオペレーションによる金融政策が実行されることもある。

＊＊＊
No.8 **財政理論に関する記述として最も妥当なのはどれか。**

【国家一般職・平成15年度】

1 国債の発行によって財政支出が拡大すると，市中の資金需給が緩和し金利が低下する。このため民間の資金調達のための費用が低下し，民間投資が活発となる。

2 財政赤字の拡大は，政府債務の長期的な償還可能性に対する市場の信任を失う可能性を生じることにより，金融市場において金利の上昇や通貨価値の下落を招くおそれがある。

3 国民にとって利用可能な資源は，その国において発行された国債が内国債か外国債のどちらであっても国債の償還によって減少することはなく，債権者と債務者の間で移転が生じるだけである。

4 財政赤字が累増すると，公共投資などの政策経費が増加するため財政の硬直化は生じにくいが，利払費の増大や世代間の不公平などの問題を生じる。

5 公的年金を賦課方式ではなく積立方式で運営した場合，世代間の不公平が生じやすいが，インフレーションなどの不確実性には対応しやすいとされている。

実戦問題2の解説

No.6 の解説　財政政策の効果

→問題はP.283　正答1

1 ◎ 正しい。閉鎖体系を想定するとき，1円の減税は，限界消費性向だけ増えた消費を呼び水にして乗数効果が働く。他方，政府支出の1円増加は，この1円を呼び水にして乗数効果が働く。一般に，限界消費性向は1より小さいので，財政政策の効果は，政府支出のほうが減税より大きい。

2 × **均衡予算**の下での乗数（**均衡予算乗数**）は必ず1である。

3 × **ビルトイン・スタビライザー**とは，国民所得が増加（減少）した場合には税収が増加（減少）し，総需要を抑制（促進）することによって，景気変動を自動的に抑制する仕組みのことである。累進所得税を採用すると，高所得者ほどこの抑制（促進）効果を強く受けるため，所得格差は縮小する。

4 × *IS-LM*分析によれば，流動性の罠にある（*LM*曲線が水平である）とき，クラウディング・アウトが生じないので財政政策の効果は大きくなる。

5 × *IS-LM*分析によれば，一般に，中央銀行が公債を消化すれば貨幣供給量が増加し，*LM*曲線が右へシフトするため，国民所得は増加する。

No.7 の解説　財政・金融政策

→問題はP.283　**正答5**

1 ×　「ケインズ＝財政政策重視」，「フリードマン＝金融政策重視」

ケインズは，財政政策によって完全雇用を達成しようとした。一方，**フリードマン**は財政政策は長期的には無効であると主張して，金融政策を重視した。**テーマ5重要ポイント1**を参照。

2 ×　ビルト・イン・スタビライザー＝需要の波を自動的に小さく抑える機能。

所得税や法人税を累進課税にしても，通貨供給量は自動的には変化しない。累進的な所得税や法人税が導入されると，自然に，好況期には納税額が増えて需要の増加が抑制され，不況期には納税額が減って需要の減少が抑制されるため，財政政策的な効果を通じてGDPの変動幅の縮小（経済の安定化）が図られる。このように，財政の中に制度的に組み込まれた経済安定化機能を**ビルト・イン・スタビライザー**（**自動安定化機能**）という。

3 ×　乗数効果：政府支出の増大は，その規模以上に国民所得を増大させる。

財政政策として実施された政府支出は，**乗数効果**を通じて，支出額以上のGDPの増大をもたらす。一方，減税は可処分所得の増加を通じた**乗数効果**によって需要を増大させるが，減税の乗数効果は財政政策の乗数効果より小さいので，政府支出の場合よりもGDPを増加させる効果は小さい。

4 ×　デフレ・ギャップ＝需要不足状態。

経済が**デフレ・ギャップ**の状態にあるときの記述である。

5 ◎　クラウディング・アウト効果＝乗数効果の一部は利子率上昇で減殺される。

正しい。

No.8 の解説　財政理論

→問題はP.284　**正答2**

1 × 国債を発行し財政支出を増加させると，市中の資金需要が逼迫するため，金利が上昇する。その結果，民間の資金調達費用が増加するため，民間投資は抑制される。

2 ◎ 正しい。政府債務の長期的な償還可能性に対する市場の信任が失われる可能性が生じると，より安全な投資先を求めて，その国の国債あるいは通貨の売却などが生じるおそれがある。

3 × 内国債の場合，国内債務者から国内債権者へ資源が移転するだけであるため，国内で利用可能な資源は変化しない。外国債の場合，償還時に国内債務者から国外債権者へ資源が移転するため，国内で利用可能な資源は減少する。

4 × 財政赤字が累積すると，償還費の増大に伴う**義務的経費**が増加するため，**政策経費**の余地が縮小し，**財政の硬直化**が生じやすくなる。

5 × 積立方式を採用した場合，保険料支払額に対応する年金を将来に受け取るだけであるから，世代間の不公平は生じない。しかし，支払った保険料分しか受け取れないため，インフレーションなどの不確実性には対処しにくい。

租税制度

必修問題

わが国の消費税に関する次の記述ア～オのうち，妥当なものの組合せはどれか。
【地方上級（全国型）・平成29年度】

ア．**消費税**は，**納税義務者**が企業，**租税負担者**が消費者の**間接税**である。しかし，価格の上昇によって消費量が減少する財については，租税負担を消費者に完全に**転嫁**できないので，納税義務者である企業も消費税の一部を負担する。

イ．消費税は間接税に分類され，消費税収は**国税**の間接税収入の大半を占める。消費税導入により国税収入に占める間接税収入の割合は上昇しており，2016年度当初予算における間接税収入は直接税収入を上回った。

ウ．日本では財政健全化が課題となっており，消費税率引上げの際に，税率引上げによる消費量の減少が大きいとされるぜいたく品に対しては**軽減税率**を適用すべきであるという考え方がある。

エ．日本では医療・年金などの社会保障の財源を確保するため，消費税率は10％に引き上げられることが決まっている。税率引上げによる税収の増加分については社会保障の財源に充てられることとなっている。

オ．日本の消費税に相当する**付加価値税**の標準税率を国際比較すると，スウェーデンなどの北欧諸国やフランス，ドイツは８～10％であり，日本の消費税率と同程度の水準となっている。

1 ア，ウ
2 ア，エ
3 イ，エ
4 イ，オ
5 ウ，オ

難易度　＊＊

必修問題の解説

間接税の代表例である消費税に関する出題である。消費税の性質から国際比較まで幅広い知識が問われている。

ア○ 消費税は間接税である。
正しい。なお，転嫁とは，法律上の納税義務者が税負担の全部，または一部を取引価格の引上げ，または引下げを通じて取引の相手方に移し変えることである。

イ× 当初予算において，間接税は直接税より少ない。
消費税収が**国税**の**間接税**の大半を占め，国税収入に占める間接税収入の割合が上昇したことは正しい。2016年度予算では，間接税収入は42.8%であり，直接税収入のほうが大きかった。

ウ× 消費税は逆進性を持つ。
日本で財政健全化が課題になっている点は正しい。消費税は**逆進性**を持つことから，必需品（税率が引き上げられても消費量の減少が少ない財）に対しては軽減税率を適用すべきであるという考え方がある。なお，この考え方は，2019年10月に行われた消費税率10%への引上げと同時に，**軽減税率制度**として導入された。

エ○ 消費税率10%引上げに伴う税収の増加分は社会保障の財源。
正しい。なお，この消費税率10%への引上げは2019年10月に実施された。

オ× 日本の消費税率は他国の付加価値税の標準税率に比べて低い。
各国の**付加価値税**の標準税率を見ると，スウェーデン25%，フランス20%，ドイツ19%となっており，日本の消費税率に比べて高い（2018年1月現在）。ちなみに，2023年1月現在でも同率となっている。

よって，妥当なのは**ア**，**エ**なので，正答は**2**である。

正答 2

FOCUS

税制および租税に関する出題は，出題頻度こそ低いが，専門試験（財政学）と同レベルの内容が問われることが多い。また，税制は比較的短期間に改正されるので，最新版の『図説日本の税制』や各種報道に必ず目を通すようにしたい。

POINT

重要ポイント 1 直接税と間接税

直接税は法律上の納税義務者と租税負担者が一致している税で，実際に税金額を負担する者（租税負担者）が，税務署に直接納税することが予定されている税である。国が徴収する国税の中では，所得税，法人税，相続税，贈与税，地価税がその例である。**間接税**は法律上の納税義務者と租税負担者が不一致の税で，租税負担者が法律上の納税義務者を間接的に媒介して税務署に納税することが予定されている税である。その例として消費税や酒税，たばこ税がある。

わが国の国税と地方税収入に占める直接税の割合（**直間比率**）は，先進国の中でもアメリカとともに高くなっている。

直間比率の国際比較（%）

	日本	アメリカ	イギリス	ドイツ	フランス
直接税	67	76	56	55	54
間接税	33	24	44	45	46

出典：財務省ホームページ。日本は令和元年度実績。諸外国は2019年の計数。

重要ポイント 2 垂直的公平と水平的公平

垂直的公平は「タテの公平」ともいわれ，租税負担能力の大きい者により多くの税額を負担してもらうという考え方である。直接税はこの垂直的公平の確保に優れていて，高所得者に高い税率が課せられる所得税の累進課税制度がこの代表例である。逆に間接税の代表例である消費税は垂直的公平の確保に限界があり負担が逆進的である。

水平的公平は「ヨコの公平」ともいわれ，租税負担能力が同じ者は等しい税負担をすべきであるという考え方である。間接税（消費税）はこの水平的公平の確保に優れている。逆に直接税（所得税）は水平的公平の確保に限界がある。この背景には「**クロヨン**問題」と呼ばれる税務当局による個人所得の捕捉率の格差の存在がある。クロヨン問題とは，個人の職業により税務当局の所得金額の捕捉率に格差が生じ，サラリーマンは実所得の 9 割，自営業者は 6 割，農業所得者は 4 割が捕捉されているという現象のこと。その結果納税額にも差が生じ，実際の収入は同じでも，どういう職業に就いているかで納税額に差が生じ水平的公平を損なうことになる。

	直接税（所得税）	間接税（消費税）
長所	垂直的公平を図れる	水平的公平を図れる
短所	水平的公平の確保に限界がある	垂直的公平の確保に限界がある

重要ポイント3 各種税制度の特徴

(1) 所得税：個人の所得（原則として，その年分のすべての所得を総合，合算したもの。所得の総合）に対して課せられる税金で，所得金額から個人の状況に応じた控除額を除き（人的事情の考慮），その残額に応じて異なった税率が適用される累進課税制度（**累進課税**）がとられている。平成27年分から，累進税率は6段階から7段階となり，税率は5％～45％となった。夫婦子2人（このうち1人が中学生，1人が大学生）の給与所得者の**課税最低限**（所得税が賦課される最低限の金額）は285.4万円となっている。

(2) 法人税：法人の企業活動により得られる所得に対して課せられる税金であり，**比例税**である。ただし，その税率は，普通法人や協同組合等といった区分により異なる。

(3) 消費税：消費一般に広く負担を求めるという観点から，金融取引，資本取引のほか，特に非課税としている医療，福祉，教育などを除き，原則としてすべての国内取引や外国貨物を対象として課税される間接税である。平成元年4月に3％で導入され，平成9年4月から5％となった。さらに，社会保障・税の一体改革の議論を受けて，2014（平成26）年4月から8％に引き上げられ，**2019年10月**には**10%**へ引き上げられた。10％への引上げに際しては，**軽減税率制度**（消費税率を8％とする）もあわせて導入された。

納税義務者は，製造，卸，小売など流通の各段階における事業者である。流通の各段階で各事業者が付け加えた価値に対して課せられるという意味で，ヨーロッパで適用されているEC型付加価値税と同様，付加価値税の一つである。

(4) 相続税：相続等により取得した経済的価値のあるすべての財産を対象に，その取得財産の価額を基準として課せられる税金であり，累進課税制度が採用されている。

相続税は，年賦延納（納付すべき税額が10万円を超え，かつ納期限までに金銭で納付することが困難な事由がある場合，担保の提供を条件に，認められる）によっても現金で納付することが困難な場合，国債，不動産，株式等による物納が認められている。

(5) その他

地価税：土地保有に関する国税である。平成10年以降税率が0になり，地価税の課税は停止されている。

有価証券取得税：平成11年3月をもって廃止された。

重要ポイント4 租税負担

租税負担率：国民所得に対する国税と地方税の総額の割合。日本の租税負担率は主要先進国中で最も低い水準にある。この内訳をみると，特にヨーロッパ主要国に比べ，個人所得課税と消費化税負担割合がかなり小さい。前者は累次の負担軽減措置の影響と考えられ，後者の主な要因は消費税（付加価値税）の税率がかなり低いことである。

国民負担率：国民所得に対する国税，地方税および社会保障負担の総額の割合。日本の国民負担率はアメリカより高いものの，ヨーロッパ諸国より低い水準にある。

租税負担率と国民負担率（%）

	日本	アメリカ	イギリス	ドイツ	フランス
租税負担率	25.8	23.9	35.5	32.0	43.1
国民負担率	44.4	32.4	46.5	54.9	67.1

出典：財務省ホームページ。日本は令和元年度実績。諸外国は2019年の計数。

重要ポイント5 近年の租税

国税と地方税：租税は課税主体によって，国税（国が課税主体）と地方税（地方団体が課税主体）に大別できる。

国税と地方税の税目

	国税	地方税		国税	地方税
所得課税	所得税 法人税 地方法人税 地方法人特別税 復興特別所得税	住民税 事業税	**消費課税**	消費税 酒税 たばこ税 たばこ特別税 揮発油税 地方揮発油税 石油ガス税 航空機燃料税 石油石炭税 電源開発促進税 自動車重量税 国際観光旅客税 関税 とん税 特別とん税	地方消費税 地方たばこ税 ゴルフ場利用税 自動車取得税 軽油引取税 自動車税 軽自動車税 鉱区税 狩猟税 鉱産税 入湯税
資産課税等	相続税・贈与税 登録免許税 印紙税	不動産取得税 固定資産税 特別土地保有税 法定外普通税 事業所税 都市計画税 水利地益税 共同施設税 宅地開発税 国民健康保険税 法定外目的税			

出典：財務省ホームページ

令和５年度税制改正：「資産所得倍増」「貯蓄から投資へ」の観点からNISA制度の抜本的拡充・恒久化や，消費課税においてインボイス制度の円滑な実施に向けた改正などを行うとした。

実戦問題1 基本レベル

* No.1 わが国の税制に関する記述として最も妥当なのはどれか。

【国家総合職・平成17年度】

1 地方交付税とは，地方団体が等しくその行うべき事務を遂行することができるよう，国税である所得税・法人税・消費税などのそれぞれの一定割合の額を国が交付するものである。この税は普通交付税と特別交付税の２つに分類され，そのうち後者は予期せぬ災害復旧の費用など特別の事情に際して交付されるものである。

2 国庫支出金は，国の代わりに行っている事務の必要経費を考慮し，基準財政需要額と基準財政収入額との差額を地方自治体へ補助するものである。使途が明確に特定されている地方交付税に比べ，使途を自治体が独自に設定できるため，国庫支出金は業務改善や合理化を進める誘因を持っている。

3 地方税は，都道府県税と市町村税の２つに分類され，さらにそれぞれ普通税と目的税に分けられる。住民税などの普通税の税率は地方税法により全国一律に定められているが，目的税の税率は各自治体で自由に定めることができる。目的税の中でも，都市のインフラ整備に用いられる固定資産税の税収が近年急速に伸びている。

4 外形標準課税とは，企業の規模を示す指標のうち，従来の法人事業税のように売上高や資本金額ではなく，事業所の面積や従業員数に基づき事業者に対して課税されるものである。安定した税収をめざすために法人事業税の全額を外形標準課税によるものとする法改正が平成16年度なされた。

5 法定外税とは，国会の承認を得れば地方自治体が独自に定めることのできる税である。法定外税には，法定外普通税と法定外目的税があり，東京都のいわゆる「銀行税」などの法定外目的税はすでに導入されているが，住民の理解が比較的得られにくい法定外普通税を導入した地方自治体はない。

＊＊＊
No.2 わが国の租税制度，財政に関する記述として妥当なのはどれか。

【国家総合職・平成14年度】

1 外形標準課税とは，企業の外側から見てわかる資本金や従業員数，事業所の面積など所得以外の指標を課税標準とする課税方式である。企業業績とは関係なく赤字企業にも課税されるので，景気に左右されず安定的な税収をもたらす効果があり，近年，一部の地方公共団体で導入された。

2 わが国では，株式の売却益に対する課税方式として，以前は申告分離課税方式と源泉分離課税方式があった。しかし，株式取引の活性化と株価の維持を目的として，平成11年度に源泉分離課税方式は廃止され，それとともに有価証券取引税も廃止された。

3 65歳以上の高齢者を対象に銀行預金等の利子課税を一定額まで免除する少額貯蓄優遇制度（いわゆるマル優）は，一時は政府税制調査会で廃止されることが検討されたものの，高齢者の税負担が増えることを考慮し，平成14年度税制改正大綱では存続することが明記された。

4 連結納税制度は，親会社と子会社の損益を合算したうえで課税する制度であり，産業界でその早期導入を望む声が強かったが，税収減につながり財政再建と相反するとの理由で，平成14年度での導入は見送られた。

5 これまで，わが国では国債発行形式として，主に市中引受けの形をとり，日本銀行による引受けは財政法で禁止されていたが，平成13年度に財政法が改正され，現在では，建設国債に限って日銀引受けが全面的に認められている。

＊
No.3 わが国の租税等に関する記述として，妥当なのはどれか。

【地方上級（東京都）・平成14年度〈改題〉】

1 戦後，シャウプ勧告によって直接税中心の税制がしかれたが，その後，景気に左右される直接税に比べ，国税収入に占める間接税の割合が次第に増加し，現在では，約５割を占めるに至っている。

2 租税は国税と地方税に分けられ，平成26年度決算における国税と地方税の割合はおおむね６対４であり，また，国税の例として法人税や事業税が，地方税の例として固定資産税や酒税が挙げられる。

3 租税負担の公平の考え方には，水平的公平と垂直的公平があり，垂直的公平とは，同じ経済力，担税能力を持つ人々に，同じ税額を負担させるというもので，この考え方に立つ例として，相続税が挙げられる。

4 所得税は，累進課税であり，景気を自動的に安定化させる機能および所得の再分配機能を持つが，消費税は，低所得者ほど租税負担感が高くなるという逆進的な性質を持っている。

5 租税負担率は，国民所得に占める国税と地方税の合計額の割合をいい，バブル経済崩壊以降，国民の経済活動の低迷のため，税収の減少にもかかわらず，1990年代に入ってから，一貫して上昇を続けている。

***
No.4 わが国の租税に関する記述として妥当なのはどれか。

【国家総合職・平成11年度】

1 わが国の税制は，シャウプ税制改革によりフランスなど西欧諸国と同様に間接税よりも直接税の比重が高い直接税中心主義をとってきたが，1989年の消費税の導入によりアメリカ合衆国・イギリスと同様に間接税を中心とする税制となった。

2 間接税は，直接税に比べて景気の変動による税収の変動が大きく，所得の少ない人ほど相対的に重い負担となる逆進課税となるのが短所である。わが国の間接税である消費税は単段階課税である売上税である。

3 所得税は，税務当局によるサラリーマン・自営業者・農業従事者などの各業種に対する所得の捕捉率に差が生じにくく，所得のあるすべての者に公平に課税されるため大衆課税といわれている。

4 地価税は，土地の保有コストを引き上げることによって，土地投機と地価を抑制し，土地の有効利用を図る目的で創設されたが，平成10年度には景気対策を重視して，課税を当分の間停止する措置が適用された。

5 法人税は，累進課税制度を導入しているが，主要先進国に比べて累進の度合いが低いことと税収を上げる目的から，大企業にはさらに高い限界税率が適用されるよう改定が検討されている。

No.5 ＊＊ **わが国の税制に関する記述として最も妥当なのはどれか。**

【国家一般職・平成18年度】

1　わが国の税金は，国が徴収する国税と都道府県や市町村が徴収する地方税に大別される。平成17年度についてみると，国税は総額で約30兆円であるが，その内訳は所得税が60%，法人税が10%，消費税が５%となっている。

2　所得税の税率は，従来は10〜50%の５段階であったが，各所得に応じたきめ細かな税負担を図り公平性を保つために累進性を供する観点から改正が行われ，現行では10〜70%の15段階になっている。

3　間接税についてみると，従来は多種多様な物品やサービスに課税されていたが，1980年代後半の消費税導入の際に大幅に簡素化され，現在では消費税のほか，酒税，たばこ税，自動車重量税のみがある。

4　法人を内国法人と外国法人に分類すると，外国法人は日本国内に源泉のある所得についてのみ納税義務がある。また，内国法人のうち学校法人や社会福祉法人などの公益法人については，収益事業から生じた所得に限り課税される。

5　証券税制についてみると，1990年代の証券市場の長期的な低迷にもかかわらず，株式保有に対する課税は徐々に強化された。2003年には，配当に対する税率は引き下げられたものの，株式譲渡益（キャピタルゲイン）に対する税率は10%から25%に引き上げられた。

No.6 ＊＊ **わが国の税制に関する記述として最も妥当なのはどれか。**

【国家総合職・令和２年度】

1　租税収入における直接税と間接税の割合を直間比率という。第二次世界大戦前は直接税の比重が高かったが，戦後，シャウプ勧告を受け，消費税の税率の引上げや所得税，法人税の税率の引き下げが行われ，直接税の比重が高まった。なお，現在では，平成31年度一般会計当初予算における歳入でみると，間接税の比重が直接税の比重を上回っている。

2　所得税は，個人ごとの所得に対してではなく，世帯員の所得を合算した世帯所得に対して課税されており，所得額が高くなるほど税率が高くなる累進課税制度が採られている。この制度は，同程度の所得を得ている人は同程度の税を負担するという。垂直的公平に資するものである。

3　法人税は，株式会社や協同組合など法人の各事業年度の所得にかかる国税であり，平成31年度一般会計当初予算における歳入でみると，所得税，消費税に次いで額が多い。納税義務は，国内の日本法人だけでなく外国法人にもある。一方，学校法人や宗教法人などのように，収益事業を除いて納税義務が免除されている法人もある。

4 間接税は，従来，特定の物品やサービスごとに課税されていたが，消費税導入の際に整理されて酒税とたばこ税を除き消費税に一本化された。消費税は，導入以来国税として徴収されてきたが，令和元年10月から税率が10%に引き上げられたことに伴い，10%のうち2.2%が新たに地方消費税として地方公共団体の税収とされた。

5 地方税は，都道府県税と市町村税の二つに分類され，都道府県税は都道府県民税と固定資産税，市町村税は市町村民税と事業税が中心である。地方公共団体は予算の多くを国からの補助に依存していたため，平成17年からいわゆる「三位一体の改革」が実施され，その一環として市町村による地方債の発行が禁止されたことから，財政基盤の強化のために市町村合併が進んだ。

実戦問題1の解説

No.1 の解説　日本の税制

→問題はP.293　**正答 1**

1 ◎ 普通交付税の額＝基準財政需要額－基準財政収入額
正しい。なお，**普通交付税**の額は，**基準財政需要額**が**基準財政収入額**を超える団体に対して，その額が交付される。

2 × 国庫支出金は一般財源であるものを除く使途を特定した支出金。
国庫支出金とは，国が地方自治体に対して交付する支出金のうち，**一般財源**であるものを除く使途を特定した支出金のことである。

3 × 使途を特定した目的税，使途を特定していない普通税。
普通税と**目的税**は，使途が特定されているか否かによって区分する概念であり，税率の決定主体による区分ではない。また，都市計画事業や土地区画整理事業の財源に充当される目的税は，都市計画税である。

4 × 外形標準課税は，所得以外の見た目（外形）で課される租税。
外形標準課税とは，資本金や従業員数，事業所の面積など所得以外の指標を課税標準とする課税方式の税のことである。平成15年度税制改正において，資本金１億円超の法人を対象として，外形基準を４分の１とする外形標準課税制度が創設され，平成16年から適用された。

5 × 法定外税を設置するのに国会の承認は不要である。
法定外税とは，総務大臣と協議のうえ，条例で新たに起こされた税目のことであり，国会の承認は不要である。また，令和２年度決算において，13道県７市町が法定外普通税を導入している。

No.2 の解説　日本の租税制度と財政

→問題はP.294　**正答 1**

1 ◎ 外形標準課税制度は，平成15年度税制改正で創設，平成17年から適用。
正しい。平成15年度税制改正において，資本金１億円超の法人を対象として，外形基準を４分の１とする**外形標準課税制度**が創設された。

2 × 2002年，株式売却益に対する課税方式での源泉分離課税は廃止。
株式の売却益に対する課税方式での**源泉分離課税**は2002年に廃止され，2003年から**申告分離課税**に一本化された。

3 × 2006年，障害者等を対象とした少額貯蓄非課税制度に改組された。
老人等を対象とした少額貯蓄非課税制度は2003年から段階的に廃止され，2006年に**障害者等を対象とした少額貯蓄非課税制度**に改組された。

4 × 連結納税制度は，平成14年度税制改正で創設された。
連結納税制度は平成14年度税制改正で創設された。この制度の適用は選択制であり，親会社が直接または間接に100％の株式を保有するすべての子会社（外国法人を除く）が対象である。

5 × 財政法5条は日本銀行の国債引受けを，原則として禁止している。
財政法5条は日本銀行の国債引受けを原則として禁止しているが，特別の事由がある場合には，国会の議決を経た金額の範囲内で日銀による引受けも認めている。

No.3 の解説 日本の租税

→問題はP.294 正答4

1 × **間接税等は国税収入の約４割。**
シャウプ勧告導入後の幾度にもわたる税制改正によって，間接税の割合は次第に増加し，令和５年度予算額（国税）では42.5％を占める。

2 × **事業税は地方税，酒税は国税。**
事業税は地方税であり，酒税は国税である。近年は国税の税収はやや上向き，地方税の税収はほぼ横ばいに推移している。

3 × **水平的公平＝同じ担税能力を持つ人々は同じ税額を負担すべき。**
垂直的公平とは，大きな経済力を持つ人はより多くの税額を負担すべきであるという考え方であり，同じ経済力，担税能力を持つ人々に同じ税額を負担すべきという考え方は**水平的公平**である。なお，相続税は垂直的公平の考え方に基づく税である。

4 ◎ **所得税は所得再分配に資するとされるが，消費税は逆進的とされる。**
正しい。累進課税である所得税では，所得が多いほど負担する税額が大きくなることから，逆進的な性質は持たない。

5 × **租税負担率は，1990年代は低下傾向，2000年以降は上昇傾向となっている。**
日本の**租税負担率**は1990年代は低下傾向，2000年以降は上昇傾向となっており，令和４年度見通しは27.8％となっている。

No.4 の解説 日本の租税

→問題はP.295 正答4

1 × **日本では，直接税が間接税より多い。**
シャウプ勧告導入後の累次の税制改正で**間接税**の割合は次第に増加したが，令和５年度予算額（国税）では42.5％である。また，アメリカ（2015年・国税，93.5：6.5）やイギリス（2017年度・国税，55.6：44.4）も直接税の比重が重く，ドイツ（2017年度・国税，48.6：51.4）は間接税の比重が重い。

2 × **直接税は間接税より，景気変動による税収変動が大きい。**
所得税などを含む**直接税**は，間接税に比べて景気変動による税収変動が大きく，所得が大きいほど税負担額が増加する性質を持つ。また，消費税は，消費一般に対して広く公平に負担を求めるため，多段階累積排除型の課税ベースの広い間接税として構築されている。

3 × **所得税は水平的公平性を確立しにくい。**
税務当局による所得の捕捉が困難な業種があるため，所得税は**水平的公平**性を確立しにくいという欠点を持つ。また，大衆課税とは，所得のある者から広く（水平的）公平に課税することであり，消費税がその例である。

4 ◎ 地価税は1992年に導入されたが，1998年度税制改正から停止（凍結）。
正しい。

5 × 法人税では，累進課税制度は導入されていない。
法人税では，**累進課税制度**は導入されていない。ただし，法人形態および法人規模に応じて税率は異なる。

No.5 の解説　日本の税制

→問題はP.296　**正答4**

1 × 所得税・法人税・消費税の税収は景気次第。
平成17年度の国税総額（租税及び印紙収入）は44兆円であり，所得税13.2兆円が約30%，法人税11.5兆円が約26%，消費税10.2兆円が約23%を占める。令和5年度一般会計当初予算の租税及び印紙収入69.4兆円では，**消費税**23.4兆円，**所得税**21.0兆円，**法人税**14.6兆円の順に大きい。

2 × 所得税は垂直的公平に資する。
所得税の税率は，試験当時は平成11年度改正により10〜37%の4段階であった。平成27年から5〜45%の7段階となっている。

3 × 間接税は多種多様である。
間接税には，**消費税**，**酒税**，**たばこ税**，自動車重量税のほか，揮発油税，石油ガス税，**関税**など多くの税目がある。

4 ◎ 法人形態により課税計算は異なる。
令和4年現在，資本金1億円超の法人の**実効税率**は29.74%となっている。

5 × 証券税制は，所得税の中でも異なる扱い。
株式譲渡益課税に対する税率は，平成15年1月より26%から20%に（ただし，その後の税制改正で平成25年12月31日までは10%）引き下げられた。また，大口を除く配当課税については，平成15年4月より，**総合課税**か税率20%（ただし，平成25年12月31日までは10%）の源泉徴収のいずれかを選択できるようになった。

No.6 の解説　租税

→問題はP.296　**正答3**

1 × シャウプ勧告を受けて，日本の税制は直接税中心となった。
直間比率の定義は正しい。わが国の税制は，第二次世界大戦前は**間接税**に比重が高かったが，戦後**シャウプ勧告**を受け，所得税や法人税の税率が引上げなどを通じて**直接税**中心となった。また，わが国で**消費税**が導入されたのは平成元年である。さらに，平成31年度一般会計当初予算の歳入では，直接税に属する所得税（19兆9,340億円）と法人税（12兆8,580億円）だけでも税収（62兆4,950億円）の52.5%を占めており，直接税の比重が間接税に比重を上回っている。

2 × 垂直的公平は，租税負担能力の大きいものにはより多くの負担を求める。

わが国の**所得税**は個人ごとの所得に対して課税される**個人所得課税**であり，世帯所得に対して課税されるものではない。**累進課税制度**の定義と垂直的公平に資する点は正しいが，同程度の所得を得ている人は同程度の税を負担するという考え方は**水平的公平**であり，**垂直的公平**とは租税の負担能力の大きいものにはより多く負担してもらうという考え方である。

3 ◎ 外国法人でも，日本国内に源泉のある所得に対しては法人税がかかる。
妥当である。

4 × 消費税導入に際して廃止されたのは物品税や入湯税である。
消費税導入で廃止されたのは**物品税**と入湯税といった特定の物品やサービスごとに課税されていた租税であり，**酒税**と**たばこ税**とは異なる。また，**地方消費税**は，消費税率が４％に引き上げられた1997年から導入されていた。

5 × 固定資産税は市町村税である。
地方税は**道府県税**と**市町村税**に二つに分類される。道府県税の主な税目は**道府県民税**，**地方消費税**，**法人事業税**であり，**固定資産税**は市町村税である。また市町村税の主な税目は**市町村民税**と固定資産税である。「三位一体の改革」は市町村による地方債の発行（起債）を禁じておらず，むしろ地方政府主体の地方債の起債制度（**許可制度**から**協議制度**）へ移行する流れを生んだ。

第4章　経済事情

試験別出題傾向と対策

頻出度	試験名	国家総合職					国家一般職					国家専門職（国税専門官）				
	年度	21-23	24-26	27-29	30-2	3-5	21-23	24-26	27-29	30-2	3-5	21-23	24-26	27-29	30-2	3-5
	テーマ＼出題数	6	2	1	1	0	8	3	1	3	1	6	1	2	1	1
C	10 経済史		1		1			2	1	1						1
C	11 世界の通貨・貿易体制	1					1			2		1		1		
B	12 日本の経済事情	4		1			4	1		1	1	3	1			
B	13 世界の経済事情	1	1				2					2				
C	14 経済・経営用語						1							1	1	

本章では，現代までの流れを扱う「経済史」（テーマ10）・「世界の通貨・貿易体制」（テーマ11），近年の経済事情（テーマ12，13）および近年の話題にちなんだ「経済・経営用語」（テーマ14）を取り上げる。テーマ12～14については「新しい」データ・分析に基づく出題が多いので，財務省，外務省，厚生労働省などの公開情報や報告書や各種報道などに要注意である。

すべての試験に共通して，正誤五肢択一式で出題されることが多く，難易度は専門試験より低め，なかには高校教科書レベルの出題もある。本書を用いた学習ではどのような出題がなされるのかと出題のされ方を重視し，受験年度に対応した試験対策本などを有効活用したい。

●国家総合職

従前の試験制度では頻出科目であったが，平成24年度からの試験制度では３年度につき１問程度の出題である。頻出テーマは「経済史」，「日本の経済事情」および「世界の経済事情」であり，オーソドックスなものといえよう。専門択一試験と統合した試験対策を行って学習計画の効率化を図りたい。

●国家一般職

従前の試験制度では高頻出度であったが，平成24年度からの試験制度ではほぼ隔年での出題となっている。こうしたなか，令和元年度には２年連続で出題されたものの，周期的な出題が基本と見られる。頻出テーマは「経済史」と「日本の経済事情」であるが，「世界経済事情」についても一通りは押さえておきたい。

●国家専門職（国税専門官）

平成24年度からの試験制度では出題数が大幅に減っている。この試験制度での

	地方上級（全国型）					地方上級（東京都）					地方上級（特別区）					市役所（C日程）				
	21-23	24-26	27-29	30-2	3-5	21-23	24-26	27-29	30-2	3-5	21-23	24-26	27-29	30-2	3-5	21-23	24-26	27-29	30-2	3-4
	0	1	2	4	3	1	2	2	1	0	2	2	4	4	3	3	1	0	3	2
テーマ10								1					2							
テーマ11							1					1		2						
テーマ12		1	2	1	2		1	1						1		2	1		2	1
テーマ13				2									1			1				1
テーマ14				1	1	1			2		2	1	1	1	3				2	

出題の多くは「世界の通貨・貿易体制」「日本経済事情」「経済・経営用語」からの出題である。他の国家公務員試験制度に比べて平易な印象を受けるものの，専門試験レベルの難易度で出題されることもあるので要注意である。

●地方上級

平成25年度以降集中的に出題されてきたが，令和元年度を除けば例年１問程度出題されている。平成21～23年度のように出題休止期間に入る可能性もあるが，「政治」や「社会」といった他科目まで視野を広げると，経済事情ともなじみ深い用語について出題されているので，一通り学習しておく方が無難だろう。

●東京都・特別区

東京都では，経済系科目で中核をなす科目であったが，27年度辺りから出題頻度が低下し，令和元年度以降では２年度のみ確認できている。出題タイミングとしては満を期しているので，警戒を強めたいところである。24年度以降では「日本経済事情」やそれにちなんだ基礎知識に関する出題が目立つ。

特別区では，経済系科目の中核をなす科目であり，出題テーマは広範囲にわたっている。東京都に比べて「経済史」からの出題ウエートがやや重い傾向が見受けられるので，試験対策では東京都に比べてより広範囲を網羅するようにしたい。

●市役所

平成23年度に９年ぶりに出題されて以降，ややコンスタントに出題され，令和元～４年度に集中的に出題されている。出題の中軸は，日本の経済事情およびそれにちなんだ基礎知識である。出題数と難易度から見ても，試験直前期の短期決戦型対策で挑みたい。

経済史

必修問題

第二次世界大戦以降のわが国の経済に関する記述として最も妥当なのはどれか。

【国家一般職・平成30年度】

1 連合国軍最高司令官総司令部（GHQ）が行った**農地改革**では，自作農を抑制し，地主・小作関係に基づく**寄生地主制**が採られた。一方，労働改革については民主化が期待されていたが，財閥の反対により**労働基準法**を含む**労働三法**の制定は1950年代初めまで行われなかった。

2 経済復興のために**傾斜生産方式**が採用された結果，通貨量の増加によるインフレーションが生じた。GHQは，**シャウプ勧告**に基づき間接税を中心に据える税制改革等を行ったものの，インフレーションは収束せず，朝鮮戦争後もわが国の経済は不況から脱出することができなかった。

3 わが国は，1955年頃から，**神武景気**，**岩戸景気**等の好景気を経験したが，輸入の増加による国際収支の悪化が景気持続の障壁となっており，これは**国際収支の天井**と呼ばれた。また，高度経済成長期の1960年代半ばに，わが国は**経済協力開発機構（OECD）**に加盟した。

4 1973年の**第１次石油危機**は我が国の経済に不況をもたらしたため，翌年には経済成長率が戦後初めてマイナスとなった。また，**第２次石油危機**に際しても省エネルギー技術の開発が進まず，国際競争力で後れを取ったため，貿易赤字が大幅に拡大していった。

5 1980年代末の**バブル景気**の後，1990年代には，政府の地価抑制政策などをきっかけに，長期にわたり資産価格や**消費者物価**の大幅な上昇が見られるとともに，景気の停滞に見舞われた。1990年代の企業は，金融機関からの融資条件の緩和を背景に積極的に人材雇用を行ったため，**失業率**は低下傾向で推移した。

難易度 ＊＊

必修問題の解説

重要語句とその定義，主要な出来事その発生年，主要経済指標の動向などが判断条件であることが多い。

1 × 農地改革では，寄生地主制を解体し，自作農の存立が促された。
農地改革では，地主・小作関係に基づく寄生地主制を解体し，自作農の存立が促された。また，**労働三法**とは**労働基準法**（1947年），**労働組合法**（1945年），**労働関係調整法**（1946年）のことであり，いずれも1940年代に制定された。

2 × ドッジ・ラインで，インフレは収まったが，安定不況になった。
傾斜生産方式の採用により，過剰な資金投入が行われてインフレーションが生じた。インフレーション抑制のためにとられたのは，シャウプ勧告に基づく直接税にすえる税制改革ではなく，財政・金融政策の引締めを図る**ドッジ・ライン**であり，これによりインフレーションは収まったが，安定不況に陥った。さらに，朝鮮戦争の勃発により，いわゆる**朝鮮特需**で日本は好景気を迎えた。

3 ◎ 1964年，日本は経済協力開発機構（OECD）に加盟した。
正しい。

4 × 第2次石油危機で貿易黒字幅は急減したが，1981年には拡大した。
日本の**貿易収支**の黒字幅は，第二次石油危機で急減したが，省エネルギー技術の開発が進んで国際競争力がつき，1981年には拡大した。

5 × 1990年代には，長期にわたり資産価格や消費者物価が大幅下落。
1990年代には，長期にわたり資産価格や消費者物価の大幅な下落が見られた。また，1990年代の企業は，金融機関の貸し渋りや貸し剥がしなどもあって雇用を悪化させ，**失業率**は上昇（1990年2.1％→2000年4.7％）した。

正答 3

FOCUS

第二次世界大戦後の日本経済の景気循環や経済政策の動向などが問われている。経済成長率やインフレ率など主要経済指標の長期的な趨勢（すうせい）を押さえながら，その背景について学習したい。なお，試験によって出題内容のレベルやよく出題される時代が異なるので，効率的に対策を立てよう。

POINT

重要ポイント 1 戦後の復興期

連合国軍総司令部（GHQ）は，軍国主義的経済構造を根絶するために，経済民主化政策を遂行した。その柱が，**財閥解体・農地改革・労働改革**である。

(1) 財閥解体：財閥の株式保有による企業支配形態である持ち株会社（コンツェルン）を禁止するもので，株式保有の分散化が図られた。

(2) 農地改革：地主制を解体し農民の自作農化が図られた。

(3) 労働改革：労働基準法・労働組合法・労働関係調整法の**労働三法**が制定され，労働者の権利保護と労働の民主化が図られた。

重要ポイント 2 復興期の経済政策

終戦直後，日本政府は限られた資源を基幹産業である石炭・鉄鋼業にまず集中して投下し，その後それを他産業に波及させることで経済の復興を図ろうとする**傾斜生産方式**を採用した。この傾斜生産方式を資金的に支えたのが**復興金融金庫**（日本開発銀行の前身。現在は，日本政策投資銀行）である。しかし，復興金融金庫の大量融資やその後の財政赤字がやがてインフレーションを招くことになる。

このインフレーションを収束させるために，GHQは1948年12月に経済安定９原則を日本政府に要請した。そしてこの９原則を実施するためにアメリカ人ドッジが来日し，いわゆるドッジ=ラインという政策を行った。**ドッジ=ライン**は，均衡予算によりインフレを収束させるとともに，**１ドル＝360円の単一為替レート**の設定により日本経済を世界経済に復帰させた。ドッジ=ラインでインフレは収束したが，一方で緊縮財政によりドッジ恐慌と呼ばれる深刻な不況を生じさせた。

その後1950年に勃発した朝鮮戦争は，国連軍による軍需物質の調達による特需を発生させ，1951年６月に景気の山を迎える戦後初めての好景気をもたらした。

重要ポイント 3 高度経済成長期

神武景気　1954年11月～1957年６月
白黒テレビ，電気冷蔵庫，電気洗濯機が三種の神器と呼ばれて消費の牽引役になった。有史（神武）以来の未曾有（みぞう）の好況という意味で，神武景気と呼ばれた。 1955年，鳩山内閣は「経済自立５か年計画」の経済計画を策定，経済の自立と完全雇用をその重要目標とした。 1956年度の『経済白書』では，「もはや戦後ではない」と，経済が戦後の混乱期から完全に立ち直ったことを表現した。

岩戸景気　　1958年６月～1961年12月
「投資が投資を呼ぶ」といわれるほど投資が活況化し，景気を牽引した。 1960年には，池田内閣が「**所得倍増計画**」を策定し，1961年から70年までの10年間で所得水準を倍増するために，毎年7.8%の経済成長率を目標とすることを提唱した。

オリンピック景気　　1962年10月～1964年10月
東京オリンピックの建設投資ブームと好調な輸出による好景気。 オリンピックの開催をピークに，「（昭和）**40年不況**」に陥っていく。金融不況の様相を呈し，日本銀行は証券会社救済のため戦後初めて日銀特融を実施した。

いざなぎ景気　　1965年10月～1970年７月
戦後２番目の長さの好景気。1966～1970年までの実質GNP成長率は約11%の２ケタ成長を続け，GNPはアメリカに次ぐ資本主義国２位の大きさにまで至る。

重要ポイント4 安定成長期

(1) 石油危機（オイルショック）

石油輸出国機構（OPEC）による原油価格の大幅な値上げが1973年と1979年の２度にわたる石油危機（オイルショック）をもたらした。

1973年の第一次石油危機後，日本では**狂乱物価**が生じ，エネルギー資源の不足から生産活動は停滞し深刻な物資不足を招いた。

1974年には戦後初めて経済成長率がマイナスになり，以後安定成長の時代を迎えることになる。

(2) プラザ合意（1985年）

当時のドル高是正のために各国が協調することが合意され，その結果日本では急激な円高が進み，深刻な**円高不況**をもたらした。

またプラザ合意以降の円高は，日本企業の国際競争力を低下させたために，その対策として海外への直接投資（進出）を加速させることになった。さらに円高は輸入の増加をもたらし，日本の貿易収支の黒字は急速に縮小されていった。

実戦問題❶　基本レベル

＊＊
No.1 **わが国における不況・恐慌の歴史に関する次のア～オの記述とこれらに関連する語句との組合せとして妥当なのはどれか。**　【国家専門職・平成14年度】

ア：戦争による海外需要の増加によって好景気を享受し，戦争終了後もなお過大な投資が続いていたが，ヨーロッパ諸国の復興により海外需要が減少し，企業等の倒産が続出していたところへ，大震災への対応のために大量に発行された震災手形の処理が進まないこともあって銀行の信用は失墜した。

イ：この不況は，物価の高騰を伴ういわゆるスタグフレーションで，これにより，日本経済は戦後初めてのマイナス成長に陥った。この不況を克服するため，政府は総需要の抑制政策により，物価を抑える一方，赤字国債の発行に踏み切ることによって景気の浮揚を図った。

ウ：公定歩合の引上げを機に，株価および地価の下落が起こり，かつてない長期の不況に陥った。その要因としては，円高が長期にわたって続いていたこと，過剰な設備投資が行われていたこと，地価の下落によって，金融機関が多額の不良債権を抱えたこと等が挙げられている。

エ：産業の育成や戦費の調達のため，多額の紙幣が発行され，インフレが進んだことから，政府は財政整理に着手し，増税や歳出の削減を行った。この結果，デフレが進み，多数の中小企業が倒産したほか，農産物価格の下落によって，農民の階層分化が促進され，没落した中小商工業者や貧農から賃金労働者になるものが発生した。

オ：アメリカにおける株式暴落の影響で世界大恐慌が始まり，これによって，わが国の国民総生産は20％も減少し，輸出入額も従前のほぼ半分となり，株価が暴落した。その結果，企業の倒産や合理化により，大量の失業者や賃金低下がもたらされることとなった。

	ア	イ	ウ	エ	オ
1	金融恐慌	オイルショック	バブル崩壊	松方財政	昭和恐慌
2	金融恐慌	昭和恐慌	バブル崩壊	朝鮮戦争	オイルショック
3	金融恐慌	朝鮮戦争	オイルショック	昭和恐慌	松方財政
4	昭和恐慌	バブル崩壊	金融恐慌	朝鮮戦争	オイルショック
5	昭和恐慌	バブル崩壊	松方財政	金融恐慌	オイルショック

*

No.2　1950年代半ばから1970年代初めまでの，わが国の高度経済成長の要因に関する記述として，妥当なのはどれか。　【地方上級（特別区）・平成19年度】

1　高度経済成長の要因として，各企業が減量経営と呼ばれる人員削減や，産業用ロボットの導入による工場の自動化，事務処理のOA化などを推進するとともに，合理化や省資源・省エネルギーに努めたことが挙げられる。

2　高度経済成長の要因として，円の変動為替相場制への移行や円高の進行により，原材料を安い価格で豊富に確保できたことや，政府が国内製品と競合する外国製品の輸入制限をせず，国内製品の国際競争力を高めたことが挙げられる。

3　高度経済成長の要因として，欧米の技術を輸入して技術革新が行われたことで，重化学工業から精密な加工や組立を行う軽工業や知識集約型産業へ比重が移るなど，産業構造の高度化が進展したことが挙げられる。

4　高度経済成長の要因として，個人所得の上昇により国内市場が急速に拡大し，企業の生産拡大が進んだことや，政府が金融自由化を進めて企業の資金調達を支援したり，特例公債の発行により財政支出が拡大したことが挙げられる。

5　高度経済成長の要因として，良質で豊富な労働力が主に農村部から都市部や工業地帯に流入したことや，国民の貯蓄率が高く，豊富な資金が金融機関を通じて企業に貸し出され，その活発な設備投資を支えたことが挙げられる。

**

No.3　高度経済成長期から1990年代までのわが国の経済状況に関する記述として最も妥当なのはどれか。　【国家総合職・平成26年度】

1　1955～1970年にかけての高度経済成長期には，年平均で５～７％程度の名目経済成長率が維持された。特に1965年から始まった神武景気は５年を超え，当時では第二次世界大戦後最長の景気拡大となった。高度経済成長が終了した1970年には，我が国はGNP（国民総生産）の規模で米国，西ドイツに次ぐ世界第３位となった。

2　1970年代前半には第４次中東戦争を契機とした第1次石油危機が生じ「狂乱物価」と呼ばれるインフレーションが現出した。また，1974年には景気後退に伴い実質経済成長率が前年比２％まで低下したため，不況と物価上昇が併存するいわゆるスタグネーションの状態となった。このため政府は1975年度補正予算において，第二次世界大戦後初の建設国債を発行した。

3　1970年代末のプラザ合意に基づいて我が国は変動相場制に移行したが，円高・ドル安が進行し，1980年代半ばには経済は円高不況の状態に陥った。このため，政府はいわゆる「前川リポート」をまとめ，経済構造を国際協調型，輸出指向型に大胆に変更する方策を打ち出すとともに，1987年には，日本銀行は公定歩合を当時では史上最低の５％に引き下げた。

4 1980年代後半には，マネーサプライの膨張に伴い卸売物価や消費者物価が急激に上昇するとともに，株価や地価がファンダメンタルズから乖離して異常に上昇する，いわゆるバブル経済の状況を呈した。しかし，1990年代初め，米国で株価が暴落したブラックマンデーを機に，このバブル経済は崩壊を始め，株価や地価は下落に転じた。

5 1990年代初めのバブル崩壊に伴い，多くの企業で保有資産の含み損が生じ，金融機関では融資した企業の債務返済能力が低下して，巨額の不良債権が発生した。その後，住宅金融専門会社，都市銀行や大手証券会社，さらには長期信用銀行の破綻が起こるなど，金融システム不安が深刻化した。

＊＊
No.4 わが国の農業と食料問題に関する記述として，妥当なのはどれか。

【地方上級（特別区）・平成29年度】

1 第二次世界大戦後，農地改革によって多くの自作農が創設されたが，戦前の寄生地主制を復活させないように1952年に農業基本法が制定され，農地の所有，賃貸，売買に厳しい制限が設けられた。

2 高度経済成長期の農業と工業の所得格差を縮小するために，政府は1961年に農地法を制定し，需要の増加が見込まれる農作物の選択的拡大を図り，経営規模の拡大や機械化によって，自立経営農家の育成をめざした。

3 政府は1993年に米の部分開放に合意し，国内消費量の一定割合を最低輸入量（ミニマム・アクセス）として輸入することを受け入れたため，現在も関税化による米の輸入自由化には踏み切っていない。

4 国民生活の安定向上及び国民経済の健全な発展をめざし，食料の安定供給の確保，農業の多面的機能の発揮，農業の持続的な発展，農村の振興を目的とした，食料・農業・農村基本法（新農業基本法）が1999年に制定された。

5 農地の有効利用と食料の安定供給のため，主要食糧の需給及び価格の安定に関する法律（新食糧法）が改正され，株式会社が農地を所有できるようになり，2009年には個人や一般企業でも農地を借用できるようになった。

実戦問題1の解説

No.1 の解説　日本の不況と恐慌　→問題はP.308　正答1

ア：**ヨーロッパ諸国復興後，関東大震災の処理で銀行の信用失墜の金融恐慌。**
「大震災への対応のために大量に発行された震災手形の処理が進まないこともあって銀行の信用は失墜」という文言から，関東大震災（1923年）頃の記述である。当時，大量に発行された債券に対する不安の高まりは，全国的な銀行取付け騒ぎに発展し，**金融恐慌**と呼ばれる状況に陥った。

イ：**スタグフレーションで戦後初めてマイナス成長に陥ったオイルショック。**
「スタグフレーション」と「戦後初めてのマイナス成長」という文言から，オイルショック（石油危機）直後の記述である。なお，戦後初のマイナス成長を記録したのは1974年，戦後初の赤字国債発行は昭和39年度である。

ウ：**株価と地価が下落し，多額の不良債権が問題となったバブル崩壊。**
円高が長期にわたり続いていた中で，株価および地価が下落し，大量の不良債権が発生したことからバブル崩壊に関する記述である。

エ：**財政立直しのための増税や歳出削減で，デフレが進んだ松方財政。**
「産業の育成や戦費調達のため，多額の紙幣が発行」され，歳出削減の実施により「デフレ」に陥ったことから，**松方財政**に関する記述である。

オ：**世界大恐慌と金輸出解禁後に陥った昭和恐慌。**
「**世界大恐慌**」（1929年）から昭和初期の記述であることがわかる。この恐慌と金輸出解禁（1930年）後の日本経済の低迷を**昭和恐慌**と呼ぶ。
よって，**1**が正答である。

No.2 の解説　日本の高度経済成長の要因　→問題はP.309　正答5

1 ×　石油危機後，工場の自動化や事務処理のOA化，省エネなどが進んだ。
石油危機以降の日本経済に関する記述である。

2 ×　為替管理政策を軸に製造業保護政策で国内産業育成に努めた高度成長期。
高度経済成長期には，為替管理を軸とした**製造業保護政策**を実施し，国内産業の育成に努めていた。

3 ×　第１次産業から第２，第３次産業へシフトした高度成長期。
第１次産業の比重が急速に軽くなり，製造業を中心とした第２次産業や第３次産業の比重が増すといった，**産業構造の高度化**が進展した。

4 ×　高度成長期には，証券市場の不十分さを人為的低金利政策で補った。
証券市場が十分に発達していなかったため，政府は**人為的低金利政策**により企業の資金調達を支援した。また，政府は1965年ごろから均衡予算から離れ，建設国債の発行で景気を下支えした。

5 ◎　農村から都市部・工業地帯への人口移動と豊富な貯蓄で高度成長を支える。
正しい。

No.3 の解説　高度経済成長期から1990年代までの日本経済　→問題はP.309　正答５

1 × **高度成長期に日本のGNPは世界第２位になった。**

高度経済成長期の名目経済成長率（対前年比）は10％超（最高は1960年の21.4％）であった。「**神武景気**」は「**いざなぎ景気**」の誤り（**重要ポイント3**を参照）。日本のGNP（国民総生産）の規模は1965年に西ドイツを抜いて世界第二位になった。

2 × **石油危機でマイナス成長を記録した。**

1974年の実質経済成長率（対前年比）はマイナス成長（－1.2％）を記録した。不況と物価上昇が併存する現象は，スタグネーション（景気停滞）とインフレーションを組み合わせて「**スタグフレーション**」と呼ばれる。1975年度補正予算で第二次世界大戦後初めて発行されたのは**赤字国債**（**特例国債**）であり，**建設国債**は当時すでに発行されていた。

3 × **プラザ合意で円高不況に突入した。**

日本の変動相場制への移行は1973年である。1985年の**プラザ合意**を機にした円高・ドル安進行で，日本経済が**円高不況**へ向かうと，「**前川レポート**」は，輸出依存構造から輸入拡大への転換を打ち出した。さらに，公定歩合は2.5％にまで引き下げられた。

4 × **ブラックマンデーを乗り越えた。**

1980年代後半では，マネーサプライは膨張したがインフレーションは生じていない。また，**ブラックマンデー**は1987年10月に発生した。さらに，株価や地価はブラックマンデーを乗り越えて急騰した。

5 ◎ **バブル経済崩壊により不良債権問題に直面した。**

正しい。

No.4 の解説　日本の農業と食料問題

→問題はP.310 **正答4**

1 × **1952年，農地改革による農地制度の維持をうたう農地法が制定された。**
農業基本法ではなく，1952年の農地法制定で統合された農地調整法の改正に関する記述である。農業基本法については，**2**の解説を参照。

2 × **1961年，農業の生産性向上と所得引上げを目標に農業基本法が制定された。**
農地法ではなく，農業基本法に関する記述である。

3 × **1999年，日本は米の関税化を実施した。**
関税化による米の輸入自由化は，1999年から行われている。

4 ◎ **1999年，農業基本法を引き継ぐ新農業基本法が制定された。**
正しい。

5 × **新食糧法は，主要な食料の生産と需給調整，流通ついて定める法律である。**
主要食糧の需給及び価格の安定に関する法律（新食糧法）ではなく，2009年および2016年の農地法改正に関する記述である。

世界の通貨・貿易体制

必修問題

1930年代から1980年代までの国際通貨等の動向に関する記述として最も妥当なのはどれか。

【国家一般職・令和2年度】

1 1930年代には**世界恐慌**の影響による不況への対策として，各国は，輸入品を安く大量に獲得するための激しい為替の切上げ競争を行った。この結果，為替相場も乱高下し世界貿易は不均衡となったため，各国は**金本位制**を導入し為替相場の安定化を図った。

2 第二次世界大戦後の国際経済秩序である**ブレトン=ウッズ体制**の下で，**国際通貨基金（IMF）**などの国際機関の設立と同時期に**変動為替相場制**が導入された。また，同体制を支えるため，金とドルとの交換が停止されるとともに，米国のドルが基軸通貨とされた。

3 1970年代初頭，米国の経済力が他の先進諸国を圧倒し，金準備高も増大していく中，米国は，ベトナム戦争への介入を契機として，金とドルの交換を保証したため，外国為替市場は安定に向かった。

4 1970年代末，外国為替市場では為替投機が活発化したため，**固定為替相場制**を維持することが困難となり，主要各国は**スミソニアン協定**を結び変動為替相場制に移行した。また，為替相場の安定化に伴い，IMF加盟国が担保なしに通貨を引き出せる**特別引出権（SDR）制度**は廃止された。

5 1980年代前半，米国は，国内の金利の上昇に伴いドル高となり，経常収支が赤字となった。このため，1980年代半ばに主要先進国の間で**プラザ合意**が交わされ，ドル高を是正するため各国が協調して為替介入が行われることとなった。

難易度 ＊＊

必修問題の解説

国際通貨体制の歴史に関する出題です。高校の「政治・経済」などで学ぶ内容も多く含まれており，標準的な問題といえるでしょう。

1 × 世界恐慌の影響による不況対策として，為替の切下げ競争が起こった。
世界恐慌の影響による不況対策として，各国は輸出産業を刺激するために為替の切り下げ競争を行った。この結果，**金本位制**は崩壊して，**管理通貨制度**へ移行した。

2 × ブレトン=ウッズ体制では，固定為替相場制が導入された。
第二次世界大戦後の**ブレトン=ウッズ体制**では，**固定為替相場制**が導入された。また，金または金との交換が保証されるドルによって自国通貨の交換比率を保証するものであった。

3 × 1971年，アメリカは金とドルの交換を停止した。
1970年代初め，ヨーロッパ諸国や日本が経済的に台頭し，アメリカはベトナム戦争への介入などで金保有量を減少させた。これらを背景に，アメリカが金とドルの交換を停止させる（**ニクソン・ショック**）と，外国為替市場は不安定になった。

4 × スミソニアン協定は固定相場制の維持を図った。
ニクソン・ショックを受けて合意された**スミソニアン協定**は，金に対してドルを切り下げるなどして固定相場制の維持を図るものであった。また，1970年に**国際通貨基金**（**IMF**）は金・ドルに変わる準備資金として**特別引き出し権**（**SDR**）**制度**を運用開始し，その後この制度は廃止されていない（重要ポイント４を参照）。

5 ◎ プラザ合意により，ドル高是正のための強調的な為替介入が行われた。
正しい（テーマ10　重要ポイント４を参照）。

正答 5

FOCUS

ブレトン=ウッズ体制，GATT，WTOなどの国際経済協力体制をはじめ，APEC，NAFTAなどの地域的経済協力機構の概要や活動内容が問われる。歴史的な内容だけでなく，最新版の『通商白書』等を用いて，最近の動向についても把握しておきたい。

POINT

重要ポイント 1 GATTウルグアイ・ラウンドとWTOドーハ会議

(1) 南米のウルグアイで開催されたGATTウルグアイ・ラウンドで長期交渉の末，マラケシュ宣言が1994年4月に採択された。

ウルグアイ・ラウンドのポイント

①モノ（財）貿易以外にもサービス・知的所有権が交渉の対象になり，農業分野では農産物の原則関税化の合意がなされた。わが国ではこの合意に基づいて1995年からコメの輸入の部分開放（**ミニマムアクセス**）が行われた。

②**世界貿易機関**（WTO）の設立に合意した。

(2) 2001年11月にカタールのドーハで開催されたWTOの閣僚会議で，WTOにおける新たな多角的貿易交渉（新ラウンド交渉）を開始することが決定された。

ドーハ閣僚宣言（第4回閣僚会議）のポイント

①交渉対象は貿易自由化のみならず，ダンピング防止措置などの貿易ルールや貿易と環境など幅広いものになる。

②中国と台湾のWTOへの加盟が承認された。

パリ合意（第9回閣僚会議）のポイント

・貿易円滑化・農業・開発の3分野からなる。

重要ポイント 2 GATTとWTOのポイント

関税および貿易に関する一般協定（GATT）は，自由・多角・無差別の原則の下で世界貿易の拡大を目的として1948年に発足した。発足当時の加盟国は23か国であったが，1994年のウルグアイ・ラウンド終結時には124か国・EUに達した。多角的貿易交渉と呼ばれたラウンドは8回開催されている。

GATTは国際協定の形式をとっていたが，正式な国際機関として1995年にWTOに移行した。

WTO加盟国・地域は，2022年6月現在164である。本部はスイスのジュネーブに置かれており，2001年11月の閣僚会議で新ラウンド交渉の開始が決定された。

	GATT	WTO
法的地位	国際協定	正式な国際機関
対象範囲	モノの貿易	モノ・サービス・知的所有権
紛争解決措置	全会一致の承認が必要 コンセンサス方式	すべての国が反対しない限り実施 ネガティブ・コンセンサス方式
閣僚理事会	必要に応じて開催	最低2年に1回開催

重要ポイント 3 FTA/EPA

FTA（**自由貿易協定**）：特定の国や地域の間で，物品の関税やサービス貿易の障壁等を削減・撤廃することを目的とする協定。

EPA（**経済連携協定**）：貿易の自由化に加え，投資，人の移動，知己財産の保護や競争政策におけるルール作り，さまざまな分野での協力の要素等を含む，幅広い経済関係の強化を目的とする協定。日本は2002年にシンガポールとEPA締結以来，おもにASEAN諸国とのEPA交渉に力を注ぎ，2023年２月現在EPA・FTA等を24の国・地域とで発効・署名している。

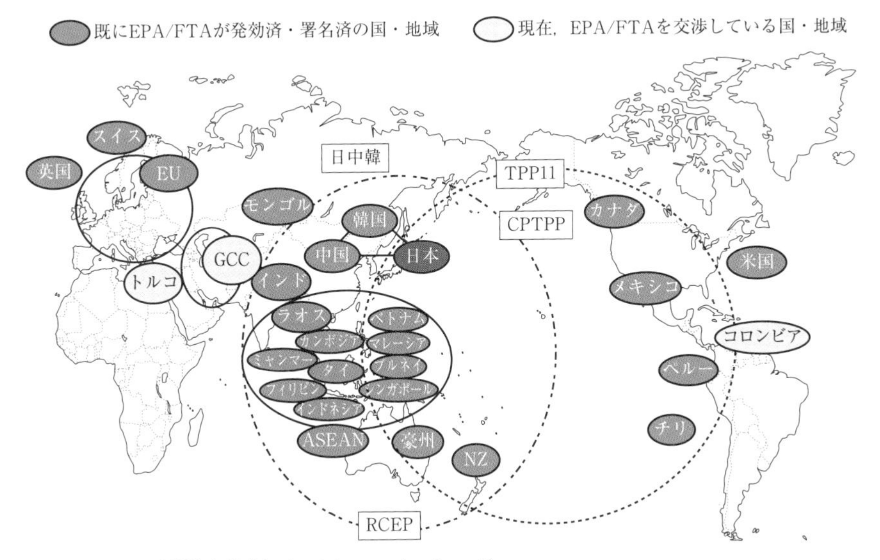

※GCC：湾岸協力理事会（Gulf Cooperation Council）
（アラブ首長国連邦，バーレーン，サウジアラビア，オマーン，カタール，クウェート）

出典：外務省ホームページをもとに作成

EPA/FTAの進展：世界の主要国によって，貿易・投資の拡大のための二国間または地域における地域間協定（RTA）の締結が積極的に行われてきている。1948年から1994年の間にGATTに通報されたRTAの件数は124件だったが，WTO創設以降多くのRTAが通報され，2022年３月現在でGATT/WTOに通報された発行済RTAは577件にのぼる。

WTOとの関係：WTO協定上，EPA/FTAは**最恵国待遇**の例外とされている。WTO協定上の一定の条件を満たせば，締結相手国・地域，対象分野を柔軟かつ機動的に選択でき，WTO協定で定められていない分野等を網羅できることから，WTOを中心とする多角的自由貿易と相互補完的な機能を持つとされている。

重要ポイント 4 IMF体制のポイントとその変容

1944年アメリカのブレトンウッズで開かれた連合国通貨・金融会議で国際貿易の拡大，為替レートの安定，国際収支の不均衡是正を目的とし，短期的資金を融通する**国際通貨基金**（**IMF**）と長期的資金を融通する**国際復興開発銀行**（**IBRD**，**世界銀行**）の設立が決定した。

(1) IMF体制のポイント

・ドルと金との交換比率を基準に，各国通貨価値がそれにリンクされる固定為替制度を採用。

・**SDR**（Special Drawing Right，IMF特別引出し権）

SDRは，IMF加盟国相互間の資金融通制度であり，外貨準備不足をきたした国がIMFの指定する国にSDRを引き渡すことにより被指定国から交換可能な通貨を引き出す権利のことである。

(2) スミソニアン体制

国際収支の赤字に伴う金流出やインフレによるドルの金価値保証ができなくなったとして，1971年8月ニクソン大統領は，金とドルとの交換停止を発表（**ニクソンショック**）。12月にはドルの価値を引き下げる**スミソニアン体制**を発足させた。

スミソニアン体制では固定為替制度は維持されたが，それまでの1ドル＝360円から，**1ドル＝308円にレートが変更**された。

(3) 変動相場制

1973年2月，固定為替制度の維持が困難になり，主要国通貨は変動相場制に移行した。

変動相場制移行後IMFの役割も大きく変化し，特に1978年のIMF協定改正以降は，各国の外国為替市場への介入の監視および政策強調の協議機関としての性格が強まった。

また，IMFの融資制度は主に途上国を対象とするようになり，1994年のメキシコの経済危機，1997年のアジア通貨危機の際にもIMFの融資が行われている。

なお，IMFから融資を受ける場合には，政府はIMFと協議して財政・金融政策の引締めを基本とする経済調整プログラムを策定し，それを受け入れる必要がある。この融資条件のことを**コンディショナリー**と呼ぶ。

日本は1952年にIMFに加盟し，2018年現在IMFへの出資割当額では，アメリカに次いで，第2位となっている。

実戦問題1 基本レベル

＊＊
No.1 貿易に係る国際機関や協定等に関する記述として最も妥当なのはどれか。

【国家専門職・平成27年度】

1 経済協力開発機構（OECD）は，1995年に設立された，開発途上国や先進国にかかわらず，150以上の国と地域が加盟する国際機関であり，加盟している国・地域間で，自由にモノやサービスの貿易ができるようにするためのルールを定めている。

2 世界貿易機関（WTO）は，1961年に設立された，ヨーロッパを中心に我が国を含めた30か国以上の先進国が加盟する国際機関であり，加盟国経済の安定成長，国際貿易の安定的発展，開発途上国への援助促進などを目的としている。

3 アジア太平洋経済協力（APEC）は，1967年に成立した，アジアの11の国・地域間における，貿易と投資の自由化，経済・技術協力等を基本理念とした経済協力の枠組みであり，米国もオブザーバーとして参加している。

4 経済連携協定（EPA）とは，国・地域間での輸出入に係る関税の撤廃・削減，サービス業を行う際の規制の緩和・撤廃等を含んだ，包括的な国際協定であり，2014年末現在，我が国と同協定を締結した国の例として，シンガポール，マレーシアが挙げられる。

5 環太平洋パートナーシップ（TPP）協定は，農林水産物，工業製品などのモノの貿易に特化し，各国の貿易の自由化やルール作りをする国際協定であり，2014年末現在，我が国を含めた環太平洋の30か国以上の国々が交渉に参加している。

＊＊
No.2 国際経済体制の変遷に関する記述として，妥当なのはどれか。

【地方上級（特別区）・令和２年度】

1 ブレトン・ウッズ体制とは，自由貿易を基本とした国際経済秩序をめざして，IMFとIBRD（国際復興開発銀行）が設立され，GATTが結ばれた体制をいい，この体制下では，ドルを基軸通貨とする固定相場制が採用された。

2 1971年，ニクソン大統領がドル危機の深刻化により金とドルの交換を停止したため，外国為替相場は固定相場制を維持できなくなり，1976年にIMFによるスミソニアン合意で，変動相場制への移行が正式に承認された。

3 1985年，先進５か国は，レーガン政権下におけるアメリカの財政赤字と経常収支赤字を縮小するため，Ｇ５を開き，ドル高を是正するために各国が協調して為替介入を行うルーブル合意が交わされた。

4 GATTは，自由，無差別，多角を３原則として自由貿易を推進することを目的としており，ケネディ・ラウンドでは，サービス貿易や知的財産権に関するルール作りを行うことが1993年に合意された。

5 UNCTAD（国際貿易開発会議）は，GATTを引き継ぐ国際機関として設立され，貿易紛争処理においてネガティブ・コンセンサス方式を取り入れるなど，GATTに比べて紛争解決の機能が強化された。

**
No.3 世界の貿易に関する記述として最も妥当なのはどれか。

【国家総合職・平成22年度】

1 世界の貿易額（ドル建て輸出ベース）は2000年以降おおむね5～8％前後の伸びで推移しており，2008年には約1.5兆ドルとなった。近年，中国の躍進がめざましく，2007年には，輸出額は日本を抜いてアメリカ合衆国に次ぐ世界第2位となったが，貿易依存度は日本よりも低い水準である。

2 第二次世界大戦後，国際貿易の拡大を実現するための国際機関としてGATTが設立された。ケネディラウンド，東京ラウンド，ウルグアイラウンドと交渉の回を重ねるにつれて参加国が増え，交渉内容は輸入数量制限から関税の引下げへと拡大し，主な交渉分野は農産品に関するものから工業製品に関するものへと次第に移行した。

3 1990年代，新多角的貿易交渉（ドーハラウンド）が開始されたが，貿易の一層の自由化を求める先進国と保護貿易の継続を求める発展途上国との対立が深まり，交渉は無期限に凍結された。ドーハラウンドの頓挫を受けて，GATTの役割を継承・発展させる形で新たにWTOが設立された。

4 WTO体制の下では，保護貿易から自由貿易へと移行する流れを受け，GATTで認められていたセーフガード（緊急輸入制限措置）を原則として撤廃し，加盟国は相互に最恵国待遇を与え合うなど，貿易の自由化を促進する形で国際貿易のルールが強化されている。

5 WTOでは，全加盟国によって反対されない限り紛争解決手続が進行するネガティブ・コンセンサス方式が採用されるなど，GATTに比べて紛争解決手続に関しては機能の強化が図られているが，多国間の貿易ルールづくりについては難航していることもあり，各国は，二国間や地域間でのFTA締結を進めている。

*
No.4 近年の世界経済に関する次の記述のうち，妥当なものはどれか。

【地方上級・平成20年度】

1 第二次世界大戦後の1945年にITOが設立されたが，ITOは1995年にWTOへと改組された。

2 WTOは貿易にかかわる紛争に関して，具体的な解決手段を持たない。

3 世界全体でFTA/EPAの締結数が増加する中，WTO加盟国数は減少しつつある。

4 1990年代まで日本はFTA/EPAをどの国とも締結してこなかったが，その後，シンガポールやメキシコなどと締結した。

5 世界のFTA/EPAの締結状況を見ると，先進国間での締結が全体の８割を占めており，途上国はほとんど締結していない。

＊＊＊
No.5 **国際金融機関等に関する記述として最も妥当なのはどれか。**

【国家総合職・平成20年度】

1 国際通貨基金（IMF）は，1944年に締結されたスミソニアン協定により設立された国際機関で，2006年末現在の加盟は約50か国である。IMFは，1971年に生じたいわゆるドル危機までは加盟各国の通貨の固定為替相場制を維持させてきたが，各国の通貨が変動為替相場制のもとで決済されるようになってからは，IMFは，発展途上国に対する資金融資のための審査およびその融資に役割が限定されるようになった。

2 国際復興開発銀行（IBRD）は，世界銀行とも呼ばれる国際機関で，IMFとほぼ同時期に設立され，IMFの下部機関として位置づけられている。IBRDは世界経済の戦後復興と発展途上国に対する経済開発支援を主な役割としており，国際連合加盟国が払い込む出資割当金をもとにIMFが直接支援することができない政府保証のない民間企業への融資を行うなど，2007年末現在，世界最大の開発援助機関となっている。

3 先進国財務相・中央銀行総裁会議（G7）は，1970年代に生じたいわゆるオイルショックにより世界経済が不安定化することへの懸念を解消し，改めて国際協調のための枠組みの強化のために主要国首脳会議（サミット）とともに開催されるようになったもので，国際通貨や金融情勢の変動への対応策を協議する場となっている。このG7での合意事項は，参加国に対して拘束力を持っており，2000年以降は１年に１回開催されている。

4 国際決済銀行（BIS）は，第一次世界大戦後に設立され，第二次世界大戦後は主要国中央銀行の国際金融・通貨問題解決のための政策協調機関としての役割などを果たしている。BISには2007年末現在，欧州諸国や米国，日本，オーストラリアなどの中央銀行等が加盟しているが，BISは，国際業務を営む銀行に対して，一定水準以上の自己資本比率の維持を求める国際的な統一基準「BIS規制」においても，その名前を知られている。

5 欧州中央銀行（ECB）は，1958年にローマ条約で欧州経済共同体（EEC）が発足したときに同条約に基づいて設立されたもので，人や商品・サービス・資本の欧州域内での自由移動を可能とするための政策を欧州各国が実施するために必要な資金の貸付けを，欧州連合（EU）加盟諸国および新規加盟予定諸国に対して行っている。

実戦問題1の解説

No.1 の解説　貿易に係る国際機関と協定等　→問題はP.319　正答4

1 × **OECDは1961年に発足した先進国中心の機関。**
ヨーロッパを中心とする先進国が加盟し，加盟国経済の安定成長，国際貿易の安定的発展および開発途上国への援助促進などを目的とした，1961年に発足した機関は**経済協力開発機構**（**OECD**）である。第二次世界大戦後のヨーロッパ復興援助計画「**マーシャル・プラン**」の受入れ機関「ヨーロッパ経済協力機構（OEEC）」を改組した機関で，その下部組織である**開発援助委員会**（**DAC**）はOECD加盟国による発展途上国援助の調整をしている。

2 × **WTOは1995年にGATTから発展的に発足した。**
加盟国間での自由なモノおよびサービスの貿易を促進するために，1995年に発足した機関は**世界貿易機関**（**WTO**）である。第二次世界大戦後，**関税及び貿易に関する一般協定**（**GATT**）が自由貿易をけん引してきたが，同協定の**ウルグアイ・ラウンド**で合意された成果を実施するための国際的な貿易機関として発足した。

3 × **APECはアジア太平洋経済圏の貿易・投資の自由化をめざす枠組み。**
アジア太平洋経済協力（**APEC**）は，1989年にオーストラリアのホーク首相の提唱で設置された，アジア太平洋経済圏の貿易・投資の自由化と，経済・技術協力を進めるための枠組みである。また，アメリカは**APEC**発足当時からの参加国であり，アジア太平洋地域の21の国と地域が参加している。

4 ◎ **EPAは貿易の自由化に加え，さまざまな分野での協力の要素等を含む包括的協定。**
正しい。日本初の**経済連携協定**（**EPA**）は2002年に発効した**日本・シンガポールEPA**であり，2023年２月現在，24の地域・国との間でEPA・**FTA**（**自由貿易協定**）が発効・署名済みとなっている。

5 × **TPP協定はモノの貿易に限らず，幅広い分野での新ルール構築をめざす。**
環太平洋パートナーシップ（**TPP**）協定は，モノの貿易だけでなく，サービスや知的財産等幅広い分野での新しいルールの構築をめざす協定である。また，12か国が交渉に参加し，2015年10月には大筋合意に達した。その後2017年にアメリカが離脱表明し，2018年に11か国でTPP11協定（CPTTP）が署名された。また，2023年には，イギリスのCPTPP加盟が合意された。

No.2 の解説　経済体制の変遷　→問題はP.319　正答1

1 ◎ **ブレトン・ウッズ体制は，自由貿易を基本とした国際経済秩序をめざした。**
正しい。

2 × **1976年キングストン合意で，変動為替相場制への移行が正式に承認された。**
1976年の変動為替相場制への移行を正式に承認したのは，キングストン合意である。ちなみに，スミソニアン協定は1971年に締結されたものであり，固定相場制の維持を図るものであった。

3 × **1985年プラザ合意で，ドル高是正のための協調介入が合意された。**
ルーブル合意ではなく，プラザ合意に関する記述である。ちなみに，ルーブル合意は1987年に合意されたものであり，プラザ合意に始まるドル安に歯止めをかけるものであった。

4 × **ウルグアイ・ラウンドで，サービス貿易や知的財産権への取り組みを決めた。**
ケネディ・ラウンド（1964～67年）ではなく，ウルグアイ・ラウンドでサービス貿易や知的財産権に関するルール作りが合意された。また，この合意文書に署名されたのは1994年である（重要ポイント１を参照）。

5 × **UNCTADは南北問題の対策を検討するための国連機関である。**
UNCTAD（国連貿易開発会議）ではなく，WTO（世界貿易機関）に関する記述である（重要ポイント２を参照）。

No.3 の解説　地域経済統合

→問題はP.320　**正答5**

1 × **中国はGDPと貿易で世界トップクラス。**
2000年以降の世界の貿易額，とりわけ財貿易は2008年９月まで２ケタの伸びを示し，2008年の輸出額は約16.0兆ドル，輸入額は約16.7兆ドルとなった。中国の輸出額は，2007年にアメリカを抜いてドイツに次ぐ世界第２位に，2008年には世界第１位になった。2007年の中国の輸出対名目GDP比41.3％は日本の17.6％より高く，中国は日本に比べて貿易依存傾向が高い。

2 × **貿易問題は工業品から農産物・知的財産へ拡大。**
GATTは国際機関でなく，国際協定の形式をとっていた。また，**GATT体制**の下では，主に鉱工業品分野での関税引下げが進められ，農業が主な課題対象になったのは**ウルグアイラウンド**からである。

3 × **ドーハラウンドは2002年から開始された。**
新多角的貿易交渉（**ドーハラウンド**）は2001年に開始することを決定され，2002年から開始された。当初，2003年９月のメキシコ・カンクン閣僚会議での合意をめざしたが，交渉は決裂した。その後，交渉は**ドーハ開発アジェンダ**枠組みの合意（2004年７月）を経て，2013年にパリ・パッケージが合意された。

4 × **セーフガード措置は現存している。**
WTO体制の下，**セーフガード措置**は**アンチダンピング措置**などと並んで，貿易救済措置として機能している。また，**最恵国待遇**は，**GATT**から始まった多角的貿易体制の原則の一つである。

5 ◎ **WTOとFTA/EPAは相互補完的役割を果たす。**
正しい。2023年２月現在，日本は24か国・地域との間でFTA/EPAを発効・署名し，コロンビアなどとの間で交渉中である。

No.4 の解説 近年の国際貿易事情

→問題はP.320 正答4

1 × 1995年に**WTO（世界貿易機関）**へ発展的に改組されたのは，1948年に発足した**GATT（貿易および関税に関する一般協定）**である。また，**ITO（国際貿易機構）**は，第二次世界大戦中からその設立が試みられたが，交渉は難航し，**ITO**を柱とした貿易体制は実現しなかった。

2 × **WTO協定**の解釈を通じて加盟国間の通商摩擦の解決を図る**WTO（世界貿易機関）**は，問題措置の是正勧告だけでなく，勧告が履行されない場合には対抗措置を発効する手続きも備えている。

3 × **WTO（世界貿易機関）**の加盟国数は，その前身である**GATT（貿易および関税に関する一般協定）**発足時からおおむね増加しており，2022年6月末現在で164か国が加盟している。

4 ◎ 正しい。ちなみに，日本初の**EPA（経済連携協定）**は2002年に発効したシンガポールとのEPAであり，2023年2月現在で24か国・地域との間でEPAが発効・署名済みとなっている。

5 × 世界の**FTA（自由貿易協定）/EPA（経済連携協定）**の締結状況を見ると，発展途上国がかかわるものが全体の9割以上を占めている。

No.5 の解説 国際金融機関等

→問題はP.321 正答4

1 × **ドル危機後，IMFは為替市場介入の監視，政策協調の役割を強める。**

国際通貨基金（IMF）は，**ブレトン=ウッズ協定**により設立された国際機関で，2006年末現在の加盟国数は184か国である（2022年10月現在の加盟国数は190か国）。また，1971年に生じた**ニクソンショック**を契機に，**IMF**は，各国の為替市場への介入の監視および政策協調の協議機関としての性格が強まった。ちなみに，日本は1952年に加盟し，2018年7月現在において，アメリカに次ぐ加盟国中第2位の308億2,050万SDRを出資している（SDR：IMF加盟国が持つ「特別引出権」のこと。出資比率に応じて加盟国に割当てる，いわば仮想通貨であり，ドルなどの外貨と交換できる）。

2 × **IBRDは主として市場で調達した資金をもとにして融資している。**

国際復興開発銀行（IBRD）は，**IMF**の下部機関ではない。また，記述されている役割は設立当初の役割であり，近年の主な役割は，開発途上国の貧困緩和と持続的成長のための支援である。さらに，**IBRD**は主として市場で調達した資金をもとにして，中所得国および信用力のある貧困国に融資などを行っている。ちなみに，日本は1952年から加盟している。また，上述のように**IBRD**が準商業ベースで貸付けを行っているが，提示される条件での借入れが困難な開発途上国に対して，より緩和された条件で融資を行うことを目的とした機関に**国際開発協会（IDA）**がある。

3 × **先進国財務省・中央銀行総裁会議（G7）の合意事項に法的拘束力はない。**

先進国財務相・中央銀行総裁会議（**G7**）は，1986年に，通貨問題を中心に国際経済問題の協議と政策協調を進めるために開催されるようになったもので，そこでの合意事項は拘束力を持たない。また，1970年代に生じた**オイルショック**（**石油危機**）などを契機に，国際協調を進めるために開催されるようになったのは，**主要国首脳会議**（**サミット**）である。

4 ◎ BIS規制は，国際業務を営む銀行に求められる国際的な統一基準。

正しい。

5 × ECBは1998年に設立された機関。

欧州中央銀行（**ECB**）は，欧州中央銀行法に基づいて1998年に設立された機関で，ユーロ圏における物価安定を図り，物価安定を妨げない範囲での**欧州連合**（**EU**）内の経済政策を支援することを目的としている。

日本の経済事情

必修問題

国際経済に関する記述として最も妥当なのはどれか。

【国家一般職・令和３年度】

1 **リカード**は，保護貿易政策を理論的に擁護するために**比較生産費説**を提唱した。この考え方によると，A国とB国がそれぞれ，財１と財２を生産する場合，もしA国が両財共にB国よりも安く生産できるならば，両財共にA国が生産することが効率的となる。

2 一国の一定期間における対外経済取引の収支を示したものが**国際収支**であり，経常収支や金融収支などから成る。また，財貨・サービスの国際取引を示す貿易・サービス収支は**経常収支**に含まれる。

3 貿易収支は，輸出額から輸入額を引いて算定される。近年のわが国の貿易収支を暦年でみると，2010年から2019年まで黒字額が拡大傾向で推移した。一方，わが国の**サービス収支**についても，日本国外への旅行が増加したことに伴い，同期間では黒字が継続した。

4 外国為替市場の仕組みについてみると，例えばわが国の米国に対する貿易黒字が大きくなった場合，米国によるドルでの支払額が大きくなるため，為替市場でドル買い・円売りの圧力が大きくなり，ドル高・円安方向への動きが強くなる。

5 外国為替相場の状況についてみると，2000年代以降，円高・ドル安傾向が強くなっていったが，2010年代初頭の東日本大震災の直後には，未曾有(みぞう)の国難に伴う円売りの動きが強くなり，一時１ドル120円となった。その後，再び円高傾向が強くなり，その傾向は2016年頃まで続いた。

難易度 ＊＊

必修問題の解説

日本の経常収支や為替レートに関する時事的な知識を中軸に，国際経済学に関する基本的な知識について出題されている。

1 × リカードの比較生産費説は自由貿易政策のための理論である。
リカードの**比較生産費説**は自由貿易政策を擁護する理論である。また，同学説では，A国が両財ともにB国より安く生産できても，各国が**比較優位**をもつ財の生産に**特化**し，貿易することが効率的であると主張する。

2 ◎ 貿易・サービス収支は経常収支の一部である。
正しい（重要ポイント２を参照）。

3 × 貿易収支を見ると，2011～2015年は赤字，2016～2019年は黒字。
日本の**貿易収支**を見ると，2011～2015年は赤字であり，2016～2019年は黒字である。また，2011年から2014年まで貿易赤字は拡大，2016年から2019年まで貿易黒字は縮小傾向にあった。

4 × 貿易黒字が大きくなると，自国通貨は外国通貨に対して高くなる。
日本のアメリカに対する貿易黒字が大きくなると，アメリカの日本（企業）に対する支払額が増大し，ドル売り・円買いの圧力が大きくなる。よって，為替レートのドル安・円高への動きが強まる。

5 × 東日本大震災直後，急激に円高ドル安になった。
2002年から2011年までドル安・円高になっていたが，2011年３月の東日本大震災直後における「円」はドルに対して急騰した。その後，為替レートはドル高・円安方向に動いた。

正答 2

FOCUS

試験前年度の経済動向や主要経済指標の長期的動向が出題の中軸だが，試験前年辺りで関心を集めた話題に関する基礎知識が出題されることもある。試験前年度の動向は試験前年版の各種白書，長期的動向は『経済財政白書』や『日本国勢図会』などで効率的に押さえよう。

POINT

重要ポイント 1 主要経済指標の推移

(1) 実質GDP成長率と消費者物価指数の対前年比

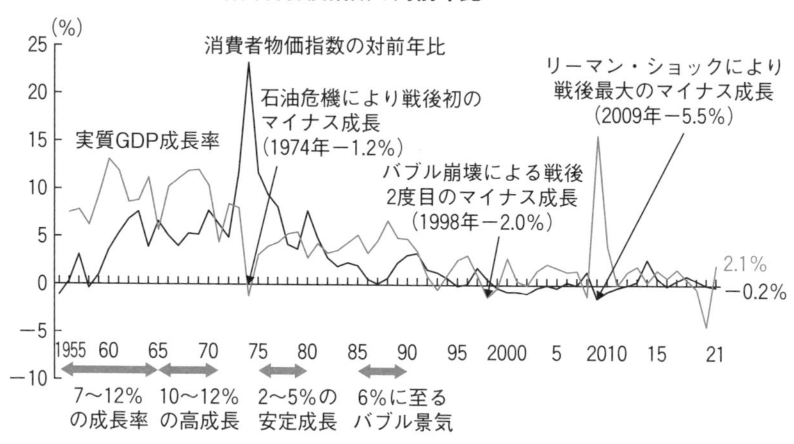

(2) 完全失業率と有効求人倍率

完全失業率：労働力人口に占める完全失業者の割合。

有効求人倍率：職業安定所（ハローワーク）における求人数（有効求人数）を求職数（有効求職数）で割った値。

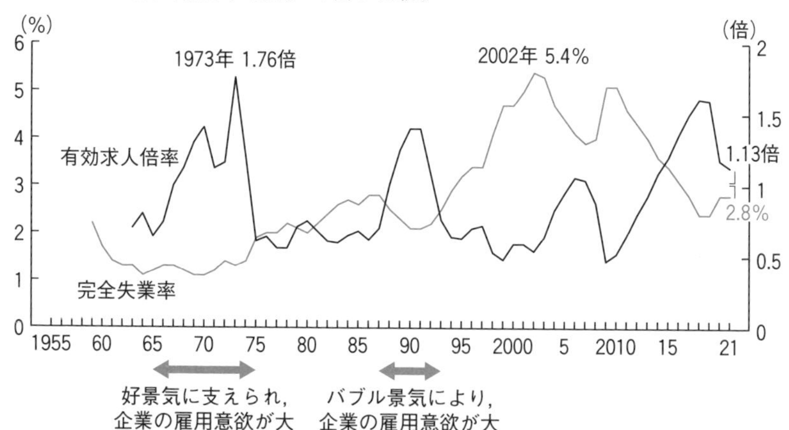

重要ポイント 2 国際収支統計

国際収支統計は，ある国が一定期間内に外国とどういう取引をどれだけ行ったかを示す統計である。

〈2022年の日本の数値（速報値）〉

- 国際収支
  - 経常収支……………………………11兆4,432億円の黒字
    - 貿易収支…………………………15兆7,808億円の赤字
    - サービス収支………………… 5兆6,073億円の赤字
    - 第1次所得収支…………………35兆3,087億円の黒字
    - 第2次所得収支………………… 2兆4,773億円の赤字
  - 資本移転等収支…………………………… 952億円の赤字
  - 金融収支……………………………… 7兆8,625億円の赤字

参考：**貿易収支**＝一般の商品の輸出入額が計上される。

サービス収支＝運輸・保険・特許使用料などの取引が計上される。
海外旅行で使用された金額も計上され，日本人が海外旅行で支払う金額が多くなるほどサービス収支は赤字になる。

第1次所得収支＝非居住者に支払われる報酬（日本にいる外国人の労働者に支払われる賃金）や投資収益（海外から得られる銀行預金の利息や株式の配当）などが計上される。

第2次所得収支＝海外への無償の資金援助，国際機関への拠出金，外国人労働者の本国への送金など対価を伴わない移転が計上される。

金融収支＝直接投資や証券投資（外国の株式の購入）などが計上される。

重要ポイント3 日本の直接投資

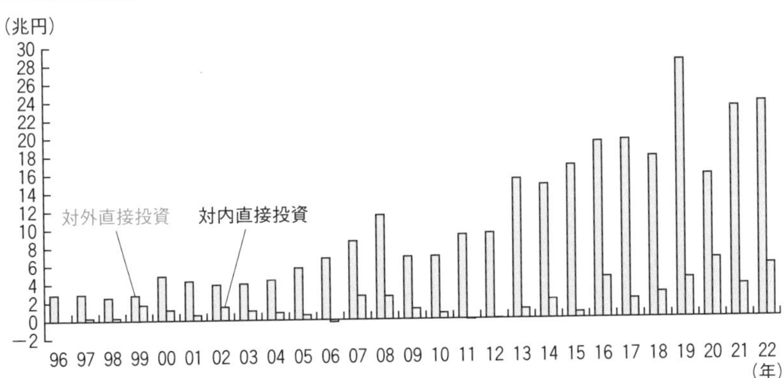

（資料：財務省）

対内直接投資は波があるもののおおむね横ばいである。
対外直接投資はリーマン・ショック（2008年）で一時期減少したが増加傾向にある。

実戦問題❶　基本レベル

*
No.1　経済指標に関する記述として最も妥当なのはどれか。

【国家総合職・平成28年度】

1　国内総生産とは，国民経済の量的な大きさを示す指標であり，一定期間に一国内で新たに生産された付加価値の総計を意味する。国内総生産に，補助金及び海外からの純所得を加え，間接税及び生産で使われ減耗する機械などの減耗分を差し引いたものは，国民所得と呼ばれ，これは，生産，分配，支出の三つの面から捉えることができる。

2　経済成長率とは，国民経済全体における経済活動の拡大の割合を示す指標である。物価の変動を除いた名目的な国内総生産の伸び率を名目経済成長率といい，また，物価の変動や為替レートの変動を含めた実質的な国内総生産の伸び率を実質経済成長率という。実質経済成長率は，理論上，名目経済成長率を上回ることはないとされている。

3　ジニ係数とは，国民間の所得の格差を示す指標であり，一般に，所得が国内全体の上位１パーセント以内となる層を富裕層として着目し，富裕層の所得の合計が，国民総所得に占める割合と定義される。経済成長率が，株などの投資による利益の割合である資本収益率を上回っている状況の下では，富裕層の所得が一層拡大するため，ジニ係数は上昇すると考えられている。

4　景気動向指数とは，景気の現状把握及び将来予測に資するために作成された統合的な指標であり，経済産業省が四半期ごとに公表している。景気動向指数は，景気の動きに対し，先行して動く先行指数と遅れて動く遅行指数の二つから構成されており，例えば，完全失業率の低下により景気が回復し，新規求人数が増加することから，完全失業率は先行指数，新規求人数は遅行指数とされている。

5　物価指数とは，消費者が企業から購入する財やサービスの価格と企業間で取引される財の価格を統合して平均したものの対前年比である。物価指数が持続的に上昇する現象をインフレーションといい，実物資産の名目価値を高め，債務者の負担を軽くする。一方，物価指数が持続的に下落し，ゼロに近づいていく現象をデフレーションといい，インフレーションよりも国民生活に悪い影響を与えていると考えられている。

**
No.2　わが国の2000年以降の経済・財政事情に関する記述として最も妥当なのはどれか。

【国家一般職・令和元年度】

1　わが国では，人口が2005年に戦後初めて減少に転じた。一方で，完全失業率は，2008年のリーマン・ショック後に高度経済成長期以降初めて７％を超えた。また，派遣労働者を含む非正規雇用者の全雇用者に占める割合は一貫して増加しており，2016年には50％を超えた。

2 中小企業基本法によると，中小企業の定義は業種によって異なるが，小売業では，常時使用する従業員の数が50人以下の企業は中小企業に分類される。2014年には，我が国の中小企業は，企業数では全企業の90％以上を，従業員数では全企業の従業員数の50％以上を占めている。

3 国内で一定期間内に新たに生み出された価値の合計額をGDPといい，GNPに市場で取引されない余暇や家事労働などを反映させたものである。また，経済成長率は一般に，GDPの名目成長率で表され，2010年以降におけるGDPの名目成長率は２％台で推移している。

4 わが国では，国民皆保険・国民皆年金が実現しており，2015年度には国民所得に対する租税・社会保障負担の割合は50％を超え，OECD諸国内でも最も高い水準にある。また，我が国の歳出に占める社会保障関係費の割合も年々高まっており，2015年度には50％を超えた。

5 わが国では，財政法により，社会保障費などを賄う特例国債（赤字国債）を除き，原則として国債の発行が禁止されている。我が国の歳入に占める国債発行額の割合は一貫して高まっており，政府長期債務残高は2017年度には対GDP比で３倍を超えた。

＊＊ No.3 消費に関する次の記述のうち，妥当なものはどれか。

【地方上級（全国型）・平成30年度】

1 消費は支出側から見たGDPを構成する要素である。近年の日本では，民間消費，民間投資，政府支出，純輸出のうち，民間消費がGDPに占める割合は２割程度であり，民間投資，政府支出に次ぐ規模となっている。

2 1990年代半ばから2016年までの家計全体の支出の名目額を「非耐久財」「半耐久財」「耐久財」「サービス」に分類してみると，「半耐久財」が一貫して増加傾向にあるのに対して，「サービス」は一貫して減少傾向にある。

3 将来の所得の増加が見込まれたり，保有する資産の価値が上昇したりすると，現在の所得が増加していなくても，現在の消費が増えることがある。

4 所得が少ない人より多い人のほうが，平均消費性向と限界消費性向は大きくなりやすい。

5 一般に，人々は現役時代の所得の一部を貯蓄して退職後の消費に充てるので，人口に占める高齢者の割合が増えると，家計全体における消費支出の割合が低下し，貯蓄の割合が上昇する。

実戦問題❶の解説

No.1 の解説　経済指標

→問題はP.330　正答1

1◎ GDP＋海外からの純所得＋（補助金－間接税）－固定資本減耗＝NI

正しい。前半の記述については，**テーマ4必修問題**の選択肢**1**の解説を参照。後半の記述は**三面等価の原則**と呼ばれるものである。

2× 名目経済成長率＝物価上昇率＋実質経済成長率。

物価の変動を含めた名目的な国内総生産の伸び率を**名目経済成長率**といい，物価の変動を除いた実質的な国内総生産の伸び率を**実質経済成長率**という。また，物価の変動率がマイナスになると，**実質経済成長率**は**名目経済成長率**を上回ることになる。

3× ジニ係数は格差を示す指標の一種である。

ジニ係数は国民間の所得格差に限定するものではなく，均等分配線と**ローレンツ曲線**に囲まれる領域の面積を2倍した値である。また，**経済成長率**が**資本収益率**を下回る状況では，**ジニ係数**が上昇すると考えられている。

4× 景気動向指数は，内閣府が毎月公表する統合的な指標である。

景気動向指数は内閣府によって毎月公表されている。また，景気動向指数は**先行指数**，**遅行指数**および**一致指数**からなる。さらに，解雇は企業にとって最終手段と考えられているので**完全失業率**は**遅行指数**に，景気の先行きを見越して増減すると考えられる**新規求人数（除く学卒）**は**先行指数**に属する。

5× 物価指数は，消費者物価指数や企業物価指数などの総称である。

物価指数とは，消費者が企業から購入する財やサービスの価格の指数，企業間で取引される価格の指数などの総称である。また，**デフレーション**とは，物価指数が持続的に下落する現象ではあるが，「ゼロに近づいていく」現象ではない。さらに，一概に，**デフレーション**が**インフレーション**より国民生活に悪い影響を与えるわけではない。

No.2 の解説　日本の経済状況

→問題はP.330　正答2

1× 1958年以降の日本における完全失業率の最高値は，2002年の5.4%。

日本の人口は2008年をピークにして減少に転じた。また，高度成長期以降において，**完全失業率**は2002年の5.4%が最高である。さらに，非正規雇用者の全雇用者に占める割合は，2014年以降37%台で高止まりしている。

2◎ 中小企業基本法における中小企業の定義は，業種によって異なる。

正しい（**テーマ14**重要ポイント2を参照）。

3× 市場取引されない余暇や労働などはGDPに反映されない。

市場取引されない余暇や家事労働などは**GDP**に反映されておらず，GNP－海外からの純所得＝GDPである。また，経済成長率は一般に**実質成長率**で表される。さらに，2010年以降において名目GDP成長率が2%台以上となったのは，2010年（2.2%），2014年（2.1%）および2015年（3.4%）である。

4 × **2015年度国民負担率は42.6%であり，OECD諸国内でも低い水準。**
2015年度の国民所得に対する租税・社会保障負担の割合（**国民負担率**）は42.6%であり，OECD諸国内でも低い水準である。また，日本の歳出に占める社会保障関係費の割合は年々高まっているが，50%を超えていない。

5 × **財政法は，建設国債を除き，原則として国債の発行を禁じている。**
財政法は，公共事業費，出資金及び貸付金の財源に充てる「**建設国債**」を除き，原則として国債の発行を禁じている。また，2009年度以降の日本の歳入に占める国債発行額の割合（決算）を見ると，2012年度と2016年度を除いて前年度比減となっている。さらに，2017年度の政府長期債務残高は対GDP比で3倍を超えておらず，実績見込みで，**国の長期債務残高**は対GDP比157%，**国と地方の長期債務残高**は対GDP比187%となっている。

No.3 の解説　日本の消費

→問題はP.331　**正答3**

1 × **近年の日本において，民間消費はGDPの5割以上を占める。**
前半の記述は正しい。近年の日本において，**民間消費**は**GDP**の5割以上を占めており，最も大きい。

2 × **「サービス」への支出額は長期にわたり増加傾向にある。**
半耐久財への支出額は，2014年に消費税率引き上げ前の駆け込みとその反動減の影響でやや振れたが，その後横ばいで推移し，2015年夏以降は減少傾向にあった。またサービスへの支出額は，長期にわたり増加した。

3 ◎ **将来の所得増加や保有資産の価値上昇は現在の消費を増やす可能性。**
正しい。

4 × **低所得者ほど，平均消費性向と限界消費性向は大きくなりやすい。**
消費には不可欠なものがあるから，一般に，**平均消費性向**（＝消費÷所得）は低所得者ほど大きくなりやすい。**限界消費性向**とは所得が1増えたときの消費の増加分であるから，一般に，低所得になるほど限界消費性向は大きくなりやすい。

5 × **高齢者の人口割合の上昇は，家計全体でみた貯蓄率を低下させる。**
現役時代の貯蓄を退職後の消費に充てるとき，現役世代は貯蓄者，退職者（高齢者）は貯蓄を取り崩す人である。よって，人口に占める高齢者の割合が上昇すると，貯蓄を取り崩す人の数が相対的に多くなるので，家計全体で見た消費支出の割合は上昇し，貯蓄の割合は低下する。

実戦問題❷ 応用レベル

＊No.4 2020年の日本経済に関するア～オの記述のうち，妥当なもののみをすべて挙げているのはどれか。 【市役所・令和３年度】

ア：実質GDP成長率は前年に比べて低下した。

イ：完全失業率や完全失業者数は増加し，就業者数は減少した。

ウ：株価が急落し，日経平均株価は１万円以下で推移した。

エ：2020年度の国の一般会計予算の規模は当初50兆円台であったが，補正を経て100兆円台となった。

オ：消費者物価指数が５％を上回って上昇したことを受けて，日本銀行は金融引締め政策に転じた。

1 ア，イ
2 ア，ウ
3 イ，エ
4 ウ，オ
5 エ，オ

＊No.5 近年の日本経済に関する次の記述のうち，妥当なものをすべて挙げた組合せはどれか。 【地方上級（全国型）・平成27年度】

ア：アベノミクスによる量的・質的金融緩和で，名目賃金のみならず実質賃金も上昇した結果，消費者の購買意欲も堅調に推移している。

イ：日本銀行が国債を積極的に買い入れた結果，国債の日本銀行保有率が上昇した。特に長期国債の買入れを行ったため，平均国債保有期間が伸長した。

ウ：2014年の国と地方の基礎的財政収支は，黒字となった。

エ：法人実効税率を引き下げた。外形標準課税を廃止したので，赤字企業の負担は軽減された。

オ：2014年は円安により輸出額が増加し，原油価格の下落などもあったが，貿易収支は赤字となった。

1 ア，ウ
2 ア，エ，オ
3 イ，ウ
4 イ，オ
5 ウ，エ，オ

No.6 * 次の図は，2008年下半期および2009年上半期におけるわが国の経済指標A，B，Cについて，2008年６月を100として指数化した値をグラフで表したものであるが，指標の組合せとして最も妥当なのはどれか。

【国家総合職・平成22年度】

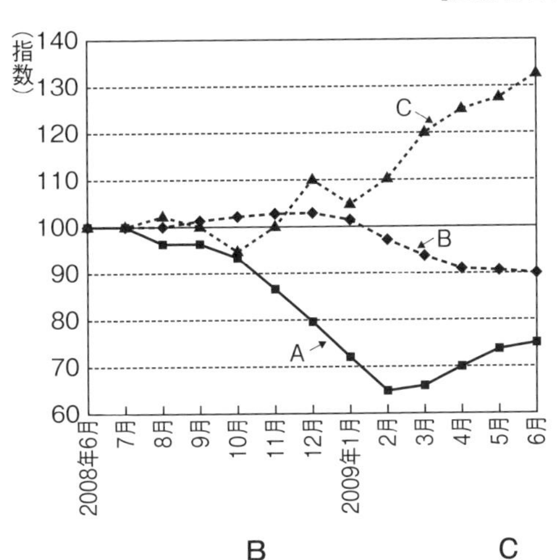

	A	B	C
1	鉱工業指数（生産）	鉱工業指数（在庫）	完全失業率
2	鉱工業指数（在庫）	鉱工業指数（生産）	所定外労働時間
3	鉱工業指数（在庫）	有効求人倍率	所定外労働時間
4	有効求人倍率	鉱工業指数（生産）	完全失業率
5	所定外労働時間	有効求人倍率	完全失業率

実戦問題2の解説

No.4 の解説　2020年の日本経済　→問題はP.334　正答1

ア○　2020年の日本経済はマイナス成長となった。
正しい。ちなみに，2019年はプラス成長であった。

イ○　2020年の日本では，完全失業率が上昇し，就業者数は減少した。
正しい。

ウ×　2020年末，日経平均株価は30年４か月ぶりの高値になった。
日経平均株価は，2020年３月に３年４か月ぶりに１万6,000円台まで下落したが，その後回復して同年12月29日の終値は30年４か月ぶりの高値である２万7,568円となった。

エ×　2020年度の一般会計当初予算は100兆円を超えていた。
2020年度の国の**一般会計当初予算規模**を見ると，臨時・特別の措置を含めると102兆6,580億円，含めずとも100兆8,791億円となっていた。

オ×　2020年の消費者物価指数の上昇率はおおむね０％前後で推移した。
2020年の**消費者物価指数**の上昇率はおおむね０％前後で推移し，日本銀行は金融引締め政策に転じなかった。
よって，**ア**と**イ**が妥当であるので，正答は**1**である。

No.5 の解説　日本経済事情　→問題はP.334　正答4

ア×　１人当たり名目賃金は緩やかに上昇したが，実質賃金は伸び悩んだ。
一般労働者の１人当たり**名目賃金**は緩やかに上昇したが，**実質賃金**は**労働分配率**の低下と交易条件の悪化を背景に伸び悩んだ。また，**個人消費**は2014年１－３月期の**消費税**率引上げに伴う駆込み需要を受けて，同年夏以降は支出抑制傾向が強まり，持直しに足踏みが見られた。

イ○　国債の日本銀行保有率は上昇し，平均国債保有期間は伸張した。
正しい。

ウ×　2014年の国と地方の基礎的財政収支は赤字である。
2014年の国と地方の**基礎的財政収支**は赤字である。

エ×　外形標準課税は廃止されていない。
外形標準課税は廃止されていない。

オ○　2014年の日本の貿易収支は赤字。
正しい。**イ**と**オ**が正しい。よって，正答は**4**である。

No.6 の解説　日本経済の主要経済指標の動向　→問題はP.335　正答1

2008年９月の**リーマンショック**後，最終需要が予想以上のテンポで落ち込んで在庫率（対出荷）が上昇したことから，**鉱工業生産**は記録的に急減した（Aは**鉱工業指数**（生産））。この急減で，在庫水準は緩やかな上昇にとどまり，2009

年１月には減少に転じた（Bは**鉱工業指数（在庫）**）。こうした背景の下，企業部門の雇用過剰感が高まり，2008年に入ってから上昇傾向にあった**完全失業率**はさらに上昇した（Cは**完全失業率**）。ちなみに，この**完全失業率**の上昇の裏側で，所定外労働時間は短縮傾向にあり，**有効求人倍率**は低下し続けている。よって，正答は**1**である。

世界の経済事情

必修問題

近年の世界経済に関する記述として最も妥当なのはどれか。

【国家総合職・平成30年度】

1 日本では，バブル崩壊後の経済低迷が続く中，2001年に小泉内閣が誕生した。小泉内閣は日本経済再生を図るため，自由化・規制緩和・民営化をスローガンに，**小さな政府**を目指し，郵政事業の民営化を始め，社会保険庁の廃止，特殊法人の統廃合，国立大学の法人化などを行い構造改革を進めた。同時期の世界的な好景気にも支えられ，日本経済は平成景気と呼ばれる好景気を迎えた。

2 米国では，2001年に同時多発テロ事件が発生し経済的に大きな打撃を受けたが，情報通信産業などのハイテク産業を中心に企業の業績は回復し，いわゆる**IT革命**を先導しながら安定した経済成長を実現したため，株価は上昇した。こうした状況による歳入の増大を背景に「**双子の赤字**」の一つである財政赤字は解消され，**リーマン・ショック**発生まで，財政は黒字であった。

3 中国は2000年から2015年まで実質GDP成長率が毎年10％以上であり，「**世界の工場**」としての役割を担い貿易黒字を重ねた。また，2010年頃には**名目GDP**で日本を抜き，米国に次ぐ世界第２位の経済大国となった。こうした状況を受け，中国の通貨である人民元の対ドルレートの切下げが行われるとともに，**為替管理制度**が**管理フロート制**から**ドル・ペッグ制**に移行された。

4 **欧州連合**（**EU**）では，英国などの一部の加盟国を除き，域内の共通通貨**ユーロ**が導入され，2002年にユーロ紙幣や硬貨の流通が開始されるなど，ユーロ導入国による**単一通貨市場**が形成されている。2010年前後には，ギリシャの財政危機の深刻化により同国の国債の価格が低落し，それを保有する域内の金融機関が損失を被って，EUの金融不安が高まった。

5 **東南アジア諸国連合**（**ASEAN**）加盟国において，2000年代初頭にインドネシアの通貨であるルピアの暴落をきっかけに，タイ，マレーシア等の国々でも通貨の急落が発生した。この**アジア通貨危機**の影響で加盟国経済は大きな打撃を受けたが，**国際通貨基金**（**IMF**）や**世界銀行**，日本等の金融支援を受けながら，外需に依存した加盟国の景気は輸出の増加により回復し，各国通貨は安定を取り戻した。

難易度 ＊＊

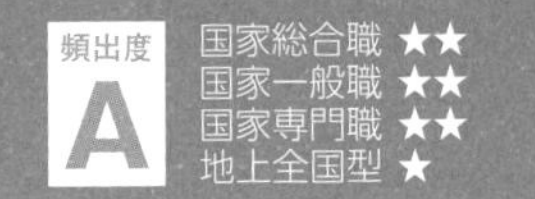

地上東京都 ★
地上特別区 ★
市役所C ★

必修問題の解説

経済史ともいえる内容を多く含んだ知識に関する出題である。学習上の盲点になりやすい時期に関する内容なので要注意である。

1 × **2002～2007年の日本の好景気は「いざなみ景気」とも呼ばれる。**
小泉内閣のスローガンは「聖域なき構造改革」である。また，小泉内閣は2001～2006年であり，社会保険庁の廃止は2010年である。さらに，「**平成景気**」は1986～1991年のいわゆる「**バブル景気**」のことであり，2002～2007年は「**いざなみ景気**」と呼ばれる。

2 × **アメリカのIT革命は1990年代末から2000年代初の出来事である。**
アメリカの**IT革命**は1990年代末から2000年代初の出来事であり，2001年の同時多発テロ事件により終焉した。また，2001年から**リーマン・ショック**発生までの間のアメリカの財政は赤字であった。

3 × **2000～2015年の中国の実質成長率は毎年10%以上になっていない。**
2000年から2015年までの中国の実質GDP成長率は，毎年10%以上を記録していない。また，中国は，2005年に**ドル・ペッグ制**から**管理フロート制**へ移行後，2008年の**リーマン・ショック**を受けて元売り介入すると実質的に固定為替相場制へ移行，2010年に再び管理フロート制へ移行した。

4 ◎ **ギリシャの財政危機の深刻化を受けて，EUの金融不安が高まった。**
正しい。ちなみに，ギリシャはこの財政危機によりECB（欧州中央銀行）やIMFからの支援を受けた。

5 × **アジア通貨危機は，1997年のタイ通貨バーツ暴落を契機に発生した。**
アジア通貨危機は，1997年のタイの通貨バーツが暴落したことをきっかけにして，インドネシアの通貨ルピアの暴落などへ波及して生じた危機のことである。

正答 4

FOCUS

試験前年度の経済動向が出題される場合と，主要経済指標の動向が出題される場合がある。前者の対策としては各種白書で取り上げられている分析などを中心に，後者の対策としては最新版の『通商白書』『世界経済の潮流』『世界の統計』などを用いて効率的な対策をしておきたい。

POINT

重要ポイント 1 各国・地域の経済事情

(1) アメリカ

①新型コロナウイルスの感染拡大を受けて，大規模な財政措置による需要喚起や，失業保険への加算給付や給与保護プログラムといった経済回復を重視した対策をとり，中国に次いでコロナショックによる景気低迷を脱し，急速な経済回復を見せてきた。2021年の**実質GDP成長率**（季節調整済）は，通年で5.7%のプラス成長となり，37年ぶりの高い成長率を記録した。

②2021年の輸出額と輸入額はともに前年より増加したものの，**貿易赤字**は拡大した。2021年のアメリカの財貿易赤字額の内訳を見ると，中国が約3,500億ドルで最も大きく，日本は5番目に大きい約600億ドルとなっている。消費者物価指数はEUや日本に比べて大きく上昇しており，**消費者物価指数**（CPI）の前月比の動向を見ると2020年5月以降上昇を続けている。

(2) ヨーロッパ

①新型コロナウイルス感染拡大の影響から，多くの国で行動制限が長期にわたって実施されてきたが，2021年春以降行動制限が段階的に緩和され，ユーロ圏経済は2021年第2四半期にはプラス成長へと回復した。この結果2021年通年のユーロ圏**実質GDP成長率**は前年比5.3%となったが，前年のユーロスタットの統計開始以来最大の落ち込み幅を挽回するまでには至っていない。こうしたなか，2022年2月のロシアによるウクライナ侵略を背景に，幅広い品目の価格が大幅に上昇し，急激なインフレが家計を圧迫している。

②2008年の世界金融危機後，欧州経済は緩やかに回復したものの，その後の欧州債務危機の顕在化で，景気は急激に悪化した。財政健全化に向けた各国の財政引締め政策等の結果，停滞状態が長期化した。コロナショックでは，世界金融危機後よりGDPの落ち込み幅がより大きかったが，危機前の水準までの回復に要した期間は，コロナショック後が世界金融危機後に比べ短くなっている。

(3) アジア

①中国は，2020年に主要国で唯一プラスの経済成長を達成し，2021年の**実質GDP成長率**は8.1%となった。この成長率は政府目標の「6%以上」を達成している。2021年の消費者物価は，雇用や所得の緩やかな回復を背景に+0.9%と12年ぶりの低い伸びにとどまり，政府目標の「3%前後」を大きく下回った。一方，生産者物価は国際資源価格の高騰を受けて，+8.1%と26年ぶりの高水準となった。

②中国の貿易は，2021年に，輸出が29.9%増，輸入が30.0%増と大幅に拡大した。金額ベースでは輸出，輸入，貿易黒字とも過去最高を記録し，貿易総額は初めて6兆ドルを超えた。

③新型コロナウイルス感染拡大の影響により2020年のインド，インドネシア，タイ，マレーシア，フィリピン，シンガポール，ベトナムの経済は大きく下押しされ，ベトナム以外はマイナス成長となった。2021年はその反動でプラス成長となっている。

重要ポイント2 世界同時金融危機

リーマン・ショック：アメリカの住宅バブル崩壊に伴い，2008年にアメリカの大手投資銀行リーマン・ブラザーズが経営破たんした。この経営破たんを受けて，国際金融資本市場の混乱は世界的な金融危機へ発展した。

欧州債務危機（ギリシャ財政危機）：財政赤字・債務残高の増大により国債金利の上昇（国債価格の下落）が発生するなかで，財政問題発の金融危機が同時に発生した。この危機に対して，財政危機にある当該国のみでは対応できないリスクが顕在化したため，**国際通貨基金**（**IMF**）・**欧州連合**（**EU**）・**欧州中央銀行**（**ECB**）の協調による支援が実施された。

重要ポイント3 地域的経済圏

USMCA（米国・メキシコ・カナダ協定）2020年設立
アメリカ，カナダ，メキシコ間で発効した，NAFTA（北米自由貿易協定）を前身とする貿易協定。

APEC（アジア太平洋経済協力会議）1989年設立
日本，アメリカ，オーストラリア，中国，ASEAN，ロシアなどが参加しているアジア太平洋地域の協議システム。 閉鎖的な経済圏を創設するのではなく「開かれた地域経済」の理念の下にWTOとも連携しながら，自由貿易の促進を図ることを目的としている。

ASEAN（東南アジア諸国連合）1967年設立
シンガポール，インドネシア，タイ，フィリピン，マレーシア，ブルネイ，ベトナム，ミャンマー，ラオス，カンボジアからなる東南アジアの地域的協力機構。

MERCOSUR（メルコスール）1995年設立
ブラジル，アルゼンチン，ウルグアイ，パラグアイで発足した南米南部共同市場域内で関税撤廃と非関税障壁の除去による自由貿易化を図ることで共同の市場を創設し，各国が自国の経済力をつけてから，アメリカ・EUと経済的な協力体制を強化することを目的としている。なお，2006年にベネズエラが正式加盟した。

実戦問題❶ 基本レベル

＊＊
No.1 アジアインフラ投資銀行（AIIB）に関する記述として，妥当なのはどれか。
【地方上級（特別区）・平成28年度】

1 AIIBは，中国の習近平国家主席が設立を提唱し，2013年3月に南アフリカで開催されたBRICS首脳会議で設立が基本合意された。

2 AIIBの創設メンバー国には，イギリス，ドイツ，フランスを含む57か国が加わったが，日本とアメリカは創設メンバー国に加わらなかった。

3 AIIBの当初の資本金は5百億ドルで，創設メンバー国が均等出資し，将来は資本金を1千億ドルに拡大する方針である。

4 AIIBの初代総裁には，インドの民間銀行元会長であるK.V.カマート氏が就任したが，その後は各国が順番で選出することとした。

5 AIIBの本部は中国の北京に設置し，開業当初から業務を監督する理事を常駐させることとした。

＊
No.2 サブプライム住宅ローン問題に対する各国の対応の説明として正しいものはどれか。
【市役所・平成21年度】

1 アメリカでは，連邦公開市場委員会が連邦準備制度理事会の決定に従い，政策金利（FFレート）の大幅な利上げを実施している。

2 日本では，日本銀行がいわゆる不良債権問題の経験を教訓にして，サブプライム住宅ローン問題発生直後からマネーサプライを拡大した。

3 中国は，経済成長率が10％を下回ったことを受けて，2007年9月に従来の方針を変えて金融緩和政策をとった。

4 イギリスはサブプライム住宅ローン問題の影響をあまり受けなかったことから，政策金利を2007年12月以降も維持し続けた。

5 インフレ懸念の緩和や金融危機による景気の急速な悪化等を受けて，ヨーロッパ中央銀行は，2008年10月以降3か月連続で政策金利を引き下げた。

＊＊
No.3 近年の世界における経済危機に関する記述として最も妥当なのはどれか。

【国家専門職・平成23年度】

1 アメリカ合衆国では，2007年夏，エネルギー価格高騰に伴う内需の落ち込みから株価が急激に下落し，大手投資銀行のリーマン・ブラザーズが破綻したことから，同行の住宅ローン商品が焦げ付き，2008年9月に「リーマンショック」といわれるサブプライムローン問題が発生した。

2 2009年11月に起きた「ドバイショック」により，エネルギー関連株を中心に中東諸国の株式相場は急落したが，我が国の経済支援によりドバイ政府の財政は持ち直した。このことから，商業の中心都市としてのドバイへの不動産投資ブームが起き，我が国のゼネコン各社の株は大幅に上昇した。

3 インドでは2000年～2008年の年平均実質経済成長率が約7％であったが，2008年夏以降の原油価格急落や世界金融危機の影響を受け，株価や通貨が大幅に下落したことから，インド経済は景気後退に陥り，2009年の実質経済成長率は1998年以来のマイナスとなった。

4 2009年～2010年に起きたギリシャ財政危機においては，ユーロ圏に占める同国のGDPの割合が約12％と高く，財政破綻した際にユーロ圏内に与える影響の大きさが危惧されたため，ポルトガルやイタリアなどの財政に比較的余裕のあるPIIGS諸国と呼ばれる国々が主導してギリシャ支援を行った。

5 アイルランドやスペインでは，世界金融危機以前の財政状況は比較的良好であったが，住宅バブル崩壊によって深刻な景気後退に陥り，景気刺激策や税収減による財政赤字が2008年から急速に拡大した。2010年，欧州連合（EU）は，アイルランド政府からの要請を受けて，同国への金融支援を決定した。

実戦問題❶の解説

No.1 の解説 AIIB

→問題はP.342 正答2

1× BRICSが運営する国際開発金融機関は新開発銀行。

記述内容の後半部分は，インドが創設を提唱した**新開発銀行**（NDB，通称：**BRICS銀行**）に関するものである。ちなみに，中国が提唱した**アジアインフラ投資銀行**（AIIB）は，2014年に設立が基本合意され，2015年に発足，2016年に開業した。

2◎ 日本はAIIBに参加していない。

正しい。日本とアメリカは，組織運営の不透明性や中国の影響力が強まることへの警戒などから，**アジアインフラ投資銀行**（AIIB）の創設メンバー国には加わらなかった。

3× AIIBの資本金＝不均等出資，BRICS銀行の資本金＝均等出資

記述内容は**新開発銀行**（**BRICS銀行**）に関するものである。アジアインフラ投資銀行の出資比率については，75％程度をアジア域内，残りを他の地域に割り当て，原則として経済規模に応じて出資比率を決めることになっている。

4× AIIBの初代総裁は中国の金林群（元アジア開発銀行副総裁）。

記述内容は**新開発銀行**（**BRICS銀行**）に関するものである。また，**アジアインフラ投資銀行**（AIIB）総裁職について輪番制がとられているという事実はない。

5× AIIBの業務を監督する理事は本部（北京）に常駐しない。

アジアインフラ投資銀行（AIIB）の業務を監督する理事は本部（北京）に常駐しない。そのため，総裁と本部は自らの裁量で融資先などを決定し，事後的に理事からの評価を受けることになっている。

No.2 の解説 サブプライム住宅ローン問題

→問題はP.342 正答5

1× 連邦準備制度理事会が，連邦公開市場委員会の決定に従った。

アメリカでは，**連邦準備制度理事会**が連邦公開市場委員会の決定に従い，政策金利（**FF金利**）の大幅な利下げを実施した。

2× 日本は，2008年10月末と12月に利下げなどの措置をとった。

日本は，2008年10月においても利下げを実施しなかったが，その後10月末と12月に政策金利の引き下げなどさまざまな措置をとった。

3× 中国は，2008年前半までは金融引締めのスタンスをとっていた。

中国は，経済の加熱防止とインフレ抑制を方針として，2008年前半までは金融引締めのスタンスをとっていた。

4× イギリスは，早い段階から，サブプライム住宅ローン問題の影響を受けた。

イギリスは，2007年９月のノーザンロック銀行における取付け騒ぎなど，早い段階からアメリカの**サブプライム住宅ローン問題**の影響を受け，**イングラ**

ンド銀行は，政策金利の引き下げにより景気減速に対応する姿勢を見せた。

5◎ ヨーロッパ中央銀行は，政策金利を累次にわたり引き下げた。
正しい。**ヨーロッパ中央銀行**（ECB）は，政策金利を2008年10月，11月，12月と累次にわたり引き下げた。

No.3 の解説 近年の経済危機

→問題はP.343 正答5

1× サブプライム住宅ローン問題からリーマン・ショックへ発展。
アメリカでは，2007年夏以降，**サブプライム住宅ローン問題**を契機にして起きた住宅金融市場の混乱が金融市場全体の混乱へと広がり，大手投資銀行リーマン・ブラザーズが破綻したことから，2008年９月に**リーマン・ショック**と呼ばれる**世界金融危機**が発生した。

2× 2009年11月のドバイ・ショックにより，日本でも株価が大幅に下落。
2009年11月の**ドバイショック**により，銀行株を中心にヨーロッパ諸国の株式相場が急落，日本でも大手ゼネコン株を中心に株価が大幅下落した。

3× インド経済は世界金融恐慌で一段と減速したが，2009年以降回復に転じた。
インド経済は，物価上昇率の高まりなどを背景に金融政策を引き締めていたこともあり，2008年に入ってから**実質経済成長率**は減速基調にあったが，世界金融危機の影響を受けて成長率は一段と減速した。しかし，2009年以降回復基調に転じ，2009年度の**実質経済成長率**は7.5％となった。

4× ギリシャ財政危機に際し，ECBやIMF等はギリシャ支援に合意。
2009～2010年に起きた**ギリシャ財政危機**においては，ギリシャ政府の支援要請を踏まえて，2010年５月，ユーロ圏参加国，**欧州中央銀行（ECB）**および**国際通貨基金（IMF）**はギリシャの財政再建を条件に３年間で1,100億ユーロのギリシャ支援に合意した。

5◎ PIIGS諸国とは，ユーロ圏で財政状態が特に悪化したとされる5か国。
正しい。ちなみに，アイルランドとスペインは，ポルトガル，イタリアおよびギリシャと並んでユーロ圏で財政状態が特に悪化しているとされており，これら５か国を総称して**PIIGS諸国**という。

経済・経営用語

必修問題

株式会社の仕組みに関する記述として，妥当なのはどれか。

【地方上級（特別区）・令和２年度】

1 株式会社が倒産した際には株式の価値はなくなるが，株主は自身が出資した資金を失う以上の責任を負うことはないことを，**無限責任制度**という。

2 会社の最高意思決定機関である株主総会において，株主１人につき１票の議決権を持っている。

3 会社が大規模になり，会社の意思決定を左右できるほど株式を所有していないが，専門的知識を有する人が会社経営にあたることを，**所有と経営の分離**という。

4 **ストックオプション**とは，株主などが企業経営に関してチェック機能を果たすことをいう。

5 現代の日本における株式会社の経営は，株主の利益の最大化よりも**ステークホルダー**の利益を優先するよう**会社法**で義務付けられている。

難易度 ＊

必修問題の解説

頻出の株式会社に関する知識問題である，出題内容は高校の「政治・経済」の教科書にも登場するレベルであり，正答したい問題である。経済原論や財政学などの試験前年あたりで関心を集めたテーマの用語も要注意である。

1 × 責任が出資した資金の範囲に限られるのは，有限責任制度である。
無限責任制度ではなく，**有限責任制度**という。

2 × 株主総会での議決権（票数）は株式の保有数で決まる。
株主総会において株主は，保有している株式１株（単元株制度を採用している株式会社の場合は１単元）につき１票の議決権を持つ。

3 ◎ 株式会社では，保有者と経営者が分離されている。
正しい。

4 × ストックオプションは，株式会社の経営者や従業員の権利である，
ストックオプションとは，株式会社の経営者や従業員が自社株を一定の公私価格で購入できる権利のことである。

5 × 会社法は，ステークホルダーの利益優先を義務付けていない。
会社法は，**ステークホルダー**の利益を株主の利益の最大化より優先するようには義務付けていない。

正答 3

FOCUS

経済・経営用語については，教科書に頻出の基本的な専門用語から各種報道で頻出の用語まで幅広く出題される。大学受験用の「政治・経済」用語集や各種時事対策本などを用いて，効率的に語彙（い）数を増やしたい。

POINT

重要ポイント 1 企業の形態の種類とその特徴

企業形態（1）

私企業	一般の民間人が出資し，経営する企業。個人企業（自営業）と法人企業（法律により，権利，義務の主体として認められた企業）がある。
公企業	国や地方公共団体が所有し，経営する企業。国営企業，地方公営企業および公庫がある。
公私混同企業（公私混合企業）	公的資金と民間資金によって設立された企業。

企業形態（2）

カルテル	企業連合	同一産業内の企業が価格や販売地域などに関し協定を結ぶことで，競争の制限や市場の支配を目的とする共同行為。
トラスト	企業合同	同一産業内の企業が合併して新たな企業を組織する形態。
コンツェルン	持ち株会社	持ち株会社による株式支配により異なった産業にわたって企業を支配する形態。戦前の財閥がその例である。

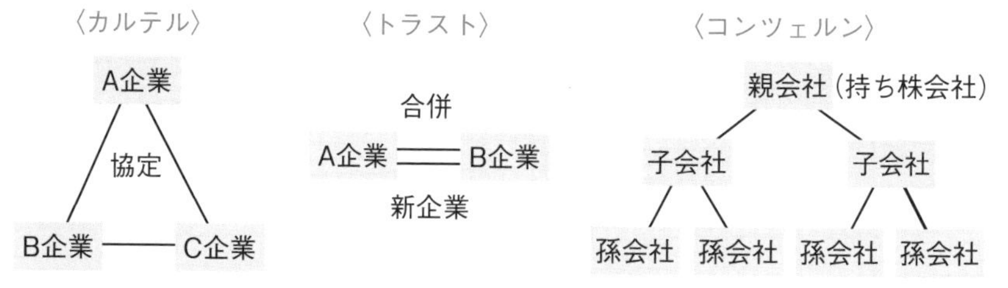

企業形態（3）

コングロマリット（複合企業）	業種の異なる会社の合併・買収（M&A）による多角化の結果成立した，複数の行にまたがる企業形態。
多国籍企業	複数の国家にまたがって，製品・市場・工場・研究開発部門などを持ち，世界的な視野で意思決定を行う企業。
ベンチャー企業	既存の企業がまだやっていない未開発分野に着手することで成立していこうとする，開拓型新興小規模企業。

重要ポイント 2 法律による企業の分類

会社法

会社法では，会社を４つの類型に分類している。この分類のうち，合名会社，合資会社および合同会社は総称して持分会社と呼ばれる。

	株式会社	持分会社		
		合同会社	合資会社	合名会社
出資者（株主・社員）の責任	有限責任	有限責任	無限責任を負う者と有限責任を負う者の双方がいる。	無限責任
資本金	１円以上	１円以上	規定なし	規定なし

中小企業

中小企業基本法は，業種ごとに中小企業を定義している。

業種	①と②のいずれかを満たせば，「中小企業」である。	
	①資本金の額又は出資の総額	②常時使用する従業員の数
製造業，建設業，運輸業，その他の業種（卸売業，サービス業，小売業を除く）	3億円以下	300人以下
卸売業	1億円以下	100人以下
サービス業	5,000万円以下	100人以下
小売業	5,000万円以下	50人以下

重要ポイント3 NISA制度の抜本的拡充・恒久化

令和6年以降，従来の「つみたてNISA」と「一般NISA」が「積立投資枠」と「成長投資枠」となり，併用可能になるなど変更される予定である。

	つみたて投資枠 （併用可）	成長投資枠
年間の投資上限額	120万円	240万円
非課税保有期間	制限なし（無期限化）	同左
非課税保有限度額（総枠）	1,800万円 ※簿価残高方式で管理（枠の再利用が可能）	1,200万円（内数）
口座開設可能期間	制限なし（恒久化）	同左
投資対象商品	積立・分散投資に適した一定の公募等株式投資信託（商品性について内閣総理大臣が告示で定める要件を満たしたものに限る）	上場株式・公募株式投資信託等［※安定的な資産形成につながる投資商品に絞り込む観点から，高レバレッジ投資信託などを対象から除外］
投資方法	契約に基づき，定期かつ継続的な方法で投資	制限なし
現行制度との関係	令和5年末までに現行の一般NISA及びつみたてNISA制度において投資した商品は，新しい制度の外枠で，現行制度における非課税措置を適用	

重要ポイント4 Society 5.0

「Society 5.0」とは，内閣府（第5期科学技術基本計画：2016〜2020年）において，日本が目指すべき未来社会と提唱されたものである。この提唱された未来社会は狩猟社会（Society 1.0），農耕社会（Society 2.0），工業社会（Society 3.0），情報社会（Society 4.0）に続くものと位置づけられており，その実現に向けて，AI，IoT，ロボット，ビッグデータなどの技術を産業や社会に取り入れるさまざまな取り組みがなされている。

実戦問題❶　基本レベル

*
No.1　市場経済に関する記述として最も妥当なのはどれか。

【国家専門職・平成30年度】

1　経済を構成する経済主体は，主として家計，企業，地方自治体から成っており，地方自治体は，家計や企業から租税を徴収し，公共財を供与する。地方自治体の税収が増加することで，家計や企業に供与される公共財水準が高まることを資産効果と呼ぶ。

2　経済の状態は，一定期間における取引の大きさであるフローと，ある時点での経済的な蓄積の水準であるストックの二つの側面から把握される。ストックの指標の一つである国内総生産（GDP）は，生産，消費，支出の三つの側面から捉えることができる。

3　市場は，価格機構を通じて効率的な経済環境を達成するが，価格機構が全く機能せずに市場が効率的に機能しない場合を市場の失敗と呼ぶ。このうち，外部性は外部経済と外部不経済に分けられるが，公害は外部経済の一つである。

4　寡占市場では，影響力の強いプライス・リーダーが設定した価格に他企業が従っているような価格を管理価格といい，価格の下方硬直性が見られることがある。また，製品の品質・デザイン，広告・宣伝などを競う非価格競争が行われる傾向があるとされる。

5　企業は，公企業と私企業に大別される。私企業について，我が国の会社法では株式会社，合同会社，合資会社，合弁会社の４種類がある。株式会社が負債を抱えて倒産した場合，その負債が出資額以上であっても，株主はその負債を全額弁済しなければならない。

*
No.2　企業の形態に関する記述として，妥当なのはどれか。

【地方上級（特別区）・平成16年度】

1　新たに成長が期待される産業への進出などを目的に，異種産業の企業を吸収または合併し，経営の多角化を進める巨大企業をコンツェルンという。

2　大企業が株式の保有や役員の派遣を通じて，複数の産業部門にまたがって，他の多くの企業を支配する形態をカルテルという。

3　多数の国々に支店，子会社または関連会社を持ち，生産や販売などを行う国際的な大企業をM&Aという。

4　同一産業の複数の企業が独立性を捨てて結合し，大企業になり，市場の独占的な支配をめざす形態をトラストという。

5　同一産業の独立した各企業が，販売価格や生産量，販売経路などについて協定を結び，高い利潤の確保をめざす形態をコングロマリットという。

No.3* **株式会社に関する次の記述のうち，妥当なものはどれか。**

【市役所・平成30年度】

1 株式を取得した者は株主になるが，株主になるためには制限があり，法人が株主になることはできない。

2 株式会社の利益は税金や配当に当てられるとともに内部留保され，設備の投資などに充てられる。

3 株式会社の安定さを表す指標として自己資本比率があり，この比率は銀行から資金を借りることで高まる。

4 日本経済の指標として日経平均株価があるが，これは地方の証券取引所を含めたすべての上場企業の株価である。

5 近年，コーポレートガバナンスの強化が強くいわれるようになったことから，社外取締役を置くことは禁止されている。

No.4* **わが国の消費者問題に関する記述として，妥当なのはどれか。**

【地方上級（特別区）・令和元年度】

1 消費者基本法は，消費者保護基本法を改正して施行された法律であり，消費者の権利の尊重及び消費者の自立の支援を基本理念としている。

2 製造物責任法（PL法）では，消費者が欠陥製品による被害を受けた場合，製造した企業の過失を立証すれば，製品の欠陥を証明しなくても損害賠償を受けられる。

3 クーリング・オフは，特定商取引法を改称した訪問販売法により設けられた制度で，訪問販売等で商品を購入した場合，消費者は期間にかかわらず無条件で契約を解除できる。

4 消費者契約法では，事業者の不当な行為で消費者が誤認して契約した場合は，一定期間内であれば契約を取り消すことができるが，国が認めた消費者団体が消費者個人に代わって訴訟を起こすことはできない。

5 消費者庁は，消費者安全法の制定により，消費者行政を一元化するために，厚生労働省に設置され，苦情相談や商品テスト等を行っている。

実戦問題❶の解説

No.1 の解説　市場経済 →問題はP.350 **正答4**

1 ×　資産効果は，資産価格の上昇が消費や投資を刺激する効果である。
経済を構成する経済主体は，主として**家計**，**企業**および**政府**（国・地方自治体）からなる。政府は家計や企業から租税を徴収し，**公共財**を供与する。**資産効果**とは，資産価格の上昇が消費や投資を刺激する効果のことである。

2 ×　理論上，国内総生産は生産，分配，支出のいずれから見ても等しい。
国内総生産（GDP）は，一定期間に国内で生産された財・サービスの付加価値の総額であり，期間で測定される**フロー**の経済指標である。国内総生産は生産，分配，支出の３つの側面から捉えることができ，理論上，いずれの側面から見ても等しくなる（**三面等価の原則**）。

3 ×　市場機構を通じた資源配分が非効率なものとなるのが市場の失敗。
市場の失敗とは，市場の価格機構を通じた資源配分が効率的な資源配分とならないことであり，その原因として外部性がある。**外部性**とは，ある経済主体の活動が市場を通じずに他の経済主体に影響を与えることであるが，このうち，他の経済主体によい影響を与えるものを**外部経済**，他の経済主体に悪い影響を与えるものを**外部不経済**といい，公害は外部不経済の例である。

4 ◎　寡占市場では，価格の下方硬直性や非価格競争が見られることがある。
正しい。**価格の下方硬直性**とは価格が下がりにくい性質のことであり，**非価格競争**とは価格以外での競争のことである。

5 ×　会社法は株式会社，合名会社，合資会社，合同会社を規定している。
企業は，**公企業**，**私企業**および**公私合同企業**（**公私混合企業**）に大別できる。日本の会社法が規定する会社の種類は，**株式会社**，**合名会社**，**合資会社**および**合同会社**の４種類である。株式会社の株主は**有限責任**であり，株式会社が負債を抱えて倒産した場合，その負債が出資額以上であっても，株主は出資額を超えて株式会社の債権者に対して弁済の責任を負うことはない。

No.2 の解説 企業の形態

→問題はP.350 **正答4**

1 × **コングロマリット**とは，異業種の会社の買収・合併などによる事業の多角化の結果成立した，互いに関係のない複数の事業を抱えた**複合企業**のことである。なお，コンツェルンについては，**2**の解説を参照。

2 × **コンツェルン**とは，法律上は独立した複数の企業が，役員派遣等による人的結合や株式の持合等による資本的結合によって，1つのグループとして結合する企業形態のことである。なお，カルテルについては，**5**の解説を参照。

3 × 選択肢の説明は**多国籍企業**に関するものである。なお，**M&A**（Merger and Acquisition）とは，企業の合併・買収のことである。

4 ◎ 正しい。**企業合同**とも呼ぶ。

5 × 選択肢の記述は**カルテル**に関するものである。なお，コングロマリットについては，**1**の解説を参照。

No.3 の解説 株式会社

→問題はP.351 **正答2**

1 × **法人も株主になることができる。**
前半の記述は正しい。株式を保有すれば株主になることができ，法人も株主になることができる。

2 ◎ **内部留保は設備の投資などに充てられる。**
正しい。

3 × **自己資本比率＝自己資本÷（自己資本＋他人資本）。**
前半の記述は正しい。自己資本比率＝自己資本÷（自己資本＋他人資本）。であり，銀行から借り入れた資金は**他人資本**であるから，銀行から資金を借り入れると**自己資本比率**は低下する。

4 × **日経平均株価は，東証プライム上場銘柄から選ばれた225銘柄を用いて作成。**
前半の記述は正しい。**日経平均株価**は，東京証券取引所プライム市場の上場銘柄から選定された225銘柄を用いて算出される指標である。

5 × **コーポレートガバナンス強化の観点から，社外取締役を置くように。**
前半の記述は正しい。**コーポレートガバナンス**を強化する観点から，社外取締役を置くようにする規律の整備が進められている。

No.4 の解説 消費者問題

→問題はP.351 **正答1**

1 ◎ **消費者基本法の基本理念は，消費者の権利の尊重と消費者の自立の支援。**
正しい。

2 × **PL法では，製造企業の過失を立証する必要はない。**
製造物責任法（PL法）では，製品の欠陥を証明すれば，製造した企業の過失を立証しなくても損害賠償を受けられる。

3 × **クーリング・オフできる期間は定められている。**
訪問販売法が抜本的に改正してできたのが**特定商取引法**である。**クーリング・オフ**では，消費者が契約を解除できる期間を定めている。

4 × **消費者契約法は，国が認めた消費者団体が訴訟を起こすことを認めている。**
消費者契約法によれば，国が認めた消費者団体が消費者個人に代わって訴訟を起こすことができる。

5 × **消費者安全法は，消費者生活センターの設置を義務付けている。**
消費者安全法は，都道府県に対しては**消費者生活センター**の設置を義務付け，市町村に対してはその設置の努力義務を課している。苦情相談や商品テスト等は，独立行政法人**国民生活センター**が行っている。

第１章　社会事情

テーマ1　労働事情
テーマ2　少子高齢化・社会保障
テーマ3　政治・経済・国際事情
テーマ4　消費者問題・食糧事情
テーマ5　環境・資源問題
テーマ6　科学技術・医療
テーマ7　その他の社会問題

試験別出題傾向と対策

試験名	国家総合職					国家一般職					国家専門職（国税専門官）				
年度	21-23	24-26	27-29	30-2	3-5	21-23	24-26	27-29	30-2	3-5	21-23	24-26	27-29	30-2	3-5
頻出度 テーマ 出題数	9	9	10	10	9	9	12	7	2	9	12	10	9	10	10
C 1 労働事情	1			1		2					1		1		
B 2 少子高齢化・社会保障	1	2	1			1			1		2		1	2	4
A 3 政治・経済・国際事情	4	3	5	3	5	3	6	1	3	2	3	4	2	2	2
C 4 消費者問題・食糧事情						3	1	1		1	1	2			
B 5 環境・資源問題							2	1		1		2		1	1
A 6 科学技術・医療	2	3	3	2	2			2	4	3	3	1	4	1	2
A 7 その他の社会問題	1	1	1	4	2		3	2	4	2	2	1	1	4	1

学生という身分を離れたとき，否応もなく対面しなければならない現実の社会。予備知識は持っているのか？　どういう態度で立ち向かうのか？　それを確かめる問題が社会事情である。学校の定期テスト・入学試験と同じ対策は通用しないと心にメモしておこう。

●国家総合職

出題数は3問。情報リテラシー能力を試す問題が出される。個々の情報（データ）をどう統合するのかが問われる。科学情報としての正確さや歴史的背景を踏まえ，それが現代社会にどんな影響を及ぼすのかを考えなければならない。災害対策，金融と情報技術という表面的な見出しだけを頭に入れるだけでは不十分。次世代技術がどの方向へ行こうとしているのか，シェアエコノミーがなぜ普及するのかというように，見出し事項の奥を考えながら日々のニュースを追いかけるようにしなければならない。

●国家一般職

出題数は3問。出題の基本的スタンスは総合職と同じだが難易度はぐっと低く，データ理解の精度確認にウェートがある。だからといって侮ってはいけない。科学技術の問題でも新技術の内容だけでなく，産業政策にからめた半導体というような「変化球」もある。浅くても広く自分のデータ保有量を増やす努力が必要だ。だからといってデータの暗記に集中したのでは「詰め込み」勉強の弊害を生む。過去問を見直し，他の分野にも応用できるデータを選ぶテクニックを身につけよう。

地方上級（全国型）					地方上級（東京都）					地方上級（特別区）					市役所（C日程）					
21-23	24-26	27-29	30-2	3-5	21-23	24-26	27-29	30-2	3-5	21-23	24-26	27-29	30-2	3-5	21-23	24-26	27-29	30-2	3-4	
12	10	13	23	17	17	19	17	18	15	20	18	14	12	12	4	4	7	14	11	
2			2		1	1	2	1	1				1					1		テーマ1
	1	3	1	3		1	1	1	1	3	1				2	1	2	2	2	テーマ2
7	4	7	7	5	12	13	8	11	7	10	8	10	6	8	2	3	3	3	2	テーマ3
		1		1	1	1					1	2								テーマ4
2		2	6	3			2		1	3	2	1	1	1			2	2	3	テーマ5
2	3		1	3	3		1		2	3	2		1	1				2	3	テーマ6
1	2		6	2		3	3	5	3	1	4	1	3	2				4	1	テーマ7

●国家専門職

出題数，傾向とも一般職とほぼ同じとみてよいが，一般職よりやや政治的な問題が出ている。高齢社会を出題するときも，農業や空き家問題など具体的なレベルに踏み込む分，難易度が高くなっている。対策は一般職と同じでよいが，検索の深掘りが必要。関連項目を調べ，データ解説も飛ばし読みせず，全部目を通すようにしよう。

●地方上級

出題数は４～５問。ホットな政治ネタも恐れずに出題してくる。特に東京都や特別区でその傾向が強い。個人の政治的信条に関わる領域なので国家試験では敬遠しがちな事項も取り上げるので野心的な出題傾向がみられる。しかし深入りはしないという原則あり。いま議論されていることがわかりますかというレベルに踏み止まっている。つまり新聞やニュース報道の見出しはおさえておけということ。過去問の復習に時間を割くよりも受験前１～２年の重大ニュースのチェックを重視しておこう。

●市役所

出題数は近年増えていて，地方上級と同じ出題傾向がみられる。ただし地方行政・生活密着型のトピックが出題されやすい。面接試験対策も兼ねて，受験地の行政パンフレットを熟読したほうがよいだろう。

テーマ 1 第1章 社会事情

労働事情

必修問題

わが国の労働をめぐる動向に関する記述として最も妥当なのはどれか。

【国家専門職・平成28年度】

1 時間当たり**労働生産性**とは，労働者１人１時間当たりの労働を投入量として産出量との比率を算出したものである。平成26年のわが国の時間当たり労働生産性は，OECD加盟国中で最も低いが，この理由として，わが国の平均年間**総実労働時間**が直近の10年間で増加し，OECD加盟国中で最も長くなったことが考えられる。

2 **テレワーク**とは，情報通信技術を活用した，場所や時間にとらわれない柔軟な働き方であり，在宅勤務，サテライトオフィス勤務，モバイルワークなどの形態がある。平成27年に閣議決定された「**第４次男女共同参画基本計画**」では，その具体的な取組として，テレワークの環境整備や推進が挙げられている。

3 平成27年，わが国は，すべての労働者に年次有給休暇を付与することを義務付ける国際条約を批准した。従来，**パートタイム労働者**には年次有給休暇が認められていなかったが，条約の批准に伴い，一定の条件の下，**年次有給休暇を付与する**ことが企業に義務付けられた。

4 **高度プロフェッショナル制度（いわゆるホワイトカラー・エグゼンプション）**とは，労働時間ではなく**成果に対して賃金を支払う労働時間制度**であり，企業内の管理職を対象としている。わが国では平成27年に**労働基準法**が改正され，年収が1,500万円以上の者にこの制度を適用することが可能となった。

5 **フレックスタイム制**とは，実際の労働時間に関係なく，労使であらかじめ合意した時間を働いたと**みなして賃金が支払われる制度**である。民間では８割以上の企業が既にこの制度を導入していることから，平成27年には，国家公務員にも「**ゆう活（ゆうやけ時間活動推進）**」の一環で初めてフレックスタイム制が導入された。

難易度 ＊＊＊

必修問題の解説

ワークライフバランス，労働生産性の向上，そして労働市場の流動性を高めることなどがわが国の課題とされている。働き方改革により法律の改正も進んでいるが企業や労働者の対応はどうなっているのかを絶えず確認しなければならない。

1 × わが国の年間総労働時間は完全週休２日制実施で減少した。
わが国の**総労働時間**は1988～1993年の期間に大きく減少し，その後も緩やかに減っている。**１人当たりの労働生産性**はＧ７諸国の中で最低である。

2 ◎ テレワークの導入は全企業の１割程度。
国土交通省や**経済産業省**がテレワークの普及に努めているが，平成26年末の時点で導入している企業は11.5％だった。**2020年の新型コロナウイルス感染症による緊急事態宣言**でテレワークは急速に広がった。

3 × 年次有給休暇は一定の条件を満たす労働者に与えなければならない。
すべての労働者に年次有給休暇を与える義務を規定した条約（**ILO第132号条約**）を日本は批准していない。**労働基準法**はパートタイム労働者を含め，一定条件を満たす労働者に年次有給休暇を与えることを定めている。

4 × ホワイトカラー・エグゼンプションは成果主義の賃金体系の制度。
平成27年の**労働基準法改正**で**高度プロフェッショナル制度**は見送られたが，**平成30年の改正**で導入された。新制度の対象となる年収要件は**1,075万円**以上，**対象業種は５つ**，その他にもいろいろと条件がある。

5 × フレックスタイム制は変形労働時間制。
フレックスタイム制は出社しているコアタイムを設定するが，それ以外の出退社時刻の設定を労働者が自由に行えるもので，導入している企業は１割未満である。**変形労働時間制**を採用している企業は６割に達している。

正答 2

FOCUS

労働力人口が減少していく中，労働生産性を高めるために必要な環境・条件の整備が進められ，人口知能（AI）に置き換えられる仕事も出てくる。労働者自身が自発的にスキルアップし，新しい労働を生み出すなどして，今後は今まで以上に多様な働き方が出現するだろう。

POINT

重要ポイント1 派遣労働者・パート労働者の保護

○**改正労働契約法**（2013年４月施行）

(18条) 有期労働契約で
通算５年を超える労働者
＝
無期雇用への転換を認める
↓
労働者から転換の申込みがあれば，雇用者はこれを承諾したものとみなされる。

(19条) 期間満了で労働者を
雇止めする場合
↓
労働者が更新への期待を抱くことに合理性があれば
↓
職権乱用となる

○**改正労働者派遣法**（2015年９月施行）

・受入れ**期間の上限を全業務で撤廃**。
＝
派遣労働で働けるのは３年まで。
期間満了の場合

派遣先企業　どちらかを選択

・それまでの労働者を直接雇用する
・別の労働者を次の３年間派遣雇用

派遣会社　どちらかを選択

・労働者に新しい派遣先を紹介
・労働者を無期雇用して企業に派遣（この場合は期間制限なし）

・派遣会社の義務追加（計画的な教育訓練，正社員の求人情報の提供）
→届出制から**許可制**へ変更

重要ポイント2 働くシニアが支える社会

政府：「**75歳現役社会**」を目指し制度改革
＝
高齢者雇用の選択肢を拡大
・**フリーランス**契約への資金提供
・**起業支援**　など
→「**プチ起業**」：自分のやりたい仕事を追求

＊欧米諸国
・定年制は年齢差別
・職務を定めた**ジョブ型雇用**が定着

製造業からサービス業へ人手を必要とする業種が移る（→高齢者雇用の選択肢を拡大）

健康で意欲のある**高齢者**は貴重な労働力 ＝ 社会保障制度の維持に不可欠

（高齢者）→ 親の介護や晩産で得た子どもの教育費などで定年後の負担が大きい

（貴重な労働力）← 必要な改革
- **年功序列**型の賃金見直し
- 採用や人事の**評価制度**の変更
- 不安定な働き方を支える制度
- 若者の採用抑制の防止

「人生100年時代」で退職後の期間も長期化し経済的安定を維持する必要もある。

重要ポイント3 働き方改革

働き方改革関連法　2018年成立　2019年4月施行（中小企業は2020年から）

○**残業上限規制**　残業時間は原則　**月45時間　年360時間**
臨時の特別の事情がある場合　**年720時間以内　単月100時間未満**
特別条項付きの労使協定があっても上限あり
（三六協定）
↓
違反した事業者には6カ月以下の懲役または30万円以下の罰金

○**年次有給休暇**　6か月以上勤務した正規労働者／年休10日以上を付与されるパート → **年5日間の休暇**付与義務
↓
企業は有休の取得状況を管理簿に記録し3年間保存しなければならない

○**同一労働同一賃金**　正規労働者と非正規労働者
福利厚生と**一部の手当**（通勤，出張など）の待遇差を禁止
↓
基本給と**賞与**は能力や経験などによって支給額の差を認める

○**高度プロフェッショナル制度**
労働基準法41条の2
‖
脱時間給制度

働く時間帯や仕事の配分を自分の裁量で決めることが認められる人が高度プロフェッショナル（高プロ）
↓
・契約で約束された年間賃金の最低額**1,075万円**
・**高度の専門的知識**などを必要とし，時間と成果の関連性が通常高くないと認められる業務
→ 厚生労働省令で定める

例
金融商品の開発，
資産運用・投資助言，
事業運営の調査，
新商品などの研究開発

・該当する労働者の**健康確保措置**を講じる
・該当する労働者が書面で同意する
・**労使委員会**が当該労働者の待遇，苦情などについて議決し決議を行政官庁に届け出る

↓（健康確保措置）
年間104日以上かつ**4週間に4日以上の休日**
11時間以上の休息（勤務間インターバル）
健康管理時間の設定
臨時の**健康診断**の実施

「高プロ」には
・労働時間
・休憩・休日
・深夜の割増賃金
に関する労基法の規定が適用されない

実戦問題　基本レベル

**
No.1　社会における労働や雇用に関する記述として最も妥当なのはどれか。

【国家専門職・平成21年度】

1　コンプライアンスは，企業内や社会における従来のスタンダードにとらわれず，性別，年齢，国籍などの多様な属性や価値・発想などを積極的に取り入れることで，ビジネス環境の変化に迅速かつ柔軟に対応し，企業の成長につなげようとする戦略である。

2　シェアホルダーは，企業を取り巻く投資家，取引先，債権者，消費者，従業員，地域住民のほか，コミュニティなどをも含む利害関係者のことである。株主であるステークホルダーと対置され，ソーシャルマーケティングの拡大に伴って注目されてきている。

3　ホワイトカラー・エグゼンプションは，管理職や専門職など裁量性の高い業務に従事する従業員に対し，超過労働時間が発生した場合にその長さに応じて役職手当等の削減等を行うことによって，労働時間の短縮を促進する制度である。

4　オープン・ショップは，企業採用時には組合員でなくとも雇用され，一定期間を過ぎた後には組合に加入する義務を課し，加入しない者は使用者から解雇される制度であり，未組織労働者が安い賃金で働くことを防止する，組織強制の一つである。

5　メンタリングは，知識や経験の豊富な人がメンターとなり，そうでない人に対して一定期間継続して行う支援のことである。企業などでは，仕事上の上司・部下関係とは別のつながりを作り，若手社員等を精神面で支えるメンター制度が導入されてきている。

*
No.2　次のA～Eのうち，平成26年9月に厚生労働省が発表した「労働経済白書」の内容に関する記述の組合せとして，妥当なのはどれか。

【地方上級（東京都）・平成27年度】

A：2013年度の雇用情勢は，緩やかな景気回復を受けて，有効求人倍率が1倍を超えるなど，着実に改善しているとしている。

B：雇用形態別雇用者数の推移をみると，非正規雇用労働者数は大きく減少しているとしている。

C：労働者の就労意欲が高いと考えている企業では，労働者の定着率や労働生産性が高い傾向にあるとしている。

D：我が国における職業キャリアの現状をみると，初職から離転職なく就業を続けている者の割合は，女性では男性に比べると高くなっているとしている。

E：前職非正規雇用だった者が過去5年以内に離職し，正規雇用へと移行する割合は，年齢が高くなるほど上昇していくとしている。

1 A，B
2 A，C
3 B，D
4 C，E
5 D，E

No.3* **労働市場に関する次の記述のうち，妥当なものを選んだ組合せはどれか。**

【市役所・平成30年度】

ア：不況によって企業の労働需要が減少しても，賃金が低下せず，不況前の水準に維持されていれば，失業は発生しにくい。

イ：経済全体で企業の求人数が求職者数を上回っても，企業と求職者の間のミスマッチが拡大すれば，失業率は低下しにくい。

ウ：失業保険の給付額を増加したり，給付を受けられる期間を延ばしたりすると，離職率の低下や就職率の上昇を通じて，失業率は低下する。

エ：解雇規制の強化は，現在雇用されている労働者が解雇されにくくする効果と，企業に新規採用を促す効果があり，いずれの効果も失業率の低下要因となる。

オ：失業期間の長期化は，就業意欲や技能が低下することによって，失業者の就業を困難にして経済的困窮を招き，社会全体の生産性の低下をもたらしやすい。

1 ア，ウ
2 ア，オ
3 イ，エ
4 イ，オ
5 ウ，オ

＊＊
No.4 **平成27年に成立した「女性の職業生活における活躍の推進に関する法律」に関する記述として，妥当なのはどれか。**【地方上級（東京都）・平成28年度】

1 同法は，常時雇用する労働者101人以上の企業に対し，女性の活躍に関する状況把握と課題分析，数値目標や取組を記した行動計画の策定，ホームページなどでの情報公開を義務付けたが，100人以下の中小企業に対しては努力義務とした。

2 事業主行動計画について，厚生労働省から数値目標の水準が示されており，行動計画を未作成の場合，数値目標を未達成の場合，虚偽の報告をした場合の３類型に関しては罰則が規定されている。

3 事業主行動計画の届出を行い，女性の活躍推進に関する取組の実施状況が優良な企業に対する厚生労働省の認定の申請方法及び基準については，同法の公布から１年後に定めるとした。

4 同法には，女性の活躍推進に関する取組の実施状況が優良な企業に対し，国や地方自治体の事業の入札において，受注の機会を増やすことについては，明記されておらず，今後の検討課題となっている。

5 地方公共団体は，女性の職業生活における活躍の推進に関する取組が効果的かつ円滑に実施されるようにするため，関係機関により構成される協議会を組織することを義務付けられた。

実戦問題の解説

No.1 の解説 労働に関する用語

→問題はP.362 正答5

1 × **コンプライアンスでルールを重視することは企業の常識。**
コンプライアンスは**法令順守**のこと。相次いだ企業の不祥事がきっかけとなって，企業が法令や社会規範などに違反しないシステムを確立することが求められ，社員や株主などの**利害関係者の立場を考慮**した経営を行うことをコンプライアンスと総称している。

2 × **シェアホルダーの発言権が強まり，最近は「もの言う」株主増加。**
シェアホルダーが**株主**のことで，**ステークホルダー**は株主をはじめ経営者や従業員，顧客や取引先，地域社会など**利害関係者**のことをさす。幅広いステークホルダーも考慮した企業経営が求められている。

3 × **ホワイトカラー・エグゼンプションは成果主義の賃金制度。**
ホワイトカラー・エグゼンプションは，職種や職務，賃金水準などについて一定の要件を満たす**ホワイトカラー労働者を労働時間の規制の適用外とする**制度のこと。働き方改革によりわが国でも導入された。

4 × **オープン・ショップ制では労組加入の義務はない。**
オープン・ショップは**従業員となるため，労働組合に加入する必要がない**という制度。労働者を雇う場合に，特定の労働組合の組合員でなければならないとするのが**クローズド・ショップ**であり，雇われた後に特定の労働組合の組合員にならなければならないとするのが**ユニオン・ショップ**である。

5 ◎ **経験豊かな先輩が後輩を支えるのがメンター制度。**
正しい。職務上の指導だけでなく，マナーや人間関係なども日常のコミュニケーションを通して支援する。指導をする側が**メンター**であり，指導を受ける側はプロテジェと呼ばれる。

No.2 の解説 労働経済白書

→問題はP.362 正答2

STEP❶ 日ごろ耳にする情報と異なる表現をチェック。
Dの記述は男性よりも女性のほうが最初に就いた職を続けていると主張している。それが真実ならば，女性の労働力率を年齢階層別に示すグラフに「**M字カーブ**」が現れることはなく，女性が子育てなどで退職する例も少ないことになり，現実と矛盾する。**男性**は**30歳までにほとんどの者が初職に就き**，その**半数が50歳台半ばまで離職することなく就業**を継続する。女性は20歳台半ばから30歳台半ばで無業となったり，第2，第3の就業先に就業する者が多い。よって，Dの記述は誤りで，これを挙げている**3**と**5**は誤り。

STEP❷ 非正規雇用から正規雇用への移行は困難。
非正規雇用労働者の処遇が問題になるのは，正規雇用へ簡単に移れないからであり，**正規雇用への転換**は**25歳から34歳**の年齢層が移行率の**ピーク**である。高齢になるほど移行率は低下するので，**E**の記述も誤りであり，これを挙げた**4**も誤りである。

STEP❸　働き方が多様化している傾向は重要。

労働力人口が減少し，**女性や高齢者の労働力に期待**がかかっている。その場合，**フルタイムの就労が困難**となる事情もあって，正規ではなく非正規雇用が選択されやすい。**B**のいうように非正規雇用労働者が「大きく減少」するとしたら，それを促す要因が必ずあるはずで，それに触れずに「減少」と主張することは疑ったほうがいい。非正規雇用労働者の数は，統計の対象となる年齢階層が新卒就職期の経済情勢の影響（リーマン・ショックなど）で増減することがある。長期的には非正規が増える傾向にあるので，**B**の記述も誤りで，**1**も誤りとなる。**A**と**C**の記述は正しく，景気の回復局面に入ったことを受け，**有効求人倍率は2013年11月に1倍を超え**，2015年3月まで1倍台を維持した。労働者の定着率や労働生産性を高めるためには労働者の就労意欲を高くするような**人材マネジメント**が必要である。

以上から，**A**と**C**を挙げた**2**が正しい。

No.3 の解説　労働市場

→問題はP.363　**正答4**

STEP❶　労働市場の不完全性と賃金の下方硬直性の２つが重要。

労働市場が**古典派経済学**の考えたような完全なものであれば，賃金が労働需給のバランスによってスムーズに変化し失業は発生しない。しかし現実の労働市場では失業者が増加しても賃金が低下しない「**賃金の下方硬直性**」がみられる。このように労働市場は不完全であるため，賃金が低下しなくとも失業は発生しているので**ア**は誤りで，**ア**を含む**1**と**2**は誤り。

STEP❷　求人と求職のミスマッチによる構造的失業は経済学の定説。

イが説明しているとおり，**ミスマッチ**は失業発生の**重要な要因**であるから**イ**は正しく，**イ**を含まない**5**も誤り。**構造的失業**の判断には**有効求人倍率**の観測が欠かせない。

STEP❸　解雇規制と雇用のセイフティ・ネットは労働市場の流動化を左右する。

解雇規制は現在企業に雇用されている労働者にとって有利に働くが，新規雇用を阻害するものであり，**エ**も誤りとなり**3**も誤り。解雇規制は転職も止めるため，**労働市場の流動化**を妨げる。**オ**の記述のように，長期失業は経済全体にとって不利であるから，**雇用保険**や**職業訓練**など雇用の**セイフティ・ネット**が失業対策として重要になる。しかし，**ウ**のように失業中の保障を手厚くすると失業を継続する誘因となり，失業率は低下しないので**ウ**も誤り。

以上から**4**が正しい。

No.4 の解説　女性活躍推進法

→問題はP.364　**正答 1**

1 ◎ 大企業は行動計画の策定・届出・情報公開が義務。
正しい。**一般事業主**と**特定事業主**（国や地方公共団体）に行動計画の策定が規定され（女性活躍推進法７条），**企業規模別**に届出・情報公開義務（従業員101人以上）と努力義務（従業員100人以下）が設けられた（８条１項，７項）。

2 × 数値目標は自己申告制で，罰則は募集の不適切さと情報漏洩に科す。
数値目標は採用した労働者に占める**女性労働者の割合**・男女の**継続勤務年数の差異**・**労働時間**の状況・**管理的地位にある労働者**に占める女性労働者の割合など（８条３項）についてであり，達成は義務化されていない。同法が罰則を適用するのは，**募集**に際して不適切な措置があった場合（34条，36条）や**秘密保持違反**（35条），**報告や答弁の拒否**など（37条）に対してである。

3 × 優良企業の認定は省令の定めるとおり。
認定の基準などは**省令**で定めており（９条１項），一般事業主行動計画の策定と同時（平成28年４月１日）に実施された。

4 × 優良認定は商品や広告で公表できる。
一般事業主は**認定**を受けたことを**商品や広告に表示**できる（10条１項）ので，それが受注の機会を増やす可能性はあるが，この法律が積極的に後押しするものではない。

5 × 自治体が協議会を設置するかどうかを決めてよい。
推進を効果的かつ円滑に実施するのに必要であれば，地方公共団体は関係機関と**協議会**を組織することができる（27条１項）。

　女性活躍推進法は，2022年に改正され事業主行動計画の義務が拡大された。

少子高齢化・社会保障

必修問題

わが国の人口や社会保障等に関する記述として最も妥当なのはどれか。

【国家総合職・平成28年度】

1 わが国の**総人口**は，平成22年を境に減少に転じており，平成26年には，1億2,000万人を下回った。特に15歳未満の子どもの数は，出生率の低下により大幅に減少しており，平成27年4月現在の人口推計では，1,000万人に満たない状況にある。このような状況の下，平成27年に，健康寿命を延伸し労働力人口を確保することを目的とした**健康増進法**が制定された。

2 わが国は，フランスやドイツと比較すると，国民所得に占める租税・社会保障負担率を示す**国民負担率**は低い水準にあるが，年金や医療などの社会保障関係費は年々増加しており，平成27年度一般会計予算の歳出全体に占める割合も前年度に比べ増加している。社会保障の安定財源の確保及び財政の健全化を同時に達成することを目指す観点から，平成26年には**消費税率**が引き上げられた。

3 平成27年に発表された**国民医療費**は50兆円を超え，年々増加している。わが国では，満20歳以上の全国民が健康保険などのいずれかの医療保険に加入する**国民皆保険の制度**が設けられており，疾病・負傷時には医療給付が受けられる。医療給付の一部は自己負担となっており，加入している医療保険の種類によって自己負担の割合が決められている。

4 就学援助を受けている世帯のうち一定所得以下の世帯の割合を示す子どもの**相対的貧困率**は，わが国では近年減少傾向にあるものの，子どもの貧困対策をより総合的に推進するため，平成26年に「子どもの貧困対策に関する大綱」が閣議決定された。同大綱により，平成27年に新たに高等学校就学支援金制度が整備され，公立高等学校では授業料が原則として不徴収となった。

5 わが国の65歳以上の**高齢者人口**は年々増加しており，平成27年9月現在の推計では，初めて2,500万人台となり，総人口に占める割合は2割を超えた。高齢者の総人口に占める割合は，わが国は先進国の中で英国に次いで高くなっているが，国立社会保障・人口問題研究所による将来推計では，総人口の減少とともにその割合は平成32年を境に低下するとされている。

難易度 ＊＊＊

必修問題の解説

少子高齢化と社会保障の問題は，医療，年金，介護の３方向から考えなければならない。医療技術の進歩が高齢化を促すが，医療費の負担は長くなる高齢者の生活を圧迫するおそれがある。高齢者の経済は，国民経済の重要な側面でもある。

1 × **総人口のピークは2008（平成20）年。**
平成26年の**総人口**は**1億2,708万人**，平成27年４月１日現在の**15歳未満人口**は1,605万人で総人口に占める割合は**12.6%**である。**健康増進法**は平成14年に成立し，平成30年に改正された。令和４年の総人口は１億2,486万人である。

2 ◎ **社会保障支出比率を対GDP比で見ると，OECD諸国の真ん中。**
正しい。社会保障が手厚いヨーロッパ諸国と比較すると，わが国の**国民負担率**は低い水準であるが，平成27年度一般会計予算における社会保障関係費は約32兆円で，増加傾向にある。消費税は平成26年に８%，29年に10%となった。

3 × **国民医療費の対GDP比は８%程度。**
国民医療費は増加傾向にあるが，平成26年度で約41兆円（令和２年度42.9兆円）で，**後発医薬品**の使用促進などで増加を抑制しようと試みられている。わが国の**国民皆保険制度**では20歳未満の民間企業の被用者も健康保険に加入しなければならないし，被扶養者は扶養者の公的医療保険に加入している。また医療費の自己負担割合はほぼ統一されている。

4 × **経済格差は拡大傾向で，子どもの貧困率も上昇している。**
わが国の子どもの相対的貧困率は1990年代半ば以降上昇傾向にあり，**経済格差の是正**は社会的な課題となっている。高等学校等就学支援金制度は平成22年に始まり，公立高等学校の授業料は無償化され，私立の場合は条件に該当する生徒に支援金が給付される。

5 × **日本の高齢者人口の割合は先進国の中で第１位。**
高齢者人口が2,500万人台となったのは平成17年であり，平成27年９月時点で，3,395万人（令和４年3,627万人），総人口の**26.7%**になっている。この比率は先進諸国中で最も高い。高齢者人口は**2042年まで増加**し，その後減少すると予測されている。

正答 2

FOCUS

少子高齢化に伴う社会保障費用の増大は，現在の財政負担だけでなく，世代を超えた負担をもたらす。「シルバー民主主義」で制度を決めるのではなく，若い世代の意見もとり入れる必要がある。また，生涯現役で高齢者の社会参加を促す改革も進めなければならない。

POINT

重要ポイント 1 高齢社会の課題

総人口に占める**高齢者の割合**—2030年には**31.5%**（推計）

人口の「**自然減**」（死亡数が出生数を上回る）が常態化 ⟶ 自治体の半数が**消滅可能性都市**

↓

2025年には「**団塊の世代**」が75歳以上の**後期高齢者**となる

↓

社会保障費・国民医療費の増大 ⟵ **健康寿命**を伸ばす努力

＝

認知症対策の新大綱（2019年）

共生 と **予防** の２本柱

共生 ＝ 正しい知識の普及

↓

身近な「サポーター」400万人、介護人材 245万人 を確保

予防 ＝ 認知症になるのを遅らせる 進行を緩やかにする

消滅可能性都市

↓

コンパクトシティー

都市機能の面積を絞る

↓

所有者不明の土地・空き家を減らし再開発を促す

認知症の高齢者が保有する金融資産 — 推定で200兆円以上 ⟶ 活用が停滞すると経済に悪影響 ⟵ **成年後見制度**の促進

重要ポイント 2 確定拠出年金の見直し

年金改革法（2020年５月成立）により確定拠出年金（DC）が拡大

○企業型DC

- 70歳未満の**厚生年金保険者**が加入
- 企業が原則掛け金を出す
- 規約の定めや事業主掛金の上限の引下げがなくても**全体の拠出限度額から事業主掛金を控除した残余の範囲内**でiDeCoに加入できる
- マッチングを導入している企業なら事業主掛金に加え社員が自ら掛金を上積みできる
- 従業員300人以下の中小企業で簡易型DC（中小事業主掛金納付制度，**iDeCoプラス**）を実施可能

○確定給付企業年金（DB）

支給開始時期の設定が**70歳**まで可能となる

○個人型DC（iDeCo）

- **国民年金被保険者**が加入
- 個人が原則掛け金を出す
- 受給開始時期を**60～75歳**の範囲内で選択できる
- 加入可能年齢は**65歳未満**
- 銀行，証券，生損保が運営管理機関
- 掛金の所得控除や運営金非課税などの**税制優遇**あり

会社員全員がiDeCo併用できるとなれば老後資金の上積み効果が向上する

重要ポイント3 少子化対策

○将来推計人口　国立社会保障・人口問題研究所（2023年４月26日公表）

（2056年　人口は１億人を下回る）

2070年　総人口　**8,700万人**　　合計特殊出生率**1.27**（2022年）

生産年齢人口　**4,535万人**

65歳以上人口　**3,367万人**　→　14歳以上の人口割合　**10%以下**（2050年）

外国人の占める割合　**10.8%**

○**こども家庭庁**（2023年４月発足）――　首相の直属機関

長官官房…データを分析し政策を企画立案

こども成育局…妊娠や出産の支援，未就学児の世話など

こども支援局…ひとり親家庭の援助，虐待防止，困難を抱える子ども対策など

↓

自治体に「**こども家庭センター**」の設置を促す（24年４月から努力義務）

岸田内閣の目標＝「**こどもまんなか社会**」の実現→子どもの訴えを政策に反映

○各自治体で「**子ども予算**」を拡大

市区町村全体の７％で若年人口が増加（16～21年度）

○**改正育児・介護休業法**：男性も子ども出生後８週間以内に４週間まで産休取得

重要ポイント4 高齢ドライバー

75歳以上のドライバーが起こす死亡事故 ―― 75歳未満のドライバーによる事故の倍以上（2018年）

↓

○**改正道路交通法**（2017年施行）

免許更新時に**認知機能検査** ―――― 免許継続

第１分類

認知症の恐れ

↓

医師の診断（義務）

↓

認知症と診断

↓

免許停止
免許取り消し
免許を**自主返納**
→ **運転経歴証明書**を交付
｜
免許の代わりの本人確認書類

第２分類

認知機能低下の恐れ ←

↓

講習を受ければ３年間運転できる

一定の交通違反をした人に**運転技能検査**（実車試験）

｜

更新期限までに合格しないと免許は失効

｜

不合格者には「**限定免許**」（任意）

＝

安全運転サポート車に限り運転を認める

2022年５月から開始

（→ 免許継続）

実戦問題　基本レベル

＊
No.1　日本の公的年金制度に関する次の記述のうち，妥当なものはどれか。

【地方上級（全国型）・平成29年度】

1　日本では，高齢世代への年金給付を現役世代から集めた保険料で賄う方式がとられているが，高齢者の生活を守るため，現役世代の賃金が下落した場合でも，物価が上昇していれば高齢者への年金給付額は据え置かれている。

2　老齢年金を受給するためには，一定の加入期間（受給資格期間）が必要とされるが，公的年金の財源を安定したものとするために，近年の法改正で受給資格期間を10年以上から25年以上に延長することが決定された。

3　民間のサラリーマンと公務員は，もともと同一の被用者年金制度に加入していたが，近年の制度改革で公務員のみを対象とする共済年金制度が新設されることとなった。

4　2016年10月以降，厚生年金の加入対象が拡大され，すべての企業で一定時間以上働く短時間労働者も，希望すれば厚生年金に加入することができるようになった。

5　徴収された年金保険料のうち，年金給付に充てられなかった部分は年金積立金として運用されるが，安全な資産運用という観点から，その投資先は国内債券に限られている。

＊
No.2　わが国の人口の現状に関する次の記述のうち，妥当なものの組合せはどれか。

【地方上級（全国型）・令和３年度】

ア：年間の出生数は，第二次世界大戦後から増加傾向が続いていたが，核家族化や結婚・出産に対する価値観の変化により，1990年代に減少傾向に転じた。

イ：少子高齢化に伴う人口変化を都道府県別に見ると，大都市圏では出生数が死亡数を上回る自然増加が続いているが，それ以外の地域では自然減少が続いている。

ウ：65歳未満の人口が減少する中，65歳以上の人口は増加を続けており，全人口に占める65歳以上人口の割合は世界最高となっている。

エ：後期高齢者医療制度における，医療費の窓口負担割合は，2020年に原則１割から原則２割に引き上げられた。

オ：少子化対策として，子育て支援のための施策が拡充されたことにより，全国の保育所待機児童は減少傾向にある。

1　ア，ウ
2　ア，エ
3　イ，エ
4　イ，オ
5　ウ，オ

＊＊
No.3 **妊娠を理由にした降格が男女雇用機会均等法（均等法）に違反するかどうかが争われた事件について，昨年10月に最高裁判所が言い渡した判決に関する記述として，妥当なのはどれか。** 【地方上級（東京都）・平成27年度】

1 原審では降格について，妊娠した女性の同意を得た上であっても，事業主の裁量権を逸脱した，均等法に定める不利益な取扱いであったとしていた。

2 最高裁は，女性労働者につき妊娠中の軽易業務への転換を契機として降格させる事業主の措置は，原則として違法であるとした。

3 最高裁は，軽易業務への転換により受けた有利な影響の内容や程度は明らかな一方で，降格により受けた不利な影響の内容や程度は明らかなものではないとした。

4 判決の補足意見において，育児休業から復帰後の配置が不利益な取扱いというべきか否かの判断に当たっては，妊娠前の職位との比較ではなく，妊娠中の職位との比較で行うべきとする意見があった。

5 判決は5人の裁判官のうち3人の多数意見であり，他の2人は，降格は公序良俗に反するから無効であるとした反対意見を述べた。

実戦問題の解説

No.1 の解説　日本の公的年金制度
→問題はP.372　正答1

1 ◎ 年金はマクロ経済スライドによる調整で給付。
正しい。物価変動ではなく**賃金変動に合わせて年金額を改定**するルールは2004年から導入されていたが，2018年からは**保険料の上限を固定**して限られた財源の範囲内で年金の給付水準を調整する**マクロ経済スライド**が導入された。

2 × 年金受給資格期間は25年から10年へと短縮された。
年金受給資格期間短縮法の成立（2016年）により，**保険料納付期間等が10年以上**あれば年金を受け取れるようになった。

3 × サラリーマンと公務員は厚生年金に加入する。
2015年に公務員を対象としていた共済年金が廃止され，**給与所得者**であるサラリーマンと公務員は共に**厚生年金**の適用を受ける。

4 × 短時間労働者への被用者保険適用拡大は2017年から中小企業にも適用。
2016年から**従業員数501人以上**の企業に「**週労働時間20時間以上**で**月額賃金が8.8万円以上の短時間労働者**」に年金と医療の被用者保険が義務づけられ，2017年から**労使間の合意**をもとに**従業員数500人以下**の企業にも適用された。なお，2022年からさらに被用者保険は拡大されている。

5 × 年金積立金の運用は年金積立金管理運用独立行政法人が行う。
年金積立金は厚生労働大臣が**年金積立金管理運用独立行政法人（GPIF）**に寄託し，GPIFは**公募**により選定された国内外の優れた**民間の運用受託機関**（信託銀行や投資顧問会社）に管理・運用を委託している。

No.2 の解説　日本の人口
→問題はP.372　正答5

STEP❶ 高齢化の進展は世界でトップクラス。
65歳以上の人口の割合を表す**高齢化率**は必修事項。2021年で高齢化率は28.9％で世界最高であるから**ウ**の記述は妥当であり，**ウ**を含まない**2**，**3**，**4**は誤り。

STEP❷ 少子化対策は地域の実情により違いが生じる。
少子化の前提として人口のピークがいつで，どの時点から減少が顕著になったのか把握しなければならない。**出生率のピーク**は第2次ベビーブームの**1972**年で以後は減少，**総人口のピーク**は**2008年**だった。したがって**ア**の記述は誤り。都道府県別でみると**出生率**が高いのは**沖縄**，**鹿児島**，**宮崎**，低いのは**東京**，**宮城**，**北海道**であり，死亡率が高いのは**秋田**，**青森**，**高知**で低いのは**沖縄**，**東京**，**滋賀**（順位は2021年）なので**イ**の記述も誤りである。また2018年度からの「**子育て安心プラン**」により待機児童の解消が進み，2022年4月時点で待機児童数は2,944人と調査開始以来最少となったから**オ**の記述は妥当である。これにより正答は**5**に決まる。

STEP❸ 国民医療費の増加は社会保障の大きな悩み。

国民医療費は制度改正を行った平成14年度，18年度を除いて毎年増加している。2022（令和４）年の後期高齢者医療制度改正により，課税所得28万円以上かつ年収が200万円以上の単身者と夫婦の合計年収が320万円以上の高齢者（75歳以上）の**窓口負担は２割**に引き上げられたから**エ**の記述も誤りである。

No.3 の解説 妊娠を理由とする降格事件判決 →問題はP.373 正答２

1 × 女性の同意があれば降格人事も認められる。

原審である広島地裁は，**女性の同意**を得たうえで「事業主としての必要性に基づき，**裁量権の範囲内**で」降格が行われたと判断し，この判決を二審の広島高裁も支持した。

2 ◎ 妊娠を理由とした降格は原則禁止。

正しい（**最判平26・10・23**）。降格が認められるのは，「**本人自身の意思に基づく合意**か，**業務上の必要性について特段の事情**がある場合」のみである。

3 × 降格が有利か不利かを事業主はきちんと説明しなければならない。

今回の事例では事業主の説明が不十分で，降格の有利な影響の内容や程度が明らかにならないまま，「本人は復帰の可否」がわからない状態でしぶしぶ降格を受け入れたとされた。

4 × 妊娠する前の職位との比較は注目ポイント。

桜井龍子裁判長の補足意見は，不利益な取扱いに当たるか否かの判断に当たっては，「妊娠中の職位ではなく**妊娠前の職位**と比較」すべきとしている。

5 × 補足意見はあったが全員一致の判断だった。

判決は５人の裁判官の全員一致で，本人の自由意思に基づく合意は認められず，**特段の事情**があったかどうかを改めて判断するよう，二審判決を破棄して審理を広島高裁に差し戻した。

政治・経済・国際事情

必修問題

災害対応に関する記述として最も妥当なのはどれか。

【国家一般職・平成25年度】

1 内閣総理大臣は，災害に際して人命・財産の保護のため必要があると認められるときには，**自衛隊**を救援のため派遣することができる。ただし，この派遣は，地方自治の本旨を尊重する観点から，都道府県知事からの要請がある場合に限られる。

2 東日本大震災を契機として，平成24年，原子力利用における安全の確保を図ることを任務とする**原子力規制委員会**が環境省の外局として設置された。これに伴い，内閣府原子力安全委員会及び経済産業省原子力安全・保安院は廃止された。

3 緊急地震速報など，対処に時間的余裕のない事態に関する緊急情報を，市区町村の防災行政無線などを用いて国から住民まで瞬時に伝達するシステムを**「全国瞬時警報システム（J-ALERT)」**という。政府は東日本大震災を踏まえ，平成26年度の運用開始を目指し，平成24年度から整備を開始した。

4 平成23年，主体的かつ一体的に行うべき東日本大震災からの復興に関する行政事務を円滑かつ迅速に取り組む組織として，復興庁が設けられた。**復興庁**は復興大臣を長とし，復興推進委員会からの助言を得つつ，災害廃棄物の処理や復興債の発行などを行っている。

5 **事業継続計画（BCP）**は，災害時における企業の事業活動の継続を図るために策定されるものである。災害によって企業活動が滞った場合，地域の雇用・経済に深刻な打撃を与えることから，東日本大震災後，**災害対策基本法に基づき，全ての企業に対してBCPの策定が義務付けられた**。

難易度 ＊＊＊

必修問題の解説

災害に限らず，緊急時の政治や経済への対応がどうなっているのかは，知っておきたい情報である。混乱を想定し，基本方針やマニュアルが作成され，政策立案者にとっての優先事項が盛り込まれる。そこには現実の政治・経済がどの方向へ向かおうとしているのかが，最も鮮明に浮かびあがってくる。

1 × 自衛隊は防衛大臣が派遣する。
自衛隊の災害派遣は「**都道府県知事**その他政令で定める者」（自衛隊法83条１項）の要請を受けて行われるが，「天災地変その他の災害に際し，その事態に照らし特に緊急を要し，前項の要請を待ついとまがないと認められるときは」要請を待たずに**防衛大臣**またはその指定する者が派遣することができる（同２項）。

2 ◎ 原子力規制委員会は独立性が高い。
正しい。**原子力規制委員会**は環境省の外局ではあるが，国家行政組織法３条に基づいて独立性の高い委員会（**三条委員会**）として設置された。

3 × J-ALERTは消防庁の管轄。
「**全国瞬時警報システム（J-ALERT）**」は**消防庁**が平成19年２月に４市町村で運用を開始したシステムで，24年６月の整備率（整備している市町村の割合）は99.3％だった。伝達されるのは津波警報等だけでなく，弾道ミサイル攻撃に関する情報も含まれ，人工衛星等を通じて市町村に伝達され，同時系の防災行政無線等にも接続できる。

4 × 復興庁は内閣総理大臣が長。
復興庁の長は**内閣総理大臣**で，復興庁の事務を統括する国務大臣として復興大臣が置かれた。復興庁の所管する事務は東日本大震災からの復興に関する施策の企画立案や調整等であり，復興事業に必要な予算の一括要求や予算の関係行政機関への配分を行うが，復興債の発行等は管轄外である。

5 × BCPの策定は努力目標。
「**事業継続計画（BCP）**」は平成17年に内閣府が策定したガイドラインにより，防災基本計画において，企業に策定するよう努めるべきと記載された。「**新成長戦略実行計画（工程表）**」（平成22年６月閣議決定）でも企業のBCP策定が掲げられた。

正答 2

FOCUS

社会事情の政治・経済は教養や専門の政治・経済と重なっているので，注意しなくとも勉強しているはずの事項。忙しいからといって軽視することがないようにし，日頃のニュースは必ずチェック。新しい用語はもちろん，慣れてしまった時事用語の誤解はすぐに解消しなければならない。

POINT

重要ポイント 1　平和と安全

○日本の防衛力強化 ―― 2022年　防衛３文書閣議決定

2014年　**特定秘密保護法**：
重要情報の漏洩に厳罰

2020年　**改正外為法**：
安保上重要な日本企業への外資規制

2022年　**経済安保推進法**：
特定重要物資の供給網強化
重要インフラの安全確保
先端技術の官民共同研究
特許の非公開

◆**国家安全保障戦略**
◆**国家防衛戦略**…米国の戦略と整合するように。
◆**防衛力整備計画**…10年計画

→・**積極的平和主義**を維持
・**非核三原則**を堅持
・**反撃能力**の行使は必要最小限度の自衛措置で軍事目標に限定
・**統合防空ミサイル防衛（IAMD）**へ移行
・**常設統合指令部**を創設
・防衛費を５年間で現行計画の1.5倍に増
・**航空宇宙自衛隊**に組織改編
・**能動的サイバー防御**

＊インド太平洋地域の多国間枠組み＝**Quad（クアッド）**
2022年　日米豪印の４か国が合意。経済に力点

重要ポイント 2　民法改正

○**成人年齢**　20歳→**18歳**
婚姻年齢は男女とも18歳

○**定型約款**　新設
不特定多数の相手方との**画一的な取引**で，契約の内容にすることを目的として準備された条項の総体
・相手の利益を**一方的に害する条項は無効**
・変更は「諸事情に照らして合理的」なもののみ可能

○**民事法定利率**
年３％で「変動制」

○**根保証**
契約時に将来の債務額が特定されないもの
↓
限度額がない場合，契約は無効

○第三者の連帯保証
事業用の融資で経営者以外が保証人になる場合は**公証人**による意思の確認が必要

○**配偶者居住権**　新設
遺言がない場合，**配偶者**自身が亡くなるまで，それまで居住していた**住居に居住を継続**できる権利

○**自筆証書遺言**の保管制度　新設

重要ポイント 3 刑法改正

○改正刑法成立（2022年６月）：施行は公布後３年以内

・懲役（刑務作業が義務）
　禁錮（刑務作業は希望に応じる） ＞ 廃止 ➡ **拘禁刑**に統一
　　　　　　　　　　　　　　　　　　　　　‖
再犯防止が目的――――受刑者の改善更生を図るための作業をさせたり指導を行う

・教育指導
・再犯防止プログラム
・刑務作業

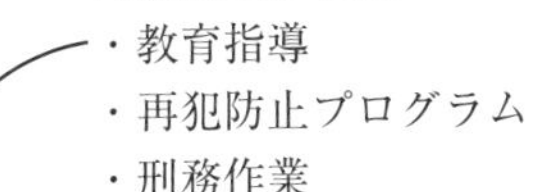

→ 被害者の心情を伝えて理解させる

↓

・増加する**高齢受刑者**の社会復帰プログラムを作成
・地域の**福祉サービス**や**医療機関**との連携強化

・刑務所出所後の「**更生緊急保護**」の期間を最長２年に延長する
・**保護観察付き執行猶予期間**中の犯罪について再度の猶予言い渡しを可能とする
・**侮辱罪**（公然と人をおとしめる行為が対象）を厳罰化し公訴時効も３年に延長する ⟵ **インターネット上の**誹謗(ひぼう)中傷対策

重要ポイント 4 貯蓄から投資へ

資産所得倍増プラン ⟶ 改正所得税法（2023年３月成立）
　新**NISA**（**少額投資非課税制度**）スタート（24年１月から）
　　１生涯・非課税で保有できるのは1,800万円まで
　　「ジュニアNISA」は廃止。口座を開設できるのは18歳以上

○**つみたて投資枠**
　800万円まで
　一定の投資信託が対象
　　120万円 ⟵ 年間で投資可能な枠 ⟶ 240万円

○**成長投資枠**
　1,200万円まで
　上場株や投資信託が対象
　240万円
　対象外となるもの
　・**毎月分配**のもの
　・**運用期間が20年未満**のもの
　・**高レバレッジ**

デリバティブ（金融派生商品）を組み入れている商品の扱いを厳格化 ⟶ ・**高レバレッジ**

☆これまでのNISA：**時限立法**の枠あり
　非課税で投資できる期間が「一般型」で５年，「つみたて型」で20年。
　日本の成人人口に占めるNISA口座の保有割合は約２割だった。

重要ポイント 5 暗号資産とデジタル通貨

ブロックチェーン技術の進展 ⟶ **仮想通貨（暗号資産）**の普及

○デジタル通貨（CBDC）
中央銀行が発行
法定通貨によって価値が裏づけられている

ステーブルコイン
‖
・**ユニバーサル・アクセス**が必要
誰でも，いつでも，どこでも安全かつ確実に利用できる決済手段
・利用状況の把握
・**オフライン決済**
・犯罪対策

中国が**デジタル人民元**で先行中

○いわゆる仮想通貨（暗号資産）
法定通貨による裏づけなし
|
価格変動が大きい
投機的な動き
保有上限を設定するなどの規制が必要
‖
DeFi（分散型金融）取引が活発
・**低コスト**で利用者同士を直接つなぐ
・**管理主体**があいまい
・**不正取引**されやすい
↓
NFT（非代替性トークン）による
デジタル資産 → 無形の作品の高額取引が可能となる

↓
暗号資産専門の融資業が誕生。ただし預金者は一般の銀行預金者のようには保護されない。

重要ポイント 6 日本銀行を概観

2013年　大規模な緩和を開始：**物価安定目標２％**
異次元緩和　国債や上場投資信託（ETF）の保有額を２年で２倍に拡大

2016年　**イールドカーブ・コントロール**（長短金利操作）を導入
短期金利をマイナス0.1%
長期金利（10年物国債の利回り）を０％　} に誘導
↓　└→変動許容幅0.25％程度

2020年12月　保有するETFが年金積立金管理運用独立行政法人（GPIF）を上回り**国内最大の株を保有**

2022年９月　日本が単独で**円買い・ドル売り介入**
↓
米国との金融政策の違いによる円安・ドル高を止めるため

2022年12月　**長期金利の変動許容幅を0.5%程度に拡大**＝事実上の利上げ
‖
操作対象とする10年物国債の金利が低く押さえられる一方でそれ以外の年限の国債の金利が海外の投機すじの圧力で上昇し，イールドカーブのゆがみが増幅したため

2023年４月　**植田和男日銀総裁**が就任

重要ポイント7 ウクライナ危機

ロシア
・経済の長期停滞
・旧ソ連地域での影響力低下
・反体制派の締め付け
・NATOの東方拡大
↓
・東欧加盟国に即応部隊駐留
・**フィンランド**，**スウェーデン**が新規加盟

→ 2022年2月 **ウクライナ侵攻**

ミンスク合意を根拠
親ロ派が占領する
東部地域の
ロシア化 **併合**宣言
‖
武力による現状変更
○SWIFT：国際銀行間通信協会からロシアを排除
○ロシア産**エネルギー資源の禁輸**

ウクライナに不利な内容 ― 2014年の**クリミア併合**の再現を拒否

欧米諸国の反発
・対ロシア**経済制裁**
・ウクライナへの**軍事支援**
｜
地上兵器の支援拡大
｜
消耗戦の様相

ザポロジェ原発をロシアが制圧
｜
核のリスク

・**中国・インド**がロシア産原油の輸入拡大
・新興国で**食料・物価高**，**債務危機**
＞ 欧米諸国との足並みに同調できない

重要ポイント8 中国情勢

少子高齢化
ウイグル人権問題
先端技術をめぐる米中対立
ゼロコロナ政策による景気後退
↓
国進民退
民間企業圧迫
→ **習近平**政権の統制強化

→ 2020年 **香港国家安全法**施行
「一国二制度」の崩壊 ← 欧米反発
2021年 データ安全法施行
国内で扱われるデータのすべての過程を当局が管理

戦狼(せんろう)外交 ― **一帯一路**
東アジア包括的経済連携協定署名（RCEP）
環太平洋経済連携協定 加盟申請（TPP）

毛沢東
鄧小平に続く

2021年 6中全会（第6回全体会議）
・歴史決議採択：社会主義現代国家の全面建設
共同富裕 ― 格差是正
個人崇拝禁止を削除

経済のデカップリング（分断）に備え新型挙国体制を整備

2022年 共産党大会 習総書記の3期目確定
最高指導部の8割を習派で独占
2023年 全国人民代表大会 習氏を**国家主席**に3選
首相は李強

実戦問題　基本レベル

No.1 ＊＊ **わが国における知的財産権に関する次の記述のうち，妥当なもののみをすべて挙げているのはどれか**

【地方上級（全国型）・令和４年度】

ア：著作権の特徴として，他者の利益を奪うわけではないため，著作物の複製や盗用による侵害に罪悪感を感じにくいことが挙げられる。

イ：自己の知的創作活動による著作物や発明などにつき，知的財産権を主張するには，公的機関による審査や登録が必要である。

ウ：著作権法では，映画や音楽だけでなく，著作権者に無断でウェブサイトに公開された論文や漫画などの静止画のダウンロードも刑事罰の対象となっている。

エ：2020年に著作権法が改正されるに当たり，著作権の侵害コンテンツのあるウェブサイトに誘導するリンクが複数掲載されているリーチサイトの違法化は，検討されたものの，最終的に見送られた。

オ：植物の新品種にも知的財産権が発生するが，わが国で作られた品種の種子や苗木が無断で海外に流出したとされ，問題になった例がある。

1　ア，イ
2　ア，ウ
3　イ，エ
4　ウ，オ
5　エ，オ

No.2 ＊＊ **近年の日本の法律の制定・改正による新しい制度に関する次の記述のうち，妥当なものはどれか。**

【地方上級（全国型）・平成29年度】

1　憲法改正の是非を問う国民投票の投票権年齢が「18歳以上」に引き下げられるのに合わせ，選挙権年齢も20歳以上から18歳以上に引き下げられた。それに伴い，満18・19歳の選挙運動も解禁となる一方，重大な選挙犯罪に対しては刑事処分の対象とすることとなった。

2　取調べの可視化は，警察・検察が被疑者の供述を客観的証拠とするために要求していたもので，被疑者に対する取調べの全過程を録音・録画することが，すべての刑事事件において求められるようになった。

3　労働者派遣法の改正により，派遣期間について，本人の同意があれば，派遣先企業は同一の派遣労働者を同一の課(組織単位)で，無期限に派遣労働者として雇うことができることになった。

4　障害者差別解消法の制定により，障害を理由とする不当な差別的取り扱いが禁止され，合理的配慮を提供することが義務化されたが，この法律は自治体などの行政機関を対象とするもので，民間事業者は対象としていない。

5 かつては，再婚後出産した子の父子関係を特定するため，女性のみに６か月間の再婚禁止期間が課されていたが，現代は父子関係の特定がDNA鑑定でも可能であり，女性のみに再婚禁止期間を設けること自体が違憲とされている。

＊＊
No.3 **昨年６月に公布された「公職選挙法の一部を改正する法律」に関する記述として，妥当なのはどれか。** 【地方上級（東京都）・平成28年度】

1 選挙権年齢を満年齢20歳以上から満年齢18歳以上に引き下げるとした結果，新たに選挙権を得る18歳以上20歳未満の人口は約100万人となり，それが全有権者の中に占める割合は約１％となる見込みである。

2 18歳以上20歳未満の者が，連座制の対象となる重大な選挙犯罪を犯した場合でも，未成年であることから原則として検察官送致とはならないとしている。

3 民法の成人年齢や少年法の適用年齢については，選挙の公正その他の観点から均衡を勘案しつつ，検討を加え，必要な法制上の措置を講ずるものとするとしている。

4 最高裁判所裁判官の国民審査，地方自治体の首長解職及び議会解散の請求を受けて行われる住民投票の投票資格については，これまでどおり満年齢20歳以上としている。

5 世界各国では選挙権年齢を引き下げる傾向にあり，191か国・地域のうち選挙権年齢を18歳とする国・地域が約半数を占めている。

＊＊
No.4 **2015年に採択された「持続可能な開発目標（SDGs）」に関するア～エの記述のうち，妥当なもののみをすべて挙げているのはどれか。**【市役所・令和３年度】

ア：SDGsには，貧困の解消や飢餓の撲滅などだけでなく，ジェンダー平等に関する目標も盛り込まれている。

イ：SDGsには法的拘束力があり，2030年までに目標を達成できなかった国には罰則が科されることになっている。

ウ：SDGsの達成は先進国だけに義務づけられており，発展途上国や民間企業，個人にはSDGs達成に協力することが求められるにとどまっている。

エ：日本政府は，地方創生とSDGsを結び付けており，その達成のための取組みの一環として，「SDGs未来都市」を選定している。

1 ア，イ
2 ア，エ
3 イ，ウ
4 イ，エ
5 ウ，エ

実戦問題の解説

No.1 の解説　知的財産権　→問題はP.382　正答4

STEP❶　違法コピーによる損害は甚大で深刻化。

情報技術の進歩により著作物の複製や盗用がもたらす被害・損害の範囲も拡大している。**海賊版コピー**の被害や取締りの報道に接する機会も増えている現状を考えるなら，**ア**のように「他者の利益を奪うわけではない」という認識がもはや通用しないのは明らか。よって**ア**は誤りであり**1**と**2**も誤り。

STEP❷　農作物の品種改良の成果は知的財産権とみなされる。

優れた新品種を開発した人は**品種登録**をすることによって**育成者権**（**植物特許**）を認められる（**種苗法**）。この権利を取得するとその品種の種苗や収穫物の生産や譲渡，輸出入などの行為を排他的に行うことができるので，**オ**の記述は妥当であり，**オ**を含まない**3**は誤り。

STEP❸　ネット上での権利保護は日増しに強まっている。

著作権は著作物を**創作すればそれだけで発生**するので**イ**の記述は誤り。しかし**特許権**や**商標権**などは法で定める**登録を得て権利として認められる**体制となっている。デジタルコンテンツについても同様で，2020年の改正著作権法により，著作権者に**無断でウェブサイトに公開された静止画のダウンロード**は刑事罰の対象となったので**ウ**の記述は妥当。同じ改正法でリンクを掲載して利用者を侵害コンテンツへ誘導する**リーチサイト**や**リーチアプリ**の提供も**違法化**されたので**エ**の記述は誤り。

以上から**ウ**と**オ**を挙げた**4**が正しい。

No.2 の解説　近年の法律の制定・改正　→問題はP.382　正答1

1◎　18歳以上なら選挙権ありで違反行為も処罰される。

国民投票法の投票権年齢引き下げが契機となって**公職選挙法**，**民法**の**成人年齢**も引き下げられた。18歳に比べると19歳有権者の投票率は低く，進学などで親元を離れると**住民票**を移動しない学生が多いことが原因とされている。

2×　取り調べの可視化は裁判員裁判対象事件と検察の独自捜査事件が対象。

取り調べの可視化は**自白偏重の捜査手法**の反省から成立したもので，殺人などの**裁判員裁判対象事件**と**検察が独自に捜査する事件**が対象となる（刑事訴訟法301条の２）。

3×　2015年の労働者派遣法改正で３年ルールが定められた。

同一の**派遣労働者**を**同一**の**部署**で働かせることができるのは**原則3年**まで（労働者派遣法35条の３）となった。**派遣会社が無期雇用**する「雇用安定措置」に該当すれば，３年を超えて同じ職場で働き続けることができる。

4×　障害者差別の禁止は行政機関のみならず民間にも適用される。

障害者差別解消法は行政機関及び民間事業者も対象（１条）としており，障害を理由とする不当な差別的取り扱いを禁じている。

5×　違憲とされたのは再婚禁止期間の「100日超」の部分。

再婚禁止期間訴訟で再婚禁止期間を設けること自体が違憲としたのは２人の裁判官だけで，多数意見は**合理的な根拠**に基づくならば再婚禁止期間を設けることは合憲であり，合理性の判断基準として離婚後「**100日**」を挙げた（最大判平27・12・16）。この判決を受けて再婚禁止期間を離婚後100日に短縮する**改正民法**が成立し，妊娠していなければ禁止期間中でも再婚でき，その後の改正で100日間の再婚禁止期間も廃止された。

No.3 の解説　公職選挙法の改正　→問題はP.383　正答3

1 ×　18歳以上が有権者となっても全有権者に占める割合は２％。

2014年９月現在で18歳以上20歳未満の人口は約240万人であり，全有権者に占める割合は約**2.2%**程度であった。

2 ×　重大な選挙犯罪では20歳未満であっても検察送致。

連座制の対象となる選挙犯罪の事件で，その罪質が選挙の公正の確保に重大な支障を及ぼすと認める場合は成人と同様に**検察官への送致**の決定（少年法20条１項）が適用される（**附則５条**）。ただし，犯行の動機等の事情を考慮して刑事処分以外の措置が相当と認められることもある。

3 ◎　民法改正で成人年齢は18歳になったが20歳と明記した法律はそのまま。

正しい。民法は改正されたが少年法は検討中で，その他の法律では「成人」の代わりに「20歳未満」という定義に変更されたものもある。

4 ×　参政権の領域では18歳以上が有権者。

国民審査（国民審査法８条），住民投票（地方自治法18条）などについても**投票資格は18歳以上**に引き下げられた（改正公選法９条２項）。

5 ×　選挙権年齢18歳は世界で多数派。

直接選挙の選挙権年齢を18歳とする**国・地域は９割近く**あり，ブラジルやアルゼンチンは16歳としている。一方，韓国は19歳，マレーシアやシンガポールは21歳としている。

No.4 の解説　SDGs

→問題はP.383 **正答2**

STEP❶　SDGsの定義と成り立ちから確認。

流行語にもなっている**SDGs**だが，正しくは「**持続可能な開発目標**」であり2015年の**国連持続可能な開発サミット**で採択された。17のゴールと169のターゲットで構成された「**人々のためのアジェンダ**」なので，「目標」という言葉が示すとおりで罰則は伴わず，法的拘束力もないから**イ**は誤り。したがって**イ**を含む**1**，**3**，**4**は誤り。

STEP❷　SDGsに賛同する国に先進国・途上国の区別はない。

SDGsはサミットで**全会一致**で採択された。このような決議は**コンセンサス決議**と呼ばれ，法的拘束力はなくても政治的あるいは道義的な強い影響力を持ち，支持する先進国や途上国のみならず個人や法人にも達成に向けた努力が等しく求められる。よって**ウ**の記述も誤りで**5**も誤り。

STEP❸　SDGsは抽象的であるから具体的な内容は実施者が決める。

SDGsには**貧困**や**飢餓**をなくすことや**ジェンダー平等**の実現などが含まれているので，**ア**の記述は妥当である。また「**住み続けられるまちづくり**」や**海の豊かさ**，**陸の豊かさ**を重視することも含まれるので，**エ**の記述にあるとおり，わが国では**地域創生SDGs**が推進され，優れた取組みを行っていると選定された地方自治体が「**SDGs未来都市**」である。

以上から**ア**と**エ**を挙げた**2**が正しい。

実戦問題　応用レベル

＊＊
No.5　2015年に成立した平和安全法制（平和安全法制整備法及び国際平和支援法）に関する次の記述のうち，妥当なもののみをすべて挙げている組合せはどれか。

【地方上級（全国型）・平成28年度】

ア：法案提出の背景には，中国の軍事力強化や海洋進出だけでなく，アメリカによるリバランス政策がある。リバランス政策とは，アメリカの安全保障政策の重点を，アジア太平洋地域から中東地域に転換するというものである。

イ：歴代内閣は，憲法９条により集団的自衛権の行使は認められないとの解釈をとっていた。しかし，安倍内閣は法案審議に先立ち，集団的自衛権の行使を容認することを閣議決定した。

ウ：世論の反対もあったものの，法案の審議過程において，与党議員だけでなく野党議員の多くも賛成したため，短期間のうちに可決・成立するに至った。

エ：わが国と密接な関係にある他国に対する武力攻撃が発生し，これによりわが国の存立が脅かされ，国民の生命，自由および幸福追求の権利が根底からくつがえされる明白な危険がある事態に陥った場合，ほかに適当な手段がなければ，必要最小限度の実力行使ができるとした。

オ：わが国の平和と安全に重要な影響を与える事態（重要影響事態）において，わが国は自衛隊を派遣してアメリカ軍等を後方支援できるとした。今回の改正で支援内容は拡大されたが，支援地域についてはわが国の周辺地域のみという新しい地理的制限が設けられた。

1　ア，ウ
2　ア，エ
3　ア，オ
4　イ，エ
5　イ，オ

No.6 2021年に世界で起きた出来事に関する次の記述のうち，妥当なものはどれか。 ＊＊
【地方上級・令和４年度】

1 ドイツでは，選挙の結果，メルケル首相の所属政党に代わって社会民主党が連邦議会の第一党となり，社会民主党を中心とする連立政権が発足した。

2 アメリカでは，バイデン氏が大統領に就任し，アメリカの環太平洋パートナーシップ協定（TPP）への復帰を進める意向を表明した。

3 イランでは，大統領選挙が実施され，保守穏健派として核開発の中止を訴えたライースィ師が，欧米諸国との協調を求める国民の支持を集め，当選した。

4 アフガニスタンでは，イスラム原理主義組織であるタリバンの勢力が復活する兆候を見せたことから，アメリカ軍の撤収の予定が取り消された。

5 ミャンマーでは，軍事クーデターが勃発したが，民衆の激しい抵抗運動により国軍は政権掌握を断念し，アウンサンスーチー氏が短期間で政権に復帰した。

No.7 わが国における地方活性化等に関する記述として最も妥当なのはどれか。 ＊＊＊
【国家一般職・平成28年度】

1 新幹線の開業は，交通利便性の向上に加え，大きな経済波及効果を期待できる。平成20年の九州新幹線，平成24年の東北新幹線の全区間の開業に続き，平成27年，北陸新幹線が開業した。新幹線の整備計画が決定されてから40年以上を経ての金沢開業であり，これにより，整備新幹線の全区間が完成した。

2 ふるさと納税とは，自分の選んだ地方公共団体に寄附を行った場合に，通常の寄附金に対する控除に加えて特別な控除が受けられる制度である。平成27年度税制改正において，控除の限度額が引き上げられたほか，確定申告の不要な給与所得者等がふるさと納税を行う場合，控除に関する手続を簡素にする「ふるさと納税ワンストップ特例制度」が創設された。

3 住民基本台帳ネットワークシステムに代わり，平成28年から導入されたマイナンバー制度は，日本国籍を持つ者を対象に，１人１番号を都道府県知事が指定する制度である。地方公共団体では，戸籍や税に関する個人情報とマイナンバーとを関連付けて，効率的に情報の管理を行えるようになった。

4 平成26年度の一般会計予算には，地方創生交付金が計上され，プレミアム付き商品券の発行，しごとづくり，観光振興，子育てなど，幅広い分野で活用された。このうち，地域内での消費喚起を目的としたプレミアム付き商品券は，初めての試みであり，全国の地方公共団体で15歳以下の子どものいる家庭に配布された。

5 地方公共団体の住民が意思決定を行う仕組みの一つに，住民投票条例に基づく住民投票があり，平成27年度には，大阪市で特別区設置住民投票が行われたほか，一部の市町村で図書館の民営化に関する住民投票が行われた。これらの住民投票では，選挙権年齢の引下げに伴い，18歳以上の者による投票が行われた。

＊＊＊
No.8 近年の国際紛争に関する次の記述のうち，妥当なもののみをすべて挙げているものはどれか。 【地方上級・平成30年度】

ア：中国とフィリピンは南沙諸島の領有権を巡って激しく対立しており，常設仲裁裁判所が中国の主張を否定した後，フィリピンのドゥテルテ大統領は中国へ厳しい経済制裁を行った。

イ：イラクとシリアでは，イスラム過激派のイスラム国（ISIL）が勢力を拡大しつつあり，主要都市を次々に占拠している。

ウ：ミャンマー国内では少数派のロヒンギャへの弾圧が続いており，ミャンマー政府の掃討作戦によって多くのロヒンギャが難民化し，バングラデシュへ逃れている。

エ：スペインのカタルーニャ州では，住民投票の結果を受けて州政府が独立宣言を行い，スペイン政府もこれを承認した。

オ：コロンビアでは，政府と反政府ゲリラのコロンビア革命軍（FARC）の間で戦闘状態が続いていたが，2016年には両者の間で和平合意が成立した。

1 ア，イ
2 ア，ウ
3 イ，エ
4 ウ，オ
5 エ，オ

＊＊＊
No.9 世界の都市に関する記述として最も妥当なのはどれか。
【国家総合職・平成30年度】

1 エルサレムは，パレスチナの中心都市で，旧市街地には嘆きの壁，聖墳墓教会，岩のドームなどがあり，ユダヤ教，キリスト教，イスラム教の聖地とされている。イスラエルは，第三次中東戦争の結果，旧市街地を含む東エルサレムを占領している。2017年，米国がエルサレムをイスラエルの首都と承認し，米国大使館を移転する方針を表明したため，国連の緊急特別総会において，エルサレムに外交機関を置かないことが加盟国に求められた。

2 ラッカは，ティグリス川沿岸に位置するイラク南部の都市であり，オスマン帝国時代に建設された世界最古のモスクであるウマイヤ＝モスクがある。第二次世界大戦中に締結されたサイクス・ピコ協定によって，英国の統治下に置かれていたが，イラクの独立後は商業都市として発展した。2014年頃からISIL（イラクとレバントのイスラム国）と呼ばれる過激派組織が本拠地としていたが，2017年，米国と英国を中心としたイラク治安部隊によってその支配から解放された。

3　ストックホルムは，北海に面するスウェーデンの首都であり，我が国の稚内市とほぼ同じ緯度に位置する。スウェーデン国民の環境問題に対する関心は高く，1970年代に開催された国連人間環境会議において，オゾン層の保護のためのストックホルム条約が採択された。また，毎年12月にはノーベル賞の授賞式が行われており，2017年，クローン技術に対し倫理的な観点から批判した『日の名残り』などを著したカズオ・イシグロ氏がノーベル文学賞を受賞した。

4　京都は，８世紀末，天智天皇が平城京から平安京に遷都して以降，約1,100年間，我が国の首都であった都市である。京都の中心部にある二条城は，豊臣秀吉が造営させた邸宅で，勝海舟と西郷隆盛が江戸開城について会談を行った場所として知られ，古都京都の文化財の一つとして世界文化遺産に登録されている。2017年は大政奉還から150年の節目に当たり，幕末維新に京都で活躍した先人たちと縁を持つ都市で記念事業が行われた。

5　バンコクは，メコン川下流のデルタ地帯にある都市で，東京に次いでアジア第２位の人口を有するタイの首都である。17世紀初頭には，朱印船貿易によって我が国から渡った人々により日本町が形成され，徳川家光のバテレン追放令によって国外追放となった高山右近などが活躍した。1990年代には，日タイ経済連携協定（EPA）が締結され，経済関係の強化が図られたほか，2017年は我が国とタイとの修好130周年として各種のイベントが東京とバンコクで開催された。

実戦問題の解説

No.5 の解説　わが国の安全保障

→問題はP.387　正答4

STEP❶　安全保障の議論は憲法9条を中心にまわる。

交戦権放棄を規定する**憲法9条**の解釈は1970年代以降，許されるのは自衛のための「**必要最小限度**」の防衛であり，**集団的自衛権**の行使はその範囲を超えるとしてきた。安倍内閣は**積極的平和主義**により集団的自衛権を行使できるという解釈を表明したので**イ**は正しく，**イ**を含めない**1**，**2**，**3**は誤り。

STEP❷　日米安保は平和安全法制の要。アメリカの態度を確認する。

アメリカは安全保障で**リバランス政権**を採用し，中東地域からアジア太平洋地域に重点を移したので**ア**は誤り。

STEP❸　自衛隊にできること・できないことの判断で立場が異なる。

わが国の平和と安全に重要な影響を与える事態（**重要影響事態**）にアメリカ軍などを**後方支援**するため，自衛隊は日本周辺以外の地域へも派遣されることになったので**オ**は誤り。その解釈に対して世論や野党は反対が強く，審議が難航，最終的に野党3党が賛成したので**ウ**も誤り。以上から**4**が正しい。

No.6 の解説　世界情勢

→問題はP.388　正答1

1 ◎　メルケル政権の後任は3党連立のショルツ政権。

正しい。2021年9月の総選挙で第1党となったのが中道左派のドイツ**社会民主党（SPD）**で，**緑の党**と**自由民主党（FDP）**と連立し，首相にはSPDの**ショルツ**党首が就任した。

2 ×　アメリカはTPPに復帰する意図なし。

2020年の大統領選挙の結果成立した**バイデン政権**は貿易政策においてトランプ前政権と同様に**環太平洋パートナーシップ協定（TPP）**に消極的。新たに**インド太平洋経済枠組み（IPEF）**の交渉を始めた。

3 ×　イランは経済制裁に反発して核開発を継続している。

穏健派の**ロウハニ**大統領の任期満了により新しくイラン大統領に就任したのは**保守強硬派**の**ライースィ**師で，ロウハニ政権の対外協調路線を修正してアメリカなどとの対決姿勢を強めている。

4 ×　タリバンがアフガニスタンを制圧しアメリカ軍は撤収。

トランプ政権が決めた**アメリカ軍の撤収**を**バイデン**政権も引き継ぎ2021年8月30日に撤収を完了した。これによりアフガニスタンはイスラム原理主義の**タリバン**の支配下に戻り，政情不安が強まっている。

5 ×　ミャンマー国軍はクーデターを実行し民衆と対立。

2021年2月にクーデターを実行した**ミャンマー国軍**は民主化指導者らを次々と拘束し市民らの抗議デモを強硬に制圧した。各地で民主派との武力衝突が頻発し，**アウンサンスーチー**氏が率いる**国民民主連盟（NLD）**は2023年3月に解党された。

No.7 の解説　わが国の地方活性化

→問題はP.388　**正答2**

1 ×　整備新幹線の前倒しで開業を予定しているが北陸に未着工区間あり。

東北新幹線の**全区間開業**は**平成22年**であり，北陸新幹線の金沢―敦賀間と九州新幹線の武雄温泉―長崎間，北海道新幹線の新函館北斗―札幌間は平成24年に着工されたところである。また**北陸新幹線**の**敦賀**―**大阪間**は**未着工**なので，整備新幹線はまだ完成していない。

2 ◎　ふるさと納税では高額返礼品競争に歯止めが必要。

正しい。**ふるさと納税**は**2,000円を除いて**減税される寄附の上限が2倍に引き上げられた。ふるさと納税により**寄附者が住んでいる自治体や国の税収入が減る**ことになり，高額返礼競争に歯止めをかける措置がとられている。

3 ×　マイナンバーは定住外国人にも付与。

マイナンバーは**住民票**をもとに**日本国内に在住**している人に**市町村長**が指定するものであり，**本人確認**を効率的に行って社会保障や税，災害対策などの行政分野の運営を迅速かつ効率よく進めるためのものである。

4 ×　プレミアム付商品券は対象者が購入する。

プレミアム付商品券は，都道府県あるいは市町村のいずれかが発行するもので，購入価格より多くの金額の買い物ができる。**地方創生交付金**で発行されたものは，消費者による購入で消費を喚起しようとするもので，平成11年度の地域振興券のようなバラマキ型とは形式的には別とされている。

5 ×　住民投票の有権者年齢は条例で決められる。

住民投票条例に基づく住民投票では**条例**によって投票を行える者を定められ，「大阪都構想」に関する大阪市の投票は「20歳以上」の有権者で実施された。このときの投票率は66.85％で，反対が50.4％，賛成が49.6％で，その差はわずかだった。

No.8 の解説　近年の国際紛争

→問題はP.389　**正答4**

STEP❶　イスラム過激派との戦いは国際社会全体の課題。

イスラム国（ISIL）はネットなどを通じ欧米諸国のアラブ系移民の2世などをリクルートし，テロ活動を展開した。アメリカなどは**イラク軍**や**クルド人勢力**を支援してISILへの攻勢を強め，2017年10月にはその首都**ラッカを制圧**したので**イ**の記述は誤り。よって**イ**を含む**1**と**3**は誤りである。

STEP❷　中国の南シナ海進出は日本にとっても重要な関心事。

国際海洋法条約に基づいた**フィリピン**の提訴で，**常設仲裁裁判所**は2016年7月，**南シナ海**の領有権は中国に認められないという判断を下した。南シナ海は日本の**シーレーン**にあたり，また黄海などでの中国の進出は日本の権益とも密接に関連する。裁判所の裁定を受けてフィリピンの動向が注目されたが，**ドゥテルテ大統領**はインフラ整備で中国の支援を受けていることなどを考慮し，強硬策はとらなかった。よって**ア**の記述も誤りで，**2**も誤り。

STEP❸ 重大な国際関心事項だが認知度が低い事例は自分の関心で判断。

ミャンマーでは多数派の仏教徒とイスラム教徒の間に宗教対立があり，イスラム系の**ロヒンギャ族**への弾圧が問題になっている。**国連人権理事会**が設置した国際調査団は2018年９月，ロヒンギャ族への迫害は**民族虐殺**に相当するという報告をまとめているので，**ウ**の記述は正しく，**ウ**を含まない**5**も誤り。

スペインの**カタルーニャ州**はバルセロナを中心に大手企業の本社が集まりスペインの国内総生産の２割弱を産出しているが税負担の割に自治が認められず，分離運動が盛りあがり，住民投票の結果州政府が独立を宣言。スペイン政府は同州の**自治権を停止**したので**エ**の記述も誤りである。

コロンビア和平に関する**オ**の記述は正しく，コロンビアのサントス大統領が2016年の**ノーベル平和賞**を受賞した。以上より**4**が正しい。

No.9 の解説 世界の都市

→問題はP.389 **正答 1**

1 ◎ エルサレムの地位は中東和平の核心で合意形成が困難。

正しい。米国は1995年にも**大使館移転**を議会で決定したが，**安全保障**上の理由で移転を延期し，トランプ政権が１歩踏み込んだ形となった。**国連**は決定を撤回する安保理決議を採択しようとしたが米国が拒否し，その後の**緊急特別総会**でエルサレムに**外交機関を置かない**という決議が採択された。

2 × ラッカはシリア北部にあり「イスラム国」の首都とされていた。

ラッカは**シリア**国内にあり，内戦の混乱に乗じて「イスラム国（IS）」が首都としてきた。2017年10月に米国の支援を受けた**クルド人**主体の勢力が制圧した。モスクは**ウマイヤ朝**（661年～750年）がダマスクスに開かれた頃から建設が活発になった。

3 × ストックホルムは稚内より10度程北にある。

稚内が北緯45度であるのに対し**ストックホルムは北緯59度**にある。1972年に開かれた**国連人間環境会議**で採択されたのは人間環境宣言であり，オゾン層保護に関する条約は1988年発効の**ウィーン条約**。**イシグロ氏**の『日の名残り』は1950年代のイギリスが舞台の作品である。

4 × 平安京遷都を行ったのは桓武天皇。

天智天皇は第38代，京都に都を移した**桓武天皇**は第50代。**勝海舟**が**西郷隆盛**と会談したのは江戸高輪の薩摩藩邸。**二条城**を造営したのは**徳川家康**。

5 × アジアの都市人口上位４位までを中国が占めている。

都市人口が多いのは重慶・**上海**・**北京**・天津の順でいずれも中国にある。バンコクは**チャオプラヤ（メナム）川**デルタにあり，建設されたのは1782年で，**日本町**はその約百年前の17世紀にアユタヤにつくられた。

消費者問題・食料事情

必修問題

わが国の消費者問題に関する記述として，妥当なのはどれか。

【地方上級（特別区）・平成27年度】

1 アメリカでは**ケネディ大統領**が，**安全である権利**，**知らされる権利**，**選択する権利**，**消費者教育を受ける権利**を消費者の4つの権利と示し，わが国の消費者運動に影響を与えた。

2 1968年に制定された**消費者保護基本法**は，**行政**が消費者保護の責務を負っていることを定め，この法律に基づき，国に**消費生活センター**が設置されたが，**企業**に対する消費者保護の責務は明確にされなかった。

3 売買契約を結んでも一定期間内であれば無条件で解約を認める**クーリング・オフ**の制度では，電話勧誘販売による売買は解約の対象となることはない。

4 被害にあった消費者に代わって国民生活センターが，被害を発生させた事業者に対して，不当な行為を差し止めるよう訴訟を起こすことのできる**消費者団体訴訟制度**が導入されている。

5 国は，消費者の権利の尊重や自立支援を基本理念として**消費者基本法**を成立させ，2009年に消費者行政を一元的に管理するため，消費者庁を設置した。

難易度 ＊＊

必修問題の解説

消費者主権という言葉は，かなり古い時代から言われてきた。「お客様は神様」と言われながらも「保護」の対象でしかなかった時代から，ようやく主権者として消費者がモノ申す時代へと移ってきたところであり，法制度も消費者主権を支援する方向で整備されつつある。

1 × ケネディ大統領が消費者の権利を公式化。
1962年にアメリカの**ケネディ**大統領が特別教書で挙げたのは，**安全の権利**，**選択する権利**（競争が機能しなくて政府の規制が行われている業種で，満足できる品質とサービスが公正な価格で保証される権利のこと），**知らされる権利**，**意見表明の権利**の4つである。**消費者教育を受ける権利**は1975年に**フォード**大統領が追加した。

2 × 消費者保護基本法は行政的取締りで消費者を保護。
同法は事業者の行きすぎた営業を**行政が取り締まる**ことにより，その**反射的効果**で消費者が保護されるという体制になっていた。**消費生活センター**は**消費者安全法**が**都道府県に設置**を義務づけ，市町村は努力義務にとどまる。

3 × クーリング・オフは特定商取引法など多くの法律で導入。
電話勧誘販売については1994年から**クーリング・オフ**の対象となっている。この制度により，消費者は契約後に法律で定めた**一定期間内**（8日，20日等の例もある）であれば理由も条件もなしで**申込みの撤回**や**契約の解除**を行うことができる。通信販売でもクーリング・オフが認められるケースがある。

4 × 消費者集団訴訟を提訴できるのは特定適格消費者団体のみ。
消費者裁判手続き特例法により，不当な勧誘行為などの**差止め**を請求できるのは**特定適格消費者団体**だけである（同法65条1項）。2016年から施行された改正法により，**損害賠償**の請求もできるようになり，同法は2022年にも改正された。

5 ◎ 消費者基本法は消費者の権利尊重と自立支援が基本理念。
正しい。**基本法**は2004年に成立したが，消費者行政の一元化には時間がかかり，**消費者庁**の設置は2009年になった。

正答 5

FOCUS

規制緩和が進み，市場原理が機能する領域が拡大すると，消費者の自己責任が問われる場面も増えてくる。消費者が自立して行動するために必要なこと，弱い立場の消費者が助けを求めるべき相手，とるべき手段などについての知識や情報は，日々の生活でも役立つものである。

POINT

重要ポイント1 消費者を保護する制度

○**消費者基本法** ─┬ **消費者庁**
　　　　　　　　　└ **国民生活センター**：独立行政法人国民生活センター法
消費者紛争のうち，解決が全国的に重要である紛争について解決を図る裁判外紛争解決手続を実施

○**消費者安全法**──**消費生活センター**
・地方公共団体が担うべき具体的な事務を規定

日本版クラスアクション（消費者集合訴訟）
・消費者団体が各消費者に代わって提訴する制度は2007年からあったが，事業者の不当な行為の差止めしか請求できなかった。

○**消費者裁判手続き特例法**（2013年12月公布，その後，2016年，2022年に改正）
損害賠償請求が可能

第１段階　**特定適格消費者団体**が事業者を提訴
裁判所：事業者が消費者に賠償する義務があるか否か判断
義務ありの場合

第２段階　特定適格消費者団体が手続き開始を申し立てる
消費者に通知・広告→参加表明した消費者の被害額を債権として届け出
裁判所が債権額を確定し事業者が消費者に支払う

重要ポイント2 商品表示の適正化

○**食品表示法**──栄養表示を義務化，具体的な表示基準を消費者庁が策定
2013年６月公布
表示ルールの統一
- 健康増進法
- 食品衛生法
- **日本農林規格（JAS）法**

有機JAS制度：JAS法が定める「有機」の生産基準を満たしている，と国に登録された第三者機関が認めた食品だけが「有機食品」「オーガニック食品」と表示できる制度
不正表示には罰則あり

○**改正景品表示法**（2016年４月施行）
「優良誤認表示」・「有利誤認表示」などを規制
（優良誤認表示：実際よりも優れていると誤解）（有利誤認表示：実際より得だと誤解）

不当表示があった商品やサービスには**課徴金**を消費者庁が命じる
→商品やサービスの最長３年分の売上額に３％をかけて算出
事業者が自主的に消費者に返金すれば，課徴金額から返金額が差し引かれる

重要ポイント3 ネット時代の消費者保護

○**キャッシュレス決済**の普及 ――― 日本の消費全体に占める割合は約３割（キャッシュレス比率）

最も多いのは**クレジットカード決済**

2023年４月から**給与のデジタル払い**解禁 ――― **資金移動業者**（スマホ決済や電子マネーを扱う業者）の口座が給与の支給先として認められた。
→ 破綻に備えて預かった給与を全額保証する体制を確立しないと認可されない

・**フィッシング**被害も拡大
　サイバー攻撃や偽サイトで
　個人情報を抜き取る
・**カードの不正取引**も増加
　↑
　対策：**EMV-3Dセキュア**（複数の方法で本人認証を行う国際規格）の導入
　ワンタイムパスワード（スマホのショートメッセージサービスに数字を送る確認方法）を求める
　QRコードや**後払い決済（BNPL）**の利用
・**ステマ（ステルスマーケティング）**規制 ――― 23年10月から
　口(くち)コミや感想を装った広告に景品表示法を適用する

重要ポイント4 農政改革

日本の農業の競争力を高めるための構造改革＝「**プロの農家**」の後押し

○**全国農業協同組合中央会（JA全中）**
　農協の上部組織
　↓
　改正農協法（2016年４月施行）
　・**地域農協**に対する監査・指導権をなくす
　・**一般社団法人**に転換（2019年３月）
　・位置づけは「地域農協のサポート」

○**全国農業協同組合連合会（JA全農）**
　農産物の販売を請け負う
　↓
　株式会社化＝農家に割安なサービス提供

認定農業者に農協や農業委員会の運営を担わせる

・**農業生産法人**の出資規制の緩和
・企業の農地運営の拡張
・**耕作放棄地**の有効活用
　↓
　農地中間管理機構（農地バンク）
　都道府県ごとに設置
　所有者から農地や耕作放棄地を借り入れ農業法人などに貸し出す。
　↓
　農家や農業法人の
　経営基盤の強化を目指す

実戦問題　基本レベル

＊＊
No.1 **農林水産業・食料事情に関する記述A～Dのうち，妥当なもののみをすべて挙げているのはどれか。** 【国家専門職・平成26年度】

A：わが国では，耕作放棄地の増加を背景とした法改正による規制の強化等により，農家以外の農業事業体のうち販売を目的とする法人経営体の数は，平成24年は平成12年の5割に満たない。また，農地面積全体に占める法人の農地利用面積の割合も減少し，平成24年は平成12年の5割未満となった。

B：わが国の林業は，昭和50年代以降，木材価格が上昇傾向で推移したため，経営の採算性が向上し，平成23年の国産材（用材）の供給量は昭和55年よりも多くなっている。さらに，輸出国における資源的制約や法的規制なども重なり，平成23年のわが国の木材需要全体に占める国産材の割合は昭和55年の2倍以上に上昇している。

C：世界的な食生活の変化により，世界の水産物消費量は減少を続けている。その結果，マグロ類やクジラ類については国際機関で設定された資源回復目標を達成したことから，従来の保存管理の方針が見直され，2010年代に入り，マグロ類については国際的な総漁獲可能量の制限や国別の漁獲可能量の割当てが撤廃され，クジラ類については商業捕鯨の一時停止措置が解除された。

D：食品のトレーサビリティは，食品に関わる事業者が，それぞれ，食品の入荷先や出荷先の記録を残すことなどにより，食品の生産から消費までの移動を把握できるようにする仕組みである。わが国においては，牛及び米穀等（米及び米加工品）のトレーサビリティが，それぞれ法律によって導入されている。

1　A
2　A，C
3　B，C
4　B，D
5　D

＊
No.2 **近年の情報通信技術に関するア～エの記述のうち，妥当なもののみをすべて挙げているのはどれか。** 【市役所・令和2年度】

ア：ビッグデータとは，スマートフォンの位置情報などを含む巨大なデータ群であり，ビジネスにおいて企業が利活用できるようになっている。ただし，企業がビッグデータの販売を行うには，個人を特定できないように加工することが法律で義務づけられている。

イ：IoTとは，自動車や家電製品などをインターネットに接続し，スマートフォンによって遠隔操作できる技術のことをいう。

ウ：クラウドストレージとは，データファイルをインターネット上で保管，共有できるサービスのことをいう。このサービスを利用すれば，インターネット環境があればどこからでもデータファイルにアクセスすることが可能になるため，企業でも活用が進められている。

エ：人工知能（AI）は，近年その技術水準が向上し，企業の採用面接などでも活用され始めているが，株式取引などの金融に利用することは法律で禁止されている。

1 ア，イ
2 ア，ウ
3 ア，エ
4 イ，ウ
5 ウ，エ

＊＊
No.3 情報化社会に関する記述A～Dのうち，妥当なもののみを挙げているのはどれか。 【国家専門職・令和2年度】

A：近年，わが国において，モノのインターネット化（IoT）やロボットに関わる産業が進展している。政府は，ロボット市場の拡大が医療，介護，農業などの幅広い分野にわたって，人手不足や生産性向上などの現代社会における課題に貢献することを期待し，「ロボット新戦略」を掲げた。

B：インターネットやスマートフォンの急速な普及によって人々の生活様式にも大きな変化がみられ，情報通信技術の利用により，eコマースと呼ばれるインターネットを利用した財やサービスの取引が広まっている。

C：SOHOと呼ばれる一部の巨大な事業者が，インターネット上に存在する多様で膨大な情報を収集処理し，商品やサービスを提供する営利事業を進めていることから，わが国の政府は，個人情報の保護を強化するため，個人情報の保護に関する法律（個人情報保護法）を全面改正する形で，不正アクセス行為の禁止等に関する法律（不正アクセス禁止法）を制定した。

D：情報化が進んだ現代社会では，持ち運ぶことができる情報端末を利用してインターネットに接続する機会が増加したため，スマートフォンを持ち歩いていないと不安に感じるなど，インターネットが接続された環境に過度に依存する現象がみられ，このような現象をバーチャル・リアリティという。

1 A，B
2 A，C
3 A，D
4 B，C
5 C，D

No.4 ＊ **わが国の漁業や捕鯨を取り巻く近年の状況に関する記述として最も妥当なのはどれか。**

【国家一般職・平成25年度】

1 マグロ類は，世界中で過剰な漁獲が行われたことによって個体数が減少しているため，絶滅の危険性が低いとする我が国の主張が認められた中西部太平洋以外では，ワシントン条約により漁獲及び国際的取引が禁止されている。

2 サンマは，我が国にとって身近な魚で，重要なタンパク源として利用されてきたが，漁獲量の制限が定められていないため，底引網漁による過剰な漁獲により資源量は減少の一途をたどっている。

3 ニホンウナギは，ウナギの産卵場所などの生態の解明や稚魚の養殖法の開発などが全く進んでいないため，稚魚の過剰な漁獲と生息環境の悪化により個体数が減少し，その傾向が絶滅の恐れがあるレベルに達していることから，2011年に絶滅危惧種に指定された。

4 シロナガスクジラなどの大型鯨類については商業捕鯨が禁止されているが，我が国は国際捕鯨委員会（IWC）の管理の下で鯨類資源の持続可能な利用を図るため，必要な科学的データを収集・提供することを目的として調査捕鯨を実施している。

5 エチゼンクラゲは，春先にオホーツク海で生まれ，親潮に乗って南下した後，日本海を回遊しつつ成長するが，ここ数年，大きく成長したものが大量に発生し，我が国近海で大きな漁業被害を引き起こしている。

実戦問題の解説

No.1 の解説　農林水産業の現状　→問題はP.398　正答5

STEP❶　身近なトピックスから攻める。

Dの食品の**トレーサビリティ**は食品にかかわる事業者が食品の入荷先や出荷先の記録等を残すこと等によって，食品の生産から消費までの移動を把握できるようにする仕組みであり，現在法律で導入されているのは**牛**と**米穀**についてである。よってDの記述は妥当であるからDを挙げていない**1**，**2**，**3**は誤り。**農業経営体数**は一貫して減少しているが，**法人経営体数**は増加しており，特に**農業サービス事業体**等を含まない販売目的の法人経営体数は急増している。経営耕地面積においても法人経営体への**農地の集積**が進んでいるので，Aは誤りである。

STEP❷　国際的な動きが大きなヒントとなる。

漁業資源の国際的な管理は強まる傾向にあり，わが国の**魚介類摂取量**は減少しているが，**世界の食用魚介類の1人当たり消費量**は最近50年間で**2倍以上**に増加したため，**マグロ類**の漁獲制限は強化されているのでCは誤り。日本は2019年に**国際捕鯨委員会**を脱退し，商業捕鯨の再開に踏み切った。

STEP❸　環境保護だけでなく建築工法の進歩も見落とせない。

論理で考えてみよう。「経営の採算性が向上」して**国産材**の需要が伸びているのなら，山の荒廃による災害も減少しているはず。確かに国産材の需要も増えているが，それは**合板**，**集成材**，**プレカット材**，**乾燥材**など技術の改良で**間伐材**利用が進んだせいでもある。現在もなお**輸入材**が7割以上を占めているのでBも誤りとなり，**4**も外れて正答は**5**となる。

No.2 の解説　近年の情報通信技術　→問題はP.398　正答2

STEP❶　よく耳にするIoTの内容を確認する。

テクニカル用語を略して話すのが当たり前となると，元々の意味があいまいなまま使う人も増える。**IoT**は「モノのインターネット」の意味。データだけでなく家電製品などを含めたあらゆるものがインターネットにつながる現象を指し，遠隔操作の可否までは含まないから**イ**の記述は誤りで，**イ**を含む**1**と**4**は誤り。

STEP❷　ITの進歩に遅れ気味の法制度の現状を確認する。

ネット上のモラルが問題となることも多いがIT関連で特に注目されるのは**個人情報の保護**である。スマートフォンの位置情報や通信サービスの利用履歴，電子商取引の購買記録などの**ビッグデータ**がAIなどに利用分析されるようになってきた。**個人情報保護法**が2016年に改正され，個人を特定できないよう加工した情報を本人の同意なく第三者に提供することが可能になり，ビッグデータ分析の普及が進んでいるので**ア**の記述は正しい。また株式取引などにAIを利用してはならないという法律もないので**エ**の記述は誤りであるから**ア**と**エ**を挙げた**3**も誤り。

STEP❸　クラウドを活用したIT基盤の強化が進んでいる。

新型コロナウイルス感染症の影響でオフィスを移転・縮小する企業が増え，クラウドへの移行が急速に拡大しているので**ウ**の記述も正しい。しかしデータセンターの約6割が東京圏に集中しているため，地方への分散化が必要とされている。

以上から**ア**と**ウ**を挙げた**2**が正しい。

No.3 の解説　情報化社会　→問題はP.399　正答 1

STEP❶　新型コロナ感染症で巣ごもり需要が拡大。

わが国における**個人のインターネット利用率**は8割以上（2021年）となり，eコマースと呼ばれる**電子商取引**は急拡大している。加えて新型コロナウイルス感染症で外出制限が加わり，**巣ごもり需要**の増大が電子商取引市場の売上を後押ししているので**B**の記述は妥当であり，**B**を含まない**2**，**3**，**5**は誤り。

STEP❷　巨大なプラットフォーマーによる寡占化の問題への対応が課題。

2010年代半ばから**AI**などを活用した**ビッグデータ**の分析が普及し，GAFAM（米大手IT企業のGoogle，Apple，Facebook，Amazon，Microsoft）と呼ばれる**グローバル・プラットフォーマー**の市場支配力が高まり，各国は規制の強化に動いている。わが国も**個人情報保護法**と**不正アクセス禁止法**だけでなく独占禁止法を含めた対応を検討中であるから**C**の記述も誤り。**SOHO**はIT機器を利用して自宅や小規模事務所で仕事することの略語であってグローバル・プラットフォーマーには用いないから**C**を含む**4**も誤り。

STEP❸　少子高齢化社会で労働生産性を上げるためにはロボット活用が不可欠。

わが国は産業用ロボットの分野で実績があり，その強みを活かすべく「**ロボット新戦略**」を打ち出しているので**A**の記述は妥当である。また**D**に挙げられた**バーチャル・リアリティ**（VR）はCGや実際の映像などを基にして作られた人工的な環境や技術のことなので，ネットなどへの過度の依存とは結びつかず，**D**も誤り。

以上から**A**と**B**を挙げた**1**が正しい。

No.4 の解説　漁業・捕鯨の近況

→問題はP.400　**正答4**

1 ×　小型クロマグロの漁獲規制は強化されているが需要が大きく反対も多い。
マグロなどについては5つの**国際委員会**が資源を管理しており，2000年代から漁獲規制が厳しくなり，大西洋では30kg未満の漁獲が禁止されているが，他の地域では漁獲枠を設定している。**クロマグロ**を**ワシントン条約**の規制対象にするという提案も出されているが，資源量の回復状況を見ながら採択を見送っているのが現状である。

2 ×　サンマなどの水揚げは減少傾向にあり，値上げによる魚離れも進む。
水産庁は**水産総合研究センター**に委託して日本周辺水域の重要魚種の資源量などを調査しており，資源量が少なければ漁獲量削減が実施される。サンマも調査対象で量は「中位」で「横ばい」の推移と評価され，**年間で漁獲できる総量（TAC）**が設定されている。

3 ×　ウナギは養殖のための稚魚も減少し，絶滅のおそれあり。
ニホンウナギは稚魚（シラスウナギ）を捕獲して育てる養殖が普及しているが，稚魚が不漁で資源の枯渇が心配されている。卵をふ化させる**完全養殖**は1960年頃より試みられ，成魚にすることに成功しているが，成魚に育つまで通常の養殖の2～5倍の時間がかかり，コスト面で商業化は足踏み状態にある。ニホンウナギが絶滅危惧種であると**国際自然保護連合**に指定されたのは2014年である。

4 ◎　調査捕鯨に対する国際世論の高まりに日本は抗しきれなくなった。
正しい。日本は1987年から南極海で，1994年から北西太平洋で**調査捕鯨**を実施している。**オーストラリア**が**国際司法裁判所**に**南極海**での調査捕鯨の中止を求めて提訴し，2014年3月31日，同裁判所はこれを認める判決を下した。2019年に日本は国際捕鯨委員会を脱退，調査捕鯨から商業捕鯨へと方針を切り替えた。

5 ×　エチゼンクラゲの被害はピークを超えたが続いている。
エチゼンクラゲの生まれる場所は，中国と朝鮮半島に囲まれた海域と考えられ，日本海を北上して冬には死んでしまう。定置網漁業に被害が生じている。

環境・資源問題

必修問題

資源・エネルギー問題に関する記述として最も妥当なのはどれか。

【国家総合職・令和元年度】

1 石油は，確認埋蔵量のうち8割以上が西アジアに偏在している。このため，**石油輸出国機構（OPEC）**は，第四次中東戦争などに際し，政治的目的を達成するための手段として，石油の価格引上げ，減産，輸出量制限などの**石油戦略**を実行した。このため，先進諸国では，自国の国益のための安定的な資源開発が必要であるとする**資源ナショナリズム**が興隆し，米国やカナダなどでは自国内での天然ガスの生産が本格化した。

2 **シェールガスやシェールオイル**，オイルサンドなどは，従来のガス田や油田以外から生産される非在来型の化石燃料に分類される。このうち**燃える氷**とも呼ばれるオイルサンドは，海底から採掘される資源であり，近年，北極海に特に集中して分布していることが判明したが，北極海は国際条約により平和的に利用することとされているものの，帰属が明らかでないため，ロシア，カナダなど沿岸国の間で，海底資源の採掘と主権的権利をめぐる紛争が発生している。

3 金属資源の中でも，先端技術産業に欠かせない**レアメタル**の多くは，産出地域が偏っており，これらの供給制約や特定国への供給依存は経済上の問題のみならず，**国家安全保障上の脅威**との指摘もある。その対策として，供給先の分散や代替素材開発が挙げられている。また，レアメタルはさまざまな電子機器に利用されていることから，廃棄されたものの中から回収し再利用を行うことも可能である。そうした廃棄物は都市に多く存在するため，鉱山に見立てて**都市鉱山**と呼ばれる。

4 再生可能エネルギーの中でも,近年は,生物資源から得られる自然界の循環型エネルギーとして,**バイオマスエネルギー**が注目されている。燃焼時に排出される二酸化炭素の量が微量であるため,カーボンニュートラルであり,温暖化の抑制が期待できることから,2016年に発効した**パリ協定**において各国が利用を進めることが義務付けられた。その中でも,家畜の糞尿などから得られるメタンガスを液化したバイオエタノールは,ブラジルなどで多く利用されている。

5 **エネルギー安全保障**とは，国民生活，経済・社会活動，国防等に必要な量のエネルギーを，**受容可能な価格で確保**することである。安全保障は一義的には国の専権事項であることから，我が国においては**エネルギー政策基本法**によって，国民生活に必要な一年間分の石油を政府が備蓄することとされている。また，自然災害を含む緊急時には日米物品役務相互提供協定に基づき，一定量の石油を米国から優先的に輸入できることとなっている。

難易度　＊＊＊

必修問題の解説

環境問題への対応は産業政策の調整が要である。国連が定めた持続可能な開発目標（SDGs）は，いまや企業にとって外すことのできない看板となった。産業に必

要なエネルギー資源の確保手段は多様化している。豊かな自然を守れというだけでは不十分。生活の質を落とさない具体的な環境保護が要求されている。

1 × **世界最大の原油確認埋蔵量を有するのはベネズエラ。**
中東諸国が世界全体の原油確認埋蔵量の約半分を占め，サウジアラビアは2010年以降首位を**ベネズエラ**に譲り第2位となった。**ロシア**や**カナダ**など非OPEC諸国が世界シェアの上位に入っている。**資源ナショナリズム**は資源を有する発展途上国が先進国中心の経済に異議を申し立てる動きである。

2 × **シェールガスなどは技術革新で採取可能となった石油資源である。**
石油資源の枯渇が心配され，各国が開発努力を続けたのが超重質油に分類される**シェールオイル**や**オイルサンド**であり，シェールガスもあわせて在来型の化石燃料である。「**燃える氷**」と呼ばれるのは**メタンガス**が固体化した**メタンハイドレート**のこと。

3 ◎ **レアメタルは省エネ機器などに不可欠な原材料。**
正しい。**リチウム**や**コバルト**，**ニッケル**などの**レアメタル**は石油以上に偏在している鉱物資源で，資源開発に日本の企業も積極的であり，廃棄物からの回収・再利用が進んでいる。

4 × **バイオマス資源を燃焼させれば二酸化炭素が排出される。**
サトウキビのしぼりかすなど生物由来の資源から得られる**バイオマスエネルギー**は**カーボンニュートラル**であるが，燃焼が主体となれば他の化石燃料と同じである。**パリ協定**はどのような方法で温暖化を抑制するかを締約国の裁量に委ねている。

5 × **石油の備蓄は国の直轄事業で70日分備蓄が目標。**
石油危機のときに制定された**石油備蓄法**に基づいて，**エネルギー安全保障**の一環として石油の備蓄が始まった。当初は90日分が目標だったが1989年度から**70日分体制**となり，2003年度から国家備蓄事業は国の直轄となった。**石油は米国の戦略物資**とされ，優先的に日本が輸入できる協定は結ばれていない。

正答 3

FOCUS

産業革命前からの気温上昇を「2度以内」に抑えようとするなら，2050年の温室効果ガスの排出は世界全体で2010年比40～70％の減少，2100年にほぼゼロかマイナスにしなければならないとIPCCは報告している。各国の自主努力でクリアするのはかなり難しい。パリ協定の実施状況を継続的にチェックする必要がある。

POINT

重要ポイント 1 温暖化対策

○**京都議定書**の問題点：温室効果ガスの**排出削減幅をあらかじめ決定**して参加国に割り当てる方式
↓
アメリカ，**中国**，新興・途上国が反発

2015年 **国連気候変動枠組み条約締約国会議（COP21）**
パリ協定 先進国と途上国の違いを認め，「**共通だが差異ある責任**」が原則
長期目標：世界の気温上昇を**産業革命前から２度未満**に抑え，**1.5度以内**をめざす
・すべての国は**自主的**に温室効果ガスの**削減目標を作成し事務局へ提出**
５年ごとに目標を見直す
・先進国は途上国への**資金を拠出**（新興国からの自主的な拠出も歓迎）

○**発効要件**
55か国の批准
批准国の排出量の合計が世界全体の55％以上

2016年11月４日発効 → 発効後**３年間は離脱を通告できず**，実際の**離脱は通告の１年後**

◆日本の目標
「**2030年**度に2013年比**46%減**」

◆中国の目標
「2030年 にGDP当たり2005年比で60〜65％に」

◆アメリカの目標
「2025年 に2005年比26〜28％減」
→トランプ政権が離脱

重要ポイント 2 生物多様性の保全

○日本の絶滅危惧種（**レッドリスト2020**） 3,772種
↑
改正**種の保存法**（2018年６月施行）
427種の国内希少野生動植物種について捕獲や譲渡を規制
保護増殖事業を実施

ニホンジカやイノシシなどの生息数が増加し，生態系や農林水産業への被害が拡大
‖
捕獲の強化

○改正**動物愛護法**（2020年６月施行）
生後56日を経過しない犬や猫の販売は原則禁止（**８週齢規制**）
繁殖業者は犬猫にマイクロチップを装着しなければならない

外来生物法
100種類以上の特定外来生物を指定
例）アライグマ，セアカゴケグモ，セイヨウオオマルハナバチ

○2022年**生物多様性条約第15回締約国会議**（COP15）
2030年までに世界が取り組む目標（23項目）「**昆明・モントリオール生物多様性枠組み**」を採択
・地球上の陸と海をそれぞれ30％以上保全する（**30 by 30**）
2010〜20年の「愛知目標（20項目）」について完全達成したものはなかった。

重要ポイント3 エネルギー基本計画

エネルギー政策基本法に基づき見直す　　第６次計画　2021年10月閣議決定

30年度の電源構成（総発電量に占める割合）

水素・アンモニア 1％
再生エネ 36～38％
原子力 20～22％
火力 41％

火力発電
内訳　天然ガス　34％
石炭　31％
石油　７％
（21年）

↓

・燃料が安く価格変動も少ない
・離島で頼りになる
・国内にある石炭火力発電施設の大半が非効率であるため，休廃止して**高効率化**を進める

発電量あたりのCO_2排出量が多く国際的に批判されている

水素：次世代燃料として注目

製造時にCO_2を発生する**ブルー水素**と発生しない**グリーン水素**に区分

2040年に現在の６倍まで供給を増やす

再生可能エネルギー

・最も多いのは太陽光発電
・折り曲げられる「**ペロブスカイト型太陽電池**」が次世代パネル
・**洋上風力**を主力電源化したい
・大量導入には**送電網**の増強が不可欠

電力広域的運営推進機関が整備計画

重要ポイント4 わが国の原子力発電の現状

東京電力福島第１原発の事故 ⟶ **安全対策**のコストが上昇

2050年　**カーボン・ニュートラル** ⟷ 高レベル放射性廃棄物（核のごみ）の最終処分場の行方も定まらない

・脱石炭火力の要請
・エネルギー資源の**地政学的リスク**減少

↓

原発の運転期間は原則40年
延長を認めても60年まで　の原則を維持
原子炉等規制法

↓

運転期間の上限を見直す

↓

◆運転期間の規定を**電気事業法**に移し，経産省の所管とする

◆電力会社が予想できない理由で運転を止めていた期間を**運転期間の計算**から除外

◆**30年**を超えて運転する原子炉については**10年ごとに経年劣化を評価**して安全性を確認して認可する

参考：ドイツ　23年４月**脱原発が完了**

・電力供給量に占める原発の割合は６％程度で，**５割強を再生可能エネルギー**でまかなっていた。
・原発の燃料棒の製造に不可欠な濃縮ウランをロシアに依存していたのでウクライナ危機以後の経済安全保障面で**脱ロシア化**が必要

実戦問題　基本レベル

◆ **No.1**＊ **わが国の環境政策に関する次の記述のうち，妥当なもののみをすべて挙げているのはどれか。** 【地方上級（全国型）・令和４年度】

ア：日本の環境関連法規には，環境汚染につき，無過失責任制や汚染者負担の原則（PPP）を定めているものがある。

イ：環境アセスメント法は，事業者に対し，自らによる大規模開発が環境に及ぼした影響を10年ごとに検証することを義務づけている。

ウ：プラスチック資源循環促進法は，自ら製造・販売したプラスチック使用製品の回収や再資源化を率先して行うことを，事業者の努力義務としている。

エ：日本で年間に排出されている温室効果ガスにつき，政府は2050年までに2013年比で50％程度削減する方針を定めている。

オ：日本の在来種を守るため，ツキノワグマやタガメなどは外来生物法に基づき特定外来生物に指定されており，飼育が規制されている。

1　ア，イ
2　ア，ウ
3　イ，エ
4　ウ，オ
5　エ，オ

◆ **No.2**＊ **平成27年12月に国連気候変動枠組条約第21回締約国会議（COP21）で採択されたパリ協定に関する記述として，妥当なのはどれか。**

【地方上級（東京都）・平成28年度】

1　協定には，京都議定書を締結していた日本，アメリカ，EU等の先進国に加え，京都議定書を締結していなかったロシア，中国も採択に加わった。

2　協定の目的として，世界的な平均気温上昇を産業革命以前に比べて２℃より十分低く保つとともに，1.5℃に抑える努力を追求することが明記された。

3　協定の全ての採択国に対し，温室効果ガスの削減目標の達成が義務付けられるとともに，義務の履行を担保するための罰則規定が協定に設けられた。

4　先進国は途上国に対し，温室効果ガス削減のための資金を拠出しなければならないとされ，具体的な拠出金額が協定に明記された。

5　協定は，全ての採択国が各国内の手続を経てこの協定を締結した日の後30日目の日に効力を生じるとされた。

No.3 ＊ **環境・エネルギー問題に関する次の記述のうち，妥当なものはどれか。**

【地方上級（全国型）・平成30年度】

1 世界の二酸化炭素の国別排出量を見ると，1位がアメリカ，2位が中国となっており，この2か国だけで世界全体の二酸化炭素排出量の約20％を占めている。

2 固定価格買取制度（FIT）が導入されるなどした結果，日本における太陽光発電の累積導入量はドイツや中国を上回るに至っている。

3 地球温暖化防止のためのパリ協定では，途上国を含むすべての加盟国に対して，温室効果ガスの排出量削減目標を策定・提出することが義務づけられている。

4 地球全体の気温は年々上昇しているが，パリ協定では世界の平均気温上昇について数値目標が定められていない。

5 パリ協定は中国とインドが批准しておらず，アメリカのトランプ政権も国内経済への影響を考慮して離脱を表明しているため，現在も未発効の状態にある。

No.4 ＊＊＊ **わが国のエネルギー政策に関する次の記述のうち，妥当なものはどれか。**

【地方上級（全国型）・令和4年度】

1 第6次エネルギー基本計画では2030年度までに原子力発電所を全廃することを目標としているが，原子力発電所の稼働は現在も続いている。

2 高レベル放射性廃棄物は，原子力発電によって排出されるもので，「核のごみ」とも呼ばれているが，現在，その最終処分場の建設が進められている。

3 石炭火力発電の削減が国際的な課題となっているが，日本における2020年度の発電量に占める石炭火力発電の割合は30％ほどであった。

4 水力発電を含む再生可能エネルギーの発電量に占める割合は，2020年度には10％以下にすぎないが，政府はこれを2030年に20％に引き上げるとしている。

5 日本は，一次エネルギーである化石燃料の中東依存度が高く，原油の50％以上，天然ガスの90％以上を中東諸国に依存している。

No.5 ＊＊ **近年のわが国の電力事情に関する次の記述のうち，下線部の内容が妥当なものはどれか。**

【地方上級（全国型）・平成28年度】

わが国では，2011年3月の東日本大震災以降，すべての原子力発電所が停止されていたが，2015年8月，九州電力の川内原発が再稼働した。ア<u>原子力規制委員会による新規制基準が整備されていなかったことから，政治判断で再稼働が決定された</u>。

2012年7月，再生可能エネルギー固定価格買取制度が実施され，イ<u>太陽光，地熱，風力などについて買取りが始まったが，このうち最も多く買取りされたのは</u>

風力であった。同制度では，ウ買取価格が一般の電力小売料金に上乗せされていることから，国民負担軽減が必要とされた。現在，法改正に向けた準備が進められている。

2016年４月より，電力の小売りが全面自由化された。エ現在販売を認可されているのは10大電力会社に限られているが，すでに販売競争が始まっている。また，オ政府は現在，10大電力会社に送配電部門の分社化を義務づける法律の制定を準備しており，これが実現すれば，電力小売業における競争がさらに激しくなると見込まれる。

1　ア
2　イ
3　ウ
4　エ
5　オ

実戦問題の解説

No.1 の解説　環境政策
→問題はP.408 正答2

STEP❶　毛色の変わった選択肢で在来種を見きわめる。

オに挙げられたツキノワグマやタガメは日本の**在来種**で**動物愛護法**や**種の保存法**により飼育が規制されている。**外来生物法**に規定されている**特定外来生物**とはアメリカザリガニやヒアリなどで在来種保護のため排除が認められているので**オ**は誤り。よって**オ**を含む**4**と**5**は誤り。

STEP❷　グリーン成長戦略の目標は2050年に温暖化ガスの排出ゼロ

温暖化防止のため**カーボン・ニュートラル**（二酸化炭素排出が実質ゼロ）を政府は目標としているので**エ**の記述も誤りであり，**3**も誤り。ただし目標の達成は困難であり，2023年４月のG7環境相会合は2035年までに「19年比で60％減」という目標で合意した。

STEP❸　環境関連法は未然防止・汚染者負担の原則が基本。

環境基本法は基本理念として**持続可能な発展**と**未然防止・予防原則**，そして**汚染者負担原則（PPP）**を挙げているし，大気汚染や水質汚濁については**無過失責任**を導入しているので**ア**の記述は妥当。**環境影響評価（アセスメント）法**はその**予防原則**に則って対象となる13種類の事業について計画段階環境配慮書手続を導入（2011年の改正）し事業者が許認可権者の審査を受ける体制になっている。事業者が事後調査等の報告を行うのは基本的に工事が完了した段階なので**イ**の記述は誤り。**プラスチック資源循環促進法**（2022年４月施行）に関する**ウ**の記述も妥当である。

以上から**ア**と**ウ**を挙げた**2**が正しい。

No.2 の解説　COP21で採択されたパリ協定
→問題はP.408 正答2

1 ×　アメリカは京都議定書を批准しなかった。

京都議定書は先進国だけに温暖化ガスの排出削減義務を負わせていたので，産業界の反対に同調したアメリカ議会は批准を認めなかった。

2 ◎　2℃以内の目標達成は世界全体の長期目標。

正しい。「２℃以内」は**気候変動に関する政府間パネル（IPCC）**の試算に基づく数値だが，国連気候変動枠組条約事務局の報告書によると，各国が削減を実行したとしても「2100年には少なくとも2.7℃上昇する」とされたので，協定では1.5℃と明記された。

3 ×　排出削減は各国の自主目標。

パリ協定では新興国や途上国を含めてすべての国の参加を可能にするため，温暖化ガスの排出削減目標達成の義務づけは見送られた。各国は自主目標を国連に提出し，５年ごとに見直すことを義務づけられた。

4 ×　拠出額は緑の気候基金で表明。

途上国へ先進国が資金支援することは義務づけられたが，具体的な拠出額には触れていない。先進国からの資金支援については，2010年のCOP16で**緑**

の気候基金（GCF）が設立されており，各国は2014年から拠出額を表明している。

5 × **発効要件は55か国の批准と排出量の55%以上カバー。**

パリ協定の発効要件は55か国が批准し，それらの国の排出量の合計が世界全体の55%以上になるというもので，**2016年11月４日に発効**した。発効後の３年間は脱退を申し立てられず，申立て後に脱退が認められるのはその１年後となっている。アメリカは**オバマ政権**が大統領権限で批准した。**トランプ政権**はパリ協定から離脱した。

No.3 の解説　地球温暖化

→問題はP.409 **正答３**

1 × **二酸化炭素排出量が最も多いのは中国。**

エネルギー起源の**二酸化炭素排出量**が世界で最も多いのは**中国**（全体の29.5%）で２位が**米国**（14.1%）で**両国だけで世界の４割**となっている（数値は2019年のもの）。

2 × **日本の太陽光発電累積導入量は世界第４位。**

太陽光発電は発電設備の導入コストが低下して**新興諸国の導入が拡大**しており，**中国**は2015年にドイツを抜いて導入設備容量が世界１位となり，米国，EU，日本が続いている（2021年）。

3 ◎ **パリ協定ではCO_2削減目標を締約国が自主的に決める。**

正しい。協定が義務づけているのは**各国が自主目標**を事務局に提出することであり，**５年ごとに（2023年から）目標を見直し**て世界全体で削減状況を検証することになっている。

4 × **世界の平均気温上昇を産業革命前から２度より低くするのが目標。**

パリ協定では平均気温上昇を**産業革命前から２度未満**（長期目標），**1.5度以内**（努力目標）に抑えるという目標が立てられた。

5 × **パリ協定には中国，インドを含む185カ国が加盟。**

パリ協定の発効には**55カ国以上**の批准，世界の温暖化ガス**排出量の55%**に達する必要があり，**2016年11月**に発効した。米国はオバマ政権が大統領権限で批准した。発効後３年経過しないと離脱を通告できず，実際の離脱は通告の１年後となった。

No.4 の解説　エネルギー政策

→問題はP.409 **正答３**

1 × **脱炭素社会のエネルギー供給に原子力は必要不可欠。**

現行の第５次**エネルギー基本計画**でも次の第６次計画でも2030年度の電源構成では**原子力**が**20〜22%**に設定されている。「**主力電源として最優先**」したい**再生可能エネルギー**は発電量が天候に左右されるうえに普及には送配電網の増強が必要となる。

2 × **「核のごみ」の最終処分場を決定できたのは北欧の２国のみ。**

東京電力福島第１原発の事故以後，**原発の安全対策**費用が増大し，高レベル放射性廃棄物の最終処分場は定まっていない。2022年1月に**スウェーデン**が処分場の建設計画を承認したが，最終処分場を決定できたのは他に**フィンランド**だけである。

3◎ 日本にとって石炭火力発電は必要である。
正しい。21年度でも発電電力量の31%が**石炭火力発電**だった。国内の石炭火力発電施設の大半が発電効率の悪い旧式であるため，政府は休廃止を進めて**高効率な施設の導入**を計画している。

4× 再生可能エネルギーの発電量は20%。
政府は**2030年度にCO_2の排出量を46%削減**（13年度比）する目標を立てており，**再生可能エネルギー**による発電電力量の割合を**36～38%**に高めたいとしているが，21年度の割合は20%で，そのうちの水力発電は7.5%だった。

5× 天然ガス発電の依存度は高いが大半は中東以外から輸入。
天然ガスの主な輸入先は**オーストラリアやマレーシア**。日本の化石燃料発電で最も多いのが液化天然ガス（LNG）だがほとんどを輸入に頼っているため，**エネルギー・ミックス**で地政学リスクを避ける必要がある。

No.5 の解説　日本の電力事情

→問題はP.409　**正答3**

STEP❶ 記述の矛盾や不自然さを発見する

アで「新規制基準」が未整備なのに「政治判断で再稼働が決定」としていることや，「電力の小売りが全面自由化」されたのに**エ**で販売が「10大電力会社に限られている」とするのは明らかに不自然な記述である。事実，**原子力規制委員会**は2013年7月から新基準を実施しているし，10大電力会社以外の企業も**電気の小売業へ参入**しているから**1**と**4**は誤り。

STEP❷ 再生可能エネルギーで最も利用されているのは太陽光

買取価格が高めに設定されたこともあり，**太陽光発電**への参入が急増し，未稼働の設備も多く，2017年施行の法改正で**太陽光の未稼働設備は対象外**で失効している。よって**イ**を挙げた**2**も誤り。

STEP❸ 制度や規制は国民のために実施されるもの

買取制度があれば当然発生するのが買取費用。企業は費用を価格に上乗せして回収を図ると考えるなら，電力料金への添加が読み取れるので**ウ**を挙げた**3**が正しいとわかる。**オ**は2015年6月に**電気事業法の改正**が成立し，大手電力会社から**送電部門**が分社化されているので誤りである。
以上から**ウ**を挙げた**3**が正しい。

科学技術・医療

必修問題

科学技術の活用に関する記述として最も妥当なのはどれか。

【国家一般職・平成30年度】

1 わが国では，情報技術を活用し，行政サービスの効率化と国民の利便性の向上を図る**eガバメント化**が進められている。その一環として，マイナンバーカードを使って，カード内に記録された戸籍や住民税の納付状況などを閲覧できるようになっている。

2 太陽光や風力などの**再生可能エネルギー**の導入が世界各国で進んでいる。1か所に風車を集中させる大規模な**ウィンドファーム**による発電は，出力が安定しており，電力の安定供給が可能であるため，2016年末現在，わが国における**風力発電**の累積導入量は**太陽光発電**を上回っている。

3 **バイオマス**を原料にして製造されたバイオ燃料のうち，**バイオエタノール**は，エネルギー利用によって排出されるのは水蒸気のみという極めてクリーンなエネルギーである。また，開発・維持にかかる費用が化石燃料に比べて低いため，世界各国で普及しつつある。

4 ヒトゲノムDNAの配列や遺伝子の働きをすべて解明する**ヒトゲノム計画**は，わが国が独自に行い，完了した。遺伝子情報は差別的に利用される危険があるため，遺伝子診断は，遺伝子治療等臨床研究に関する指針により，治療法のない難病に関する研究に限定されている。

5 食料生産や医療分野への**クローン技術**の貢献が期待されている。しかし，ヒトへの適用には安全性や人の尊厳の侵害などの問題があり，わが国では，**クローン技術規制法**において，人クローン胚，ヒト動物交雑胚などを人又は動物の胎内に移植することは禁止されている。

難易度 ＊＊＊

必修問題の解説

量子コンピューター，ウェアラブル端末など，科学技術の目覚ましい進歩が話題となっている。しかし，スマートフォンは使えるがパソコンはわからないという人も少なくない。目先の利便性だけに捉われず，科学技術の本質や功罪に目を向けるようにしなければならない。

1 × 日本のｅガバメントは諸外国に比べて遅れている。
マイナンバーカードの普及率は2020年現在で１割程度で，カード内のICチップに記載されているのは個人名，住所，生年月日，性別などの情報だけである。健康保険証の機能を持たせることになったが，新型コロナウイルス感染症のとき，**電子手続きの整備不良**が問題となった。利用率は７割近く（2023年）まで上昇したが，システム運用の障害は多い。

2 × 風力発電はコストの問題などにより普及が遅れている。
発電に必要な**風力を確保できる地域が限定**されていること，洋上風力発電の場合は**陸上への送電コスト**がかかるなどの問題で風力発電のわが国での利用は進んでいない。**固定価格買取制度（FIT）**も太陽光発電に重点を置いているため，風力発電に不利に作用した。

3 × バイオマス燃料も燃焼については化石燃料と原理は同じ。
バイオエタノールに代えても二酸化炭素は発生するが，その排出量は化石燃料より少なく，植物由来の生物資源から作られているという点で再生可能であるから利用が進んでいる。

4 × ヒトゲノム計画の日本の貢献度は全体の６％程度。
日本の**ヒトゲノム研究**は早かったが，1987年に始まったヒトゲノム計画という国際協力のプロジェクトでは解読競争で**米国**や**イギリス**に先を越された。

5 ◎ クローン技術開発には倫理面での規制がかかる。
正しい。**クローン技術規制法**は**人クローン胚**等の胎内移植を禁じているが，専門家会議では**特定胚**（動物性集合胚等）については，条件つきで研究を認める方向で指針の見直しが進んでいる。

正答 5

FOCUS

ノーベル賞の自然科学部門で日本人の受賞が続き，基礎研究の水準の高さが再認識されている。その一方で，実用化の見込める研究だけが重視される傾向もあり，科学技術の進歩の道すじを心配する声もある。研究の内容まで理解する必要はないが，わが国の科学がどのような方向へ進んでいるのか，アウトラインだけでも押さえておこう。

POINT

重要ポイント 1　自然科学分野のノーベル賞日本人受賞者(敬称略)

2012年　生理学医学賞　**山中伸弥**　J.ガードンと共同受賞
　皮膚などの**体細胞**を「初期化（リプログラミング）」して
　iPS細胞を作製→再生医療

2014年　物理学賞　**赤崎勇・天野浩・中村修二**
　青色LEDの発明：窒化ガリウムを使い，青色の発光体を完成（赤崎・天野）
　　↓　　　　　　ツーフロー方式で窒化ガリウム結晶の量産化を実現(中村)
　青色の光は波長が短く，大容量のデジタルデータの書込みができる。

2015年　物理学賞　**梶田隆章**　A.マクドナルドと共同受賞
　ニュートリノに質量があることを確認
　　2002年　物理学賞　**小柴昌俊**　ニュートリノの観測
　　2008年　物理学賞　**小林誠・益川敏英**　ニュートリノ研究

2015年　生理学医学賞　**大村智**　W.キャンベル・屠呦呦(とようよう)と共同受賞
　土壌にいる細菌がつくり出す物質から有望な種類を特定（大村）
　　↓
　寄生虫による熱帯病の治療薬を開発

2016年　生理学医学賞　**大隅良典**
　オートファジー（自食作用）の仕組みを解明
　　細胞がたんぱく質をリサイクルする現象

2018年　生理学医学賞　**本庶佑**　J.アリソンと共同受賞
　免疫抑制の阻害によるがん治療法の発見→第4のがん治療法
　　↓
　PD-1たんぱく質ががん細胞と結合するのを阻害する
　ことで免疫細胞の働きを促す　‖
　　　　　　　　　　　　オプジーボ

2019年　化学賞　**吉野彰**　J.グッドイナフ，M.ウィッティンガムと共同受賞
2021年　物理学賞　**真鍋淑郎**　K.ハッセルマン，J.パリージと共同受賞
　大気中のCO_2濃度の上昇が地表の温度上昇につながることを実証し**気候モデル**開発の基礎となった。

重要ポイント2 交通の新ルール

○**ドローン**（小型無人機）
改正航空法（22年12月施行）
・**地上150m未満**の低空域
・**レベル4**の飛行レベル
||
目視外で有人地帯上空を飛行可能
・操縦には**国家資格**が必要
・首相官邸や自衛隊施設などは飛行禁止
・飛行には**国交省の許可と承認**が必要
・**機体認証制度**
・**操縦ライセンス制度**
・事故は国に報告する義務あり
・**重大事故**は運輸安全委員会が調査

○自動車の自動運転
改正道路交通法（23年4月施行）
・**レベル4**の自動運転＝**特定自動運行**が可能
特定の条件下でシステムがすべて操作し，人の対応は不要
ただし**特定自動運行主任者**が運行を監視する
・**都道府県公安委員会**に運行計画を提出し事前に承認を受けなければならない。
・自家用車は対象外
・**サイバーセキュリティ対策**が必要
○遠隔操作型小型車…自動配送ロボットなど
・外部からみてわかる**遠隔操作マーク**や**非常停止ボタン**の設置が義務
・最高速度は**時速6km以下**
・歩行者と同じ交通ルールを適用
○自転車利用時の**ヘルメット着用**が努力義務
罰則はなし
○**電動キックボード**（23年7月から）
16歳以上で時速20km以下なら運転免許不要

重要ポイント3 注目の科学ニュース

○**新元素　ニホニウム**

自然界に存在するのはウラン（原子番号92）まで。それより重い元素は人工的につくられる。

113番元素を理化学研究所（森田浩介グループディレクター）が合成したと国際的に認定され，ニホニウムと名付けられた。

ニホニウムを合成するには，加速器を使い亜鉛原子（原子番号30）を光の速さの10分の1に加速してビスマス原子（原子番号83）に衝突させる。

○**チバニアン**

地球誕生からの歴史を地層中の化石などから判断し分類する地質年代で，該当する地層がみつからず名称がなかった約12万6000年前から77万年前の年代を「**チバニアン**」とすることが**国際地質科学連合**で決まった。

ラテン語で「千葉時代」の意味
市原市の養老川沿いに露出する地層
地球の**磁場が逆転**した痕跡が鉱物の分析で確認された。

「ホモ・サピエンス」が生まれた時期と重なる

実戦問題　基本レベル

＊＊＊
No.1 気象や宇宙等に関する記述として最も妥当なのはどれか。

【国家総合職・平成27年度】

1 平成26年に閣議決定された「科学技術イノベーション総合戦略2014」では，西日本を中心に甚大な人的，物的被害が想定される南海トラフ地震や，首都及びその周辺地域における首都直下地震から国民の生命・財産や産業を守るため，ビッグデータを活用した「地震予知システム」を平成30年までに実用化することとされた。

2 地球温暖化を背景に，集中豪雨や猛暑などの極端な気象現象が増加傾向にある中，平成26年に，運用中の「ひまわり１号」に替わる静止気象衛星「ひまわり２号」が打ち上げられた。観測機能が向上した「ひまわり２号」により，今後地上における気象観測は補完的位置付けとなるため，平成32年までに地方気象台が約半数に削減されることとなっている。

3 惑星探査機「はやぶさ」は，平成２年に打ち上げられ，約20年の探査活動を終えて，平成22年に小惑星「いとかわ」の表面物質のサンプルを採取して地球に帰還した。平成26年に打ち上げられた後継機「はやぶさ２」は，火星の探査を目的としており，搭載された新たな装置により惑星の地下物質を採取し，平成30年に帰還する予定である。

4 平成25年に閣議決定された「宇宙基本計画」の中で，同年は「宇宙開発民営化元年」と位置付けられ，民間企業による宇宙ビジネスへの参入を促進することとされた。イプシロンロケットは，ベンチャー企業が開発中の低コストで高機能のロケットで，平成27年９月に初の打ち上げを予定している。

5 地上から約400km上空にある巨大な有人施設である国際宇宙ステーション（ISS）は，世界各国が参加する国際協力プロジェクトである。日本人初の船長も務めた若田光一飛行士は，ISSに約６か月滞在し，日本が開発を担当した有人実験棟「きぼう」から超小型衛星を宇宙空間に放出するミッションなどを遂行して，平成26年に帰還した。

＊＊
No.2 日本の海洋の利用に関する次の記述のうち，妥当なものはどれか。

【地方上級（全国型）・平成30年度】

1 日本の海上輸送の品目構成を見ると，エネルギーの輸送量が最も多く，総海上輸送量の約９割を占める。また，総輸出量が総輸入量を上回っている。

2 日本の海運会社は，人件費の高い日本人船員を多く雇用しており，また，税金の安い便宜置籍国を利用しないこともあって，国際競争力が低い。

3 日本国内の海上交通では，新造船による船舶の大型化や，船舶内部の施設の利便性の向上などにより，片道300km以上を運行する長距離フェリーの需要が伸びている。

4 近年,日本近海では乱獲や水域環境の変化などの影響で,漁獲量が急速に減少している。しかし,クロマグロやサンマの数は増加してきており,漁獲制限も解禁された。

5 日本近海にはメタンハイドレートと呼ばれる天然ガスが大量に埋蔵されているが,安定生産の目途は立っておらず,産出実験も行われていない。

No.3 ** **わが国の医療に関する次の記述のうち,妥当なもののみをすべて挙げているのはどれか。** 【地方上級・令和4年度】

ア：高齢人口の増加に伴い,医療機関に支払われる保険医療費の総額である国民医療費も増加傾向にあり,2019年度の国民医療費は35兆円台となった。

イ：政府はジェネリック医薬品（後発医薬品）の普及に取り組んできたが,その普及率は2021年の時点ですでに5割を超える水準となっている。

ウ：病院数では民間病院が公的病院を上回っているが,公的病院は病床数が500以上ある例が多いため,病床数では公的病院が民間病院を上回っている。

エ：新型コロナウイルス感染症のワクチン接種が無償で実施され,2021年末の時点で全人口のワクチン2回接種完了率は5割を大きく超えていた。

オ：高齢者は誤嚥しやすいことに加え,新型コロナウイルス感染症は高齢者で重症化しやすいことから,2020年には肺炎が高齢者の死因順位の1位となった。

1 ア,イ
2 ア,ウ
3 イ,エ
4 ウ,オ
5 エ,オ

No.4 *** **わが国の医療等に関する記述として最も妥当なのはどれか。**

【国家一般職・平成28年度】

1 平成26年,世界で初めて,患者自身の皮膚細胞から作製したiPS細胞を目の細胞に分化させて移植する手術が行われた。iPS細胞は,受精卵（胚）の中にある細胞を取り出して培養するES細胞とは異なり,受精卵（胚）を損なうという倫理的な問題がないとされている。また,患者自身の細胞を利用すると,拒絶反応の問題を回避できるとされている。

2 平成27年,マラリアに対する有効な新薬の発見に対して,日本人がノーベル生理学・医学賞を受賞した。新薬について,わが国では,その発見から承認までにかかる時間が長く,ドラッグ・ラグと呼ばれる社会問題が生じていたが,平成26年の医療法の改正により,承認審査期間は1年を上限とすると定められた。

3 危険ドラッグとは,治療を目的に使用される麻酔薬や薬局で販売される化学薬品などとは異なり，健康被害をもたらすおそれのある指定薬物のことである。平成26年の麻薬取締法の改正により，販売等停止命令の対象となる物品が拡大され，取締りが強化されたものの，危険ドラッグ販売の実店舗数は増加傾向にある。

4 後発医薬品（ジェネリック医薬品）は，患者負担の軽減や医療保険財政の改善に資するとして使用が推進されている。平成26年の薬事法の改正により，後発医薬品を含む一般用医薬品のインターネット販売が認められることとなり，その販売に際しては，「電子お薬手帳」の交付が条件となっている。

5 2000年代に入り，わが国における死因の第一位が悪性新生物（がん）となったことから，がんの罹患率及び死亡率の減少を目指す取組が進められている。わが国のがん検診受診率は，40歳以上で既に約８割となっているが，平成26年の「がん対策推進基本計画」の中で，がん検診の受診が20歳以上の成人に対して義務付けられることとなった。

＊＊＊

No.5 交通機関に利用されている技術等に関する記述Ａ～Ｄのうち，妥当なもののみを挙げているのはどれか。 【国家専門職・平成27年度】

Ａ：燃料電池自動車は，燃料である水素と空気中の二酸化炭素を反応させて生み出したエネルギーで走行する。二酸化炭素を発生させないため環境負荷が小さく，ハイブリッド自動車に比べても低燃費であることから，平成24年のわが国における年間販売台数でハイブリッド自動車を上回った。

Ｂ：超電導リニアとは，車両に搭載した超電導磁石と地上に取り付けられたコイルとの間の磁力によって車両を浮上させ，超高速で走行させるシステムである。わが国では，南アルプスルートを通るリニア中央新幹線の品川－名古屋間について，平成26年に工事実施計画が認可された。

Ｃ：戦前のわが国は世界有数の飛行機生産国だったが，戦後は米国による規制を受け，民間企業での飛行機の生産は途絶えた。その後国土交通省（運輸省）が新たに開発を始め，国産プロペラ旅客機の開発に続き，平成24年に国産ジェット旅客機の開発に成功し，平成26年から各航空会社で運航が開始された。

Ｄ：人工衛星を利用して全地球的に測位を行うGPSは，カーナビゲーションシステム，バスやタクシーの運行情報等，交通機関において様々に利用されている。準天頂衛星「みちびき」が平成22年に打ち上げられ，GPSを補完・補強する準天頂衛星システムの技術実証・利用実証が開始された。

1 Ａ，Ｂ　**2** Ａ，Ｃ　**3** Ｂ，Ｃ
4 Ｂ，Ｄ　**5** Ｃ，Ｄ

実戦問題の解説

No.1 の解説　わが国の科学技術（気象・宇宙）　→問題はP.418　正答5

1 ×　地震対策は予知から減災へ。
地震予知は困難で，「**科学技術イノベーション総合戦略2014**」は「緊急地震速報の予測精度向上」が盛り込まれただけであり，地震発生時の被害を少なくする**減災**や**防災**の重要性に目が向けられている。

2 ×　気象観測衛星「ひまわり」シリーズは９号にバトンタッチ。
2022年12月から「**ひまわり９号**」が運用され，**ゲリラ豪雨**の予測などに役立つことが期待されている。地方気象台は災害や気象の情報拠点としてその重要性を認められている。

3 ×　惑星探査の成功は「スイングバイ」にかかっている。
1998年に打ち上げられた**火星探査機**「**のぞみ**」はエンジン故障で探査を断念。「**スイングバイ**」は質量の大きな星の重力を使って軌道を変更する方法で，燃料の消費を節約できる。わが国は地球を利用する地球スイングバイを用いて，「**はやぶさ２**」を**小惑星**「**りゅうぐう**」に向かわせた。

4 ×　イプシロンは人工知能を利用した「モバイル管制」で打ち上げる。
イプシロンは**宇宙航空研究開発機構**（**JAXA**）とIHIエアロスペースが共同開発し，平成25年９月に打ち上げられた。ロケットの各部に**人工知能**が組み込まれ，点検作業を自動で行えるようになっている。

5 ◎　国際宇宙ステーションの運用は2024年ごろまで。
正しい。**国際宇宙ステーション**の組立てが始まったのは1998年で，完了は2011年。構造物や搭載機器は2020年代後半に耐用年数が尽きる。

No.2 の解説　日本の海洋利用　→問題はP.418　正答3

1 ×　資源の大半を海外に依存している日本は輸出より輸入が多い。
日本の**海上輸送**のうち総輸出量は１億5,556万トン，総輸入量は７億61万トン（2022年）で**輸入のほうが輸出を上回り**，**輸入量の約６割がエネルギー資源**である。

2 ×　外航海運では便宜置籍船，外国人船員の雇用が多い。
日本籍船による輸送は輸出の1.3%，輸入の19.7%（2018年の積取比率）しかなく，日本籍船と**日本人船員の数は減少**している。

3 ◎　コンテナ船やタンカーの大型化は世界的な傾向。
正しい。**輸送手段の転換**が図られて長距離フェリーの需要が増えているが，日本の港湾は大型船に対応できるところが少ないため，政府は**アジアのハブ港**を目指して港湾の整備を進めている。

4 ×　クロマグロやサンマは資源量減少が危ぶまれている。
日本では**沿岸漁業**を**都道府県**が，**沖合漁業**を**国**が管理している。**クロマグロ**については国際的な資源保護に参加し，国際機関で合意した漁獲枠に従い水産庁が**漁獲可能量**（**TAC**）を決めて都道府県に漁の種類や漁獲量を割りふっており，近年は**サンマ**にもそれを適用している。

5 × **メタンハイドレートは商業化を目指して産出実験中。**

メタンガスが低温・高圧の状態で固まっている**メタンハイドレート**は「**燃える氷**」と呼ばれてエネルギー資源として注目され，2013年から産出実験が始まっている。

No.3 の解説　日本の医療

→問題はP.419　**正答3**

STEP❶　ジェネリック医薬品の普及は順調に進んでいる。

特許が切れた後に製造・販売される**ジェネリック医薬品**（後発医薬品）は患者の経済的負担を軽減し，かつ先発医薬品と同等の治療効果を期待できるもので，行政も普及促進に努めている。2021年９月現在でジェネリック医薬品の**数量シェアは79%**であるから**イ**の記述は妥当であり，**イ**を含まない**2**，**4**，**5**は誤り。

STEP❷　新型コロナウイルス対策の評価は今後も重要ポイント。

新型コロナウイルス感染症に対して有事対応してきたため，医療関係の支出が膨大となった。通常の医療が圧迫されている。**ワクチン接種者**の割合は１回以上で65%，２回接種完了者は53%であるから**エ**の記述は妥当である。65歳以上の高齢者に限ると１回以上，２回ともに89%が接種している。また高齢者の死因で最も多いのは**心疾患**であり，基礎疾患がある高齢者が新型コロナウイルスに感染すると重症化しやすかったので**オ**の記述は誤りである。

STEP❸　日本の病院は医療法人の経営が圧倒的に多い。

医療機関全体の69%が**医療法人**であり，その次に多いのが公的医療機関（14.6%）。病床数は平成に入ってから減少傾向にあり，病床規模で最も多いのは**50～99床**（総数の25%），次が100～149床（同17.3%）なので**ウ**の記述は誤り（数値は2021年のもの）。**国民医療費**は2019年度で44兆円で**団塊世代**が全員75歳以上となる25年度には54兆円となる見込みであり，**薬価引下げ**など負担軽減の努力が続けられている。よって**ア**の記述も誤り。

以上から**イ**と**エ**を挙げた**3**が正しい。

No.4 の解説　わが国の医療

→問題はP.419　**正答1**

1 ◎ **iPS細胞は再生医療の本命。**

正しい。2014年に「**加齢黄斑変性**」の患者に本人の細胞から作った**iPS細胞**を移植する世界で初めての手術が実施された。このときは準備の期間と検査に多くの時間と費用がかかった。2017年３月に同じ病気の患者に対して，**他人から作って備蓄しておいたiPS細胞**の移植が行われ，期間と費用の節約が図られた。

2 × **マラリア治療薬でノーベル賞を受賞したのは中国の研究者。**

2015年の**ノーベル生理学医学賞**は３人に授与され，**大村智**氏と**ウィリアム=キャンベル**氏はオンコセルカ症（河川盲目症）やリンパ系フィラリア症（象皮症），屠呦呦（トゥ=ヨウヨウ）氏が**マラリア**の画期的な治療薬をそれぞれ開発した。授賞理由は「**寄生虫による感染症**の治療」の功績である。また，わが国の医療法は新薬承認期間に上限を設けていない。

3 × **危険ドラッグは医薬品医療機器法（医療法）の指定薬物。**
危険ドラッグは乱用者本人の健康被害や麻薬などの乱用につながるなどの保健衛生上の危害のおそれがある物質を含んでいる薬物のことで，医療法で指定され，販売店は指導・取締りを受け，2015年7月に販売の実店舗はなくなった。

4 × **後発医薬品は先発医薬品と効能・効果・用法・用量が同じ。**
後発医薬品は先発医薬品と同等の臨床効果が得られる医薬品のことをいうので，**先発医薬品**が「**要指導薬品**」ならばインターネット販売はできない。「電子お薬手帳」は紙媒体の物と同じ使い方ができるだけの役割しかない。

5 × **がん検診は健康増進法に基づく市町村の事業。**
2009年に「**がん検診50%推進本部**」が設置され，がん検診の受診率は40%前後（2014年）に上昇したが，検診の受診は義務ではない。

社会

No.5 の解説 わが国の科学技術（交通機関）

→問題はP.420 正答4

STEP❶ 燃料電池の燃料は水素と酸素

まず目につくのは**A**の冒頭で「燃料である**水素**と空気中の二酸化炭素を反応させて」エネルギーを生み出すという部分。燃料で電気エネルギーを発生させるのなら**酸素**を使うだろうと気づいてほしい。燃料電池自動車は水素と酸素の化学反応で電気エネルギーを生み出す。その実用車の発売は平成24年12月なので**ハイブリッド車**の販売台数を上回ることはなく**A**は誤り。よって**A**を含む**1**と**2**は誤り。

STEP❷ 国産旅客機といっても開発主体は民間企業

1962年に初飛行した「**YS11**」は日本のメーカーが旅客機の胴体と操縦システムを開発した。その後，「**リージョナル・ジェット機**」タイプの国産ジェット「**MRJ**」が三菱重工業グループによって開発され，試験機が平成27年11月に初飛行したので**C**の記述は誤り。従って**C**を含む**3**と**5**も誤りである。

STEP❸ リニア新幹線は実施計画認可，「みちびき」は打上げ成功

リニア中央新幹線の実施計画は平成26年10月に認可され，12月に**東京（品川）と名古屋間**の工事が始まったので**B**は正しい。**準天頂衛星**「**みちびき**」は平成22年に打ち上げられ，日本・インドネシア・オーストラリアなどの上空を「**8の字**」を描きながら飛行し，ほぼ日本の真上にとどまるので高層ビルや山間部にも電波を届けられる。**D**の記述も正しく，**B**と**D**を挙げた**4**が正しい。

その他の社会問題

必修問題

わが国の世界遺産や無形文化遺産に関する記述として最も妥当なのはどれか。

【国家専門職・平成28年度】

1 **世界遺産**は，**国連教育科学文化機関（ユネスコ）**が世界遺産一覧表に記載している物件であり，**文化遺産，自然遺産，複合遺産**の３種類がある。わが国には，文化と自然の両方の要素を兼ね備えた複合遺産が最も多く，「富士山」，「白神山地」などが複合遺産として登録されている。

2 **世界遺産一覧表**への記載は，各国から推薦された物件について，**国際記念物遺跡会議（イコモス）**による審査と評価結果の勧告を経て，**世界遺産委員会**で決定される。平成27年には，わが国の「明治日本の産業革命遺産 製鉄・製鋼，造船，石炭産業」が登録された。

3 平成26年に，「**富岡製糸場と絹産業遺産群**」が**文化遺産**として，世界遺産に登録された。これは，昭和初期における生糸の大量生産の実現に貢献した技術交流と技術革新を示すものであり，群馬県の富岡製糸場のほか，絹産業の遺産群として全国各地の養蚕業が行われた集落や施設が含まれる。

4 平成23年に，「**平泉―仏国土（浄土）を表す建築・庭園及び考古学的遺産群―**」が文化遺産として，世界遺産に登録された。これは，平安時代に全盛を迎えた平氏が東北地方で展開した文化であり，拠点の一つであった平泉には，平等院鳳凰堂のほか中尊寺などが建立された。

5 **無形文化遺産**は，無形文化遺産保護条約に基づき，ユネスコでその登録の可否を決定している。わが国では，平成27年に，「**和紙：日本の手漉（てすき）和紙技術**」が初の無形文化遺産に登録された。これは，奈良時代に唐の蔡倫から伝えられた製紙法が，独自に改良されたものであり，現在では紙幣の製造などに用いられている。

難易度 ＊＊

必修問題の解説

世界遺産は観光の中心として重要だが，本来の価値を損うような扱いが続くと登録を取消されることもある。歴史や文化に対する教育も視野にいれ，産業政策を考えていかなければならない。

1 × 条約の規定上は文化遺産と自然遺産で区分。
複合遺産は便宜的な分類で数が少なく，日本で認められたものは1つもない。「**白神山地**」は**自然遺産**であり，「**富士山**」は単なる山ではなく歴史や文化に深くかかわるものとして富士山本宮浅間大社や山中湖，人穴富士講遺跡，**三保松原**など25件の構成資産により「**文化遺産**」として登録された。

2 ◎ 世界遺産委員会は締約国からの推薦とイコモスの勧告で審査。
正しい。**世界遺産委員会**は21か国で構成される。「**明治日本の産業革命遺産**」は8県に散在し，現在も稼動中の施設が含まれる最初の例である。

3 × 「富岡製糸場」は群馬県にあり，国宝に指定された。
文化遺産として登録された「**絹産業遺産群**」は**富岡製糸場**を中心とする半径40km以内の養蚕関連施設である。富岡製糸場は1872年に設立され1987年まで操業していた。富岡製糸場は平成26年12月10日に**国宝**に指定された。

4 × 「平泉」は奥州藤原氏が造り上げた遺跡。
平氏の遺跡として文化遺産に登録されたのは**厳島神社**であり，**平等院鳳凰堂**は**藤原氏**の遺跡として「**古都京都の文化財**」の一つとして文化遺産に登録されている。平泉にある**中尊寺**などは藤原清衡・基衡・秀衡の三代にわたる**奥州藤原氏**が造り上げた。

5 × 無形文化遺産は世界遺産，記憶遺産と並ぶユネスコの遺産事業の一つ。
日本が**無形文化遺産保護条約**の締約国となったのは平成16年で，平成20年には**能楽・人形浄瑠璃文楽・歌舞伎**の3つが**無形文化遺産**に登録された。「**和紙**」の登録は平成26年であり，手漉紙の技術は610年に**曇徴**が高句麗から伝えたといわれている。**蔡倫**は後漢のころに製紙法を開発したとされる人物。

正答 2

FOCUS

国民生活の各事象は複雑に他のものと関係しており，大きな視野で見ることが大切である。家庭，家族，生活，教育などその出題分野は多岐にわたっている。身近な出来事が実は大きな社会問題であるかもしれない。

POINT

重要ポイント 1 日本の文化・自然を世界にアピール

○**国連教育科学文化機関（ユネスコ）**

↓

・**世界遺産**登録
- **自然遺産**：５件(2023年現在)
- **文化遺産**：20件(2023年現在)

国際記念物遺跡会議（イコモス）が審査
推薦枠は１年に１件

・**無形文化遺産**……日本は23件（2023年）
「伝統建築工匠の技」
(2020年)

・**エコパーク**……日本10か所（2023年）
自然保護と活用が目標の生物圏保存地域

○**日本遺産**　2015年４月初認定
国内にある**有形・無形の文化財**を地域やテーマごとにまとめ，**文化庁**が認定

104件
例）近世日本の教育遺産群
四国遍路
国境の島　壱岐・対馬

○建造物分野
重要文化財は2,585件
（うち**国宝**230件）
保存地区は126地区（2023年）

国が**重要無形民俗文化財**に指定し，自治体と補助金を提供して活動を保護（→無形文化遺産）

重要ポイント 2 男女平等への前進

最高裁大法廷判決（平成27年12月16日）

○**夫婦別姓訴訟**　10（合憲）対５（違憲）
合憲

民法750条　夫婦は同じ姓を名乗る
〈判決理由〉
・姓は家族の呼称として意義があり，１つに定めることに合理性がある
・改姓による不利益は，通称の使用で一定程度緩和される
・**選択的夫婦別姓制度**などは国会で議論され判断されるべき

○**女性の再婚禁止期間訴訟**
「**100日を超える部分は違憲**」
（全員一致）↓
民法733条　女性は離婚後６か月間再婚禁止
〈判決理由〉
・**父子関係**をめぐる紛争の発生を防止するという点で合理性はある
・100日を超える部分は**結婚の自由**に対する合理性を欠く

○**改正民法**（2022年12月成立）
・300日規定の例外として女性が再婚していれば300日未満で出産した子を現夫の子とみなす。
・100日間の再婚禁止期間は廃止

重要ポイント3 悩める若者への支援

○**ヤングケアラー**：年少であるにもかかわらず，親や家族の介護を担う若年者
↑
こども家庭庁が中心となって支援を強化

○**宗教2世**：宗教団体の信者を親に持つ子どもたち
↑
宗教を背景とする児童虐待←──児童福祉法などにより，**体罰禁止**が明文化
↕
→**信教の自由**

厚生労働省による対応指針（2022年12月，全国の**自治体**に通知）
- **身体的虐待**
- **心理的虐待**──信仰の強制など
- **性的虐待**

→悪質な場合は**警察**と連携

ネグレクト──高額寄附で生活に困窮
↑
「法人等による**寄附の不当な勧誘の防止**等に関する法律」2022年12月成立 ＝ **子どもや配偶者**が本来受けとるはずだった生活費や養育費の**返還請求**ができるようになった

重要ポイント4 ネットに潜む危険

○**不審アクセス**が急増：IoT機器が標的となりやすい ⟶ 医療機関や重要インフラなどで被害
マルウェアによる被害
○**大規模通信障害**：コンテンツデリバリーネットワーク（CDN）で被害拡大
○**有害投稿**による誹謗中傷
↑
AIによる自動検知
プラットフォーマーによる投稿削除・アカウント停止
‖
プロバイダ責任制限法

ダークパターン
消費者を不利な選択に誘導する
↑
改正特定商取引法

（マルウェア・ダークパターン → 医療機関や重要インフラなどで被害）
｜
日本ではサイバー防衛の当事者意識が不十分
｜
ランサムウェア
DoS攻撃

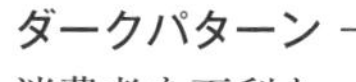
・**警察庁サイバー警察局**
サイバー特別捜査隊
↓
民間委託 ＜ ・インターネットホットラインセンター ・サイバーパトロールセンター（SNS対象）
↓
武器製造に関する情報の対策を強化

○ウェブ試験の「替え玉」受験
○ネット金融の誤送金
○**特殊詐欺**の闇バイト

実戦問題　基本レベル

＊
No.1　わが国の教育の現状に関する次の記述のうち，妥当なものはどれか。

【地方上級（全国型）・令和３年度】

1　GIGAスクール構想とは，社会人でも必要に応じて再び学校教育を受けられるようにする構想のことである。

2　2019年度から，小中学校の児童・生徒全員にタブレット端末が配布されており，デジタル教科書による授業が始まっている。

3　小学校では，児童にプログラミング言語を早期に習得させることを目的として，プログラミング教育が実施されている。

4　2020年度から小学校での英語学習が必須化されたが，「外国語」を教科として学んでいるのは小学５，６年生である。

5　2021年に実施された大学入学共通テストでは，国語と数学の試験において，部分的に記述式の問題が出題された。

＊＊
No.2　訪日外国人の受入れに関する次の記述のうち，妥当なものはどれか。

【地方上級（全国型）・平成30年度】

1　訪日外国人旅行者数は近年急増していたが，2017年には前年よりも大幅に減少し，1,000万人を下回った。

2　宿泊施設の供給がひっ迫していることを受けて，いわゆる民泊が試験的に導入されたが，周辺の住民とのトラブルが多発し，政府は民泊を解禁しなかった。

3　買物代が減少したことなどによって，訪日外国人旅行者１人当たりの旅行支出が減少し，全体としても訪日外国人旅行者の消費額は2015年から減少しつづけている。

4　政府は訪日ビザ発給要件の緩和を進めているが，中国とロシアについては，領土問題の協議が進んでいないことから，要件緩和には至っていない。

5　訪日外国人旅行者を地域別に見ると，中国，韓国，台湾，東南アジアなどのアジアからの訪日が増加しており，全体の４分の３以上を占めている。

＊＊
No.3　わが国における男女共同参画社会の形成に関する記述として最も妥当なのはどれか。

【国家総合職・平成27年度】

1　女性の労働力率を，年齢階級を横軸としてグラフ化すると，いわゆる「M字カーブ」を描く。これは，女性は，結婚や出産を機に労働市場から退出することが多く，子育てが一段落すると再び労働市場に参入するためであり，平成22年には閣議決定により，25歳から44歳までの女性の就業率について数値目標が設定された。

2　男女共同参画社会基本法は，男女共同参画社会の形成の促進に関する施策の推進を図るため，男女雇用機会均等法と同年に制定された法律で，平成26年に施行

15年を迎えた。これを機に，男女共同参画社会基本法は女性活躍推進法と改められ，同法に基づき政府は，女性が活躍できる社会環境の整備を迅速かつ重点的に推進することとされた。

3 積極的改善措置（ポジティブ・アクション）とは，一般に，実質的な機会均等を実現することを目的として講じる暫定的な措置であり，その多様な手法のうちの一つとしてクォータ制がある。平成26年の男女雇用機会均等法の改正により，女性の職業生活における活躍を推進するため，従業員1,000人以上の企業の役員について，その導入が義務付けられた。

4 政策・方針決定過程への女性の参画拡大に関しては，指導的地位に占める女性の割合を平成32年（2020年）までに30%程度とする政府目標が，女性活躍推進法に明記されている。平成25年現在，衆議院議員や民間企業（従業員100人以上）の課長相当職に占める女性の割合は20%を超えている。

5 平成24年度における育児休業取得率は，女性が90%を超えている一方で，男性は１%にも満たない。こうした状況の中，男女が共に子育て等をしながら働き続けることができる環境を整備することを目的に，平成26年に育児・介護休業法が改正され，父母が共に育児休業を取得する場合の育児休業取得可能期間の延長（パパ・ママ育休プラス）が制度化された。

*

No.4 **近年の日本ブランド戦略に関する記述A～Dのうち，妥当なもののみを挙げているのはどれか。** 【国家一般職・平成27年度】

A：平成24年にクールジャパン推進会議が発足し，平成32（2020）年に開催される夏季オリンピック・パラリンピック開催都市として東京を推薦すること等が決定された。翌年，東京が開催地に決定されたことを受け，スポーツ振興法が新たに制定され，同年，内閣府にスポーツ庁が設置された。

B：平成25年に「観光立国実現に向けたアクション・プログラム」が決定されて以降，クールジャパンと一体となった日本ブランドの発信や，外国人旅行者に対する消費税免税制度の拡充等の施策が進められている。年間の訪日外国人旅行者数が平成25年には，初めて1,000万人に達し，平成26年にはそれを上回った。

C：富岡製糸場に続き，平成25年に富士山が国連教育科学文化機関（UNESCO）の世界自然遺産として登録された。平成26年末現在，わが国にはアジア諸国では最も多い34の世界遺産があるが，より多くの観光資源を国内外に積極的に広報するため，和食について，平成27年中の世界文化遺産への登録を目指している。

D：アニメや漫画などの日本文化は，フランスで開催されるJapan Expo等を通じて，海外での認知度が高まっている。政府は，平成25年にクールジャパン関連企業の海外展開を支援する官民ファンドを発足させるなど，民間主導による海外への積極的な文化発信を支援する姿勢を打ち出している。

1　A，C
2　A，D
3　B，C
4　B，D
5　C，D

No.5＊　**マイナンバーに関する次の記述のうち，妥当なものはどれか。**

【地方上級・令和３年度】

1　マイナンバーとは，希望した日本国内の居住者を対象に付番される，個人を識別する12ケタの番号のことである。

2　個人情報の流出を防止するため，マイナンバーは納税記録や年金加入記録などの情報にはひもづけられていない。

3　マイナンバーカードは取得していなくても，マイナンバーの入力ができれば，コンビニエンスストアなどで住民票の写しなどを入手することができる。

4　マイナンバーカードを取得し，かつキャッシュレス決済サービスを利用している人にポイントを還元する，マイナポイント事業が実施された。

5　2020年１月から，一部の医療機関や薬局などにおいて，マイナンバーカードを健康保険証として利用することが可能になった。

No.6＊＊　**わが国の道路交通政策に関するア～オの記述のうち，妥当なもののみをすべて挙げているのはどれか。**

【市役所・令和３年度】

ア：道路交通法の改正によって，スマートフォンを操作しながら自動車を運転していた者に対する罰則が強化された。

イ：道路交通法の改正によって，妨害運転罪が新設され，あおり運転に対する罰則が明文化された。

ウ：75歳以上のすべての高齢者は，運転免許の更新手続の前に，認知機能検査を受検することになっている。

エ：自動車の自動運転技術の研究・開発が進められているが，公道での自動運転はいまだに認められていない。

オ：自動車を日常的に運転する高齢者が増えていることから，高齢者の自動車運転による死亡事故件数は，上昇傾向にある。

1 ア，イ，ウ
2 ア，イ，オ
3 ア，ウ，エ
4 イ，エ，オ
5 ウ，エ，オ

実戦問題の解説

No.1 の解説　日本の教育の現状

→問題はP.428　正答4

1 × **GIGAスクール構想は児童・生徒にコンピュータを配備する施策。**
全国の小中高等学校に**高速な校内ネットワーク**を整備し，小中学校の児童・生徒1人に1台のコンピュータを配備するというのが**GIGAスクール構想**で，新型コロナウイルス感染症対策で**オンライン教育**が実施されたため予定より早く2021年度中にほとんどの小中学校で端末の配備が完了した。社会人の学び直しはリカレント教育である。

2 × **デジタル教科書は2019年度から導入可能。**
デジタル教科書は指導者用と学習者用の2種類があり，2018年の学校教育法改正で**紙の教科書と同じ内容**のデジタル教科書（学習者用）の使用が解禁されたが文科省令で授業で使える時間を制限していた。2021年から規制を撤廃し，普及を促進している。

3 × **小学校で教えるプログラミング教育は理念の説明程度。**
2020年度施行の**学習指導要領**では小学校で**プログラミング的思考**を育み，プログラムの働きなどが情報技術によって支えられていることを理解させるとしており，実際に**プログラムを書かせる授業**は2022年度から高校で行うとしている。

4 ◎ **英語の「教科化」は小学校高学年から。**
正しい。2020年から**小学校中学年**（3，4年生）にも**外国語活動**が実施されているが，外国語に慣れ親しむことが主目的。**教科**として「読むこと」「書くこと」を学ぶのは**高学年**（5，6年生）からである。

5 × **大学共通テストでの記述式導入は断念された。**
採点の公平性などの問題があって反対の声が大きく，英語の民間団体による試験と国語・数学の**記述式問題は導入を見送られた。**

No.2 の解説　訪日外国人の受入れ

→問題はP.428　正答5

1 × **訪日外国人旅行者は増加傾向にあった。**
訪日外国人旅行者は2011年以降増加し，2017年は2,869万人，2018年には**3,119万人**だった。新型コロナウイルス感染症の対策で減少したが，その減少は一時的とみられている。

2 × **民泊新法は2018年6月15日施行。**
住宅宿泊事業法（民泊新法）が制定され，事業者が自治体に届け出ることを条件に年間180日までの民泊が認められる。民泊の**制限については各自治体で対応が異なり**，平日の営業を認めなかったり，周辺住民への事前の説明を義務づけているところもある。

3 × **訪日外国人旅行者の消費額は拡大傾向にある。**
調査手法の変更や**最も消費額が多い中国人**1人あたりの買物消費額が中国政府の関税政策の影響で減少したことにより，消費額の縮小はあるが，全体としてみれば日本国内における消費額は拡大している。

4 × **中国・ロシアは観光客誘致の大きな市場という位置づけである。**
訪日に際して，ビザが必要な国・地域のうち，**中国・ロシア・インド・フィリピン・ベトナム**の５か国には**戦略的にビザ緩和**を実施してきたが，ロシアによるウクライナ侵攻の影響で，ロシアとの関係は見直されている。

5 ◎ **アジアからの訪日外国人旅行者は全体の８割を占める。**
正しい。国・地域別では１位が**中国**，２位が**韓国**，３位が**台湾**（2017年）だった。

No.3 の解説　男女共同参画社会　→問題はP.428　正答 1

1 ◎ **M字カーブは底上げで台形になってきた。**
正しい。「**M字カーブ**」は底が浅くなってきており，底となる年齢階級も，昭和50年は25～29歳だったが平成26年には35～39歳に上昇している。**女性の就業率**（15～64歳，平成29年）も**69.4%**でOECD諸国の平均（57.5%）を上回った。

2 × **女性活躍推進法は時限立法である。**
男女雇用機会均等法の制定は昭和60年，**男女共同参画社会基本法**は平成11年に制定された。**女性活躍推進法**の正式名称は「女性の職業生活における活躍の推進に関する法律」で，「職業生活」に限定した内容であり10年の時限立法である。

3 × **積極的改善措置は強制力を伴わず民間に採用を勧告しているだけ。**
ポジティブ・アクションの推進を民間に促してはいるが，「**クオータ制**」導入を法的な義務とするところまでは実現していない。

4 × **指導的地位に占める女性の割合は１ケタ台が現状。**
平成32（2020）年までに30%というのは「政府が政党に働きかける際に政府として達成をめざす**努力目標**」にすぎず，政党の行動を制約するようなものではない。**衆議院議員に占める女性の割合は9.5%**（平成26年12月），常用労働者100人以上の企業の**課長級職に占める女性の割合は9.2%**（平成26年）。

5 × **パパ・ママ育休プラスは2009年から導入しているがパパの育休取得は低迷。**
育児休業取得率は平成25年になっても**民間**企業で**女性83%**，**男性2.03%**，**国家公務員**で**女性98.3%**，**男性2.77%**で，男性の子育て参加が進んでいない。**パパ・ママ育休プラス**は平成21年の法改正から導入されている。

No.4 の解説　日本のブランド戦略　→問題はP.429　正答 4

STEP❶　クールジャパンとオリンピックは別モノ。
オリンピックの招致活動は開催を望む自治体が主体となって展開されるのでクールジャパン推進会議が開催都市として東京を推薦するという**A**の記述は誤り。**スポーツ庁**は**文部科学省の外局**として2015年に発足している。よって**A**を挙げている**1**と**2**は誤り。

STEP❷ 富士山は富岡製糸場より先に世界文化遺産に登録された。

富士山は**富岡製糸場**の前年に**世界文化遺産**に登録され，自然遺産と合わせて世界遺産は25件（2023年現在），**和食**が**無形文化遺産**と認められたのは2013（平成25）年であるから**C**も誤りなので**3**と**5**も誤りである。

STEP❸ クールジャパンは日本ブランド戦略の合言葉。

日本のアニメ・漫画・ゲームは海外で熱狂的に受け入れられ，訪日外国人旅行者数も約3,000万人に達した。したがって**B**と**D**の記述は正しい。政府は**観光立国**をめざし，**外国人旅行者向け消費税免税制度**を設けた他，**道路標識の多言語化**も進めた。平成25年に発足した官民ファンドは「**株式会社海外需要開拓支援機構**」（クールジャパン機構）のことだが，投資の成果は十分でない。

以上から**4**が正しい。

No.5 の解説 マイナンバー制度 →問題はP.430 正答4

1× 住民基本台帳に記載された人に付番されるのがマイナンバー。

日本国内に居住する人全員，日本国籍の有無にかかわらずマイナンバーが付番され，申請すればマイナンバーカードが付与される。

2× 社会保障・税番号制度がマイナンバーの正式名称。

マイナンバーで登録されるのは住民の**氏名**，**住所**，**生年月日**，**性別**の「**基本4情報**」で，各自治体はそれを元に納税や年金加入の情報をひもづけている。

3× オンラインサービスを受けるにはマイナンバーカードが必要。

マイナンバーカードが使えない（取得していない）住民は従来どおりの文書による手続きが必要である。**オンラインでの本人確認**をスマートフォンでも行えるよう制度改革を進めている。

4◎ マイナポイントでカード取得を促進。

正しい。行政手続の効率化を進めるためにはカードなどの利用を促し，オンラインサービスを普及しなければならない。しかし自治体ごとにデータ形式が異なっているため，政府は**デジタル庁**を設置してシステムの統一を目指している。

5× マイナ健康保険証の運用は2021年10月から開始。

マイナンバーカードを**健康保険証**として利用することは予定より遅れて21年10月から始まったが，医療機関や薬局側の対応に遅れが生じている。

No.6 の解説 わが国の交通政策 →問題はP.430 正答1

STEP❶ 話題の自動運転の現状確認からスタート。

ドローンと並んで話題になっているのが自動車の**自動運転**である。5段階にレベル分けされているのに気づけば，レベルを無視した一般論を主張している**エ**の不自然さに違和感を覚えるだろう。改正道路交通法が2023年4月から施行され，**レベル4**相当の自動運転である「**特定自動運行**」が解禁された。レベル4以下の自動運転はそれ以前に認められているので**エ**は誤り。よって**エ**を含む**3**，**4**，**5**は誤りとなる。

STEP❷　高齢社会の交通安全で重視されるポイントを押さえる。

技術の進歩で自動車の安全性は格段に向上した。しかし加齢による判断能力や運動，認知能力の低下はくい止められず，高齢ドライバーによる交通事故が問題になっている。2009年から**75歳以上**のドライバーには**免許更新時**に**認知機能検査**を受けることが義務となっているので**ウ**の記述は妥当である。**ウ**を含めていない**2**も誤り。交通死亡事故の件数だけでみるなら中長期的に減少しているので**オ**の記述も誤りであるが，75歳以上の高齢ドライバーによる**死亡事故が全体に占める割合は上がっている**ので注意が必要。

STEP❸　危険運転の取締りは強化されている。

スマートフォンを操作しながらの自動車運転（**ながら運転**）は2019年の道交法改正で厳罰化されたので，**ア**の記述は妥当であるし，2020年の道交法改正により10種類の妨害運転（**あおり運転**）の罰則が新しく設けられたので，**イ**の記述も妥当である。

以上から**1**が正しい。

索　引

政治

【た行】

【な行】

【は行】

【ま行】

【や行】

【ら行】

【わ行】

社 会

【英字】

【あ行】

【か行】

●本書の内容に関するお問合せについて

『新スーパー過去問ゼミ』シリーズに関するお知らせ，また追補・訂正情報がある場合は，小社ブックスサイト（books. jitsumu. co. jp）に掲載します。サイト中の本書ページに正誤表・訂正表がない場合や訂正表に該当箇所が掲載されていない場合は，書名，発行年月日，お客様の名前・連絡先，該当箇所のページ番号と具体的な誤りの内容・理由等をご記入のうえ，郵便，FAX，メールにてお問合せください。

〒163-8671 東京都新宿区新宿 1-1-12　実務教育出版 第二編集部問合せ窓口
FAX：03-5369-2237　E-mail：jitsumu_2hen@jitsumu.co.jp

【ご注意】
※電話でのお問合せは，一切受け付けておりません。
※内容の正誤以外のお問合せ（詳しい解説・受験指導のご要望等）には対応できません。

公務員試験
新スーパー過去問ゼミ 7　**社会科学［増補版］**

2023年 9 月10日　初版第 1 刷発行　〈検印省略〉
2024年 9 月10日　増補初版第 1 刷発行

編　者　資格試験研究会
発行者　淺井　亨

発行所　株式会社 実務教育出版
〒163-8671　東京都新宿区新宿1-1-12
☎ 編集　03-3355-1812　販売　03-3355-1951
振替　00160-0-78270

組　版　明昌堂
印　刷　壮光舎印刷
製　本　ブックアート

ISBN 978-4-7889-3763-5 C0030　Printed in Japan

[受験ジャーナル]

受験ジャーナルは、日本で唯一の公務員試験情報誌です。各試験の分析や最新の採用情報、合格体験記、実力を試す基礎力チェック問題など、合格に不可欠な情報をお届けします。年間の発行計画は下表のとおりです（令和５年５月現在）。

定期号	発売予定日	特集等
6年度試験対応 vol.1	令和5年10月1日発売予定	特集1：第一志望に受かる!　タイプ別学習プラン 特集2：判断推理の合格戦略 徹底分析：国家総合職，東京都，特別区
6年度試験対応 vol.2	令和5年11月1日発売予定	巻頭企画：1年目職員座談会 特集1：数的推理の合格戦略 特集2：教養区分を受けよう 地方上級データバンク①：東日本　徹底分析：国家一般職
6年度試験対応 vol.3	令和6年1月1日発売予定	特集1：これから間に合う合格プラン 特集2：早めの面接対策 地方上級データバンク②：西日本 徹底分析：国家専門職，裁判所
6年度試験対応 vol.4	令和6年2月1日発売予定	特集：地方上級　最新出題研究 短期連載：また出る過去問 暗記カード：教養
6年度試験対応 vol.5	令和6年3月1日発売予定	特集1：時事予想問題 特集2：論文の頻出テーマランキング 特集3：録画面接の対策 短期連載：また出る過去問　暗記カード：専門
6年度試験対応 vol.6	令和6年4月1日発売予定	巻頭企画：直前期のスペシャル強化策 特集1：市役所上級　最新出題研究 特集2：市役所事務系早見表 短期連載：また出る過去問

特別企画	発売予定	内容等
特別企画① 学習スタートブック 6年度試験対応	令和5年6月上旬発売	●合格体験記から学ぼう　●公務員試験Q&A ●学習プラン&体験記 ●教養試験・専門試験 合格勉強法&オススメ本 ●論文&面接試験の基礎知識　●国家公務員・地方公務員試験ガイダンス
特別企画② 公務員の仕事入門ブック 6年度試験対応	令和5年7月中旬発売予定	●見たい! 知りたい! 公務員の仕事場訪問 ●国家公務員の仕事ガイド ●地方公務員の仕事ガイド ●スペシャリストの仕事ガイド
特別企画③ 6年度 直前対策ブック	令和6年2月中旬発売予定	●直前期の攻略ポイント　●丸ごと覚える 最重要定番データ ●最新白書 早わかり解説&要点チェック ●新法・改正法 法律時事ニュース ●教養試験・専門試験の「出る文」チェック　等
特別企画④ 6年度 面接完全攻略ブック	令和6年3月中旬発売予定	●個別面接シミュレーション　●面接対策直前講義　●面接カードのまとめ方 ●合格者の面接再現&体験記　●個別面接データバンク ●集団討論・グループワーク　●官庁訪問 ●[書き込み式] 定番質問回答シート
特別企画⑤ 6年度 直前予想問題	令和6年3月下旬発売予定	●地方上級 教養試験 予想問題 ●市役所　教養試験 予想問題 ●地方上級 専門試験 予想問題 ●市役所　専門試験 予想問題

別冊	発売予定	内容等
6年度 国立大学法人等職員 採用試験攻略ブック	令和5年12月上旬発売予定	●「これが私の仕事です」 ●こんな試験が行われる! ●過去問を解いてみよう! ●6年度予想問題